CB005625

SHERLOCK
HOLMES

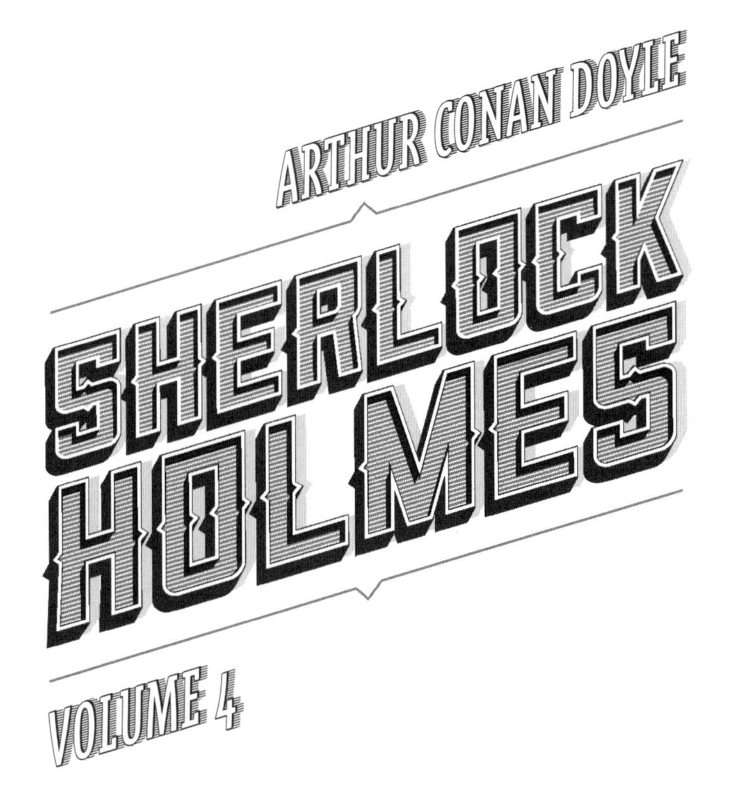

Rio de Janeiro, 2022

Diretora editorial: *Raquel Cozer*

Gerente editora: *Alice Mello*

Editor: *Ulisses Teixeira*

Revisão: *Anna Beatriz Seilhe, Carolina Rodrigues, Gregory Neres, Izabel Moreno, Mônica Surrage e Vinícius Louzada*

Diagramação: *Elza Maria da Silveira Ramos*

Capa: *Maquinaria Studio*

Rua da Quitanda, 86, sala 218 – Centro – 20091-005
Rio de Janeiro – RJ – Brasil
Tel.: (21) 3175-1030

Os últimos casos de Sherlock Holmes — tradução de Adailton J. Chiaradia
Histórias de Sherlock Holmes — tradução de Myriam Ribeiro Güth

CIP-Brasil. Catalogação na fonte
Sindicato Nacional dos Editores de Livros, RJ

D784s
v. 4

Doyle, Arthur Conan, Sir, 1859-1930
Sherlock Holmes : obra completa / Arthur Conan Doyle ; [tradução Adailton J. Chiaradia , Myriam Ribeiro Güth. - Rio de Janeiro : HarperCollins Brasil, 2017.
424 p. ; 23 cm.

Tradução de: His last bow; the case book of sherlock holmes
ISBN 9788595080874

1. Holmes, Sherlock (Personagem fictício) - Ficção. 2. Detetives particulares - Inglaterra - Ficção. 3. Ficção policial inglesa. I. Chiaradia, Adailton J. II. Güth, Myriam Ribeiro. III. Título.

15-19962 CDD: 823
CDU: 821.111-3

Printed in China

SUMÁRIO

OS ÚLTIMOS CASOS DE SHERLOCK HOLMES

PREFÁCIO

Os amigos de Sherlock Holmes vão ficar contentes em saber que ele ainda está vivo e bem, embora com os movimentos um pouco prejudicados por ataques esporádicos de reumatismo. Vive, há muitos anos, numa pequena fazenda sobre as colinas, a oito quilômetros de Eastbourne, dividindo o tempo entre seus livros de filosofia e apicultura. Durante este período de descanso, ele recusou as mais principescas ofertas para resolver vários casos, depois que decidiu que a sua aposentadoria era definitiva. A aproximação da guerra alemã, no entanto, fez com que ele pusesse sua notável combinação de atividade intelectual e prática à disposição do governo, com resultados históricos contados em "Seu último caso".

Acrescentei várias aventuras anteriores, guardadas há bastante tempo em seus arquivos, a fim de completar o volume.

John H. Watson, M.D.

O CASO DA VILA GLICÍNIA

1. A estranha aventura do sr. John Scott Eccles

Vejo que está anotado no meu caderno que era um dia gelado, de muito vento, ali pelo final de março de 1892. Holmes recebera um telegrama quando estávamos almoçando e tinha rabiscado uma resposta. Não disse nada, mas o assunto continuou na sua cabeça, porque ele ficou parado diante da lareira, pensativo, fumando o cachimbo e olhando de vez em quando para a mensagem. De repente virou-se para mim, com um brilho malicioso nos olhos.

— Eu acho, Watson, que podemos considerá-lo um homem de letras — ele disse. — Como você definiria a palavra "grotesca"?

— Estranho, notável — eu sugeri.

— Com certeza há algo mais do que isso — ele disse —, uma implicação do trágico e do terrível. Se você se lembrar de algumas das narrativas que têm impingido a um público paciente, vai perceber com que frequência o grotesco tem se transformado no criminoso. Lembre-se do caso dos homens de cabelos vermelhos. No começo havia muito de grotesco, e mesmo assim terminou numa desesperada tentativa de roubo. E o caso grotesco das cinco sementes de laranja, que conduziu a uma conspiração de assassinato. A palavra me deixou de prontidão.

— Ela está aí? — perguntei.

Ele leu o telegrama em voz alta:

Acabei de passar pela experiência mais incrível e grotesca. Posso consultá-lo?

Scott Eccles
Correio de Charing Cross

— Homem ou mulher? — perguntei.

— Oh, homem, é claro. Nenhuma mulher enviaria um telegrama com resposta paga. Ela teria vindo.

— Você vai recebê-lo?

— Meu caro Watson, você sabe como ando entediado desde que prendemos o coronel Carruthers. Minha mente é como um carro veloz que se despedaça todo se não for usado para o fim a que se destina. A vida é um lugar-comum, os jornais estão estéreis, a audácia e a aventura parecem ter sumido do mundo do crime. Como pode me perguntar, então, se estou disposto a examinar algum problema novo, por mais banal que possa parecer? Mas, se não me engano, aí está o nosso cliente.

Ouvimos passos cadenciados na escada e logo em seguida entrou na sala uma pessoa corpulenta, alta, de costeletas grisalhas e aspecto solene e respeitável. De suas polainas até os óculos de aros dourados, ele era um membro do Partido Conservador, religioso, ortodoxo e convencional até o último grau. A história de sua vida estava escrita em suas feições graves e gestos pomposos. Mas alguma experiência impressionante havia perturbado sua calma natural e deixou sinais nos seus cabelos em desalinho, no rosto vermelho e encolerizado, nas suas maneiras nervosas e agitadas. Foi direto ao assunto.

— Acabei de passar por uma experiência estranha e desagradável, sr. Holmes — disse ele. — Nunca estive numa situação assim em toda a minha vida. É extremamente inconveniente, extremamente chocante. Eu preciso de uma explicação.

Ele estava bufando de raiva.

— Por favor, sente-se, sr. Scott Eccles — disse Holmes, acalmando-o. — Posso lhe perguntar, em primeiro lugar, por que o senhor veio me procurar?

— Bem, senhor, não parecia que o assunto interessasse à polícia, mas, depois de conhecer os fatos, o senhor vai admitir que eu não podia deixar a situação no ponto em que estava. Não tenho nenhuma simpatia pela classe dos detetives particulares, mas, em todo caso, tendo ouvido falar no seu nome...

— Certamente. Mas, em segundo lugar, por que o senhor não veio imediatamente?

— O que quer dizer com isso?

Holmes olhou para o relógio.

— São 14h15 — disse. — Seu telegrama foi mandado por volta de uma da tarde. Mas não se pode olhar para a sua roupa e sua aparência sem ver que sua perturbação começou no momento em que acordou.

Nosso cliente alisou os cabelos em desalinho e passou a mão pelo queixo com a barba por fazer.

— Tem razão, sr. Holmes. Não me preocupei em me arrumar. Tudo o que eu queria era sair daquela casa. Mas estive fazendo algumas investigações antes de vir ver o senhor. Fui até a corretora, o senhor sabe, e eles disseram que o aluguel do sr. Garcia estava pago e que estava tudo em ordem na Vila Glicínia.

— Calma, calma, meu senhor — disse Holmes, rindo. — O senhor é como o meu amigo, dr. Watson, que tem o péssimo hábito de contar suas histórias começando pelo fim. Por favor, coordene os pensamentos e me conte, na sequência certa, exatamente por que esses acontecimentos o fizeram sair em busca de conselho e ajuda, despenteado e amarrotado, com botas e colete abotoados de forma errada.

Nosso cliente olhou para baixo, examinando com pesar sua aparência deplorável.

— Tenho certeza de que estou horrível, sr. Holmes, e tenho certeza de que algo assim jamais aconteceu antes em minha vida. Mas vou contar-lhe toda a história esquisita, e quando tiver terminado o senhor com certeza reconhecerá que há muita coisa que possa me desculpar.

Mas a narrativa dele foi cortada pela raiz. Houve um alarido do lado de fora e a sra. Hudson abriu a porta para que dois indivíduos entrassem, dois sujeitos robustos, com aspecto de polícia, um dos quais era conhecido nosso, o inspetor Gregson, da Scotland Yard, um policial enérgico, cortês e, dentro de suas limitações, competente. Apertou a mão de Holmes e apresentou seu companheiro, inspetor Baynes, da polícia de Surrey.

— Estamos juntos numa caçada, sr. Holmes, e nossa pista indicava esta direção.

Virou os olhos de buldogue para o nosso visitante.

— O senhor é John Scott Eccles, de Popham House, Lee?

— Sim, sou eu.

— Nós o seguimos a manhã inteira.

— Sem dúvida você o localizou por causa do telegrama — disse Holmes.

— Exatamente, sr. Holmes. Pegamos a pista na agência do correio de Charing Cross e viemos para cá.

— Mas por que me seguem? O que desejam?

— Queremos um esclarecimento, sr. Scott Eccles, a respeito dos fatos que resultaram na morte do sr. Aloysius Garcia, da Vila Glicínia, nos arredores de Esher, ontem à noite.

Nosso cliente retesou-se na cadeira, com os olhos arregalados e sem um pingo de cor no rosto atônito.

— Morto? O senhor disse que ele morreu?

— Sim, senhor, ele está morto.

— Mas como? Acidente?

— Assassinato, na sua mais pura definição.

— Meu Deus! Isto é terrível! O senhor não está dizendo... o senhor não está dizendo que eu sou um suspeito?

— Foi encontrada uma carta sua no bolso do morto e ficamos sabendo que o senhor pretendia passar na casa dele ontem à noite.

— Sim, eu passei.

— Oh, então passou, não é?

Tirou o livro de anotações do bolso.

— Espere um pouco, Gregson — disse Sherlock Holmes. — Tudo o que você quer é uma simples declaração, não é?

— E é meu dever prevenir o sr. Scott Eccles de que ela pode ser usada contra ele.

— O sr. Eccles ia nos contar o caso quando vocês entraram aqui. Eu acho, Watson, que um conhaque com soda vai ajudá-lo. Agora, senhor, sugiro que não se importe com o aumento de sua plateia e continue sua narrativa exatamente como teria feito se não tivesse sido interrompido.

Ele engolira o conhaque e a cor voltou às suas faces. Com um olhar desconfiado para o livro de anotações do inspetor, começou imediatamente seu relato extraordinário.

— Sou um celibatário — disse ele — e, sendo sociável, tenho muitos amigos. Entre eles está a família de um cervejeiro chamado Melville, que mora em Albermarle Mansion, Kensington. Foi na casa dele que conheci um jovem chamado Garcia há algumas semanas. Ele era, fiquei sabendo, de descendência espanhola, e tinha uma ligação com a embaixada. Falava inglês corretamente, era agradável, e um sujeito simpático como nunca vi antes. Começamos uma sólida amizade, ele e eu. Ele pareceu gostar de mim desde o início e dois dias depois de nosso encontro foi me visitar em Lee. Uma coisa leva à outra, e ele acabou me convidando para passar alguns dias em sua casa na Vila Glicínia, entre Esher e Oxshott. Ontem à noite fui a Esher para atender ao seu convite. Antes de ir lá, ele já tinha me contado sobre sua casa. Morava com um caseiro de confiança, um patrício dele, que cuidava de tudo. Esse sujeito falava inglês e tomava conta da casa. Tinha também um magnífico cozinheiro, ele disse, um mestiço que tinha encontrado numa de suas viagens, e que podia servir um jantar excelente. Lembro-me de que ele comentou que só se encontrava uma criadagem estranha no coração de Surrey, e eu concordei com ele, embora ela tenha se mostrado muito mais estranha do que eu pensei. Dirigi-me para lá, mais ou menos três quilômetros ao sul de Esher. A casa é grande, afastada da estrada, com um caminho em curva ladeado de arbustos verdes. É uma construção antiga, em ruínas, num lamentável estado de desordem. Quando a carruagem parou no caminho coberto de mato, diante da porta manchada e desbotada, eu duvidei de minha sanidade pelo fato de ir visitar um homem que eu mal conhecia. Mas ele mesmo abriu a porta e me cumprimentou com grande cordialidade. Ele me deixou por conta do criado, um sujeito taciturno e moreno que me guiou até meu quarto, carregando minha mala. O lugar todo era deprimente. Jantamos os dois sozinhos, e embora meu anfitrião tivesse feito tudo para me entreter, tive a impressão de que seus pensamentos estavam longe, e ele falava de uma maneira tão vaga e incoerente que eu mal conseguia entendê-lo. Ficava constantemente batucando com os dedos, roía as unhas, e dava outros sinais de impaciência. O jantar propriamente não foi nem bem servido, nem foi preparado, e a presença do empregado taciturno não ajudou a nos alegrar. Eu lhes garanto que muitas vezes durante a noite quis inventar uma desculpa para poder voltar a Lee. Eu me lembro de uma coisa que pode ter alguma relação com aquilo que os senhores estão investigando. Não dei a mínima importância na ocasião. Quase no fim do jantar o criado entregou a ele um bilhete. Notei que meu anfitrião ficou ainda mais distraído e estranho depois que leu a mensagem. Deixou de conversar e ficou sentado, fumando um cigarro atrás do outro, perdido nos próprios pensamentos, mas nada disse sobre o bilhete. Fiquei contente por estar na cama por volta das 23 horas. Um pouco mais tarde Garcia apareceu na porta do meu quarto, estava tudo escuro, e me perguntou se eu tinha tocado a campainha. Eu disse que não. Ele se desculpou por me perturbar tão tarde, dizendo que já era uma da manhã. Peguei no sono depois disso e dormi profundamente a noite toda. E agora vem a parte impressionante da minha história. Quando acordei, já era dia claro, consultei o relógio e vi que eram quase nove horas. Eu tinha pedido para ser chamado às oito, de modo que fiquei espantado com o esquecimento. Levantei-me e toquei a campainha, chamando o empregado. Não houve resposta. Toquei mais duas vezes, com o mesmo resultado. Então cheguei à conclusão de que a campainha não estava funcionando. Vesti-me apressadamente e desci correndo as escadas, de mau humor, a fim de pedir um pouco de água quente. Podem imaginar minha surpresa quando descobri que não havia ninguém lá. Gritei no vestíbulo. Sem resposta. Então fui de quarto em quarto. Tudo deserto. Meu anfitrião tinha me mostrado na noite anterior qual era o quarto dele, e então bati na porta. Nenhuma resposta. Virei a maçaneta e entrei. O quarto estava vazio e a cama não tinha sido usada. Ele tinha ido embora com os outros. O anfitrião estrangeiro, o criado estrangeiro, o cozinheiro estrangeiro, todos tinham se evaporado na noite! Esse foi o fim de minha visita à Vila Glicínia.

Sherlock Holmes estava esfregando as mãos e sorria satisfeito por poder acrescentar este caso estranho à sua coleção de episódios bizarros.

— Pelo que estou vendo — ele disse — sua aventura é absolutamente estranha. Posso lhe perguntar, senhor, o que fez então?

— Fiquei furioso! Minha primeira impressão foi a de ter sido vítima de alguma brincadeira absurda. Guardei minhas coisas, fechei a porta da casa e fui para Esher, levando minha mala na mão. Passei no escritório dos Irmãos Allan, os principais corretores da cidade, e descobri que aquela casa tinha sido alugada naquela firma. Tive a impressão de que dificilmente o propósito daquilo seria o de me fazer de bobo, e que o objetivo principal deveria ser escapar do aluguel. Estamos no fim de março, e logo ele teria de fazer o pagamento trimestral. Mas esta teoria não funcionou. O corretor me agradeceu pelas informações, mas me disse que o aluguel tinha sido pago adiantado. Então, parti para a cidade e fui até a embaixada da Espanha. O homem era desconhecido ali. Depois disso fui à casa de Melville, onde eu havia conhecido Garcia, mas descobri que, na verdade, ele sabia menos sobre Garcia do que eu. Finalmente, quando recebi sua resposta ao meu telegrama, vim até aqui, já que soube que o senhor é uma pessoa que dá orientação em casos difíceis. Mas agora, senhor inspetor, percebo pelo que disse, quando entrou aqui, que o senhor pode continuar a história e que aconteceu uma tragédia. Eu lhes asseguro que tudo o que eu disse é a verdade e que, além do que lhes contei, não sei mais nada sobre o destino desse homem. Meu único desejo é ajudar a lei de todas as formas possíveis.

— Tenho certeza disso, sr. Scott Eccles, tenho certeza disso — disse o inspetor Gregson num tom amigável. — Devo dizer que tudo o que contou está de acordo com os fatos, da forma como chegaram ao nosso conhecimento. Por exemplo, havia aquele bilhete que chegou durante o jantar. O senhor por acaso viu o que aconteceu com ele?

— Sim, vi. Garcia o amassou e o jogou no fogo.

— O que acha disso, sr. Baynes?

O outro detetive era um homem avermelhado, forte e gordo, cujo rosto grosseiro era salvo por dois olhos extraordinariamente brilhantes, quase ocultos pelas dobras das bochechas e sobrancelhas. Com um sorriso lento ele tirou do bolso um pedaço amassado e sem cor.

— Foi um trabalho persistente, sr. Holmes, e ele deve ter errado a pontaria. Apanhei isso, que não estava queimado, no fundo da lareira.

Holmes demonstrou sua aprovação com um sorriso.

— O senhor deve ter examinado a casa com muito cuidado para achar uma bolinha de papel.

— Sim, sr. Holmes, é o meu modo de trabalhar. Devo lê-lo, sr. Gregson?

O londrino concordou com a cabeça.

— O bilhete está escrito num papel creme comum, sem filigrana. Mede um quarto do tamanho ofício. Foi cortado em dois com uma tesoura pequena. Foi dobrado três vezes e fechado com lacre vermelho, passado com muita pressa e prensado com um objeto chato e oval. Está endereçado ao sr. Garcia, Vila Glicínia. Diz o seguinte:

Nossas próprias cores, verde e branco. Verde aberto, branco fechado. Escada principal, primeiro corredor, sétima direita, cortina verde. Boa sorte. D.

— É letra de mulher, com caneta de ponta fina, mas o endereço foi escrito por outra pessoa ou com outra caneta. Está mais grosso e mais forte, como podem ver.

— Uma observação notável — disse Holmes, dando uma espiada. — Devo cumprimentá-lo, sr. Baynes, pela sua atenção aos detalhes no seu exame. Talvez possam ser acrescentados alguns detalhes sem importância. Sem dúvida nenhuma o selo oval é de uma abotoadura, que outra coisa teria essa forma? A tesoura era de unhas, curva. Como os dois cortes são curtos, pode-se ver nitidamente a mesma curvatura pequena em cada um.

O detetive provinciano sorriu, satisfeito.

— Eu pensei que tivesse esgotado tudo sobre o assunto, mas vejo que deixei algumas coisas — disse ele. — Devo dizer que não vi nada na nota, exceto que estava ali à disposição, e que, como sempre, havia uma mulher metida nisso.

O sr. Scott Eccles estava visivelmente nervoso na cadeira durante esta conversa.

— Fico satisfeito por ter encontrado o bilhete, já que ele confirma a minha história — ele disse. — Mas faço questão de salientar que ainda não soube o que aconteceu com o sr. Garcia ou seu empregado.

— Quanto ao sr. Garcia — disse Gregson —, a resposta é fácil. Foi encontrado morto esta manhã em Oxshott Common, mais ou menos a 1,5 quilômetro de sua casa. A cabeça dele foi reduzida a uma massa com golpes fortes de um saco de areia ou algum instrumento parecido, que esmagou em vez de machucar. É um lugar isolado e não há nenhuma casa num raio de quatrocentos metros dali. Aparentemente, ele primeiro foi atacado pelas costas, mas o assaltante continuou a acertá-lo mesmo depois que estava morto. Foi um ataque violentíssimo. Não existem pegadas nem pistas dos criminosos.

— Roubado?

— Não, não houve tentativa de roubo.

— Isto é muito doloroso... doloroso e terrível — disse o sr. Scott Eccles, numa voz lamurienta —, mas é realmente uma coisa estranha. Não tive nada a ver com o fato de meu anfitrião ter saído numa expedição noturna e encontrando um fim tão trágico. Como é que eu vim a ser envolvido no caso?

— Muito fácil, senhor — respondeu o inspetor Baynes. — O único documento encontrado no bolso do morto era uma carta sua, dizendo que estaria com ele na noite de sua morte. Foi o envelope dessa carta que nos deu o nome e o endereço do morto. Já passava das nove horas quando chegamos à casa dele e não encontramos nem o senhor nem ninguém mais lá. Telegrafei ao sr. Gregson para prendê-lo em Londres, enquanto eu investigava a Vila Glicínia. Depois vim para a cidade, encontrei-me com ele e aqui estamos.

— Agora eu acho que será melhor darmos um caráter oficial a este caso — disse Gregson, levantando-se. — O senhor irá conosco até a delegacia, sr. Scott Eccles, e vai nos dar seu depoimento por escrito.

— Claro, irei agora mesmo. Mas ainda desejo os seus serviços, sr. Holmes. Não meça despesas nem esforços para chegar à verdade.

Meu amigo virou-se para o detetive do interior:

— Suponho que não tenha objeções a que eu colabore com o senhor.

— É claro que me sinto extremamente honrado.

— Em tudo o que fez, o senhor foi muito rápido e eficiente. Posso lhe perguntar se havia alguma pista sobre a hora exata em que o homem morreu?

— Ele estava lá desde uma da manhã. Choveu naquela hora e a morte dele, com toda certeza, foi antes disso.

— Mas isto é totalmente impossível, sr. Baynes! — exclamou nosso cliente. — Posso jurar que foi ele que esteve no meu quarto à uma hora.

— Notável, mas não impossível — disse Holmes, sorrindo.

— Tem alguma pista? — perguntou Gregson.

— Diante das circunstâncias, o caso não é muito complicado, embora apresente algumas características originais e interessantes. Preciso conhecer melhor os fatos antes de me arriscar a dar uma opinião final. A propósito, sr. Baynes, achou alguma coisa interessante na sua investigação além do bilhete?

O detetive olhou para o meu amigo de modo estranho.

— Havia — disse ele — uma ou duas coisas muito interessantes. Quando eu tiver terminado na delegacia, talvez o senhor queira ir até lá e dar-me sua opinião a respeito delas.

— Estou à sua inteira disposição — disse Sherlock Holmes, tocando a campainha. — Sra. Hudson, conduza estes senhores até a saída e, por favor, envie o menino com este telegrama. Ele deve mandar uma resposta paga de cinco xelins.

Depois que nossos visitantes saíram, ficamos sentados em silêncio durante algum tempo. Holmes ficou fumando, com o cenho franzido, a cabeça inclinada para a frente, característica de sua ansiedade.

— Bem, Watson — perguntou, virando-se de repente para mim —, o que você acha?

— Não percebo nada nesta complicação do sr. Scott Eccles.

— Mas e o crime?

— Bem, considerando o desaparecimento dos companheiros do homem, eu diria que eles estavam, de algum modo, envolvidos no assassinato e fugiram da lei.

— Evidentemente, é um ponto de vista possível. Diante disso, você deve admitir, no entanto, que é muito estranho que os dois criados dele estivessem conspirando contra ele e o tivessem atacado na noite em que tinha visita. Ele estava sozinho, à mercê deles, em qualquer outra noite da semana.

— Então por que fugiram?

— Isso mesmo. Por que fugiram? É um fato importante. Outro fato importante é a estranha aventura de nosso cliente, sr. Scott Eccles. Agora, meu caro Watson, está além da capacidade humana dar uma explicação que possa abranger esses dois fatos importantes? Se houvesse uma que incluísse o bilhete misterioso com seu palavreado curioso, valeria a pena aceitá-la como uma hipótese temporária. Se os novos fatos de que tomamos conhecimento se encaixassem na trama, então nossas hipóteses se transformariam gradativamente numa solução.

— Mas qual é a nossa hipótese?

Holmes recostou-se na cadeira com os olhos semicerrados.

— Você tem de admitir, meu caro Watson, que a ideia de uma brincadeira é impossível. Ocorreram coisas graves em seguida, como a sequência mostrou, e o fato de Scott Eccles ter sido atraído à Vila Glicínia tem alguma ligação com elas.

— Mas que ligação possível?

— Vamos examinar, passo a passo. Há, na aparência, qualquer coisa incomum a respeito desta estranha e repentina amizade entre o jovem espanhol e Scott Eccles. Foi o primeiro que forçou a situação. Ele visitou Eccles no outro extremo de Londres, logo no dia seguinte ao primeiro encontro deles, ficou em contato com ele até recebê-lo em Esher. Agora, o que ele queria com Eccles? O que Eccles poderia lhe dar? Não vejo nenhum encanto no homem. Não é especialmente inteligente, não é um homem capaz de agradar ao espírito vivo de um latino. Por que, então, ele foi escolhido, entre todas as pessoas que Garcia conheceu, como particularmente adequado ao seu objetivo? Será que ele tem alguma qualidade especial que o destaque? Acho que sim. É o tipo convencional do britânico respeitável e o homem certo para ser testemunha, para impressionar outro britânico. Você mesmo viu que os dois inspetores nem sonharam em duvidar do seu testemunho, por mais estranho que tenha sido.

— Mas o que ele deveria testemunhar?

— Nada, do jeito como as coisas aconteceram, mas tudo, se tivessem acontecido de outra maneira. É assim que vejo a situação.

— Entendo; ele podia servir de álibi.

— Exatamente, meu caro Watson, ele podia confirmar um álibi. Vamos supor, só como argumentação, que os criados da Vila Glicínia estivessem conspirando para algum crime. O plano, seja lá o que for, é sair, digamos, antes de uma hora. É possível que, adiantando os relógios, eles tenham feito John Scott Eccles ir para cama mais cedo do que ele pensava, mas, de qualquer modo, parece que, quando Garcia foi lhe dizer que era uma hora, na verdade não era mais de meia-noite. Se Garcia pudesse fazer o que quer que tivesse de fazer e voltasse na hora mencionada, evidentemente ele teria uma resposta convincente contra qualquer acusação. Ali estava o inglês impecável, pronto para jurar em qualquer tribunal que o acusado estava na casa o tempo todo. Era um seguro contra o pior.

— Sim, sim, estou entendendo. Mas e o desaparecimento dos outros?

— Ainda não tenho todos os fatos, mas não creio que existam dificuldades insuperáveis. Ainda assim é um erro afirmar alguma coisa diante desses dados. Sem sentir, você acaba torcendo os fatos para que se adaptem às suas teorias.

— E o bilhete?

— O que dizia? "Nossas próprias cores, verde e branco." Parece tratar-se de corrida de cavalo. "Verde aberto, branco fechado." Isto é claramente uma indicação. "Escada principal, primeiro corredor, sétima à direita, cortina verde." É um encontro. Talvez possamos descobrir um marido ciumento no fim disso aí. Com toda certeza era um empreendimento perigoso. Ela não teria dito "Boa sorte" se não fosse perigoso. "D": isto pode ser uma orientação.

— O homem era espanhol. Eu acho que "D" significa Dolores, um nome de mulher bastante comum na Espanha.

— Bom, Watson, muito bom, mas totalmente inadmissível. Quem escreveu este bilhete certamente é inglês. Um espanhol escreveria a outro em espanhol mesmo. Bem, precisamos ter paciência até que o inspetor volte. Nesse meio-tempo, podemos agradecer ao nosso destino por nos resgatar por algumas horas da insuportável fadiga do tédio.

A resposta ao telegrama de Holmes chegou antes da volta do detetive de Surrey. Sherlock leu o texto e ia guardá-lo no seu caderno quando notou a curiosidade no meu rosto. Jogou-o para mim, dizendo:

— Estamos andando em altas esferas — disse ele.

O telegrama era uma lista de nomes e endereços:

Lorde Harringby, The Dingle; sir *George Ffolliott, Oxshott Towers; sr. Hynes Hynes, J.P., Purdey Place; sr. James Baker Williams, Forton Old Hall; sr. Henderson, High Gable; rev. Joshua Stone, Nether Walsling.*

— Esta é uma forma bem prática de limitar nosso campo de operação — disse Holmes. — Sem dúvida Baynes, com sua mente metódica, já adotou um plano igual.

— Não estou entendendo.

— Bem, meu caro amigo, já chegamos à conclusão de que o bilhete que Garcia recebeu no jantar era um encontro ou uma indicação. Agora, se a interpretação estiver correta, é necessário subir uma escada principal e localizar a sétima porta de um corredor para se chegar ao local indicado; vê-se, portanto, que se trata de um lugar bem grande. Também é certo que a casa não deve ficar a mais de dois ou três quilômetros de Oxshott, já que Garcia estava andando naquela direção e, de acordo com minha interpretação dos fatos, esperava estar de volta à Vila Glicínia a tempo de ter um álibi que valeria até uma hora. Como deve haver poucas casas grandes perto de Oxshott, adotei o método óbvio de telegrafar aos corretores mencionados por Scott Eccles para obter uma lista delas. Estão aqui, neste telegrama, e a outra ponta de nossa meada complicada deve estar entre elas.

Eram quase 18 horas quando chegamos à bela vila de Esher, com o inspetor Baynes nos acompanhando. Holmes e eu havíamos levado coisas para passar a noite e encontramos aposentos confortáveis no Hotel Bull. Finalmente saímos, na companhia do detetive, para nossa visita à Vila Glicínia. Era uma noite escura e fria de março, com o vento cortante e a chuva batendo em nossos rostos, um cenário adequado à região inóspita pela qual passava nosso caminho e ao destino trágico a que nos levava.

2. O Tigre de San Pedro

Depois de uma caminhada gelada e melancólica, chegamos a um portão alto de madeira que dava para uma avenida sombria de castanheiros. Um caminho sinuoso nos levou até uma casa baixa e escura que se destacava contra o céu cinza. Vimos uma luz trêmula que saía de uma janela à esquerda da porta.

— Há um policial de plantão — disse Baynes. — Vou bater na janela.

Caminhou pela grama e bateu com os dedos na vidraça. Pude ver, pelo vidro embaçado, um homem dar um pulo da cadeira perto da lareira e escutei um grito áspero vindo de dentro. Pouco depois um policial pálido de susto e ofegante abriu a porta, com uma vela nas mãos que tremiam.

— Qual é o problema, Walters? — perguntou Baynes com rispidez.

O policial enxugou a testa com o lenço e deu um profundo suspiro de alívio.

— Estou contente que o senhor tenha vindo. Foi uma vigília interminável, e eu acho que meus nervos já não são tão bons como eram antigamente.

— Seus nervos, Walters? Nunca pensei que você tivesse um nervo sequer no corpo.

— Bem, senhor, é esta solidão, esta casa silenciosa e o negócio esquisito na cozinha. Quando o senhor bateu na janela, pensei que ele tivesse voltado...

— Quem tivesse voltado?

— O demônio, senhor, pelo que sei. Ele estava na janela.

— O que estava na janela, e quando?

— Aconteceu há duas horas, mais ou menos. Eu estava lendo, sentado na cadeira. Não sei o que me fez levantar a cabeça, mas havia uma cara me olhando pela vidraça. E que cara, senhor! De hoje em diante vou vê-la sempre em meus sonhos.

— Ora, Walters, isto não é conversa de um policial.

— Eu sei, senhor, eu sei, mas ela me assustou e não adianta negá-lo. Não era preta nem branca, não era de nenhuma cor que eu conheça, mas uma espécie de barro com leite. E também o tamanho dela: tinha duas vezes o tamanho da sua, inspetor. E o olhar: dois olhos esbugalhados e uns dentes de fera faminta. Vou lhe dizer, senhor, não consegui mexer nem um dedo nem respirar enquanto ela não sumiu. Corri para fora e dei uma busca nas folhagens, mas graças a Deus ela tinha sumido.

— Se eu não soubesse que você é um bom homem, Walters, eu teria que fazer um relatório contra você por causa disso. Se fosse o próprio demônio, um policial não deveria dar graças a Deus por não tê-lo agarrado. Suponho que tudo isso tenha sido um abalo nervoso, e não uma visão real...

— Isso tudo, pelo menos, pode ser facilmente verificado — disse Holmes, acendendo sua lanterna de bolso. — Sim — continuou Holmes, depois de examinar a grama —, sapato número 45, eu diria. Se o tamanho for proporcional ao pé, com toda a certeza era um gigante.

— O que aconteceu com ele?

— Parece que passou pelos arbustos e pegou a estrada.

— Bem — disse o inspetor, com uma cara séria e pensativa —, quem quer que tenha sido, e o que pretendia, por enquanto sumiu e nós temos coisas mais urgentes para tratar. Sr. Holmes, com sua permissão, vou mostrar-lhe a casa.

Depois de um exame minucioso, os vários quartos e salas não revelaram quase nada. Aparentemente os inquilinos haviam trazido pouca coisa com eles, ou nada, e toda a mobília tinha sido alugada juntamente com a casa. Havia muita roupa deixada ali, com a marca Marx and Co., High Holborn. Já tinham sido feitas perguntas por telegrama, mas Marx nada sabia de seu cliente a não ser que era um bom pagador. Entre a bugiganga deixada havia cachimbos, alguns romances, dois deles em espanhol, um revólver antiquado e um violão.

— Nada nisso tudo — disse Baynes, andando de quarto em quarto, carregando a vela. — Mas agora, sr. Holmes, chamo sua atenção para a cozinha.

Era um aposento na parte de trás da casa, sombrio e de teto alto, com uma padiola de palha num canto, que, aparentemente, servira de cama para o cozinheiro. Na mesa, restos do jantar da noite anterior e pratos sujos.

— Veja isto — disse Baynes. — O que acha?

Aproximou a vela de um objeto estranho que estava no fundo do armário. Era difícil dizer o que tinha sido, de tão enrugado, murcho e seco que estava. Podia-se apenas dizer que era preto e de couro, e que tinha alguma semelhança com uma figura humana anã. No começo, quando o examinei, pensei que era um negrinho mumificado, depois pensei tratar-se de um macaco muito velho e torcido. Finalmente fiquei em dúvida se era animal ou humano. No meio estava enrolada uma fileira de conchas brancas.

— Muito interessante; de fato, muito interessante — disse Holmes, olhando a relíquia sinistra. — Alguma coisa mais?

Baynes, em silêncio, foi até a pia e levantou a vela. Os membros e o corpo de uma ave grande e branca, selvagemente despedaçada, ainda com as penas, permanecia ali. Holmes apontou para as estacas na cabeça cortada.

— Um galo branco — disse ele. — Interessantíssimo!

— Na verdade, é um caso bem curioso.

Mas o inspetor Baynes tinha deixado seu trunfo mais sinistro para o final. Apanhou um balde com sangue que estava embaixo da pia. Depois pegou na mesa uma bandeja com pequenos pedaços de ossos carbonizados.

— Alguma coisa foi morta e queimada. Tiramos tudo isso da lareira. Um médico esteve aqui esta manhã. Diz que não são humanos.

Holmes sorriu e esfregou as mãos.

— Devo dar-lhe os parabéns pelo modo proveitoso como está conduzindo este caso, inspetor. Sua capacidade, se posso dizer isso sem ofensa, parece superior às suas oportunidades.

Os olhinhos do inspetor Baynes brilharam de satisfação.

— Tem razão, sr. Holmes. Vegeta-se no interior. Um caso como este aqui dá uma oportunidade à gente, e eu espero resolvê-lo. O que acha destes ossos?

— Um cordeiro, eu diria, ou um cabrito.

— E o galo branco?

— Curioso, sr. Baynes, muito curioso. Eu diria mesmo inédito.

— Sim, senhor, nesta casa devia haver gente muito estranha, com costumes bem estranhos. Uma delas está morta. Será que seus companheiros a seguiram e a mataram? Se o fizeram, vamos pegá-los, porque todos os portos estão vigiados. Mas minhas opiniões são diferentes. Sim, senhor, são muito diferentes.

— Então o senhor tem uma teoria?

— E vou trabalhar nela sozinho, sr. Holmes. Devo fazer isso para ganhar prestígio. O senhor tem o nome feito, mas eu ainda tenho que fazer o meu. Ficarei contente em poder dizer no final que eu resolvi o caso sem a sua ajuda.

Holmes, de bom humor, riu.

— Ora, ora, inspetor — ele disse. — Siga o seu caminho que eu seguirei o meu. Meus resultados sempre estarão à sua disposição, se quiser. Acho que já vi tudo o que queria nesta casa e meu tempo pode ser mais bem aproveitado em outro lugar. *Au revoir* e boa sorte!

Eu podia dizer, diante de vários sinais sutis, que podiam ter passado despercebidos para todos, menos para mim, que Holmes estava numa pista quente. Impassível como sempre para o observador casual, havia, mesmo assim, ansiedade e indicação de tensão em seus olhos brilhantes e no jeito mais vivo, o que me dizia que o jogo estava em andamento. Como era seu hábito, nada disse, e eu, como meu hábito, nada perguntei. Bastava-me participar do jogo e dar minha humilde contribuição para a prisão, sem distrair aquele cérebro concentrado com interrupções desnecessárias. No devido tempo, tudo me seria contado.

Assim, esperei — mas para meu desapontamento crescente, esperei em vão. Os dias estavam passando e meu amigo não fez mais nada. Passou uma manhã na cidade e eu soube por uma referência casual que ele tinha visitado o Museu Britânico. Com exceção desse passeio, ele passava os dias em longas caminhadas, ou conversando com mexeriqueiros da cidade, com os quais fizera amizade.

— Tenho certeza, Watson, de que uma semana no campo fará bem a você — ele disse. — É muito agradável ver os primeiros brotos verdes nascendo nas sebes e os amentilhos nas aveleiras novamente. Com uma pá, um balde e um livro elementar de botânica, pode-se passar dias proveitosos.

Ele mesmo saía com esse material, mas a amostra de plantas que trazia para casa à noite era bem pobre.

Encontrávamos de vez em quando, nos nossos passeios, o inspetor Baynes. Quando cumprimentava meu companheiro, seu rosto se abria em sorrisos e seus olhinhos brilhavam. Falava pouco do caso, mas desse pouco víamos que ele não estava insatisfeito com o rumo dos acontecimentos. Entretanto devo admitir que eu fiquei um pouco surpreso quando, uns cinco dias depois do crime, abri o jornal da manhã e vi, em letras garrafais:

O MISTÉRIO DE OXSHOTT

UMA SOLUÇÃO

PRISÃO DO SUPOSTO ASSASSINO

Holmes pulou da cadeira como se tivesse levado uma ferroada quando li a manchete.

— Meu Deus! — exclamou. — Você quer dizer que Baynes o pegou?

— Parece que sim — eu disse, e li o seguinte relato:

Quando se soube ontem à noite que foi feita uma prisão relacionada com o assassinato de Oxshott, houve grande sensação em Esher e arredores. Como se sabe, o sr. Garcia, da Vila Glicínia, foi encontrado morto em Oxshott Common, com sinais de extrema violência no corpo, e naquela mesma noite seu criado e o cozinheiro desapareceram, o que demonstra a participação deles no crime. Pensava-se, mas não se conseguiu provar, que o cavalheiro morto tivesse objetos de valor na casa, e que o roubo fora o motivo do crime. O inspetor Baynes envidou todos os esforços, já que está encarregado do caso, para loca-

lizar o esconderijo dos fugitivos, e ele tem bons motivos para crer que eles não estavam longe e ficaram escondidos em um local previamente preparado. Mas sabia-se desde o começo que eles seriam presos, mais cedo ou mais tarde, já que o cozinheiro, segundo o depoimento de um ou dois fornecedores que o viram pela janela, era um homem de aparência que chamava atenção — um mulato imenso e medonho, com traços acentuados do tipo negroide. Ele foi visto depois do crime, porque foi notado e perseguido pelo policial Walters na mesma noite, quando teve a audácia de retornar à Vila Glicínia. O inspetor Baynes, achando que esse retorno devia ter algum objetivo e que poderia, portanto, voltar a acontecer, saiu da casa, mas deixou uma emboscada no matagal próximo. O homem caiu na armadilha e foi capturado ontem à noite, depois de uma luta na qual o policial Downing foi gravemente ferido por uma dentada do selvagem. Espera-se que uma ordem de prisão seja solicitada pela polícia quando o prisioneiro for levado à justiça, e esperam-se grandes progressos a partir desta prisão.

— Temos de ver Baynes imediatamente — exclamou Holmes, apanhando o chapéu. — Vamos pegá-lo antes que parta.

Saímos correndo pela rua do lugarejo e o encontramos, como supúnhamos, quando ele estava saindo.

— Leu o jornal, sr. Holmes? — perguntou, com um exemplar na mão.

— Sim, Baynes, eu o li. Espero que não se ofenda se eu lhe der uma palavra de advertência.

— De advertência, sr. Holmes?

— Estive analisando este caso com muito cuidado e acho que o senhor não está no caminho certo. Não gostaria que se expusesse tanto, a menos que tenha certeza.

— É bondade sua, sr. Holmes.

— Asseguro-lhe que falo pelo seu próprio bem.

Tive a impressão de que uma espécie de piscada surgiu rapidamente em um dos olhinhos apertados do sr. Baynes.

— Combinamos que cada um trabalharia a seu modo, sr. Holmes. E é exatamente isso que estou fazendo.

— Oh, muito bem — disse Holmes. — Não me culpe.

— Não, senhor. Tenho certeza de que não fez por mal. Mas nós temos nossos próprios sistemas, sr. Holmes. O senhor tem o seu, eu tenho o meu.

— Bem, vamos esquecer o assunto.

— Disponha sempre de minhas descobertas. Esse sujeito é um perfeito selvagem, forte como um cavalo e feroz como o diabo. Ele mastigou o polegar de Downing até quase arrancá-lo antes de ser dominado. Mal fala uma palavra em inglês e só conseguimos extrair grunhidos dele.

— Acha que tem prova de que foi ele que matou o patrão?

— Eu não disse isso, sr. Holmes, eu não disse isso. Temos nossos métodos. Siga os seus e eu seguirei os meus. O acordo é este.

Holmes encolheu os ombros quando nos afastamos.

— Não estou entendendo o homem. Ele dá a impressão de que vai falhar. Bem, como ele diz, cada um deve seguir seu próprio caminho e ver no que vai dar. Mas há qualquer coisa no inspetor Baynes que eu não estou entendendo.

— Sente-se nessa cadeira, Watson — disse Holmes quando voltamos ao nosso aposento no hotel. — Quero deixá-lo a par da situação, já que vou precisar de sua ajuda hoje à noite. Vou mostrar-lhe a evolução do caso até onde eu pude segui-lo. Embora pareça simples em seus aspectos principais, tem dificuldades surpreendentes para uma prisão. Há falhas nessa direção e nós temos de saná-las. Vejamos o bilhete que foi entregue a Garcia na noite de sua morte. Vamos esquecer a teoria de Baynes de que os criados de Garcia estão envolvidos no assunto. A prova disso reside no fato de que foi ele, Garcia, que fez com que Scott Eccles estivesse na sua casa, o que só pode ter sido feito com o intuito de um álibi. Era Garcia, portanto, que tinha uma tarefa a cumprir e, aparentemente, uma tarefa criminosa naquela noite, durante a qual foi morto. Eu disse "criminosa" porque somente um homem com um intuito criminoso desejaria criar um álibi. Quem, então, poderia matá-lo? Com toda a certeza a pessoa contra a qual existia o intuito criminoso. Até aqui, parece que estamos pisando em terreno firme. Podemos ver agora um motivo para o desaparecimento da criadagem de Garcia. *Todos* estavam metidos na mesma missão desconhecida. Se fosse bem-sucedida, Garcia voltaria e qualquer suspeita seria descartada pelo testemunho do inglês, e tudo ficaria bem.

Mas o negócio era perigoso e, se Garcia *não* voltasse em determinada hora, era provável que estivesse morto. Então ficou estabelecido que, nesse caso, os dois criados deveriam ir para um lugar já combinado, de onde poderiam escapar das investigações e numa situação de tentar novamente mais tarde. Isso explica tudo, não?

Todo o emaranhado pareceu-me claro. Como sempre, fiquei imaginando por que eu não percebera tudo antes.

— Mas por que um dos criados voltou?

— Podemos supor que, na confusão da fuga, alguma coisa preciosa, algo que não conseguiu levar, tenha ficado ali. Isso poderia explicar a insistência dele, não?

— Bem, qual é o próximo passo?

— É o bilhete que Garcia recebeu durante o jantar. Mostra um cúmplice na outra ponta. Mas onde estava a outra ponta? Já lhe mostrei que só podia ser uma casa grande e que a quantidade delas é pequena. Dediquei meus primeiros dias aqui a uma série de passeios nos intervalos de minhas pesquisas de botânica e fiz um reconhecimento de todas as casas grandes e um exame da história de seus ocupantes. Uma casa, e só uma, despertou minha atenção. É a famosa e antiga granja de High Gable, a um quilômetro e meio de Oxshott e a menos de um quilômetro do local da tragédia. As outras pertencem a pessoas normais e respeitáveis, que vivem afastadas de confusões. Mas o sr. Henderson, de High Gable, é realmente uma pessoa curiosa, a quem podem acontecer fatos curiosos. A partir daí, concentrei minha atenção nele e em sua criadagem. Um grupo estranho de pessoas, Watson, o próprio homem é o mais estranho de todos. Com uma boa desculpa dei um jeito de falar com o sujeito, mas tive a impressão de ler nos seus olhos escuros e desconfiados que ele estava a par de minhas verdadeiras intenções. Tem uns cinquenta anos, forte, ágil, cabelos grisalhos, sobrancelhas pretas e bastas, anda empinado como um cervo e tem o ar de um imperador, um homem destemido, autoritário, com uma vontade férrea escondida atrás de uma pele de pergaminho. Ele tanto pode ser um estrangeiro como alguém que viveu muito tempo nos trópicos, já que é amarelo e seco, mas forte como um chicote. Seu amigo e secretário, sr. Lucas, sem dúvida nenhuma é estrangeiro, cor de chocolate, astuto, polido e felino, com um linguajar sutil e venenoso. Você está vendo, Watson, que nos defrontamos com dois grupos de estrangeiros, um na Vila Glicínia e um em High Gable, de modo que estamos começando a suprir nossas falhas. Estes dois homens, amigos íntimos, são o núcleo da casa, mas há uma outra pessoa que pode ser ainda mais importante para nosso fim imediato. Henderson tem duas filhas: meninas de 11 e 13 anos. A governanta é a senhorita Burnet, uma inglesa quarentona. Existe ainda um criado de confiança. Este pequeno grupo forma a família, porque eles viajam juntos, e Henderson é um grande viajante, sempre se mudando. Faz poucas semanas que ele voltou a High Gable, depois de uma viagem em que ficou ausente durante um ano. Devo acrescentar que ele é muito rico e pode satisfazer todos os seus caprichos. No mais, a casa está cheia de mordomos, lacaios, arrumadeiras, além da criadagem comum, equipe de uma casa grande de campo. Eu soube de tudo isso pelos bisbilhoteiros do lugar, e em parte por meio de minhas próprias observações. Não existe parceiro melhor do que empregados demitidos e ressentidos, e eu tive a sorte de encontrar um. Eu chamo isso de sorte, mas eu não o encontraria se não estivesse procurando por ele. Como diz Baynes, cada um tem seu método. Foi o meu método que me fez encontrar John Warner, ex-jardineiro de High Gable, despedido num acesso temperamental de seu patrão com ares de imperador. Ele, por sua vez, tinha amigos na casa, que também tinham medo e rancor do patrão. Assim eu tinha a chave para os segredos da casa. Gente curiosa, Watson! Não quero dizer que já conheço todos, mas, de qualquer modo, gente muito interessante. A casa tem duas alas, os criados moram numa delas e a família na outra. Não existe ligação entre elas, a não ser para o criado particular de Henderson, que serve as refeições da família. Tudo é levado até uma certa porta, que faz a ligação. As crianças e a governanta dificilmente saem, a não ser para o jardim. Henderson nunca sai sozinho. Seu secretário moreno é como uma sombra. O mexerico entre os criados é que o patrão tem um medo terrível de alguma coisa. "Vendeu a alma ao diabo a troco de dinheiro e está esperando que o credor venha exigir o que lhe pertence", diz Warner. Ninguém sabe de onde eles vieram ou quem são. São muito violentos. Por duas vezes Henderson agrediu algumas pessoas com um chicote e só mesmo sua fortuna e uma boa recompensa o mantiveram afastado da justiça. Bem, Watson, vamos agora analisar a situação a partir destas novas informações. Podemos supor que o bilhete tenha vindo dessa casa estranha, e que era um convite para que Garcia executasse algo que já tinha sido planejado. Quem escreveu o bilhete? Era alguém de dentro da casa, e era uma mulher. Quem, a não ser a senhorita Burnet, a governanta? Nosso raciocínio parece indicar esse rumo. De qualquer modo, podemos tê-la como hipótese e ver a que consequência vai nos levar. Devo acrescentar que o caráter e a idade da governanta, senhorita Burnet, confirmam minha teoria inicial de que um caso de amor está fora de cogitação. Se ela escreveu o bilhete, com toda certeza era amiga e cúmplice de Garcia. O que, então, ela devia fazer se soubesse que ele estava morto? Se ele morreu por causa de algo criminoso, ela jamais diria uma palavra. Assim sendo, ela guardaria, no fundo do coração, amargura e ódio contra os assassinos e faria tudo o que pudesse para se vingar deles. Poderíamos então vê-la e usá-la? Este foi meu primeiro pensamento. Mas agora estamos diante de um fato sinistro. Ninguém mais viu a senhorita Burnet desde a noite do crime. Ela simplesmente sumiu desde aquela noite. Está viva? Será que ela morreu na mesma noite em que atraiu seu amigo? Ou será que ela é simplesmente uma prisioneira? Esta é a questão que nós temos que esclarecer. Você vai entender a dificuldade da questão, Watson. Não temos nenhuma base para solicitar um mandado de prisão. Toda a nossa história pareceria fantástica se a apresentássemos a um juiz. O desaparecimento da mulher não vale nada, já que, naquela criadagem incomum, qualquer um deles pode sumir durante uma semana. E ainda pode ser que ela esteja correndo perigo de vida. Tudo o que eu posso fazer é vigiar a mansão e deixar meu agente Warner de guarda nos portões. Não podemos deixar que uma situação assim vá em frente. Se a lei não pode fazer nada, nós devemos correr o risco.

— O que você sugere?

— Sei onde fica o quarto dela. Podemos alcançá-lo pelo telhado de uma construção anexa. Acho que você e eu devemos ir lá esta noite para tentarmos acertar bem no coração do mistério.

Não era uma perspectiva muito tentadora, confesso. A velha casa com sua atmosfera de crime, os habitantes estranhos, os perigos desconhecidos da nossa abordagem e o fato de estarmos nos colocando numa posição ilegal, tudo isso contribuiu para diminuir meu entusiasmo. Mas havia qualquer coisa no raciocínio frio de Holmes que tornava impossível uma desculpa para não participar de qualquer aventura para a qual ele me convidasse. Sabíamos que assim, somente assim, poderíamos achar a solução. Apertei sua mão em silêncio, e a sorte estava lançada.

Mas o destino quis que nossa investigação não tivesse um fim tão aventureiro. Eram mais ou menos cinco horas e as primeiras sombras da noite de março já começavam a surgir quando um sujeito rude entrou correndo em nosso quarto:

— Eles partiram, sr. Holmes. Partiram no último trem. A mulher fugiu e eu a trouxe num cabriolé.

— Excelente, Warner! — exclamou Holmes, levantando-se de um salto. — Watson, nossos problemas estão se acabando rapidamente.

A mulher estava no carro, quase inconsciente por causa de uma exaustão nervosa. Trazia, no rosto aquilino e magro, sinais de uma tragédia recente. A cabeça estava caída no peito, e quando ela a ergueu e fixou os olhos amortecidos em nós, vi que suas pupilas eram pontos negros no centro de grandes íris cinzentas. Ela tinha sido drogada com ópio.

— Fiquei de guarda no portão, como o senhor mandou, sr. Holmes — disse nosso emissário, o jardineiro despedido. — Quando a carruagem saiu, eu a segui até a estação. Ela parecia uma sonâmbula, mas quando eles tentaram empurrá-la para dentro do trem, ela acordou e lutou. Eles a arrastaram para dentro do vagão, mas ela escapou novamente. Eu a socorri e a coloquei no cabriolé, e aqui estamos nós. Jamais vou me esquecer do rosto que vi na janela do vagão quando eu a puxei. Minha vida não valeria nada se ele voltasse aqui... o olho negro, carrancudo, do diabo amarelo.

Nós a levamos para cima, até nosso aposento, e a deitamos num sofá, e alguns goles de café forte fizeram seu cérebro sair da névoa da droga. Holmes havia chamado Baynes e explicou-lhe rapidamente a situação.

— Sim, senhor! Pegou a prova que eu queria — disse o inspetor com veemência, apertando a mão de meu amigo. — Eu estava desde o início na mesma pista.

— O quê? O senhor estava atrás de Henderson?

— Ora, sr. Holmes, enquanto o senhor ficava rastejando nas moitas em High Gable, eu estava em cima de uma árvore do pomar a observá-lo. Era apenas uma questão de ver quem pegaria a prova primeiro.

— Então, por que prendeu o mulato?

Baynes deu um risinho.

— Eu tinha certeza de que Henderson, como ele diz chamar-se, estava desconfiado e que ficaria quieto no mesmo lugar enquanto se sentisse seguro. Prendi o homem errado para fazê-lo crer que não estávamos na sua pista. Sabia que ele tentaria fugir e assim nos daria uma chance de chegar até a srta. Burnet.

Holmes pôs a mão no ombro do inspetor.

— O senhor vai longe na sua profissão. Tem instinto e intuição — ele disse.

Baynes corou de prazer.

— Deixei um guarda à paisana na estação durante toda a semana. Onde quer que o pessoal de High Gable vá, ele estará vigiando. Mas deve ter sido difícil para ele quando a srta. Burnet fugiu. Felizmente seu agente a pegou e está tudo bem. Não podemos efetuar nenhuma prisão sem o testemunho dela, de modo que, quanto antes obtivermos um depoimento dela, será melhor.

— Ela está melhorando rapidamente — disse Holmes, olhando para a governanta. — Mas, diga-me, Baynes, quem é Henderson?

— Henderson — respondeu o inspetor — é dom Murillo, antes conhecido como o Tigre de San Pedro.

O Tigre de San Pedro! A história completa do homem surgiu rapidamente em minha cabeça. Ele criou fama como o mais cruel e sanguinário tirano que já governou um país com a máscara de civilização. Forte, destemido e enérgico, ele conseguiu impor seus vícios hediondos a um povo amedrontado durante dez ou 12 anos. Seu nome era um terror em toda a América Central. No final daquele período houve um levante geral contra ele. Mas ele era tão cruel quanto esperto, e ao primeiro sinal de problema transferiu em segredo seus tesouros para um navio tripulado por correligionários devotados. No dia seguinte, quando os insurretos atacaram o palácio, encontraram tudo vazio. O ditador, suas duas filhas, o secretário e sua fortuna escaparam deles. A partir daquele momento ele sumiu no mundo e sua identidade foi motivo para comentários frequentes na imprensa europeia.

— Sim, senhor, dom Murillo, o Tigre de San Pedro — disse Baynes. — Se o senhor procurar, vai descobrir que as cores de San Pedro são verde e branco, as mesmas mencionadas no bilhete, sr. Holmes. Ele diz chamar-se Henderson, mas consegui reconstituir seu roteiro desde Paris, Roma, Madri e Barcelona, aonde seu navio chegou em 1886. Eles o procuraram o tempo todo para a vingança, mas somente agora conseguiram encontrá-lo.

— Eles o descobriram há um ano — disse a srta. Burnet, agora sentada e acompanhando a conversa. — Tentaram matá-lo uma vez, mas um espírito maligno o protegia. E agora de novo, Garcia, nobre e corajoso, falhou, e o monstro escapa. Mas virá um outro, e outro, até que um dia seja feita justiça; isso é tão certo como o nascer do sol.

As mãos finas da mulher se contraíram e seu rosto empalideceu de ódio.

— Mas como a senhorita veio a participar disso? — perguntou Holmes. — Como pode uma inglesa vir a participar desse caso criminoso?

— Eu me envolvi porque não existe outro modo no mundo de se fazer justiça. A lei inglesa se preocupa com o rio de sangue derramado há tanto tempo em San Pedro, ou com a riqueza que o homem roubou? Para vocês, tudo isso pode dar a impressão de crimes cometidos em outro mundo. Mas *nós* sabemos. Aprendemos a verdade por meio da dor e do sofrimento. Para nós não existe um demônio no inferno como Juan Murillo e nenhuma paz na vida enquanto suas vítimas ainda clamam por vingança.

— Sem dúvida ele era como a senhorita o descreveu — disse Holmes. — Eu ouvi dizer que ele era cruel. Mas como isso a atingiu?

— Vou contar-lhe tudo. A política desse bandido era matar, sob qualquer pretexto, todos os homens que tivessem a possibilidade de tornar-se um rival perigoso para ele. Meu marido, sim, meu nome verdadeiro é sra. Victor Durando, era embaixador de San Pedro em Londres. Foi lá que ele me conheceu e onde nos casamos. Jamais conheci alguém mais nobre. Infelizmente Murillo ouviu falar de suas qualidades, chamou-o de volta com um pretexto qualquer e ele foi fuzilado. Com uma premonição do seu destino, ele se recusou a levar-me junto. Confiscaram os seus bens e eu fiquei na miséria e com o coração amargurado. Então, veio a queda do tirano. Ele fugiu, como o senhor acabou de descrever. Mas muitos daqueles cujas vidas ele arruinou, torturando e matando seus parentes, jamais deixariam o assunto esquecido. Uniram-se numa sociedade que só terminaria quando a missão fosse cumprida. Depois que descobrimos que ele era o tal de Henderson, minha missão era fazer parte da sua criadagem e manter contato com os outros, deixando-os a par de seus movimentos. Eu poderia fazer isso mantendo minha função de governanta na família. Ele mal sabia que a mulher que ele via a cada refeição era a mesma cujo marido ele mandara para a eternidade. Eu sorria para ele, cumpria minhas obrigações para com as crianças e aguardava minha vez. Em Paris, fizeram uma tentativa, mas falharam. Fugimos imediatamente, percorrendo em zigue-zague toda a Europa a fim de despistar os perseguidores, e finalmente voltamos para esta casa, que ele tinha ocupado na primeira vez que veio à Inglaterra. Mas aqui também estavam esperando os emissários da justiça. Sabendo que ele voltaria para cá, Garcia, filho do mais alto dignitário em San Pedro, ficou esperando, juntamente com dois amigos fiéis, todos com os mesmos motivos para a vingança. Nada se podia fazer durante o dia, já que Murillo tomava todas as precauções e nunca saía sem seu satélite, Lucas, ou Lopez, como era conhecido nos seus dias de poder. Mas, à noite, ele dormia sozinho e o vingador poderia achá-lo. Certa noite, já programada, enviei a meus amigos instruções finais, porque o homem estava permanentemente alerta e sempre mudava de quarto. Eu tinha de verificar se as portas estavam abertas e o sinal, de luz verde ou branca na janela que dava para a alameda, era para indicar que tudo estava bem ou que a tentativa deveria ser adiada. Mas tudo deu errado conosco. De algum modo eu despertei a suspeita de Lopez, o secretário. Ele se aproximou sorrateiramente de mim por trás e me agarrou quando eu tinha acabado de escrever o bilhete. Ele e o patrão me arrastaram até o meu quarto e me acusaram de traição. Se eles soubessem como escapar das consequências do seu ato, teriam me matado na mesma hora. Finalmente, depois de muita discussão, chegaram à conclusão de que minha morte seria muito perigosa. Mas estavam decididos a se livrar de Garcia de uma vez por todas. Eles tinham me amarrado e Murillo torceu meu braço até eu lhe dar o endereço. Juro que eu o deixaria quebrar meu braço se eu soubesse o que aconteceria com Garcia. Lopez endereçou o bilhete que eu escrevi, selou-o com sua abotoadura e o enviou pelo criado José. Não sei como eles o mataram, a não ser que foi a mão de Murillo que o liquidou, já que Lopez ficou me vigiando. Eu acho que eles devem ter ficado esperando entre as moitas que cercam o caminho e o acertaram quando ele passou. No começo eles queriam deixá-lo entrar na casa e liquidá-lo como um assaltante comum, mas argumentaram que se eles se envolvessem num inquérito, a verdadeira identidade deles poderia tornar-se pública, e ficariam vulneráveis a ataques futuros. Com a morte de Garcia, talvez parasse a perseguição, já que essa morte poderia amedrontar outros encarregados da tarefa. Tudo estaria bem para eles agora, se não fosse o fato de eu saber o que haviam feito. Tenho certeza de que minha vida esteve em perigo muitas vezes. Estava presa no meu quarto, sob ameaças terríveis, cruelmente usadas contra minha resistência para quebrá-la, vejam este golpe no meu ombro e manchas nos dois lados de meus braços, e me amordaçaram quando, uma vez, tentei gritar da janela. Continuaram com esta prisão cruel durante cinco dias, com pouca comida para me manter de pé. Hoje eles me trouxeram um almoço suculento, mas depois que comi percebi que tinha sido drogada. Lembro-me de que, numa espécie de transe, fui meio desfalecida até um carro; puseram-me no trem, no mesmo estado. Só aí, quando as rodas estavam quase se movendo, eu compreendi que minha liberdade estava nas minhas mãos. Pulei do trem, eles tentaram me arrastar de volta e, se não fosse a ajuda deste bom homem aqui, que me colocou no cabriolé, eu não conseguiria escapar. Agora, graças a Deus, estou livre deles para sempre.

Todos nós ouvimos com atenção o relato impressionante. Holmes quebrou o silêncio:

— Nossos problemas ainda não acabaram — ele disse, sacudindo a cabeça. — Termina nosso trabalho policial, começa o legal.

— Exatamente — eu disse. — Um bom advogado pode apresentá-lo como um gesto de autodefesa. Talvez haja centenas de crimes atrás disso, mas só este pode ser julgado.

— Ora, ora — disse Baynes, todo animado. — Creio que a lei é mais do que isso. Autodefesa é uma coisa. Atrair um homem a sangue-frio com o intuito de matá-lo é outra, apesar do medo que se possa ter dele. Não, não, todos nós ficaremos gratificados quando tivermos os habitantes de High Gable no próximo júri de Guilford.

É uma questão de história, no entanto, que ainda demorasse algum tempo até que o Tigre de San Pedro encontrasse seus executores. Astuto e audacioso, ele e seu companheiro despistaram seus perseguidores, entrando pela porta da frente de uma casa na Edmonton Street e saindo pela dos fundos na praça Curzon. Nunca mais foram vistos na Inglaterra. Uns seis meses depois, o marquês de Montalva e o sr. Rulli, seu secretário, foram mortos nos seus quartos no Hotel Escurial, em Madri. O crime foi atribuído à Organização Niilista e seus autores jamais foram presos.

O inspetor Baynes nos visitou na Baker Street com um retrato falado do rosto moreno do secretário e as feições autoritárias, olhos negros e magnéticos, sobrancelhas espessas do seu chefe. Não tivemos dúvida de que, embora tardia, fora feita justiça.

— Um caso confuso, meu caro Watson — disse Holmes, à noite, fumando seu cachimbo. — Você não poderá apresentá-lo naquela forma compacta de que você tanto gosta. Ele abrange dois continentes, dois grupos de pessoas misteriosas e é ainda mais complicado pela presença extremamente respeitável de nosso amigo Scott Eccles, cuja inclusão mostra que o falecido Garcia tinha uma mente planejadora e um instinto de sobrevivência bem desenvolvido. É impressionante pelo simples fato de que, em meio a um verdadeiro emaranhado de possibilidades, nós, juntamente com nosso digno colaborador, o inspetor Baynes, tenhamos mantido nossa mente presa aos fatos essenciais e, desta forma, fôssemos guiados pelo caminho obscuro e tortuoso. Existe ainda algum detalhe que não tenha ficado claro para você?

— Qual o objetivo da volta do cozinheiro?

— Eu acho que a estranha criatura na cozinha pode justificá-la. O homem era um selvagem primitivo, dos confins de San Pedro, e aquilo era o seu fetiche. Quando ele e o companheiro fugiram para o esconderijo preparado, já ocupado, sem dúvida, por algum cúmplice, seu comparsa o convenceu a abandonar o objeto comprometedor. Mas o coração do mulato estava com o objeto, e ele voltou no dia seguinte, quando, ao sondar pela janela, encontrou o guarda Walters de plantão. Ele esperou mais três dias, e então sua religião, ou sua superstição, fez com que tentasse de novo. O inspetor Baynes, com sua astúcia habitual, minimizara o incidente para mim, mas na verdade tinha reconhecido sua importância e deixara uma armadilha, na qual a criatura caiu. Algum outro detalhe, Watson?

— O pássaro esquartejado, o balde de sangue, os ossos carbonizados, o mistério todo daquela cozinha esquisita?

Holmes sorriu enquanto consultava uma anotação no seu caderno.

— Passei uma manhã no Museu Britânico lendo a respeito disso aqui e de alguns outros pontos. Aqui está uma explicação de Eckermann sobre *Voduísmo* e *religiões negras*:

> *O verdadeiro seguidor do vodu não faz nada importante sem alguns sacrifícios, cujo objetivo é agradar aos seus deuses impuros. Em casos extremos, esses rituais tomam a forma de sacrifícios humanos, seguidos de canibalismo. As vítimas mais comuns são um galo branco, esquartejado vivo, ou um bode preto, cujo pescoço é cortado e o sangue queimado.*

— Agora você vê que nosso amigo selvagem era bem ortodoxo em seus rituais. É grotesco, Watson — acrescentou Holmes, enquanto fechava lentamente seu caderno de anotações —, mas, como eu já tive oportunidade de observar, há apenas um passo entre o grotesco e o horrível.

O CASO DA CAIXA DE PAPELÃO

Ao escolher alguns casos típicos que ilustrem as notáveis qualidades mentais de meu amigo Sherlock Holmes, tenho me esforçado ao máximo para selecionar os que apresentem o mínimo de sensacionalismo, ao mesmo tempo oferecendo um vasto campo para seu talento. Infelizmente, porém, é impossível separar o sensacional do criminoso, e um narrador fica com o dilema de sacrificar detalhes essenciais ao seu trabalho e, assim, dar uma falsa impressão do problema, ou então usar o assunto que o caso, e não a escolha, lhe deu. Com este curto prefácio, volto-me para minhas anotações daquilo que foi uma cadeia de acontecimentos estranhos, embora peculiarmente terríveis.

Era um dia extremamente quente de agosto. Baker Street parecia um forno, e o brilho do sol na fachada de tijolos amarelos da casa em frente à nossa chegava a doer nos olhos. Era difícil acreditar que aquelas paredes eram as mesmas que pareciam tão tristes na neblina do inverno. Nossas venezianas estavam semicerradas e Holmes se encontrava recostado no sofá, lendo e relendo uma correspondência que havia recebido na entrega da manhã.

Meu tempo de serviço na Índia havia me preparado para suportar mais o calor do que o frio, e um termômetro assinalando 35 graus não era penoso para mim. Mas o jornal da manhã não tinha nada interessante. O Parlamento entrara em recesso. Todo mundo estava fora da cidade e eu ansiava pelo verde de New Forest ou pelas praias de Southsea. Uma conta bancária em baixa obrigara-me a adiar minhas férias e, quanto ao meu amigo, nem o campo nem o mar o atraíam. Ele adorava ficar misturado no meio de cinco milhões de pessoas, com suas teias se esticando e correndo entre elas, atento a qualquer rumor ou suspeita de crime misterioso. Entre suas muitas virtudes não estava o gosto pela natureza, e sua única mudança foi quando afastou da cabeça o criminoso da cidade para perseguir o malandro do campo.

Vendo que Holmes estava absorto demais para conversar, deixei de lado o jornal insosso e me recostei na cadeira, mergulhando numa divagação. De repente a voz do meu amigo interrompeu meus pensamentos:

— Você tem razão, Watson — disse ele. — Na verdade, parece uma forma bastante absurda de se resolver uma disputa.

— Bastante absurda! — exclamei, e então percebi de repente que ele estava lendo os mais recônditos pensamentos de minha alma; levantei-me e olhei perplexo para ele.

— O que é isso, Holmes? — perguntei. — Isso está além de tudo o que eu posso imaginar.

Ele riu diante da minha perplexidade.

— Você se lembra — disse ele — de que há algum tempo eu li para você um trecho de uma das peças de Poe, na qual um camarada segue o raciocínio mental de seu companheiro, e você tratou o assunto como um mero exagero do autor. Quando eu lhe disse que tenho a mania de fazer a mesma coisa, você não acreditou.

— Oh, não!

— Talvez não com suas palavras, meu caro Watson, mas certamente com suas sobrancelhas. De modo que, quando você deixou o jornal de lado e começou a divagar, fiquei feliz por ter a oportunidade de ler seus pensamentos e acabar por interrompê-los, como prova de que eu estava em sintonia com você.

Mas eu ainda não estava me dando por satisfeito.

— Naquele exemplo que você me mostrou — eu disse —, o raciocinador tirou suas conclusões dos gestos do homem que ele observava. Se me lembro bem, ele tropeçou num monte de pedras, olhou para as estrelas etc. Mas eu estava aqui, sentado tranquilamente na minha cadeira; então, que pistas eu posso ter lhe dado?

— Você está fazendo injustiça com você mesmo. As feições humanas servem para que as pessoas expressem suas emoções, e as suas são aliadas fiéis.

— Quer dizer que você leu a sequência de meus pensamentos a partir de minhas feições?

— Suas feições e, principalmente, seus olhos. Talvez você não se lembre como começou seu devaneio.

— Não, não me lembro.

— Então vou lhe dizer. Depois de largar o jornal, gesto que chamou minha atenção, você ficou uns trinta segundos com uma expressão vazia. Então seus olhos se fixaram no retrato recém-emoldurado do general Gordon, e vi, pela alteração no seu rosto, que estava começando a seguir um pensamento. Mas ele não foi muito longe. Seus olhos se fixaram no retrato sem moldura de Henry Ward Beecher, que está em cima de seus livros na estante. Depois olhou para a parede e o significado era óbvio. Você estava pensando que, se o retrato tivesse moldura, serviria para preencher o espaço vazio e fazer par com o retrato de Gordon, ali.

— Você me acompanhou maravilhosamente! — exclamei.

— Não podia estar errado até aqui. Mas aí seus pensamentos voltaram para Beecher e você franziu o cenho, como se estivesse estudando o caráter nas feições dele. Logo depois seus olhos perderam a firmeza, mas você continuou a mirar o retrato e seu rosto ficou pensativo. Você estava se lembrando dos incidentes na carreira de Beecher. Eu tinha absoluta certeza de que você não poderia fazer isso sem pensar na missão que ele levou a cabo, em nome do Norte, durante a Guerra Civil, porque me recordo de que você expressou sua indignação pelo modo como ele foi recebido pelas pessoas mais barulhentas. Você se sentiu tão indignado com isso que sei muito bem que não poderia pensar em Beecher sem se lembrar disso também. Quando, pouco depois, vi seus olhos se afastarem do retrato, suspeitei que seu pensamento se concentrara na Guerra Civil, e quando vi que seus lábios se cerraram, seus olhos brilharam e suas mãos se crisparam, tive certeza de que você estava pensando na bravura que os dois lados mostraram naquela luta desesperada. Mas aí, de novo, seu rosto ficou sombrio; você balançou a cabeça. Estava refletindo sobre a tristeza, o horror e o desperdício de vidas. Sua mão pousou sobre seu próprio ferimento e um sorriso surgiu em seus lábios, o que me mostrou que você estava pensando no aspecto ridículo deste método de resolver questões internacionais. Nesse ponto concordei com você que fora absurdo e fiquei satisfeito em ver que minhas deduções estavam corretas.

— Totalmente! — disse eu. — E agora que explicou tudo confesso que estou tão intrigado quanto antes.

— Foi muito superficial, meu caro Watson, asseguro-lhe. Eu não teria chamado sua atenção se você não tivesse mostrado certa incredulidade no outro dia. Mas eu tenho em mãos um probleminha cuja solução pode ser mais difícil do que meu pequeno ensaio sobre leitura de pensamentos. Você viu no jornal uma noticiazinha a respeito do conteúdo extraordinário de um pacote que foi enviado pelo correio à senhorita Cushing, da Cross Street, Croydon?

— Não, não vi nada.

— Ah, então ela lhe escapou. Passe-me o jornal. Aqui está, abaixo da coluna financeira. Será melhor você mesmo lê-la em voz alta.

Peguei o jornal que ele me devolveu e li a notícia. O título era: "Um pacote macabro".

A senhorita Susan Cushing, que mora na Cross Street, Croydon, foi vítima do que se pode considerar uma brincadeira particularmente revoltante, a menos que exista algo mais sinistro relacionado com o incidente. Às duas da tarde de ontem, um pacote pequeno, embrulhado com papel marrom, foi entregue pelo carteiro. Dentro havia uma caixa de papelão, cheia de sal grosso. Ao esvaziá-la, a senhorita Cushing ficou horrorizada ao encontrar duas orelhas humanas, aparentemente arrancadas há bem pouco tempo. A caixa foi enviada pelo correio de Belfast na manhã do dia anterior. Não há indicação do remetente, e o assunto é ainda mais misterioso porque a senhorita Cushing, uma senhora solteira de seus cinquenta anos, sempre levou uma vida reclusa e tem poucos conhecidos ou correspondentes, e, assim, é raro receber alguma coisa pelo correio. Entretanto, há alguns anos, quando ela morou em Penge, alugou quartos, na sua casa, para três jovens estudantes de medicina, dos quais ela foi obrigada a se livrar por causa dos hábitos barulhentos e irregulares deles. A polícia acredita que isso pode ter sido perpetrado contra a senhorita Cushing pelos três rapazes, que lhe deviam uma vingança e que esperavam assustá-la enviando-lhe relíquias da sala de dissecação. Essa hipótese é sustentada pelo fato de um dos estudantes ser do norte da Irlanda e, de acordo com a senhorita Cushing, de Belfast. Nesse meio-tempo, o assunto está sendo investigado pelo sr. Lestrade, um de nossos detetives mais competentes, encarregado do caso.

— Isto quanto ao *Daily Chronicle* — disse Holmes quando terminei minha leitura. — Agora quanto ao nosso amigo Lestrade. Tenho um bilhete dele, desta manhã, que diz o seguinte:

Eu acho que este caso está bem na sua área de atuação. Temos esperança de esclarecê-lo, mas achamos pouco material para trabalhar no assunto. Telegrafamos, é claro, ao correio de Belfast, mas naquele dia foi entregue uma grande quantidade de pacotes e eles não têm meios de identificar este em particular, ou o remetente. A caixa pesa meia libra, é de fumo para cachimbo e não nos forneceu nenhuma pista. Parece-me que a hipótese dos estudantes é a mais plausível, mas, se você tiver algumas horas livres, ficarei contente em vê-lo aqui. Estarei, durante todo o dia, na casa ou na delegacia.

— O que você acha, Watson? Poderá suportar o calor e ir comigo a Croydon, com a possibilidade de mais um caso para os seus anais?

— Eu já estava com saudade de fazer alguma coisa.

— Vai ter, então. Peça a empregada para chamar um táxi. Estarei pronto em um minuto, assim que trocar minha roupa e encher a cigarreira.

Choveu enquanto estávamos no trem e o calor estava mais suportável em Croydon do que em Londres. Holmes havia mandado um telegrama, de modo que Lestrade, firme, ativo e atento, como sempre, estava nos esperando na estação. Andamos durante cinco minutos até a Cross Street, onde morava a senhorita Cushing. Era uma rua comprida, de residências com fachadas de tijolos, dois andares, elegantes e bem conservadas, com degraus de pedra, e havia pequenos grupos de mulheres de avental conversando nas portas das casas. Lestrade parou na metade da rua e bateu em uma porta, e uma empregada a abriu. A senhorita Cushing estava sentada no quarto da frente, para onde fomos levados. Era uma mulher de rosto plácido, com olhos grandes e suaves, cabelos grisalhos em ondas que desciam pelas fontes. Tinha no colo uma cobertura para poltrona e uma cesta com fios de seda multicolorida num banquinho ao seu lado.

— Aquelas coisas medonhas estão no quarto anexo — ela disse quando Lestrade entrou. — Gostaria que o senhor as levasse daqui imediatamente.

— Pois não, senhorita Cushing. Eu as deixei aqui para que meu amigo, sr. Holmes, as visse em sua presença.

— Por que em minha presença, senhor?

— Para o caso de ele querer fazer-lhe algumas perguntas.

— O que adianta me fazer perguntas se eu já lhe disse que nada sei a respeito disso?

— Está certo, madame — disse Holmes, conciliador. — Tenho certeza de que a senhorita já se aborreceu o suficiente com este negócio.

— De fato, senhor. Sou uma mulher pacata e vivo sozinha. É uma coisa inteiramente nova para mim ver meu nome nos jornais e ter a polícia aqui em casa. Não quero aquelas coisas aqui, sr. Lestrade. Se o senhor quiser vê-las, vá para o quarto anexo.

Era um compartimento apertado no pequeno jardim, na parte traseira da casa. Lestrade entrou e trouxe uma caixa de papelão amarelo, com um pedaço de papel marrom e um barbante. Havia um banco ali perto, e nós nos sentamos enquanto Holmes examinava o conteúdo que Lestrade lhe entregou.

— Este barbante é extremamente interessante — disse ele, examinando-o e cheirando-o. — O que acha disso, Lestrade?

— Foi besuntado.

— Exatamente. É um pedaço de barbante besuntado. Você também deve ter notado que a senhorita Cushing cortou o barbante com uma tesoura, o que pode ser visto pelos fiapos em cada ponta. Isto é importante.

— Não vejo por quê — disse Lestrade.

— A importância está no fato de o nó ter ficado intacto, e este nó é especial.

— Está muito apertado. Já tinha notado isso — disse Lestrade com complacência.

— Basta quanto ao barbante — Holmes disse, sorrindo. — Agora, o papel do embrulho. Marrom, com forte cheiro de café. Como? Não tinha observado isso? Acho que não há dúvida a respeito disso. Endereço escrito com letras bastante irregulares: “Senhorita S. Cushing, Cross Street, Croydon”. Feito com pena de bico grosso, provavelmente uma J, e tinta vagabunda. A palavra "Croydon" foi escrita inicialmente com "i" e depois mudada para "y". O pacote, portanto, foi mandado por um homem, e a caligrafia é tipicamente masculina, de pouca cultura e não acostumado com a cidade de Croydon. Até aqui, tudo bem! A caixa é amarela, pesa meia libra, nada tem de especial a não ser duas marcas de polegar no canto inferior esquerdo. Cheia de sal grosso, do tipo usado para conservar peles e outros produtos comerciais. E no meio dele é que está esse estranho conteúdo.

Ele tirou as duas orelhas enquanto falava e as colocou em uma tábua sobre os joelhos, examinando-as detalhadamente; eu e Lestrade, inclinados ao lado dele, olhávamos para as relíquias medonhas e para o rosto pensativo e ansioso do nosso amigo. Finalmente ele as recolocou na caixa e ficou sentado, meditando profundamente.

— Você notou, é claro — ele disse, por fim —, que as orelhas não são de uma só pessoa.

— Sim, eu tinha observado isso. Mas se isto for uma brincadeira de mau gosto de alguns estudantes da sala de dissecação, seria fácil para eles enviarem duas orelhas diferentes, como se pertencessem a uma só pessoa.

— Exatamente. Mas isto aqui não é uma brincadeira de mau gosto.

— Tem certeza?

— Tudo indica que não é. Corpos da sala de anatomia recebem injeções de um fluido conservante. Estas orelhas não o têm. São frescas também. Foram arrancadas com um instrumento sem muito corte, o que dificilmente aconteceria se tivesse sido feito por um estudante de medicina, que usaria conservante líquido, não o sal grosso. Repito que nós não temos aqui uma travessura de estudantes, mas estamos frente a um crime grave.

Um vago arrepio percorreu meu corpo enquanto ouvia as palavras de meu amigo, e vi a gravidade do assunto estampada em suas feições. Este prelúdio brutal parecia lançar um horror estranho e inexplicável sobre o passado. Lestrade, no entanto, sacudiu a cabeça como uma pessoa não inteiramente convencida.

— Há objeções à teoria da brincadeira, é claro — disse ele —, mas há razões mais fortes contra a outra. Sabemos que esta mulher levava uma vida tranquila e respeitável em Penge e também aqui durante os últimos vinte anos. Ela quase nunca ficou fora de casa, por um dia sequer, durante esse tempo. Por que, então, um criminoso lhe enviaria as provas de sua culpa, principalmente quando ela entende tão pouco do assunto quanto nós, a não ser que seja uma atriz consumada?

— Este é o problema que nós temos de resolver — respondeu Holmes —, e de minha parte eu vou partir do pressuposto de que meu raciocínio está correto e que foi cometido um duplo assassinato. Uma destas orelhas é de mulher, pequena, delicada, furada para uso de brinco; a outra é de homem, queimada de sol, descorada e também com um furo para brinco. Provavelmente essas duas pessoas estão mortas, ou já teríamos ouvido o caso antes. Hoje é sexta-feira. O pacote foi enviado na quinta de manhã. A tragédia aconteceu, então, na terça ou na quarta, ou mesmo antes. Se as duas pessoas foram mortas, quem, a não ser o assassino, mandaria para a srta. Cushing a prova de seu crime? Podemos supor que o remetente do pacote seja o homem que queremos. Mas ele deve ter tido um motivo muito forte para enviar o pacote à srta. Cushing. Que motivo? Deve ser o de comunicar a ela que o destino se cumpriu, ou para feri-la, talvez; mas, neste caso, ela saberia quem é ele. Será que ela sabe? Duvido. Se soubesse, por que chamaria a polícia? Ela teria enterrado as orelhas e ninguém ficaria sabendo de nada. Isso é o que ela faria se quisesse proteger o criminoso. Mas, se não quisesse protegê-lo, diria seu nome. Há um nó aqui que precisa ser desfeito.

Ele estivera falando em voz alta, rapidamente, olhando absorto por cima da cerca do jardim; mas levantou-se bruscamente e se dirigiu para a casa.

— Tenho algumas perguntas a fazer à srta. Cushing.

— Neste caso, vou deixá-lo aqui — disse Lestrade —, porque tenho de cuidar de um outro assunto. Creio que nada mais tenho a ouvir da srta. Cushing. Você me encontrará na delegacia.

— Passaremos por lá quando formos pegar o trem — respondeu Holmes.

Pouco depois Holmes e eu estávamos de volta ao quarto da frente, onde a mulher, impassível, continuava trabalhando. Ela deixou o trabalho no colo quando entramos e nos observou com seus olhos azuis, perscrutadores e francos.

— Tenho certeza, senhor — disse ela —, de que tudo isso é um engano, e que o pacote, na verdade, não se destinava a mim. Já disse isso várias vezes ao cavalheiro da Scotland Yard, mas ele simplesmente ri de mim. Não tenho nem um inimigo no mundo inteiro pelo que sei. Então, por que alguém iria pregar-me uma peça?

— Também estou chegando à mesma conclusão, srta. Cushing — disse Holmes, sentando-se ao lado dela. — Acho que é mais do que provável...

Ele fez uma pausa e eu fiquei surpreso ao ver que observava, com um interesse especial, o perfil da srta. Cushing. Pude ver, em seu rosto arguto, surpresa e satisfação, embora ele tenha readquirido sua expressão impassível quando ela se virou para ver o motivo de sua pausa. Olhei para os cabelos grisalhos dela, a touca caprichada, os brinquinhos dourados, feições calmas, e nada vi que justificasse a emoção evidente do meu amigo.

— Há uma ou duas perguntas...

— Oh, estou farta de perguntas! — ela exclamou, impaciente.

— Eu creio que a senhorita tem duas irmãs.

— Como sabe disso?

— Logo que entrei no quarto vi que tem sobre a lareira um retrato de um grupo de três mulheres, uma das quais é a senhorita, sem dúvida, enquanto as outras se parecem muito com a senhorita; assim, não havia dúvida sobre o parentesco.

— O senhor tem razão. Aquelas são minhas irmãs, Sarah e Mary.

— E aqui do meu lado há outro retrato, tirado em Liverpool, de sua irmã mais nova, na companhia de um homem que parece ser um comissário de bordo, pelo uniforme. Vejo que ela era solteira na época.

— O senhor é um ótimo observador.

— É a minha profissão.

— Bem, o senhor tem razão. Mas ela se casou alguns dias depois com o senhor Browner. Ele estava na linha da América do Sul, mas gostava tanto dela que não conseguia ficar longe por muito tempo; de modo que se transferiu para os navios da linha Liverpool e Londres.

— Ah, o *Conqueror*, talvez?

— Não, o *May Day*, da última vez que ouvi falar. Uma vez Jim veio me ver. Isso foi antes de quebrar a promessa; depois disso, ele sempre bebia quando estava em terra, um pequeno trago já o deixava completamente louco. Ah, foi um dia fatal quando ele pegou de novo num copo. Primeiro ele se esqueceu de mim, depois brigou com Sarah, e, agora que Mary deixou de me escrever, não sei como as coisas estão entre eles.

Era evidente que a srta. Cushing falava sobre um assunto que a afetava profundamente. Como a maioria das pessoas que levavam uma vida solitária, no começo ela se mostrou reservada, mas acabou tornando-se extremamente comunicativa. Contou-nos vários detalhes sobre o cunhado, falou de seus antigos inquilinos, os estudantes de medicina; falou-nos de suas peraltices, dando-nos seus nomes e os dos hospitais. Holmes ouvia tudo com atenção, fazendo uma pergunta de vez em quando.

— A respeito da sua segunda irmã, Sarah — disse ele —, imagino que, sendo ambas solteiras, não quiseram morar juntas.

— Ah, o senhor não conhece o gênio de Sarah, do contrário nem pensaria numa coisa dessas. Eu tentei quando me mudei para Croydon, e ficamos juntas até dois meses atrás, quando tivemos de nos separar. Não quero falar mal de minha própria irmã, mas ela sempre foi uma intrometida e uma pessoa difícil de se contentar.

— A senhorita está dizendo que ela brigou com os parentes de Liverpool?

— Sim, e eles eram então os melhores amigos. Ela foi para lá para ficar perto deles. E agora ela vive acusando Jim Browner. Nos últimos seis meses em que esteve aqui só falava das bebedeiras e dos modos dele. Eu desconfio que ele a pegou fazendo mexericos e lhe passou um sabão, e fosse esse o começo de tudo.

— Obrigado, srta. Cushing — disse Holmes, levantando-se e fazendo uma mesura. — Sua irmã Sarah mora, como disse, na New Street, Wallington? Adeus, e lamento muito que a senhorita tenha sido importunada com um caso que, como diz, não tem nada a ver consigo.

Quando saímos, estava passando um carro e Holmes o fez parar.

— A que distância fica Wallington?

— Apenas a 1,5 quilômetro, senhor.

— Muito bem. Entre, Watson. Temos de malhar enquanto o ferro ainda está quente. Este caso é simples, mas tem um ou dois detalhes muito interessantes relacionados com ele. Por favor, pare na primeira agência telegráfica que encontrar.

Holmes enviou um telegrama curto e durante toda a viagem ficou recostado no carro, com o chapéu enterrado até o nariz para se proteger do sol. Nosso condutor parou diante de uma casa que não era diferente da que havíamos deixado. Meu amigo pediu que nos esperasse, e, quando ia bater à porta, esta se abriu e apareceu um jovem, vestido de preto, com um chapéu reluzente.

— A senhorita Cushing está em casa? — perguntou.

— Ela está muito doente — disse o jovem. — Desde ontem ela está sofrendo de sintomas cerebrais muito graves. Como seu médico, não posso permitir que ninguém a veja. Peço-lhe que volte dentro de dez dias.

Ele calçou as luvas, fechou a porta e saiu andando pela rua.

— Bem, se não podemos, não podemos — disse Holmes, em tom jovial.

— Talvez ela não pudesse ou mesmo não nos dissesse muita coisa.

— Eu não quero que ela me diga nada. Só queria vê-la. Mas acho que consegui o que queria. Leve-nos para um hotel decente, cocheiro, onde possamos almoçar, e depois disso poderemos ir ver nosso amigo Lestrade na delegacia.

Fizemos uma refeição agradável durante a qual Holmes só falou sobre violinos, contando com grande entusiasmo como comprara seu Stradivarius, que valia pelo menos quinhentos guinéus, de um negociante judeu em Tottenham, Court Road, por apenas 55 xelins. Isso o levou a falar de Paganini, e ficamos durante uma hora bebendo vinho, enquanto ele me contou histórias e mais histórias sobre aquele homem extraordinário. Quando chegamos à delegacia, já era final de tarde, e a luz do sol se transformara numa claridade amena. Lestrade nos aguardava na porta.

— Há um telegrama para você, Holmes — disse ele.

— Ah! A resposta!

Abriu o telegrama, deu uma olhada e colocou-o no bolso.

— Está tudo bem — ele disse.

— Descobriu alguma coisa?

— Descobri tudo!

— Como? — Lestrade o olhou, estupefato. — Está brincando?!

— Nunca falei mais sério em minha vida. Foi cometido um crime chocante, e acho que descobri todos os detalhes.

— E o criminoso?

Holmes rabiscou algumas palavras nas costas de um de seus cartões de visita e o passou a Lestrade.

— Este é o nome dele — disse. — O senhor não conseguirá efetuar sua prisão até amanhã à noite. Eu gostaria que não mencionasse meu nome com relação a este caso, já que prefiro vê-lo relacionado a crimes que apresentem dificuldades para sua elucidação. Vamos, Watson.

Partimos para a estação, deixando Lestrade com uma expressão de satisfação no rosto, olhando para o cartão que Holmes lhe dera.

— O caso — disse Holmes, quando já estávamos em nossos aposentos na Baker Street, fumando e conversando — é um daqueles em que tivemos de raciocinar para o passado, das causas aos efeitos, como nos casos que você relatou com os títulos de *Um estudo em vermelho* e *O sinal dos quatro*. Escrevi a Lestrade pedindo-lhe para nos fornecer os detalhes que ainda faltam, e que ele só vai conseguir depois de prender o homem. Ele certamente vai conseguir isso porque, embora destituído de raciocínio, é tão persistente quanto um buldogue depois que entende o que tem de fazer e, na verdade, foi justamente a sua tenacidade que o levou até o topo na Scotland Yard.

— Quer dizer que o caso ainda não está completo? — perguntei.

— Nos fatos essenciais, sim. Sabemos quem é o autor do caso revoltante, embora ainda não tenhamos identificado uma das vítimas. Você, é claro, já tirou suas próprias conclusões.

— Eu acho que Jim Browner, o comissário de bordo da linha de Liverpool, é o homem de quem você suspeita.

— Oh, é mais do que suspeita.

— Mesmo assim não vejo mais do que vagos indícios.

— Para mim, ao contrário, nada podia ser mais claro. Deixe-me mostrar-lhe os passos principais. Nada sabíamos do caso quando começamos a trabalhar nele, o que é sempre uma vantagem. Não tínhamos teorias prontas. Estávamos lá simplesmente para observar e tirar conclusões de nossas observações. O que foi que vimos primeiro? Uma senhora respeitável e calma, que parecia totalmente inocente de qualquer crime, e um retrato que mostrou ter ela duas irmãs mais jovens. Imediatamente me ocorreu que a caixa podia ser destinada a uma delas. Deixei a ideia de lado, já que poderia ser abandonada ou confirmada, à nossa vontade, mais tarde. Então fomos para o jardim, como você se lembra, e vimos o estranho conteúdo da caixinha amarela. O barbante era do tipo usado por marinheiros e logo um bafejo do mar era perceptível em nossa investigação. Quando observei que o nó era comum entre marinheiros, que o pacote havia sido mandado de um porto e que a orelha masculina fora furada para uso de brinco, coisa mais comum entre gente do mar do que de terra, tive certeza de que todos os personagens da tragédia seriam encontrados entre nossas classes marítimas. Quando examinei o endereço no pacote, vi que era para a senhorita S. Cushing. Ora, a irmã mais velha seria, é claro, a senhorita Cushing e, embora sua inicial fosse "S", poderia pertencer também a uma das outras duas. Nesse caso teríamos de reiniciar nossa investigação em uma nova base. Assim sendo, entrei na casa com a intenção de esclarecer este ponto. Eu estava prestes a dizer a ela que me convencera de que fora cometido um equívoco quando, você deve se lembrar, eu parei de repente. O fato é que eu acabara de ver uma coisa que me encheu de surpresa e, ao mesmo tempo, diminuiu consideravelmente o campo de nossa pesquisa. Você, como médico, Watson, sabe que não existe parte do corpo humano que varie tanto quanto uma orelha. Cada uma é, como regra geral, completamente distinta e diferente das demais. No último número do *Jornal Antropológico* você vai encontrar duas pequenas monografias que escrevi sobre o assunto. Portanto, eu tinha examinado as orelhas na caixa com os olhos de um especialista e percebi as particularidades anatômicas. Imagine agora minha surpresa quando, ao olhar para a srta. Cushing, notei que a orelha dela correspondia exatamente à orelha feminina que eu tinha acabado de examinar. O caso era mais do que uma coincidência. Ali estava a mesma aurícula curta, a mesma curva aberta do lóbulo superior, o mesmo desenho da cartilagem interna. No essencial, era a mesma orelha. Claro que vi logo a enorme importância da observação. Era lógico que a vítima era um parente, provavelmente bem próximo. Comecei a conversar com ela sobre a família, e você se lembra de que ela nos deu imediatamente detalhes excelentes e valiosos. Em primeiro lugar, o nome da irmã era Sarah, e o endereço era o mesmo até recentemente, e assim ficou claro como tinha ocorrido o engano e a quem se destinava o pacote. Ela falou, então, do comissário de bordo, casado com a terceira irmã, e soubemos que, em certa época, ele ficou tão íntimo da srta. Sarah que ela até acabou se mudando para Liverpool a fim de ficar perto dos Browners, mas uma briga os afastou mais tarde. Esta briga interrompeu as comunicações durante meses, de modo que, se Browner tivesse que endereçar um pacote à srta. Sarah, sem dúvida nenhuma usaria o antigo endereço. E agora o assunto começou a se esclarecer maravilhosamente. Sabíamos da existência de Browner, um homem impulsivo, de paixões fortes, lembre-se de que ele abandonou um emprego bem superior a fim de ficar mais perto da esposa; um homem também sujeito a bebedeiras ocasionais. Tínhamos motivo para supor que sua esposa fora assassinada e que um homem, possivelmente um homem do mar, também fora morto. Como motivo do crime surge-nos imediatamente o ciúme. Por que a srta. Sarah Cushing deveria receber as provas do crime? Provavelmente porque, durante sua estada em Liverpool, ela, de alguma forma, tinha participado dos acontecimentos que culminaram com a tragédia. Note que esta linha de navios aporta em Belfast, Dublin e Waterford; dessa forma, supondo-se que Browner tenha cometido o crime e embarcado em seguida no seu navio, o *May Day*, Belfast seria o primeiro lugar de onde ele poderia enviar sua terrível encomenda. Nesta altura, uma segunda solução seria possível, e embora a considere muito improvável, eu estava decidido a elucidá-la antes de seguir em frente. Um apaixonado frustrado poderia ter matado o sr. e sra. Browner, e a orelha masculina podia ser a do marido. Havia muitas objeções graves a esta teoria, mas era possível. Então mandei um telegrama ao meu amigo Algar, da polícia de Liverpool, e pedi-lhe para verificar se a sra. Browner estava em casa e se o marido tinha embarcado no *May Day*. Depois disso fomos para Wallington, visitar a srta. Sarah. Em primeiro lugar, eu estava curioso para ver até que ponto o tipo de orelha da família estava reproduzido nela. Além disso, é lógico, ela podia nos dar informações importantes, mas eu não estava muito convencido de que ela iria fazê-lo. Ela deve ter ouvido falar no caso no dia anterior, já que toda Croydon falava do assunto, e ela mesma deve ter compreendido a quem se destinava o pacote. Se ela estivesse disposta a ajudar a polícia, já teria entrado em contato com as autoridades. Entretanto, era nosso dever visitá-la, e fomos. Descobrimos que a notícia da chegada do pacote, já que a doença dela data desse dia, teve um impacto enorme sobre ela, até mesmo provocando uma febre cerebral. Estava mais do que claro que ela percebera o significado, mas também estava claro que nós teríamos de esperar algum tempo até recebermos alguma ajuda da parte dela. Em todo caso, não dependeríamos totalmente dela. Tínhamos respostas à nossa espera na delegacia, para onde pedi que Algar as enviasse. Nada podia ser mais conclusivo. A casa da sra. Browner estava fechada havia mais de três dias e os vizinhos achavam que ela viajara para o sul, para visitar parentes. Verificou-se nos escritórios da companhia que Browner partira a bordo do *May Day* e eu calculo que ele esteja no Tâmisa amanhã à noite. Quando ele chegar, o obtuso mas decidido Lestrade estará esperando por ele, e eu não tenho nenhuma dúvida de que completaremos todos os detalhes.

Sherlock Holmes não foi desapontado nas suas esperanças. Dois dias depois recebeu um envelope volumoso, com um bilhetinho do detetive e um relatório datilografado, que cobria várias páginas de papel almaço.

— Lestrade o apanhou — disse Holmes, olhando para mim. — Talvez lhe interesse ouvir o que ele diz.

Caro sr. Holmes:

De acordo com o plano que nós havíamos elaborado para comprovar nossas hipóteses (o "nós" aqui é bem interessante, não é?), fui para o cais Albert, ontem, às seis horas, e entrei no S.S. May Day, *pertencente à Liverpool, Dublin and London Steam Packet Company. Ao indagar, soube que havia a bordo um comissário com o nome de James Browner, e que durante toda a viagem ele agiu de uma forma tão estranha que o capitão se viu obrigado a dispensá-lo de suas funções. Desci à sua cabine e o encontrei sentado num caixote com a cabeça mergulhada nas mãos, balançando-se para a frente e para trás. É um sujeito grande e forte, rosto liso e pele bem morena, como Aldridge, aquele que nos ajudou no caso da lavanderia. Ele deu um pulo quando eu lhe falei de minha missão, e usei o apito para chamar dois policiais do cais, que estavam próximos, mas ele deu a impressão de estar completamente desalentado e estendeu tranquilamente as mãos para as algemas. Nós o trouxemos para a delegacia, assim como o caixote, porque pensamos que talvez contivesse algo incriminador, mas a não ser um facão afiado, usado pela maioria dos marinheiros, não encontramos nada que nos interessasse. Mas achamos que não precisamos de mais provas porque, ao ser levado até o inspetor, na delegacia, ele pediu para fazer uma declaração que, é claro, foi anotada exatamente como ele a fez pelo nosso taquígrafo. Fizemos três cópias datilografadas, uma das quais estou anexando. O caso é extremamente simples, como eu sempre achei, mas sou grato por ter me ajudado na minha investigação.*

Com os melhores agradecimentos,

Atenciosamente,

G. Lestrade

— Hum! A investigação foi realmente bem simples — comentou Holmes —, mas acho que ele não tinha essa opinião quando nos chamou no início. Em todo caso, vamos ver o que Jim Browner tem a dizer. Esta é a sua declaração como foi feita perante o inspetor Montgomery, na Delegacia de Polícia de Shadwell, e tem a vantagem de ser com as palavras do próprio criminoso.

"Se tenho alguma coisa a dizer? Sim, tenho muito a dizer. Tenho de limpar minha consciência. Podem me enforcar ou podem me deixar em paz. Não me importa o que vocês vão fazer comigo. Digo-lhes que não preguei os olhos desde que fiz aquilo e acho que não vou conseguir de novo. Algumas vezes é a cara dele, mas geralmente é a dela. Sempre uma ou outra está na minha frente. Ele me olha carrancudo, ameaçador, mas ela tem uma espécie de surpresa no rosto. Oh, coitadinha, ela devia estar surpresa quando viu a morte no rosto que só mostrava amor por ela. Mas a culpa foi de Sarah, e que a maldição de um condenado caia sobre ela e que o sangue lhe apodreça nas veias. Não é que eu queira me inocentar. Sei que voltei a beber como o animal que fui. Mas ela teria me perdoado; ela teria continuado ligada a mim, como sempre, se aquela mulher não tivesse enegrecido nosso lar. Porque Sarah Cushing me amava — esta é a raiz da história — e me amou até que todo o seu amor se transformou num ódio virulento quando viu que eu gostava mais das pegadas de minha mulher na lama do que do seu corpo e sua alma.

"Eram três irmãs. A mais velha era uma boa mulher, a segunda, um demônio, e a terceira, um anjo. Sarah tinha 33 anos e Mary 29 quando eu me casei. Éramos muito felizes quando fomos morar juntos, e em toda Liverpool não havia ninguém melhor do que minha Mary. Então convidamos Sarah para passar uma semana conosco, a semana se estendeu para um mês e, uma coisa levando a outra, ela finalmente ficou sendo uma de nós. Eu não bebia naquela época, e estávamos guardando dinheiro, e tudo estava indo muito bem. Meu Deus, quem poderia pensar que terminaria assim? Quem poderia sonhar com isso? Normalmente eu ficava em casa nos fins de semana e muitas vezes passava a semana toda, se acontecesse de o navio estar sendo carregado, de modo que via frequentemente minha cunhada, Sarah. Ela era uma bela mulher, alta, morena, ativa e enérgica, de porte solene e um brilho faiscante nos olhos. Mas quando minha pequena Mary estava comigo eu nunca pensava em Sarah, e isso eu juro como espero a misericórdia de Deus. Às vezes parecia que ela gostava de ficar sozinha comigo, ou que gostava de me convidar para passear com ela, mas nunca dei importância a isso. Mas, uma noite, abri meus olhos. Eu havia chegado do navio e vi que minha mulher tinha saído, mas Sarah estava em casa.

"'Onde está Mary?', perguntei.

"'Oh, ela saiu para pagar algumas contas.' Eu estava impaciente e fiquei andando de um lado para outro na sala.

"'Você não consegue ficar feliz durante cinco minutos sem Mary, Jim?', ela perguntou. 'É pouco lisonjeiro para mim que você não se contente com a minha companhia por tão pouco tempo.'

"'Tudo bem, minha cara', eu disse, estendendo gentilmente minhas mãos para ela, mas ela as segurou por uns segundos e suas mãos estavam queimando como se ela estivesse com febre.

"Olhei-a nos olhos e vi tudo. Ela não precisava falar, nem eu. Fiquei sério na mesma hora e retirei minhas mãos. Então ela ficou em silêncio ao meu lado por um instante e depois, colocando a mão no meu ombro, disse: 'Fique calmo, Jim', e saiu da sala com um riso de escárnio.

"Bem, a partir daquela ocasião Sarah me odiou de todo o coração — e ela é uma mulher que sabe odiar também. Fui um tolo por ter deixado que ela continuasse conosco — um completo idiota — mas nunca disse uma palavra sequer a Mary, já que eu sabia que isso iria magoá-la. As coisas continuaram como antes, mas depois de algum tempo percebi uma certa mudança em Mary. Ela sempre fora confiante e inocente, mas tornou-se esquisita e desconfiada, querendo saber onde eu estivera e o que fizera, quem me mandava cartas, o que eu tinha nos bolsos, e centenas de coisinhas bobas. A cada dia ela ficava mais estranha, mais irritável, e brigávamos por qualquer coisa. Fiquei intrigado com tudo isso. Sarah me evitava então, mas ela e Mary eram inseparáveis. Agora entendo que ela estava conspirando malevolamente e envenenando minha mulher contra mim, mas eu era tão cego que não percebi isso naquela época. Então quebrei minha promessa e comecei a beber de novo, mas acho que não teria recomeçado se Mary tivesse continuado a ser a mesma. Agora ela tinha motivo para ficar desgostosa comigo e a distância entre nós começou a ficar cada vez maior. E então esse Alec Fairbairn apareceu, e as coisas ficaram ainda piores. Foi para ver Sarah que ele começou a aparecer em minha casa, mas logo depois para nos ver, já que ele era um homem insinuante e fazia amigos com facilidade. Era um sujeito agradável, impetuoso, elegante e esperto, que já estivera em meio mundo e sabia contar coisas que já vira. Era uma companhia agradável, não nego, e maravilhosamente educado para ser um marinheiro, de modo que eu acho que muitas vezes ele viajou mais como passageiro do que como tripulante. Durante um mês ele ia todos os dias à minha casa e eu nunca suspeitei que pudesse surgir alguma maldade de suas maneiras suaves e educadas. Então, finalmente alguma coisa despertou minha suspeita, e daquele dia em diante minha paz acabou para sempre. Foi uma coisinha à toa. Voltei repentinamente para casa e, quando entrei pela porta, notei um brilho de boas-vindas no rosto de minha mulher. Mas, quando ela viu que era eu, o brilho sumiu e ela se afastou, com o desapontamento estampado no rosto. Foi o suficiente para mim. Não podiam ser de ninguém além de Alec Fairbairn os passos que ela confundiu com os meus. Se eu o visse naquele momento, tê-lo-ia matado, porque fico completamente louco quando perco a calma. Mary viu o brilho diabólico em meus olhos e correu na minha direção, colocando as mãos nos meus braços:

"'Não, Jim, não!', suplicou.

"'Onde está Sarah?', perguntei.

"'Na cozinha.'

"'Sarah!', gritei quando entrei na cozinha, 'não quero nunca mais que Fairbairn apareça aqui.'

"'Por que não?', ela perguntou.

"'Porque eu estou dando uma ordem.'

"'Oh, se meus amigos não servem para esta casa, então eu também não sirvo.'

"'Pode fazer o que quiser, mas se Fairbairn aparecer de novo por aqui vou mandar para você uma orelha dele como lembrança.'

"Ela ficou amedrontada com meu olhar, eu acho, porque não disse uma palavra, e foi-se embora na mesma noite.

"Bem, não sei se foi pura maldade dessa mulher ou se ela pensava que podia me colocar contra minha esposa, estimulando o mau comportamento dela. Seja lá como for, ela alugou uma casa a apenas duas ruas de distância e abriu uma pensão para marinheiros. Fairbairn costumava ficar lá, e Mary ia tomar chá com a irmã e Alec. Não sei quantas vezes ela esteve lá, mas um dia eu a segui e, quando entrei pela porta, Fairbairn fugiu pelo muro do jardim, como o gambá medroso que ele era. Jurei a minha mulher que eu a mataria se a encontrasse de novo na companhia dele, e a levei de volta comigo, soluçando e tremendo, branca feito cera. Não havia mais nenhum vestígio de amor entre nós. Eu podia perceber que ela me odiava e me temia, e só de pensar nisso comecei a beber mais ainda; e ela passou a me desprezar também. Bem, Sarah achou que não podia continuar morando em Liverpool, e voltou, eu acho, para morar com a outra irmã em Croydon; mas as coisas em minha casa continuaram aos trancos como sempre. Chegou, então, esta última semana, com toda a desgraça e ruína. Foi assim: tínhamos partido no *May Day* para uma viagem de ida e volta de sete dias, mas uma chapa do casco afrouxou e inundou a maquinaria; então tivemos de voltar ao porto para um reparo de 12 horas. Saí do navio e fui para casa, pensando na surpresa que seria para minha mulher e achando que talvez ela ficasse contente em me ver mais cedo. Pensava assim quando entrei na minha rua, e naquele momento vi um coche passando por mim, e lá dentro estava ela, sentada ao lado de Fairbairn, os dois conversando e rindo, sem perceberem que eu estava ali, vendo tudo da calçada. Vou lhes dizer, palavra de honra, que daquele momento em diante eu não estava mais senhor de mim mesmo e tudo me parece um sonho quando tento me lembrar. Eu estivera bebendo bastante e as duas coisas juntas viraram minha cabeça. Tem um negócio batendo na minha cabeça, como uma britadeira, mas naquela manhã parecia que as cataratas do Niágara estavam assobiando e zunindo em meus ouvidos. Saí correndo atrás do carro. Tinha um pesado bastão de carvalho nas mãos e lhes digo que estava furioso; mas, enquanto corria, fiquei esperto também, e me mantive um pouco afastado, para poder vê-los sem ser visto. Logo depois eles desceram na estação de trem. Havia muita gente na bilheteria, de modo que cheguei perto deles, sem que me vissem. Compraram passagens para New Brighton. Eu também, mas fiquei uns três vagões mais atrás. Quando chegamos, eles desceram e se dirigiram para a praia, e eu estava sempre a uns duzentos metros de distância. Finalmente os vi alugarem um bote e saírem remando, pois era um dia muito quente e certamente eles pensavam que na água seria mais refrescante. Era como se eles tivessem sido entregues nas minhas mãos. Havia uma espécie de neblina e não se conseguia ver mais do que algumas centenas de metros. Também aluguei um bote e parti atrás deles. Eu só conseguia ver uma mancha do bote deles, pois estavam seguindo tão depressa quanto eu e deviam estar mais ou menos a 1,5 quilômetro da praia, quando eu os alcancei. A neblina era uma espécie de cortina ao nosso redor, e lá estávamos nós três, no meio. Meu Deus, será que vou esquecer a expressão de seus rostos quando descobriram quem estava no barco que se aproximava do deles? Ela gritou. Ele praguejou como um louco e tentou me acertar com um remo, pois viu a morte no meu rosto. Eu me esquivei e o acertei com meu bastão; estourei a cabeça dele como um ovo. Eu podia tê-la poupado, talvez, embora estivesse alucinado, mas ela lançou os braços em volta dele, chorando e se lamentando, chamando-o de 'Alec!'. Bati de novo e ela caiu ao lado dele. Eu era uma fera selvagem que tinha acabado de sentir o gosto de sangue. Se Sarah estivesse ali, ela se juntaria a eles, por Deus. Arranquei meu facão e... bem, já disse o suficiente. Senti uma espécie de alegria selvagem quando imaginei como Sarah se sentiria ao receber aqueles sinais como resultado de suas intrigas. Amarrei, então, os corpos no barco, quebrei uma tábua e fiquei ali até vê-los no fundo. Eu sabia muito bem que o dono do barco iria pensar que eles haviam se perdido na neblina e acabaram indo para o mar. Limpei-me, voltei à terra e embarquei no navio sem que ninguém desconfiasse do que ocorrera.

"Naquela noite preparei o pacote para Sarah Cushing e no dia seguinte o enviei de Belfast. Aí está toda a verdade da história. Podem me enforcar, podem fazer o que quiserem comigo, porque não conseguirão me castigar mais do que já fui castigado. Não consigo fechar os olhos porque vejo aqueles dois rostos me encarando como quando viram meu bote surgir da neblina. Matei-os rapidamente, mas eles estão me matando devagar, e se eu passar mais uma noite assim vou enlouquecer ou morrer antes de amanhecer. O senhor vai me colocar numa cela sozinho? Pelo amor de Deus, não faça isso, e que o senhor possa ser tratado no dia de sua agonia como me tratar agora."

— O que significa isso, Watson? — perguntou Holmes em tom solene quando terminou de ler o documento. — Para que serve este círculo de miséria, violência e medo? Tem de ter uma finalidade, ou então nosso mundo é governado pelo acaso, o que é impensável. Mas que finalidade? Eis aí o grande e eterno problema para o qual a razão humana está tão distante da solução como sempre.

O CASO DO CÍRCULO VERMELHO

— Bem, sra. Warren, não vejo por que deva se preocupar, nem vejo por que eu deva gastar meu tempo valioso e interferir no caso. Eu realmente tenho outras coisas com que me ocupar.

Assim falou Sherlock Holmes, e voltou novamente sua atenção para o grande álbum de recortes, no qual estava colocando em ordem parte do seu material mais recente. Mas a senhoria tinha a persistência e a esperteza do sexo feminino. Manteve firmemente o ponto de vista.

— O senhor deu um jeito num caso para um de meus inquilinos no ano passado, o sr. Fairdale Hobbs...

— Ah, sim, um casinho simples.

— Mas ele não para de falar nisso; a sua bondade, senhor, e o modo como esclareceu uma situação nebulosa. Eu me lembro das palavras dele quando eu mesma estava envolvida em dúvidas e trevas. Eu sei que o senhor conseguiria se quisesse.

Holmes era acessível por meio da lisonja, e também, justiça seja feita, pela amabilidade. As duas forças o fizeram deixar de lado o pincel de goma-arábica com um suspiro de resignação e recostar-se na cadeira.

— Bem, bem, sra. Warren, vamos ouvir sua história, então. Não se incomoda se eu fumar? Obrigado. Watson, os fósforos. A senhora está preocupada, pelo que sei, porque seu novo inquilino fica trancado no quarto e não o vê. Ora, sra. Warren, se eu fosse seu inquilino, com frequência deixaria de me ver durante semanas ou mais.

— Não duvido, senhor, mas aqui é diferente. Isto está me assustando, sr. Holmes. Não durmo de medo. Escuto os passos apressados dele, andando de um lado para outro desde cedo até tarde da noite, e não vê-lo um instante sequer... tudo isso é mais do que posso suportar. Meu marido também está nervoso com isso, como eu, mas ele está sempre fora de casa, trabalhando o dia todo, enquanto eu não tenho paz. Do que ele está se escondendo? O que foi que fez? Com exceção da menina, fico completamente sozinha em casa com ele, e isso é mais do que meus nervos podem aguentar.

Holmes inclinou-se para a frente e tocou, com seus dedos longos e finos, o ombro da mulher. Ele tinha um poder quase hipnótico de acalmar quando queria. A expressão de medo desapareceu do rosto dela e os gestos nervosos voltaram ao normal. Ela sentou-se na cadeira que ele indicou.

— Se eu for cuidar do caso, preciso conhecer todos os detalhes — disse. — Pense com calma. O menor detalhe pode ser essencial. A senhora diz que o homem chegou há dez dias e lhe pagou uma quinzena de casa e comida?

— Ele perguntou minhas condições. Eu disse cinquenta xelins por semana. Há uma salinha e um quarto mobiliados no andar superior da casa.

— E daí?

— Ele disse: "Vou lhe pagar cinco libras por semana se aceitar as minhas condições." Sou uma mulher pobre, senhor, e meu marido ganha pouco; o dinheiro significa muito para mim. Ele tirou uma nota de dez libras e ficou a mostrá-la para mim. "Pode receber a mesma quantia durante 15 dias, por muito tempo, se mantiver as condições", ele disse. "Se não, nada tenho a tratar com a senhora."

— Quais eram as condições?

— Bem, senhor, ele queria ter uma chave da casa. Até aí, tudo bem. Inquilinos sempre a têm. Ele também deveria ser deixado inteiramente só e nunca, sob nenhum pretexto, ser perturbado.

— Nada de mais nisso, não?

— Parece, senhor, mas isso está fora de qualquer lógica. Faz dez dias que ele está lá e nem meu marido, nem a menina, ninguém pôs os olhos nele desde então. Escutamos os passos dele, andando de um lado para outro, de noite, de manhã, de tarde. Com exceção da primeira noite, ele nunca mais saiu de casa.

— Oh, então ele saiu na primeira noite, certo?

— Sim, senhor, e voltou bem mais tarde, depois que todos nós já estávamos deitados. Ele me havia dito, depois que alugou o quarto, que iria agir assim e me pediu para não trancar a porta. Eu ouvi quando ele subiu a escada depois da meia-noite.

— E as refeições?

— Foi recomendação especial dele que nós devíamos, sempre que ele tocasse a campainha, deixar o prato em uma cadeira do lado de fora da porta. Ele tocaria de novo quando tivesse terminado, e nós pegaríamos o prato na mesma cadeira. Quando ele quer alguma outra coisa, escreve em letra de forma num pedaço de papel e deixa ali.

— Letra de forma?

— Sim, com um lápis, em letra de forma, apenas a palavra e nada mais. Aqui está uma que trouxe para lhe mostrar: "SABONETE". Eis outra: "FÓSFORO". Esta ele deixou na primeira manhã: "*DAILY GAZETTE*". Deixo-lhe o jornal, junto com o café, toda manhã.

— Ora, Watson — disse Holmes, olhando com grande curiosidade para as tiras de papel que a mulher lhe entregara — isto é realmente estranho. Posso entender a reclusão, mas por que escrever com letra de forma? Escrever assim é mais trabalhoso. Por que não escrever normalmente? O que significa isso, Watson?

— Que não quer mostrar a caligrafia.

— E por quê? Por que a senhoria não deve ver sua letra? Pode ser como você disse, mas então por que pedidos tão lacônicos?

— Não consigo imaginar.

— Isto abre um campo interessante para uma investigação inteligente. As palavras são escritas com um lápis de ponta grossa, bem comum. Note que o papel foi rasgado aqui deste lado, depois que escreveu, de forma que o "S" do "SABONETE" quase foi arrancado. Bem sugestivo, não, Watson?

— Precaução?

— Exatamente. É claro que havia alguma marca, impressão do polegar, algo que pudesse dar uma indicação da identidade da pessoa. A senhora diz que o homem era de estatura mediana, moreno, de barba. Quantos anos teria?

— Jovem, não mais de trinta.

— Bem, pode me dar mais algumas informações?

— Falava um inglês correto, embora eu ache que seja estrangeiro, pelo sotaque.

— Estava bem-vestido?

— Muito bem-vestido, um cavalheiro. Roupas escuras, nada que desse na vista.

— Deu algum nome?

— Não, senhor.

— Recebeu cartas ou visitas?

— Nada.

— Com certeza a senhora ou a menina entram no quarto de manhã.

— Não. Ele mesmo cuida do quarto.

— Ora, ora! Isto é realmente notável. E a bagagem dele?

— Trazia uma mala marrom grande, nada mais.

— Parece que não temos muito material para nos ajudar. A senhora diz que nada saiu do quarto... absolutamente nada?

A mulher tirou um envelope da bolsa. Do envelope tirou dois palitos de fósforo queimados e uma ponta de cigarro, colocando tudo na mesa.

— Estavam na bandeja dele hoje cedo. Eu os trouxe porque soube que o senhor tira grandes conclusões de coisas pequenas.

Holmes encolheu os ombros.

— Não há nada aqui — ele disse. — Os fósforos, é claro, foram usados para acender cigarro. Isto está claro pelo pedaço queimado. Gasta-se a metade do palito ao se acender um cachimbo ou charuto. Mas... caramba! Esta guimba de cigarro é realmente interessante. O cavalheiro tinha barba e bigode, não?

— Sim, senhor.

— Não estou entendendo isso. Eu diria que só pode ter sido fumado por alguém sem barba. Isso porque, Watson, até mesmo seu modesto bigode ficaria chamuscado.

— Uma piteira? — eu sugeri.

— Não, não. A extremidade não mostra isso. Não poderia haver duas pessoas no quarto, sra. Warren?

— Não, senhor. Ele come tão pouco que nem imagino como consegue se manter vivo.

— Bem, acho que devemos aguardar mais algum material. Afinal de contas, a senhora não tem nada a reclamar. Recebeu o aluguel e ele não é um inquilino problemático, embora seja fora do comum. Ele lhe paga bem e, se prefere viver trancado, não é da sua conta. Não temos desculpa para nos intrometermos na sua privacidade até termos algum motivo para achar que há algo suspeito. Aceitei o caso e vou ficar atento. Conte-me qualquer novidade e confie na minha ajuda, se for necessária.

— Certamente há alguns detalhes interessantes neste caso, Watson — disse Holmes depois que a mulher saiu. — Pode muito bem tratar-se de uma coisa banal, excentricidade mesmo, ou então pode ser algo mais profundo do que aparenta na superfície. A primeira coisa que chama a atenção é a possibilidade de que a pessoa que está agora no quarto seja completamente diferente do homem que o alugou.

— Por que acha isso?

— Bem, além do toco de cigarro, não foi sugestivo o fato de que a única vez que o inquilino saiu foi logo depois que alugou o quarto? Ele voltou, ou alguém voltou, quando qualquer testemunha possível estava fora do caminho. Não temos nenhuma prova de que a pessoa que voltou seja a mesma que saiu. Além do mais, o homem que alugou os aposentos falava bem o inglês. Esta outra, no entanto, escreve "FÓSFORO", quando o correto é "FÓSFOROS". Eu acho que a palavra foi tirada de um dicionário, que daria o substantivo, e não o plural. O estilo lacônico talvez disfarce a falta de conhecimento do inglês. Sim, Watson, há fortes motivos para supor que tenha havido uma troca de inquilinos.

— Mas com que objetivo?

— Ah, aí é que está nosso problema. Há uma linha bastante clara de investigação.

Ele apanhou o livro volumoso em que, dia após dia, arquivava os avisos de desaparecidos de vários jornais londrinos.

— Puxa vida — disse, folheando as páginas —, que coro de gemidos, choros e lamentações! Que punhado de acontecimentos estranhos. Mas, com toda certeza, é um campo valiosíssimo para quem se dedica ao estudo do incomum! O nosso inquilino está sozinho e não pode ser abordado por carta sem a quebra do absoluto segredo desejado. Como as notícias ou mensagens chegam até ele? Claro que através de anúncios em um jornal. Parece não haver outra forma e, felizmente, temos de nos ocupar apenas com um jornal. Aqui estão os recortes do *Daily Gazette* dos últimos 15 dias. "Senhora com um boá preto no Prince's Skating Club...", podemos ir em frente. "Com toda a certeza, Jimmy não vai querer magoar o coração de sua mãe", isto parece não ter importância para nós. "Se a senhora que desmaiou no ônibus de Brixton...", ela não me interessa. "Todo dia meu coração anseia", lamentações infindáveis! Ah, isto já é possível. Ouça: "Tenha paciência. Vamos encontrar algum meio de comunicação seguro. Nesse meio-tempo, esta coluna. G." Isto foi dois dias depois da chegada do inquilino da sra. Warren. Parece plausível, não? O inquilino misterioso pode entender inglês, mesmo que não saiba escrevê-lo. Vamos ver se conseguimos pegar a pista de novo. Sim... sim... aqui está, três dias depois: "Estou tomando providências com êxito. Paciência e prudência. As nuvens hão de passar. G." Depois disso, uma semana de silêncio. E agora vem algo mais definido: "O caminho está ficando limpo. Se eu achar meio de me comunicar com sinais, lembre-se do código combinado: 1, A; 2, B, e assim por diante. Você logo terá notícias. G." Isto foi no jornal de ontem, e hoje não há nada. Tudo se encaixa muito bem no inquilino da sra. Warren. Se esperarmos um pouco, Watson, tenho certeza de que o caso vai ficar ainda mais compreensível.

E assim foi, pois logo de manhã encontrei meu amigo de pé, com as costas voltadas para a lareira e um sorriso de total satisfação nos lábios.

— Que tal isto aqui, Watson? — perguntou, pegando o jornal na mesa. — "Casa vermelha alta com fachada de pedra branca. Terceiro andar. Segunda janela à esquerda. Depois do anoitecer. G." Isto basta. Acho que, depois do café da manhã, devemos fazer um pequeno reconhecimento da vizinhança da sra. Warren. Ah, sra. Warren, que novidades nos traz esta manhã?

Nossa cliente tinha irrompido na sala com tamanho ímpeto que demonstrava que acontecera algo importante.

— É um caso de polícia, sr. Holmes! — berrou ela. — Não quero mais saber disso! Ele tem de sair de lá com a bagagem! Eu ia subir e falar com ele, só que resolvi ouvir primeiro seu conselho. Mas minha paciência está no fim, e quando acontece de baterem no meu marido por causa disso...

— Bateram no seu marido?

— De qualquer forma foi maltratado.

— Mas quem fez isso?

— Ah, isso é o que queremos saber! Foi hoje de manhã, senhor. Meu marido é o controlador do livro de ponto da firma Morton e Waylight's, em Tottenham, Court Road. Ele sai de casa antes das sete horas. Bem, hoje cedo ele ainda não tinha dado dez passos quando dois homens se aproximaram por trás, jogaram um paletó em sua cabeça e o meteram num carro encostado ao meio-fio. Andaram com ele durante uma hora e depois abriram a porta e o jogaram para fora. Ele ficou tão tonto na estrada que nem viu o que aconteceu com o carro. Quando se levantou, viu que estava em Hampstead Heat; tomou um ônibus de volta para casa e está lá, deitado no sofá, enquanto eu vim diretamente lhe contar o que aconteceu.

— Muito interessante — disse Holmes. — Ele notou a aparência dos homens, ouviu-os conversar?

— Não, ele está completamente tonto. Só sabe que foi levantado e atirado como num passe de mágica. Havia pelo menos dois homens, ou talvez três.

— E a senhora relaciona este ataque com seu inquilino?

— Ora, há 15 anos moramos ali e nunca aconteceu uma coisa assim antes. Não quero mais saber dele! Dinheiro não é tudo! Vou fazê-lo sair de minha casa antes de o dia terminar.

— Espere um pouco, sra. Warren. Não faça as coisas de modo precipitado. Começo a achar que este caso é muito mais importante do que pareceu à primeira vista. Está claro agora que algum perigo está ameaçando seu inquilino. Também está claro que os inimigos dele, esperando-o perto de sua casa, pegaram seu marido por engano na manhã cheia de neblina. Quando perceberam o engano, eles o soltaram. Podemos apenas supor o que fariam se não tivesse sido um engano.

— Bem, o que devo fazer, sr. Holmes?

— Gostaria imensamente de ver seu inquilino, sra. Warren.

— Não sei como se pode conseguir isso, a não ser que o senhor arrombe a porta. Eu sempre o escuto destrancando-a quando desço, depois de deixar a bandeja para ele.

— Ele tem de pegá-la. Com toda a certeza podemos nos esconder e vê-lo.

A mulher pensou por um momento.

— Bem, senhor, há um quarto em frente. Eu posso arrumar um espelho, talvez, e o senhor fica atrás da porta...

— Excelente! Quando ele almoça?

— Ali pelas 13 horas.

— Eu e o dr. Watson estaremos lá, então. Até mais tarde, sra. Warren.

Às 12h30 nós nos achávamos nos degraus da casa da sra. Warren, uma casa alta, de tijolos amarelos, na Great Orme Street, uma ruazinha estreita a noroeste do Museu Britânico. Como fica perto da esquina, tem uma vista da Howe Street, com casas mais elegantes. Com um risinho de satisfação, Holmes apontou para uma das casas, que se destacava das outras.

— Veja, Watson: "Casa vermelha alta com fachada de pedra branca". É o lugar para os sinais, sem dúvida. Sabemos o lugar e conhecemos o código; de modo que nossa tarefa será simples. Há um cartaz de "Aluga-se" na janela. Evidentemente é um apartamento vazio, ao qual o cúmplice tem acesso. Muito bem, sra. Warren, e agora?

— Está tudo preparado para os senhores. Se subirem agora e deixarem os sapatos aqui, eu os instalarei lá.

Ela arranjara um excelente esconderijo. O espelho fora colocado de tal forma que, sentados no escuro, podíamos ver toda a porta em frente. Mal tínhamos nos instalado, depois que a mulher saiu, quando ouvimos uma campainha tocando, o que significava que o misterioso hóspede tinha chamado. Naquele momento a senhoria apareceu com a bandeja, colocou-a na cadeira perto da porta fechada e foi-se embora, pisando forte. Espremidos no ângulo da porta, ficamos olhando para o espelho. De repente, depois que os passos da mulher desapareceram, ouvimos uma chave rangendo na porta, a maçaneta se mexeu e duas mãos finas apareceram e pegaram o prato da cadeira. Mas logo em seguida as mesmas mãos largaram o prato na cadeira e eu vi, rapidamente, um rosto bonito, moreno e aterrorizado olhando para a estreita abertura da nossa porta. Ele bateu a porta rapidamente, trancou-a e tudo ficou em silêncio. Holmes puxou-me pela manga e descemos silenciosamente a escada.

— Voltarei à noite — ele disse à mulher ansiosa. — Acho que nós podemos analisar melhor o caso em nossos aposentos, Watson.

— Minha suposição, como você viu, estava correta — disse Holmes, sentado em sua poltrona. — Houve uma substituição de inquilinos. O que não previ, Watson, era que encontraríamos uma mulher, e não se trata de uma mulher comum.

— Ela nos viu.

— Bem, ela viu algo que a assustou. Isto é evidente. A sequência geral dos acontecimentos está bastante clara, não? Um casal procura refúgio em Londres por causa de um perigo terrível e iminente. O tamanho desse perigo pode ser medido pelo rigor das precauções. O homem, que tem um trabalho qualquer a fazer, precisa deixar a mulher em absoluta segurança enquanto ele age. Não é um problema fácil, mas ele resolveu de forma original e de maneira tão eficaz que nem a dona da pensão, que lhe leva as refeições, sabe de sua presença. Os bilhetes, em letra de forma, são uma maneira de evitar que descobrissem o sexo dela pela caligrafia. O homem não pode aproximar-se da mulher; do contrário levará até ela os inimigos. Como não pode comunicar-se diretamente com ela, recorreu à seção de anúncios de um jornal. Até aqui, está tudo muito claro.

— Mas qual o motivo disso tudo?

— Ah, sim, Watson, extremamente prático, como sempre! Qual o motivo disso tudo? O extravagante problema da senhora Warren aumenta um pouco e assume um aspecto ainda mais sinistro quando continuamos. Até aqui podemos dizer o seguinte: esta não é uma fuga comum de amor. Você viu o rosto da mulher ao sinal de perigo. Ficamos sabendo, também, que o ataque ao marido da sra. Warren sem dúvida nenhuma era dirigido ao inquilino. Estes alarmes e a desesperada necessidade de segredo, tudo indica ser um caso de vida ou morte. O ataque ao sr. Warren mostra ainda que o inimigo, quem quer que seja, também não está a par da substituição do inquilino. Muito interessante e complexo, Watson.

— Por que você continua? O que tem a ganhar com isso?

— Sim, o quê? É pelo amor à arte, Watson. Acho que você, quando se formou em medicina, muitas vezes cuidou de doenças sem pensar em pagamento, não?

— Enriquecimento de meus conhecimentos, Holmes.

— Essa formação não acaba nunca, Watson. É uma sequência de lições, a seguinte ainda mais interessante. Aqui nós temos um caso instrutivo. Não há nem dinheiro nem mérito nele, mas mesmo assim a gente quer esclarecê-lo. Quando anoitecer, estaremos num estágio mais avançado de nossas investigações.

Ao voltarmos à casa da sra. Warren, a tristeza da noite de inverno de Londres se transformara numa espessa neblina cinza, envolvendo tudo na monotonia de sua cor, quebrada somente pelos retângulos amarelos e vivos das janelas iluminadas. Olhando pela janela, já dentro da casa, vimos uma luz mais tênue brilhando no alto, na escuridão da noite.

— Alguém está andando no quarto — sussurrou Holmes, com o rosto atento e magro encostado na vidraça. — Sim, estou vendo a sombra dele. Lá está ele de novo! Tem uma vela na mão. Está olhando para fora, agora. Quer ter a certeza de que ela está atenta. Começou a sinalizar agora. Pegue a mensagem você também, Watson, e poderemos conferir um com o outro. Apenas um sinal... isso é a letra A, com toda a certeza. Olha lá, de novo. Quantos você contou? Vinte. Eu também. Isso deve ser um T. Significa AT. Bastante compreensível. Outro T. Certamente é o começo da segunda palavra. Agora... TENTA. Ponto. Será que é tudo, Watson? ATTENTA não significa nada, nem se dividíssimos em três palavras: AT TEN TA, a menos que TA sejam iniciais de um nome. Lá está ele de novo! O que é isso? ATTE... ora, é a mesma palavra de novo. Curioso, Watson, muito curioso! Recomeçou! AT... ora, repetindo pela terceira vez! ATTENTA três vezes. Quantas vezes vai repetir? Não, parece que terminou. Ele saiu da janela. O que você acha, Watson?

— Uma mensagem em código, Holmes.

De repente meu companheiro soltou uma risada de compreensão.

— E não é um código difícil, Watson. Claro, é em italiano. O A significa que é dirigido a uma mulher. "Cuidado", "Cuidado", "Cuidado". E então, Watson?

— Acho que você acertou.

— Sem dúvida. Uma mensagem muito urgente, repetida três vezes para enfatizar isso. Mas, cuidado com o quê? Espere um pouco, ele está voltando à janela.

Vimos de novo a silhueta do homem agachado e o movimento da pequena luz pela janela, quando recomeçou com os sinais. Foram mais rápidos do que antes, tão rápidos que era difícil acompanhá-los.

— Pericolo... *pericolo*... hein? O que é, Watson? Perigo, não? Sim, por Deus, é um sinal de perigo. Lá vai de novo. Peri... ora, que diabo...

A luz sumiu de repente, a figura desapareceu da janela e o terceiro andar formava um quadro escuro, no alto do prédio, em comparação com as vidraças iluminadas. O último sinal de aviso fora cortado de repente. Como e por quem? O mesmo pensamento ocorreu a nós dois.

Holmes levantou-se de um pulo do lugar onde estava agachado, perto da janela.

— Isto é grave, Watson — ele exclamou. — Há alguma crueldade acontecendo por lá. Por que essa mensagem pararia assim? Tenho que pôr a Scotland Yard neste caso... e mesmo assim é muito urgente para que o abandonemos...

— Devo chamar a polícia?

— Precisamos definir um pouco melhor a situação. Pode ter uma interpretação mais inocente. Vamos, Watson, vamos agir e ver o que podemos fazer.

Enquanto seguíamos rapidamente pela Howe Street, olhei para a casa de onde acabáramos de sair. E lá, destacada na janela superior, pude ver a sombra de uma cabeça, cabeça de mulher, perscrutando, tensa e rígida, a noite lá fora, esperando com ansiedade o reinício da mensagem interrompida.

Um homem, agasalhado com um cachecol e um sobretudo, estava encostado à porta do prédio de apartamentos.

— Holmes! — ele exclamou assim que aparecemos.

— Ora, Gregson! — respondeu meu amigo, apertando a mão do detetive da Scotland Yard. — Os amantes sempre se encontram no fim da viagem. O que faz aqui?

— Espero que sejam os mesmos motivos que o trazem — disse Gregson. — Não imagino como você entrou neste caso.

— Fios diferentes, mas que levam à mesma meada. Estive observando os sinais.

— Sinais?

— Sim, daquela janela. Foram interrompidos. Viemos ver o motivo. Mas já que o caso está em suas mãos, eu não vejo motivo para continuar.

— Espere um pouco! — exclamou Gregson, ansioso. — Vou ser honesto com o senhor, pois nunca estive num caso em que não me sentisse mais seguro tendo-o ao meu lado. Existe apenas uma saída destes apartamentos, portanto nós o pegamos.

— Quem é ele?

— Bem, bem, passamos na sua frente pelo menos uma vez, sr. Holmes. Deve considerar-nos melhor, desta feita.

Dizendo isso, bateu firme com a bengala no chão, e no mesmo instante um cocheiro saltou da carruagem estacionada do outro lado da rua, com um chicote na mão, e aproximou-se de nós.

— Deixe-me apresentá-lo ao sr. Sherlock Holmes — disse Gregson ao cocheiro. — Este é o sr. Leverton, da Agência Americana Pinkerton.

— O herói do mistério da caverna de Long Island? — perguntou Holmes. — Prazer em conhecê-lo, senhor.

O americano, um jovem tranquilo, com ar eficiente, rosto comprido e bem barbeado, ficou vermelho com o elogio.

— Estou no maior caso de minha vida agora, sr. Holmes. Se eu puder pegar Gorgiano...

— O quê? Gorgiano do Círculo Vermelho?

— Oh, então ele já tem fama na Europa, não? Bem, sabemos tudo a respeito dele na América. Sabemos que está metido em cinquenta assassinatos, e mesmo assim ainda não temos nada concreto para pegá-lo. Estou na pista dele desde Nova York e faz uma semana que estou de olho nele aqui em Londres, esperando uma desculpa para pôr as mãos nele. O sr. Gregson e eu o seguimos até aqui e, como só há uma porta, ele não conseguirá escapar. Três pessoas já saíram dali desde que ele entrou, mas tenho certeza de que ele não era nenhuma delas.

— O sr. Holmes falou a respeito de sinais — disse Gregson. — Espero que ele saiba, como sempre, muitas coisas que ignoramos.

Holmes explicou, em poucas palavras, como nós víamos a situação. O americano bateu as mãos, desapontado.

— Ele está sabendo de nós! — exclamou.

— Por que diz isso?

— Bem, dá essa impressão, não? Ele está lá, enviando mensagens a um cúmplice, e há vários de sua quadrilha em Londres. Então, de repente, como diz, quando ele estava avisando que havia perigo, a mensagem foi interrompida. O que significa isso a não ser que ele nos viu na rua, da janela onde estava, ou então percebeu de algum modo que o perigo estava perto e que devia agir rapidamente para evitá-lo? O que o senhor sugere, sr. Holmes?

— Vamos subir imediatamente e ver o que aconteceu.

— Mas não temos um mandado de prisão contra ele.

— Ele está num apartamento vazio, em circunstâncias suspeitas — disse Gregson. — Por ora, isso nos basta. Depois que o pegarmos, vamos ver se Nova York não pode nos ajudar a mantê-lo preso. Eu assumo a responsabilidade por sua prisão agora.

Nossos policiais podem não primar pela inteligência, mas sempre são corajosos. Gregson subiu as escadas para prender o assassino temível com a mesma calma fria e profissional com que teria subido as escadas da Scotland Yard. O detetive da Pinkerton tentou ir na frente, mas Gregson o manteve firmemente atrás, usando o cotovelo. Os perigos de Londres eram privilégio da polícia londrina.

A porta do apartamento da esquerda, no terceiro andar, estava meio aberta. Gregson a escancarou. Dentro, tudo era silêncio e escuridão. Risquei um fósforo e acendi o lampião do detetive. Quando a chama firmou-se, todos nós soltamos uma exclamação de surpresa. No chão havia uma marca recente de sangue. As pegadas vermelhas apontavam na nossa direção e conduziam a um outro quarto, cuja porta estava fechada. Gregson a arrombou e ergueu o lampião para iluminar bem o ambiente, enquanto nós espiávamos ansiosos por cima dos seus ombros.

No chão, no meio do quarto vazio, estava a forma encolhida de um homem enorme, rosto barbeado e moreno, horrivelmente grotesco em sua contorção, a cabeça cercada por um halo sinistro de sangue, em meio a uma poça no chão branco.

Estava com os joelhos encolhidos, as mãos abertas em agonia e, no meio de sua garganta, larga e morena, projetava-se o cabo de um punhal enterrado na carne. Grande como era, o homem deve ter caído como um touro abatido com um golpe terrível. Ao lado de sua mão direita estava uma adaga de dois gumes, cabo de chifre, e perto dela uma luva de pelica preta.

— Meu Deus, é Gorgiano, o Negro! — exclamou o detetive americano. — Alguém o pegou antes de nós.

— Aqui está a vela na janela, sr. Holmes — disse Gregson. — Mas o que está fazendo?

Holmes tinha se adiantado, acendera a vela e a estava passando de um lado a outro da janela. Depois espiou para fora, soprou a vela e a jogou no chão.

— Creio que vai nos ajudar — ele disse.

Aproximou-se e ficou pensativo, enquanto os dois profissionais examinavam o corpo.

— O senhor disse que três pessoas saíram do prédio enquanto estava lá embaixo — disse, finalmente. — O senhor as observou de perto?

— Sim, sim.

— Havia um sujeito de uns trinta anos, barba preta, estatura mediana?

— Sim, foi o último a passar por mim.

— Esse é o seu homem, eu acho. Posso dar-lhe sua descrição e, além do mais, temos uma excelente impressão de suas pegadas. Isso deve ser o suficiente para o senhor.

— Nem tanto, sr. Holmes, entre as milhões de pessoas em Londres.

— Talvez não. Por isso achei melhor chamar esta senhora para ajudá-lo.

Ouvindo estas palavras, nós nos viramos. Uma mulher, bonita e alta, estava à porta — a misteriosa inquilina de Bloomsbury. Ela avançou devagar, o rosto pálido e apreensivo, os olhos fixos na figura negra no chão.

— Vocês o mataram! — murmurou. — Oh, *Dio mio*, vocês o mataram!...

Então, ela deu um suspiro profundo e saiu pulando com um grito de alegria. Dançou em volta do quarto, batendo as mãos, os olhos escuros brilhando de contentamento, e uma torrente de exclamações em italiano jorrando dos seus lábios. Era terrível e ao mesmo tempo espantoso ver a mulher tão alegre com uma visão daquelas. Ela parou de repente e olhou para nós com um ar interrogativo.

— Mas, vocês... são policiais, não? Vocês mataram Giuseppe Gorgiano, não foi?

— Somos da polícia, madame.

Ela olhou em volta, para os cantos escuros do quarto.

— Mas, então... onde está Gennaro? — perguntou. — É meu marido, Gennaro Lucca. Eu me chamo Emília Lucca, e viemos de Nova York. Onde está Gennaro? Há pouco ele me chamou desta janela e eu vim o mais depressa que pude.

— Eu a chamei — disse Sherlock.

— O senhor? Como?

— Seu código não era difícil, senhora. Desejávamos sua presença aqui, e eu sabia que bastava enviar o sinal de *"Vieni"* e a senhora apareceria com toda a certeza.

A bela italiana olhou com espanto para o meu amigo.

— Não entendo como o senhor sabe essas coisas — disse ela. — Giuseppe Gorgiano, como foi que ele...

Ela parou, e então seu rosto se iluminou de alegria e orgulho.

— Agora estou entendendo! Meu Gennaro! Meu belo e esplêndido Gennaro, que me protegeu de todo o mal, ele fez isso, com sua própria mão forte ele matou o monstro! Oh, Gennaro, maravilhoso Gennaro! Que mulher pode ser digna de um homem assim?

— Bem, senhora Lucca — disse o prosaico Gregson, pondo a mão na manga da mulher tão friamente como se ela fosse uma desocupada de Notting Hill —, ainda não sei o que a senhora é nem quem é, mas já disse o suficiente para que a levemos até a Scotland Yard.

— Um momento, Gregson — disse Holmes. — Eu acho que esta senhora deve estar tão ansiosa para nos dar informações quanto nós para ouvi-las. A senhora sabe, madame, que seu marido será preso e julgado pelo assassinato deste homem aqui? O que disser pode ser usado contra vocês. Mas se acha que seu marido agiu por motivos que não são criminosos, e que ele quer que saibamos, então o melhor que a senhora pode fazer para ajudá-lo será contar-nos a história.

— Agora que Gorgiano está morto, nada mais nos assusta — ela disse. — Ele era um demônio e um monstro, e não existe um juiz em todo o mundo que puniria meu marido por tê-lo matado.

— Neste caso — disse Holmes —, sugiro que fechemos esta porta, deixemos tudo do modo como encontramos, e vamos até o quarto desta mulher a fim de tirarmos nossa conclusão depois de ouvirmos tudo o que ela tem a nos dizer.

Meia hora depois nós estávamos sentados na apertada sala da *signora* Lucca, ouvindo a extraordinária narrativa dos acontecimentos sinistros, cujo final nós testemunhamos por acaso. Falava um inglês rápido e fluente, mas não muito correto, e que, em nome da clareza, eu vou corrigir.

— Nasci em Posilippo, perto de Nápoles — disse ela —, e meu pai chamava-se Augusto Barelli, decano dos advogados e, nessa ocasião, deputado daquela região. Gennaro era empregado de meu pai e eu me apaixonei por ele, como se apaixonaria qualquer outra mulher. Ele não tinha dinheiro nem posição, nada, a não ser beleza, força e energia, de modo que meu pai se opôs ao nosso casamento. Fugimos, casamo-nos em Bari e eu vendi minhas joias para arranjar o dinheiro que nos levaria para os Estados Unidos. Isto aconteceu há quatro anos, e desde então sempre vivemos em Nova York.

"No início tivemos muita sorte. Uma vez Gennaro prestou um favor a um senhor italiano: ele o livrou de alguns malfeitores num lugar chamado Bowery, conseguindo, assim, um amigo poderoso. Esse senhor era Tito Castalotte, sócio majoritário da grande firma Castalotte e Zamba, principal importadora de frutas de Nova York. O *signor* Zamba é paralítico, e nosso novo amigo, Castalotte, tinha amplos poderes na firma, que empregava mais de trezentas pessoas. Levou meu marido para trabalhar com ele, fez dele chefe de um departamento e mostrou-lhe sua boa vontade em todos os sentidos. O *signor* Castalotte era um solteirão e eu acho que considerava Gennaro seu próprio filho, e nós, eu e meu marido, gostávamos dele como se fosse nosso pai. Havíamos alugado e mobiliado uma casinha no Brooklyn e nosso futuro parecia garantido quando apareceu aquela nuvem negra que, em breve, iria escurecer nosso céu.

"Uma noite, ao voltar do trabalho, Gennaro trouxe um compatriota com ele. Chamava-se Gorgiano e também viera de Posilippo. Era um homem enorme, como vocês mesmos viram pelo cadáver. Ele era enorme não apenas no tamanho, mas tudo nele era grotesco, gigantesco, aterrorizante. A voz parecia um trovão dentro de nossa casa pequena. Mal havia espaço para seus braços e gestos enormes quando falava. Tudo nele era exagerado e monstruoso, suas ideias, emoções e paixões. Ele falava, ou melhor, rugia, com tamanha energia que as outras pessoas só conseguiam ficar sentadas ouvindo, amedrontadas diante daquela poderosa torrente de palavras. Os olhos fixavam-se como fogo numa pessoa e a dominavam. Era um homem terrível e extraordinário ao mesmo tempo. Graças a Deus, está morto! Ele voltou muitas vezes à nossa casa. Mas eu percebia que Gennaro ficava infeliz na presença dele, assim como eu. Meu pobre marido ficava sentado, pálido e quieto, ouvindo infindáveis discursos sobre questões políticas e sociais, o prato favorito de nosso visitante. Gennaro não dizia nada, mas eu, que o conhecia bem, via angústia em seu rosto, coisa que nunca vira antes. No início achei que se tratava de aversão. Mas, pouco a pouco, compreendi que era algo mais do que isso. Era medo — um medo profundo, secreto, imenso. Naquela noite — na noite em que percebi o medo dele — eu o abracei e implorei, pelo amor que tinha por mim e por tudo o que lhe era caro, que não me escondesse nada e me dissesse por que razão aquele homem imenso tinha tanto domínio sobre ele. Gennaro me contou e meu coração ficou gelado enquanto eu ouvia. Meu pobre Gennaro, na sua juventude livre e ousada, quando o mundo inteiro parecia estar contra ele, e quase enlouqueceu por causa das injustiças da vida, ele se filiara a uma sociedade napolitana, o Círculo Vermelho, aliada dos antigos Carbonários. Os juramentos e segredos dessa irmandade eram terríveis, mas, depois de entrar, não era mais possível escapar. Quando nós fugimos para a América, Gennaro pensou que tinha se livrado dela para sempre. Imagine o seu horror, certa noite, ao encontrar-se na rua com o homem que o iniciara em Nápoles, o gigante Gorgiano, um homem que recebera o apelido de "Morte" no sul da Itália porque tinha tantas mortes nas costas! Ele fora para Nova York, fugindo da polícia italiana, e já havia instalado uma filial da terrível sociedade no novo país. Gennaro contou-me tudo isso e mostrou-me uma carta que recebera naquele dia, com um círculo vermelho desenhado no alto, informando que haveria uma reunião num determinado dia e que a presença dele não era apenas solicitada, mas exigida mesmo.

"Isso já era bastante ruim, mas o pior ainda estava por vir. Eu tinha notado que, quando Gorgiano vinha à nossa casa, o que ele fazia com frequência, à noite, conversava muito comigo; e mesmo quando suas palavras eram dirigidas a Gennaro, seus olhos terríveis, brilhantes e selvagens estavam sempre fixos em mim.

"Uma noite, ele se revelou. Eu havia despertado nele aquilo que ele chamava de 'amor' — amor de um selvagem, de um bruto. Gennaro ainda não tinha chegado quando ele entrou. Avançou e me enlaçou nos braços fortes, apertou-me como um urso, me cobriu de beijos e me implorou para ir com ele. Eu estava lutando e gritando quando Gennaro entrou e o atacou. Gorgiano o deixou sem sentidos, fugiu dali e nunca mais voltou. Naquela noite havíamos feito um inimigo mortal.

"Alguns dias depois houve a reunião. Gennaro voltou com uma expressão que me dizia que algo terrível tinha acontecido. Era pior do que podíamos imaginar. Os fundos da sociedade eram obtidos por meio de chantagem contra italianos ricos, e ameaças de violência, se eles se recusassem a dar dinheiro. Castalotte, nosso benfeitor e amigo, fora abordado e se recusara a se submeter às ameaças, levando tudo ao conhecimento das autoridades. Decidiram, então, que ele teria de ser transformado num exemplo para evitar que outros também se rebelassem. Na reunião ficou decidido que ele e a casa deveriam ir pelos ares, com uso de dinamite. Houve sorteio para ver quem executaria o plano. Gennaro viu o rosto cruel do nosso inimigo sorrindo para ele quando enfiou a mão no vaso, na hora do sorteio. Não há dúvida de que a coisa tinha sido, de algum modo, preparada antes, porque o disco fatal, com o círculo vermelho, saiu na sua mão: o mandado do crime. Ele tinha de matar seu melhor amigo, ou então ficaria exposto, e eu também, à vingança de seus camaradas. Fazia parte daquele sistema infernal punir aqueles que eles temiam ou odiavam, não só as próprias pessoas como também suas famílias; sabendo disso, Gennaro ficou quase louco de apreensão. Durante aquela noite inteira ficamos sentados, abraçados, cada um dando força ao outro para enfrentar as dificuldades que tínhamos pela frente.

"O atentado deveria ocorrer na noite seguinte. Ao meio-dia, eu e meu marido estávamos a caminho de Londres, não sem antes avisar nosso benfeitor do perigo, e também deixando informações à polícia para proteger a vida dele no futuro.

"O resto os senhores já sabem. Tínhamos certeza de que nossos inimigos ficariam atrás de nós como sombras. Gorgiano tinha motivos pessoais para a vingança, mas, de qualquer modo, sabíamos como ele poderia ser impiedoso, esperto e incansável. Tanto a Itália como a

América estão repletas de histórias de seu terrível poder. Se ele tivesse de colocá-lo em ação, seria agora.

"Meu marido deu um jeito de me arranjar um esconderijo nos poucos dias que tínhamos de vantagem na fuga, a fim de que eu não ficasse exposta a nenhum perigo. Ele, por sua vez, queria estar livre para entrar em contato tanto com a polícia italiana como a americana. Eu mesma não sei onde ele morava, nem como. Tudo o que sabia era através das páginas de um jornal. Uma vez, ao olhar pela janela, vi dois italianos vigiando a casa e soube que Gorgiano, de alguma forma, descobrira nosso esconderijo. Finalmente Gennaro me falou, pelo jornal, que enviaria sinais de uma determinada janela; mas quando esses sinais vieram, nada mais eram do que avisos de alerta, subitamente interrompidos. Agora está claro para mim que Gennaro sabia que Gorgiano estava por perto e, graças a Deus, meu marido estava preparado quando o outro chegou. E agora, senhores, eu lhes pergunto se temos algo a temer da lei, ou se algum juiz no mundo iria condenar meu marido pelo que ele fez."

— Bem, sr. Gregson — disse o americano encarando o policial —, eu não sei qual o ponto de vista da lei britânica a respeito disso, mas creio que em Nova York o marido desta senhora vai receber um voto de agradecimento geral.

— Ela terá de vir comigo e falar com o chefe — respondeu Gregson. — Se o que disse for comprovado, creio que ela e o marido não têm muito a temer. Mas o que não entendo, sr. Holmes, é como diabo o senhor entrou nesta história.

— Cultura, Gregson, cultura. Ainda procurando conhecimento na velha universidade. Bem, Watson, aí você tem mais um exemplo do trágico e do grotesco para acrescentar à sua coleção. A propósito, ainda não são oito horas, e esta noite tocam Wagner no Covent Garden! Se nós nos apressarmos, ainda poderemos pegar o segundo ato.

O CASO DOS PLANOS DO *BRUCE-PARTINGTON*

Na terceira semana de novembro de 1895, Londres foi envolvida por um nevoeiro denso e escuro. De segunda a quinta-feira eu duvidei se seria possível, de nossa janela na Baker Street, ver a fachada das casas em frente. Holmes passou o primeiro dia catalogando seu volumoso livro de referências; no segundo e terceiro dias, ficou pacientemente ocupado com um assunto que se transformara recentemente no seu *hobby* — a música da Idade Média. Mas, no quarto dia, quando nós levantamos das cadeiras após o café da manhã e vimos a névoa pesada e insinuante ainda firme e se condensando em manchas oleosas nas vidraças, a natureza impaciente e ativa de meu amigo não aguentou mais essa monotonia. Ficou andando impaciente pela sala, numa energia febril contida, tamborilando com as unhas nos móveis, irritado com a falta de ação.

— Nada de interessante no jornal, Watson?

Eu sabia que, ao perguntar sobre algo interessante, Holmes se referia a algo de interesse criminal. Havia notícias de uma revolução, possivelmente guerra, e sobre uma iminente mudança de governo, mas estas coisas não estavam no horizonte do meu amigo. Não tinha visto nada que se enquadrasse na modalidade de crime que não fosse comum e fútil. Holmes grunhiu e recomeçou suas caminhadas infindáveis.

— O criminoso de Londres é, com certeza, um sujeito sem imaginação — disse, numa voz lamurienta como a de um esportista que perde o jogo. — Olhe pela janela, Watson. Veja como as pessoas aparecem indistintamente, mal são vistas e já desaparecem de novo na névoa. Um ladrão ou um assassino poderia andar por Londres impunemente num dia assim, como um tigre na selva, invisível até o bote fatal na sua vítima.

— Houve alguns roubos insignificantes — eu disse.

Holmes fungou com desdém.

— Este palco imenso e sombrio está montado para algo melhor do que isso. É uma sorte para a comunidade que eu não seja um criminoso.

— Isso é verdade! — eu disse, convicto.

— Suponha que eu fosse Brooks ou Woodhouse, ou algum dos cinquenta homens que têm bons motivos para me matar. Quanto tempo eu conseguiria sobreviver à minha própria perseguição? Um chamado, uma cilada, e tudo estaria terminado. É bom que não haja dias de neblina nos países latinos, países típicos de assassinatos. Por Deus, aí vem algo, finalmente, para quebrar nossa monotonia mortal.

Era a criada com um telegrama. Holmes o abriu e caiu na gargalhada.

— Ora, ora! Adivinhe só? Meu irmão Mycroft está vindo aí.

— E daí?

— E daí? É como se você se encontrasse com um trem numa ruazinha do interior. Mycroft tem seus trilhos e só anda neles. O apartamento em Pall Mall, o Clube Diógenes, Whitehall, este é o mundo dele. Uma vez, e apenas uma, ele esteve aqui. O que será que o fez sair dos trilhos?

— Ele não explica?

Holmes entregou-me o telegrama do irmão.

Preciso falar-lhe sobre Cadogan West. Irei imediatamente.

Mycroft

— Cadogan West? Já ouvi este nome.

— Não me lembra nada. Mas para que Mycroft apareça aqui de repente... Um planeta também pode sair de sua órbita! A propósito, você sabe o que Mycroft é?

Eu tinha uma vaga lembrança de alguma informação da época do caso do intérprete grego.

— Você me disse que ele tinha um escritório e que trabalhava para o governo britânico.

Holmes deu uma risadinha.

— Eu não conhecia você muito bem naquela época. Precisamos ser discretos quando falamos de assuntos importantes do governo. Você está certo em pensar que ele trabalha para o governo inglês. Você também estaria certo se dissesse que ele é, de vez em quando, o próprio governo britânico!

— Meu caro Holmes!

— Eu sabia que você ficaria surpreso. Mycroft recebe 450 libras por ano, permanece numa posição subalterna, não tem ambições de espécie alguma, não receberá títulos nem condecorações, mas continua sendo o homem mais indispensável deste país.

— Mas, como?

— Bem, a posição dele é única. Ele mesmo a criou para si. Nunca houve algo assim antes, nem haverá depois. Ele possui, entre todos os seres vivos, o cérebro mais metódico e preciso, com imensa capacidade de estocar fatos. As mesmas faculdades que eu uso para a elucidação de crimes, ele usa para a sua função específica. As conclusões de todos os departamentos são encaminhadas a ele; ele é a central de filtragem, o serviço de compensação que faz o equilíbrio. Todos os outros homens são especialistas, mas a especialidade dele é a onisciência. Suponhamos que um determinado ministro necessite de informações sobre certo assunto que envolva a Marinha, a Índia, o Canadá e a questão bimetálica; ele poderia receber orientação sobre cada assunto de vários departamentos, mas somente Mycroft pode englobar todos eles e dizer, de antemão, como cada fator afetará o outro. Começaram usando-o como uma espécie de atalho conveniente, mas agora ele se tornou indispensável. No seu cérebro fantástico tudo está classificado e pode ser usado imediatamente. Quantas vezes sua palavra determinou a política nacional! Vive nisso. Ele não pensa em mais nada, a não ser quando, como exercício mental, cede se eu o chamo e lhe peço alguns conselhos sobre alguns de meus modestos problemas. Mas Júpiter está descendo hoje à Terra. Que diabo pode ser isso? Quem é Cadogan West e o que significa para Mycroft?

— Eu sei! — exclamei, e arranquei um jornal de uma pilha que estava em cima do sofá. — Sim, aqui está, com certeza. Cadogan West foi o jovem encontrado morto no metrô, na terça-feira de manhã.

Holmes ficou subitamente atento, o cachimbo no ar.

— Isso deve ser muito sério, Watson. Uma morte que faz com que meu irmão mude seus hábitos não deve ser algo comum. Que diabo Mycroft tem a ver com isso? O caso não tinha nada de interessante, se me lembro bem. Aparentemente o jovem caiu do trem, suicidando--se. Não tinha sido roubado e não havia motivo aparente para se pensar em violência. Não foi assim?

— Houve um inquérito — eu disse — e muitos fatos novos apareceram. Olhando com mais atenção, diria que foi um caso curioso.

— A julgar pelo efeito em meu irmão, eu diria que se trata de algo extraordinário — ele comentou, acomodando-se na poltrona. — Agora, Watson, vamos aos fatos.

— O nome dele era Arthur Cadogan West. Tinha 27 anos, solteiro, e trabalhava no Arsenal Woolwich.

— Funcionário do governo. Veja a ligação com o mano Mycroft!

— Saiu de repente de Woolwich na segunda-feira à noite. Foi visto pela última vez pela noiva, srta. Violet Westbury, que ele deixou repentinamente na neblina às 19h30 daquela noite. Não houve briga entre eles e ela não consegue achar um motivo para a atitude dele. Só se ouviu falar nele novamente quando o corpo foi encontrado por um funcionário de nome Mason, do lado de fora da estação Aldgate do metrô de Londres.

— Quando?

— O corpo foi encontrado às seis horas de terça. Estava atirado sobre os trilhos, do lado esquerdo da linha que vai para o leste, num ponto perto da estação onde a linha surge do túnel por onde passa. A cabeça estava horrivelmente dilacerada, coisa que poderia ter sido causada pela queda do trem. O corpo só podia atingir o trilho dessa maneira. Se ele tivesse sido arrastado de alguma rua da vizinhança, deveria ter passado antes pelas cancelas da estação, onde há sempre bilheteiro. Este detalhe parece certo.

— Muito bem, o caso está suficientemente definido. O homem, morto ou vivo, caiu ou foi jogado do trem. Até aqui, está claro para mim. Continue.

— Os trens que atravessam os trilhos ao lado dos quais foi encontrado o corpo são os que correm do oeste para o leste, alguns apenas metropolitanos, alguns deles de Willesden e alguns entrocamentos distantes. Podemos ter certeza de que o rapaz, quando morreu, viajava nesse sentido bem tarde da noite; mas em que lugar ele entrou no trem é difícil determinar.

— A passagem, é claro, poderia mostrar isso.

— Não havia bilhete nos seus bolsos.

— Sem bilhetes? Ora, Watson, isto é realmente estranho. De acordo com minha experiência, é impossível chegar à plataforma de um trem metropolitano sem mostrar a passagem. Então o jovem provavelmente tinha uma. Será que a tiraram dele para ocultar o nome da estação de onde ele veio? É possível. Ou ele a terá deixado cair no trem? Isso também é possível. Mas a questão é interessante. Não havia sinais de roubo, não é?

— Aparentemente, não. Aqui está uma lista dos pertences dele. A carteira continha duas libras e 15 xelins. Também tinha um talão de cheques da agência do Capital and Counties Bank em Woolwich. A sua identidade foi descoberta assim. Havia também dois ingressos para o Teatro Woolwich para aquela mesma noite. Também havia um pequeno pacote com documentos técnicos.

Holmes deu uma exclamação de satisfação.

— Finalmente aí está, Watson! Governo britânico, Woolwich, Arsenal, documentos técnicos, meu irmão Mycroft; a cadeia está completa. Mas, aí vem ele, se não me engano, para contar pessoalmente.

Pouco depois a figura alta e corpulenta de Mycroft Holmes entrou apressada na sala. Pesado e maciço, havia um indício qualquer de inércia nele, mas acima do corpo um tanto desajeitado estava uma cabeça com uma fronte autoritária, uma expressão atenta nos olhos cinzentos, os lábios firmes e bem desenhados e um conjunto fisionômico sutil; após a primeira olhada a gente se esquecia do corpo volumoso para se lembrar apenas da mente predominante.

Junto com Mycroft vinha nosso velho conhecido da Scotland Yard, Lestrade, magro e austero. A gravidade dos rostos dos dois anunciava um assunto importante. O policial apertou-nos as mãos sem dizer uma palavra. Mycroft livrou-se de seu sobretudo e caiu pesadamente numa poltrona.

— Um negócio desagradabilíssimo, Sherlock — disse ele. — Detesto alterar meus hábitos, mas a necessidade é imperiosa. Na situação atual do Sião, minha ausência no escritório é desastrosa. Mas é uma verdadeira crise. Nunca vi o primeiro-ministro tão contrariado.

O Almirantado... bem, está em polvorosa como uma colmeia. Você leu sobre o caso?

— Acabamos de ler. No que consistiam os documentos técnicos?

— Ah, aí está! Felizmente não foram revelados. A imprensa ficaria frenética. Os documentos que o infeliz jovem tinha no bolso eram os planos do submarino *Bruce-Partington*.

Mycroft Holmes falou com uma solenidade que demonstrava o grau de importância do assunto. Sherlock e eu ficamos na expectativa.

— Certamente que você ouviu falar a respeito disso. Eu achei que todo mundo sabia.

— Ouvi apenas o nome.

— Sua importância dificilmente pode ser exagerada. É o segredo de Estado guardado com mais cuidado. Acredite que uma guerra naval será impossível dentro do raio de operação de um *Bruce-Partington*. Há dois anos, uma quantia muito grande, camuflada no orçamento, foi usada na aquisição do monopólio da invenção. Estão sendo feitos todos os esforços para mantê-lo em segredo. Os planos, extremamente complicados, incluem trinta patentes separadas, cada uma essencial ao funcionamento do todo; são guardados num cofre-forte especial, num escritório anexo ao arsenal, com portas e janelas à prova de arrombamento. Os planos não podiam sair do escritório sob nenhum pretexto. Se o construtor-chefe da Marinha os quisesse consultar, até mesmo ele era obrigado a ir ao escritório de Woolwich para isso. E agora nós os encontramos no bolso de um funcionário subalterno, morto no coração de Londres. Do ponto de vista oficial, isto é simplesmente terrível.

— Mas você os recuperou?

— Não, Sherlock, não! E aí é que está a tragédia! Não os recuperamos. Foram tirados dez documentos de Woolwich. Havia apenas sete deles no bolso de Cadogan West. Os três mais importantes sumiram, foram roubados, se evaporaram. Você tem de deixar tudo de lado, Sherlock. Esqueça seus casos policiais. É um problema internacional vital que você tem de solucionar. Como Cadogan West roubou os papéis, onde estão os três que faltam, como ele morreu, como o corpo dele foi parar ali, como resolver o problema? Encontre uma resposta para todas estas perguntas e terá prestado um excelente serviço à pátria.

— Por que você mesmo não o resolve, Mycroft? Você vê tanto quanto eu.

— É possível, Sherlock. Mas é uma questão de ver detalhes. Dê-me os detalhes e eu, sentado numa poltrona, lhe darei em troca uma excelente opinião de perito. Mas correr daqui para lá, interrogar guardas ferroviários, pôr a cara no chão com uma lente... não é meu *métier*. Não, você é o único homem que pode esclarecer o caso. Se deseja ver seu nome na próxima lista de honrarias...

Meu amigo sorriu e sacudiu a cabeça.

— Eu trabalho por amor à arte — disse. — Mas o problema certamente apresenta alguns pontos interessantes, e terei prazer em investigá-lo. Dê-me mais alguns fatos, por favor.

— Anotei nesta folha de papel os fatos principais, juntamente com alguns endereços que lhe serão úteis. No momento o guardião oficial dos documentos é o famoso perito do governo, *sir* James Walter, cujas condecorações e subtítulos enchem duas linhas de um livro de consulta. Ele passou a vida no serviço, é um cavalheiro, hóspede bem recebido nas famílias mais distintas e, sobretudo, um homem cujo patriotismo está acima de qualquer suspeita. Ele é um dos dois que possuem a chave do cofre. Devo acrescentar que, sem dúvida nenhuma, os documentos estavam no escritório na segunda-feira, durante o expediente, e que *sir* James partiu para Londres por volta das três da tarde levando a sua chave. Ele estava na casa do almirante Sinclair, em Barclay Square, durante a maior parte da noite em que ocorreu o incidente.

— Isso foi verificado?

— Sim, o irmão dele, coronel Valentine Walter, viu sua partida de Woolwich, e o almirante Sinclair, sua chegada a Londres; de modo que *sir* James não é mais um fator do problema.

— E o outro homem que tem a chave, quem é ele?

— Funcionário graduado e desenhista, sr. Sidney Johnson. Tem quarenta anos, é casado, cinco filhos. É um sujeito calado, taciturno, mas no conjunto tem uma excelente ficha no serviço público. Não é muito popular entre seus companheiros, mas é um bom funcionário. De acordo com seu relato, confirmado apenas pela esposa, ele ficou em casa durante toda a noite de segunda-feira, depois que chegou do trabalho, e sua chave nunca saiu da corrente do relógio que usa.

— Fale-nos sobre Cadogan West.

— Estava há dez anos no serviço e sempre fez um bom trabalho. Tem fama de ser irascível e impetuoso, mas é um sujeito sério e honesto. Nada temos contra ele. Trabalhava com Sidney Johnson no departamento. Suas funções faziam com que ele tivesse contato diário e direto com os planos. Ninguém mais mexia neles.

— Quem trancou os planos naquela noite?

— O sr. Sidney Johnson, o funcionário graduado.

— Bem, está perfeitamente claro quem os tirou. Eles foram encontrados com Cadogan West. Isto parece definitivo, não?

— Parece, Sherlock, e mesmo assim há muita coisa inexplicada. Em primeiro lugar, por que ele os pegou?

— Eles não são valiosos?

— Ele poderia conseguir facilmente milhares de libras por eles.

— Será que existe algum outro motivo para que ele levasse os documentos para Londres, a não ser para vendê-los?

— Não, não existe.

— Então temos de trabalhar com essa hipótese. O jovem West levou os papéis. E isso ele só conseguiria com uma chave falsa...

— Várias chaves falsas. Ele tinha que abrir a porta do edifício e a do escritório.

— Então ele tinha várias chaves falsas. Levou os documentos para Londres a fim de vender o segredo, pensando, sem dúvida, em colocá-los novamente no cofre na manhã seguinte, antes que dessem pela falta deles. Enquanto estava em Londres, nessa missão desleal, ele morreu.

— Como?

— Vamos supor que estivesse voltando para Woolwich quando foi morto e atirado do trem.

— Aldgate, onde foi encontrado o corpo, fica muito depois da estação da Ponte de Londres, que seria o caminho dele para Woolwich.

— Podemos imaginar vários motivos que o teriam levado a passar da Ponte de Londres. Por exemplo, havia alguém no vagão com quem ele estivesse conversando animadamente. A conversa terminou numa cena violenta, na qual ele perdeu a vida. Talvez ele tenha tentado sair do vagão, caiu nos trilhos e morreu. O outro sujeito fechou a porta. Havia uma densa neblina e não se via nada.

— Com o que sabemos, não se poderia dar uma explicação melhor; mas, mesmo assim, Sherlock, veja quanta coisa você deixou de considerar. Vamos supor, só para um exerciciozinho de argumentação, que Cadogan West tenha mesmo decidido levar os documentos para Londres. Naturalmente ele teria marcado um encontro com o agente estrangeiro aqui e deixado a noite livre. Em vez disso, ele comprou dois ingressos para o teatro, acompanhou a noiva até a metade do caminho e de repente desapareceu.

— Um embuste! — exclamou Lestrade, que ouvia a conversa com impaciência.

— E bem original. Essa é a objeção nº 1. Objeção nº 2: vamos supor que ele tenha chegado a Londres e se encontrado com o agente estrangeiro. Tem de levar os documentos de volta de manhã bem cedo, ou o roubo será descoberto. Ele levou dez documentos. No seu bolso só havia sete. O que aconteceu com os outros três? Certamente que ele não os deixaria por livre e espontânea vontade. E onde está o pagamento por sua traição? Era de se esperar que se encontrasse uma grande quantia de dinheiro no seu bolso.

— Para mim, está perfeitamente claro — disse Lestrade. — Não tenho a menor dúvida a respeito do que aconteceu. Ele levou os documentos para vendê-los. Encontrou-se com o agente. Não entraram em acordo sobre o preço. Ele voltou para casa e o espião foi com ele. No trem, o agente o matou, pegou os documentos mais importantes e jogou seu corpo do vagão. Isso explicaria tudo, não?

— Por que ele não tinha passagem?

— Ela indicaria qual a estação mais próxima da casa do espião. Assim sendo, ele também a tirou do bolso do morto.

— Ótimo, Lestrade, muito bom — disse Holmes. — Sua teoria se sustenta. Mas se isto for verdade, então o caso está no fim. De um lado, o traidor está morto; de outro, os planos do submarino *Bruce-Partington* provavelmente já estão no Continente. O que podemos fazer?

— Agir, Sherlock, agir! — exclamou Mycroft, levantando-se. — Todos os meus instintos são contrários a esta explicação. Use suas faculdades. Vá até o local do crime. Fale com as pessoas envolvidas. Examine tudo! Em toda a sua carreira você nunca teve uma oportunidade como esta para servir ao seu país!

— Bem, bem — disse Holmes, encolhendo os ombros. — Vamos, Watson! E você, Lestrade, poderia, por gentileza, acompanhar-nos por uma ou duas horas? Vamos começar nossos trabalhos fazendo uma visita à estação Aldgate. Até logo, Mycroft. Mandarei algumas notícias antes da noite, mas eu já lhe adianto que não deve esperar muita coisa.

Uma hora mais tarde, Holmes, Lestrade e eu estávamos na estação de Aldgate, no ponto onde a linha sai do túnel pouco antes da estação. Um senhor idoso, gentil e corado estava ali representando a companhia ferroviária.

— Este é o lugar onde estava o corpo do rapaz — disse ele, indicando um ponto a um metro dos trilhos. — Não poderia ter caído lá de cima porque, como podem ver, os muros são inacessíveis. Portanto, só pode ter vindo do trem, e daquele trem, e, pelo que pudemos verificar, deve ter sido o que passou por volta da meia-noite de segunda-feira.

— Os vagões foram examinados em busca de sinais de violência?

— Não existem esses sinais, e também não foi encontrada nenhuma passagem.

— Encontraram alguma porta aberta?

— Nenhuma.

— Obtivemos algumas pistas novas esta manhã — disse Lestrade. — Um passageiro que vinha no trem metropolitano, ali pelas 23h40 de segunda-feira, declarou ter ouvido um baque surdo, como se um corpo tivesse sido atirado nos trilhos, um pouco antes de o trem chegar à estação de Aldgate. Mas havia uma neblina densa e não se enxergava nada. Ele não comunicou o fato na ocasião. Ora, mas que diabo está acontecendo com o sr. Holmes?

Meu amigo, de pé, tinha uma expressão de grande interesse no rosto, olhando para os trilhos onde faziam a curva depois do túnel. Aldgate é um entroncamento e havia uma série de desvios. Seus olhos atentos e vigilantes focalizavam os desvios e eu vi, no seu rosto alerta, o aperto dos lábios, o tremor das narinas, a contração das sobrancelhas espessas, que eu conhecia tão bem.

— Os desvios, os desvios — murmurou ele.

— O que têm eles? O que está querendo dizer? Suponho que não existam muitas estações com entroncamentos iguais a esta.

— Não, existem bem poucas.

— E uma curva, também. Desvios e curvas. Por Deus, se fosse assim...

— Assim como, sr. Holmes? Tem alguma pista?

— Uma ideia... uma suposição... nada mais que isso. O caso, de qualquer maneira, ganha em interesse. Único, perfeitamente único e... mesmo assim, por que não? Não vejo sinais de sangue nos trilhos.

— Quase não havia sinais.

— Mas eu creio que o ferimento foi bem grande.

— O osso foi esmagado, mas não havia um grande ferimento externo.

— Mesmo assim, era de se esperar sangramento. Será que eu poderia inspecionar o trem em que estava o passageiro que ouviu o baque de uma queda na neblina?

— Receio que não, sr. Holmes. Os vagões do trem foram separados e redistribuídos.

— Posso lhe garantir, sr. Holmes — disse Lestrade —, que todos os vagões foram examinados cuidadosamente. Eu mesmo cuidei disso.

Uma das fraquezas mais óbvias do meu amigo era sua impaciência com inteligências menos brilhantes do que a sua.

— É possível — disse, afastando-se. — Na verdade, não eram os vagões que eu queria examinar. Watson, fizemos tudo o que era possível por aqui. Não vamos incomodá-lo mais, sr. Lestrade. Creio que nossas investigações, agora, vão nos levar a Woolwich.

Na Ponte de Londres ele escreveu um telegrama para o irmão, que me mostrou antes de despachar:

Vejo alguma luz na escuridão, mas pode apagar-se. Enquanto isso, mande, por favor, por um mensageiro que nos espere na Baker Street, lista completa de todos os espiões estrangeiros ou agentes internacionais que se saiba que estão na Inglaterra, com endereços completos.

Sherlock

— Isto será muito útil, Watson — disse, quando tomamos o trem para Woolwich. — Evidentemente, temos de ser gratos a Mycroft por nos ter incluído no que promete ser um caso realmente notável.

Seu rosto ansioso ainda exibia aquela expressão de energia intensa e concentrada, o que me mostrou que algum indício novo e sugestivo havia aberto uma linha estimulante de raciocínio. Veja um cão de caça, com orelhas caídas e rabo pendente, como fica indolentemente nos canis, e compare-o com o mesmo animal ativo, com olhos brilhantes e músculos retesados, perseguindo a caça — esta foi a mudança que ocorreu em Holmes desde a manhã. Era, agora, um homem diferente da figura abatida e inerte, no seu roupão cinza, caminhando inquieto, apenas algumas horas atrás, pela nossa sala na Baker Street, cercada pela neblina.

— Temos material aqui. Há um objetivo. Fui um verdadeiro tolo por não ter percebido suas possibilidades.

— Para mim, tudo ainda continua nebuloso.

— O final também é um mistério para mim, mas estou com uma ideia que pode nos levar além. O homem morreu em algum outro lugar e seu corpo estava no *teto* de um vagão.

— No teto?

— Notável, não? Mas veja os fatos. Seria uma coincidência o fato de o corpo ter sido encontrado exatamente no ponto onde o trem oscila e se sacode, quando passa pelos desvios? Não é esse o lugar onde se pode esperar que um objeto que esteja no teto caia? Os desvios não afetariam um objeto dentro do trem. Ou o corpo caiu do teto ou ocorreu uma coincidência muito curiosa. Mas veja agora a questão do sangue. É claro que não haveria sinal de sangue nos trilhos se o corpo tivesse sangrado em outro local. Cada fato é sugestivo por si mesmo. Juntos, eles têm uma força cumulativa.

— E o bilhete também! — exclamei.

— Exatamente. Não encontramos uma explicação para o desaparecimento do bilhete. E isto explicaria. Tudo se encaixa.

— Mas suponha que tenha sido assim; ainda estaríamos longe de esclarecer o mistério da morte do rapaz. Na verdade, o caso se torna ainda mais complicado, e não mais simples.

— Talvez — disse Holmes, pensativo —, talvez.

Caiu num silêncio profundo que durou até o trem parar finalmente na estação Woolwich. Chamou um cabriolé e tirou do bolso a folha de papel de Mycroft.

— Temos várias visitas para fazer esta tarde. Creio que *sir* James Walter merece nossa atenção primeiro.

A casa do famoso perito era uma linda vila com gramados verdes se estendendo até o Tâmisa. A neblina estava se dissipando quando chegamos, e os raios de um sol pálido começavam a aparecer. Um mordomo atendeu à porta.

— *Sir* James, senhor? — disse, com um rosto solene. — *Sir* James morreu hoje de manhã.

— Deus do céu! — exclamou Holmes. — Como ele morreu?

— Talvez seja melhor entrar, senhor, e conversar com o irmão dele, coronel Valentine.

— Sim, será melhor.

Ele nos levou até uma sala fracamente iluminada, onde, pouco depois, apareceu um homem alto, simpático, com cerca de cinquenta anos, o irmão mais novo do cientista que morrera. Seus olhos desvairados, bochechas vincadas, cabelos despenteados, refletiam o golpe repentino que se abatera sobre a casa. Mal conseguia articular as frases quando falou sobre o assunto.

— Foi um escândalo terrível — disse. — *Sir* James, meu irmão, era um homem que prezava muito sua honra e não conseguiu sobreviver a uma catástrofe dessas. Sempre teve orgulho da eficiência de seu departamento e isso agora foi um golpe fatal.

— Esperávamos que ele pudesse nos dar algumas informações que nos ajudassem a esclarecer o caso.

— Eu lhes asseguro que tudo era um mistério para ele como é para os senhores e para todos nós. Ele já havia posto à disposição da polícia tudo o que sabia. Naturalmente, ele não tinha dúvida de que Cadogan West era o culpado. Mas todo o resto era inconcebível.

— E o senhor sabe de alguma coisa que possa nos ajudar no caso?

— Não sei de nada, a não ser o que li ou ouvi. Não quero ser grosseiro, mas os senhores devem entender que no momento estamos muito perturbados, e lhes peço que encerremos esta conversa.

— Isto é realmente um acontecimento inesperado, Watson — disse Sherlock quando voltamos para o carro. — Fico imaginando se a morte foi natural ou se o pobre velho se matou! Se foi suicídio, pode ser considerado um indício de remorso por negligência do dever? Vamos deixar essa pergunta para mais tarde. Vejamos, agora, a família de Cadogan West.

A mãe do rapaz morava numa casa pequena, mas bem cuidada, nos arredores da cidade. A velha senhora estava abatida demais pela dor para poder nos dar qualquer informação útil, mas ao seu lado estava uma jovem pálida, que se apresentou como a senhorita Violet Westbury, noiva de Cadogan West e a última a vê-lo na noite fatal.

— Não consigo encontrar uma explicação, sr. Holmes — ela disse. — Não preguei o olho desde a tragédia, pensando, pensando, pensando, noite e dia, no significado de tudo isso. Arthur era sincero, gentil, o mais patriota dos homens. Ele preferiria arrancar a mão direita a vender um segredo de Estado confiado à sua guarda. Para todos que o conheciam, isto é absurdo, impossível, irracional.

— Mas e os fatos, srta. Westbury?

— Sim, sim, admito que não encontro explicação para eles.

— Ele estava precisando de dinheiro?

— Não; suas necessidades eram simples e ele ganhava bem. Havia economizado algumas centenas de libras e nós íamos nos casar no início do próximo ano.

— Sinais de alguma perturbação mental? Vamos, srta. Westbury, seja absolutamente franca conosco.

O olhar atento do meu amigo havia notado alguma mudança na atitude dela. A moça enrubesceu e hesitou.

— Sim — disse, finalmente —, eu tinha percebido que havia qualquer coisa na cabeça dele.

— Há quanto tempo?

— Somente na última semana, ou um pouco mais. Ele andava pensativo e preocupado. Uma vez eu lhe perguntei sobre isso. Ele admitiu que havia alguma coisa relacionada com a sua vida profissional. Ele me disse: "É sério demais para que eu fale sobre isso, até mesmo a você." Não consegui arrancar mais nada dele.

Holmes ficou sério.

— Continue, srta. Westbury. Mesmo que pareça prejudicá-lo, continue. Não sabemos o que pode resultar disso.

— Na verdade, não tenho mais nada a dizer. Por uma ou duas vezes tive a impressão de que ele estava para me contar alguma coisa. Certa noite referiu-se à importância do segredo, e eu me lembro de ele dizer que, sem dúvida, espiões estrangeiros pagariam um bom dinheiro pelos planos.

Sherlock ficou ainda mais sério.

— Disse que éramos negligentes a respeito desses assuntos, que seria fácil para um traidor apoderar-se dos planos.

— E ele fez esses comentários apenas nos últimos dias?

— Sim, recentemente.

— Fale-nos, agora, da última noite.

— Nós íamos ao teatro. A neblina estava tão forte que não adiantava tomar um carro. Fomos andando e no caminho passamos perto do escritório. De repente, ele sumiu no meio da neblina.

— Sem dizer uma palavra?

— Soltou uma exclamação, e foi tudo. Eu fiquei esperando, mas ele não voltou. Então, fui para casa. Na manhã seguinte, depois que abriram o escritório, eles vieram perguntar. Por volta do meio-dia ficamos sabendo da notícia horrível. Oh, sr. Holmes, se o senhor pudesse pelo menos salvar-lhe a honra. Representava tanto para ele!

Holmes balançou tristemente a cabeça.

— Vamos, Watson, temos mais coisas pela frente. Nossa próxima parada é o escritório de onde foram retirados os documentos.

— Se tudo era contra o rapaz antes, agora piorou ainda mais — Holmes comentou quando o táxi partiu. — Seu casamento dá um motivo para o roubo. Naturalmente ele precisava de dinheiro. Estava com a ideia na cabeça, já que mencionou o assunto. Ele quase transformou a noiva numa cúmplice, revelando-lhe seus planos. Tudo muito mal.

— Mas, Holmes, afinal de contas seu caráter não vale nada? Por que ele deixaria a noiva no meio da rua e fugiria para cometer um crime?

— É isso aí! Claro que há objeções. Mas é um caso extraordinário que tem de ser explicado.

O sr. Sidney Johnson, o funcionário graduado, recebeu-nos no escritório com o respeito que o cartão de visitas de Holmes sempre impunha. Era um homem magro, carrancudo, de meia-idade, que usava óculos, e estava com o rosto encovado e as mãos trêmulas em consequência da tensão nervosa a que fora submetido.

— Horrível, sr. Holmes, horrível. Ouviu falar da morte do chefe?

— Estamos vindo da casa dele.

— O lugar está uma bagunça. O chefe, morto, Cadogan West, morto, nossos documentos, roubados. E na segunda-feira, às 17 horas, quando trancamos o escritório, éramos tão eficientes quanto qualquer outro departamento a serviço do governo. Meu Deus, é horrível pensar nisso! Que West, entre todos, pudesse fazer uma coisa assim?

— Então o senhor tem certeza de que ele é o culpado?

— Não vejo outra explicação. E mesmo assim, confiava nele tanto quanto em mim mesmo.

— A que horas fecharam o escritório na segunda?

— Às cinco.

— O senhor mesmo o trancou?

— Sou sempre o último a sair.

— Onde estavam os planos?

— No cofre. Eu mesmo os coloquei lá.

— Existe algum vigia para o prédio?

— Sim, mas ele tem outros departamentos para vigiar também. É um velho soldado e homem de inteira confiança. Ele não viu nada naquela noite, pois havia a neblina.

— Suponhamos que Cadogan West quisesse entrar no edifício tarde da noite; ele precisaria de três chaves para conseguir pôr as mãos nos documentos, não é verdade?

— Sim, de fato. A chave da porta externa, a chave do escritório e a chave do cofre.

— *Sir* James Walter e o senhor eram os únicos que tinham essas chaves?

— Eu não tenho as chaves das portas, só a chave do cofre.

— *Sir* James era um homem de hábitos regulares?

— Sim, creio que sim. Pelo que sei, as três chaves sempre ficavam com ele no mesmo porta-chaves. Eu sempre as via ali.

— Ele levou o porta-chaves com ele para Londres?

— Ele disse que sim.

— O senhor sempre ficou com sua chave?

— Sempre.

— Então, Cadogan West, se for o culpado, devia ter uma duplicata. Mas não foi encontrada com ele. Outra coisa: se um funcionário deste departamento quisesse vender os planos, não seria mais simples ele copiar os planos do que levar os originais, como foi feito?

— Seria necessário um grande conhecimento técnico para copiar os planos de forma eficiente.

— Mas suponho que tanto *sir* James, o senhor ou Cadogan West tinham este conhecimento altamente especializado.

— Sem dúvida, mas peço-lhe que não me envolva no assunto, sr. Holmes. De que adianta especular dessa maneira, quando, na verdade, os planos originais foram encontrados com Cadogan West?

— Bem, de fato é estranho que ele corresse o risco de levar os planos originais quando poderia copiá-los com segurança, o que também serviria aos seus objetivos.

— Na verdade, é estranho; e mesmo assim ele o fez.

— Todas as perguntas a respeito deste caso revelam alguma coisa inexplicável. E ainda temos três documentos desaparecidos. Pelo que sei, são os essenciais.

— Sim, é verdade.

— O senhor quer dizer que alguém que tenha esses três documentos poderia construir um submarino *Bruce-Partington* sem os outros sete?

— Foi o que eu disse ao Almirantado. Mas hoje estive analisando os desenhos de novo, e já não tenho tanta certeza assim. As válvulas duplas de ajustamento automático estão desenhadas em um dos documentos recuperados. Até que o país estrangeiro invente algo semelhante, não vai conseguir construir o *Bruce-Partington*. É claro que eles podem superar este problema em breve.

— Mas os três documentos são os mais importantes?

— Sem dúvida.

— Creio que vou dar uma volta pelo prédio, com sua permissão. Não me ocorre nenhuma outra pergunta que queira lhe fazer.

Ele examinou a fechadura do cofre, a porta do escritório e, por fim, as folhas de ferro das janelas. Somente quando nos encontrávamos no gramado, do lado de fora do edifício, é que ele ficou extremamente interessado em uma coisa. Havia uma moita de louro perto da janela, e vários ramos haviam sido torcidos ou arrancados. Ele os examinou detidamente com a lente, e depois examinou algumas marcas superficiais e pouco nítidas na terra. Finalmente pediu ao chefe para fechar as janelas de ferro, e me mostrou que elas não se encaixavam no centro, o que permitia a qualquer pessoa do lado de fora ver o que acontecia dentro do escritório.

— Estas marcas estão prejudicadas pelo atraso de três dias. Podem significar alguma coisa ou nada. Bem, Watson, acho que não conseguiremos mais nada em Woolwich. Nossa colheita foi parca. Vamos ver se conseguimos algo melhor em Londres.

Mas ainda acrescentamos mais um trunfo à nossa pesquisa antes de sairmos da estação de Woolwich. O vendedor de passagens nos contou confidencialmente que ele vira Cadogan West — que conhecia de vista — na noite de segunda-feira, e que ele tomara o trem das 20h15 para a Ponte de Londres. Estava sozinho e comprou uma passagem de terceira classe. O vendedor ficara impressionado na ocasião com o jeito excitado e nervoso do rapaz. Tremia tanto que mal conseguiu pegar o troco, e o bilheteiro teve de ajudá-lo. Uma consulta ao quadro de horários mostrou que o de 20h15 era o primeiro trem que Cadogan West poderia ter tomado depois de deixar a noiva por volta das 19h30.

— Vamos reconstituir, Watson — disse Holmes, depois de meia hora de silêncio. — Não estou bem certo se, de todos os nossos casos, já tivemos um que fosse tão complicado de resolver. Cada novo indício que desenterramos apenas nos mostra um novo obstáculo adiante. Mas, mesmo assim, creio que já progredimos bastante. O resultado de nossas investigações em Woolwich foi bastante desfavorável ao jovem Cadogan West, mas as pistas na janela serviram para uma suposição mais favorável. Vamos supor, por exemplo, que ele tenha sido abordado por algum agente estrangeiro. Isso pode ter sido feito em condições que o impediram de falar a respeito do assunto, mas teria afetado seus pensamentos, como demonstraram os comentários que fez para a noiva. Muito bem, vamos supor agora que, quando estava indo com a jovem para o teatro, tenha vislumbrado, na neblina, a figura do agente indo na direção do escritório. Ele era um jovem impetuoso, rápido nas decisões. Tudo o impelia para o cumprimento do dever. Ele seguiu o homem, chegou até a janela, viu o roubo dos documentos e perseguiu o ladrão. Desta maneira superamos a objeção de que ninguém roubaria os originais quando podia copiá-los. O estranho tinha de levar os originais. A tese se sustenta até aqui.

— E qual o passo seguinte?

— Aí temos problemas. Pode-se imaginar que, nessas circunstâncias, a primeira atitude do jovem Cadogan fosse prender o bandido e acionar o alarme. Por que não agiu assim? Será que foi um oficial superior que levou os documentos? Isso explicaria a conduta de Cadogan. Ou será que o ladrão o teria despistado na neblina e West partiu imediatamente para Londres, para chegar antes à casa do agente, supondo-se que soubesse onde ela ficava? O negócio deve ter sido de extrema urgência, já que ele deixou a noiva no meio da neblina e não tentou se comunicar com ela. Nossa pista esfria aqui, e há uma grande lacuna entre essas hipóteses e a descoberta do corpo do rapaz, com sete documentos no bolso, no teto de um vagão do metrô. Meu instinto me diz que, agora, devo trabalhar na outra ponta. Se Mycroft nos enviou a lista de endereços, podemos descobrir nosso homem e seguir duas pistas em vez de apenas uma.

Havia, de fato, uma lista nos aguardando na Baker Street. Um mensageiro do governo a trouxera, em caráter de urgência, e Holmes deu uma olhada nela, passando-a para mim:

Há um grande número de peixinhos, mas poucos que bancariam uma parada dessa dimensão. Os únicos dignos de atenção são Adolph Meyer, de Great Georg Street, 13, Westminster; Louis La Rothière, de Campden Mansions, Notting Hill; e Hugo Oberstein, de Caulfield Gardens, 13, Kensington. Sabe-se que este último estava na cidade segunda-feira, e que agora foi embora. Fico feliz em saber que vislumbrou alguma luz. O Gabinete aguarda seu relatório final com a maior ansiedade. Chegam pedidos urgentes das mais altas esferas. Todas as forças do Estado estão à sua disposição, caso venha a precisar delas.

Mycroft

— Receio que nem todos os cavalos e homens da rainha poderão ajudar neste caso — disse Holmes, sorrindo, depois de abrir o grande mapa de Londres sobre os joelhos e inclinar-se sobre ele. — Bem, bem, finalmente as coisas estão começando a ficar a nosso favor. Ora, Watson, acredito honestamente que vamos nos sair bem no fim das contas.

Bateu no meu ombro, numa repentina explosão de alegria.

— Vou sair agora. Será apenas um reconhecimento. Não vou fazer nada importante sem que meu fiel companheiro e biógrafo esteja do meu lado. Fique aqui e provavelmente estarei de volta dentro de uma ou duas horas. Se o tempo custar a passar, pegue papel e lápis e comece a contar como salvamos a Inglaterra.

Fui contagiado pela sua animação, já que sabia muito bem que ele não abandonaria o seu habitual comportamento austero a menos que houvesse um bom motivo para isso. Esperei durante aquele infindável início de noite de novembro, impaciente pelo seu retorno. Finalmente, pouco depois das nove da noite, chegou um mensageiro com um bilhete.

Estou jantando no Restaurante Goldini, Gloucester Road. Por favor, venha logo e me encontre lá. Traga um pé de cabra, uma lanterna, um formão e um revólver.

S.H.

Belo equipamento para um cidadão respeitável levar pelas ruas escuras e envoltas em neblina! Espalhei tudo discretamente sob o meu sobretudo e me dirigi para o endereço indicado. Lá estava meu amigo, sentado a uma mesa redonda, perto da porta de entrada do bizarro restaurante italiano.

— Já jantou? Ótimo, então me acompanhe num café e vinho. Experimente um dos charutos da casa. Não são tão venenosos como se espera. Trouxe as ferramentas?

— Estão aqui, no meu sobretudo.

— Excelente. Deixe-me contar-lhe rapidamente o que andei fazendo e o que vamos fazer. Deve ser evidente para você agora, Watson, que o corpo do jovem foi *colocado* no teto do vagão. Isto ficou claro desde o momento em que determinei o fato de que fora do teto, e não do interior, que ele havia caído.

— Ele não pode ter sido atirado de uma ponte?

— Eu diria que era impossível. Se você examinar os tetos, vai ver que são ligeiramente abaulados, e não há grades em volta deles. Portanto, podemos afirmar com certeza que Cadogan West foi colocado ali em cima.

— E como?

— Esta era a pergunta que tínhamos de responder. Só existe uma maneira possível. Você sabe que os trens correm fora das galerias subterrâneas em alguns pontos no West End. Eu me lembrava vagamente de que, quando viajei num dos trens, tinha visto algumas janelas logo acima de minha cabeça. Suponha que um trem pare debaixo de uma delas; seria difícil colocar um corpo no teto?

— Parece que não.

— Temos de nos lembrar do antigo ditado que diz que, quando todas as outras teorias falham, qualquer que seja a que reste, mesmo parecendo improvável, deve ser a verdadeira. Aqui, todas as outras teorias falharam. Quando descobri que o mais importante agente estrangeiro, que acabou de sair de Londres, morava numa das casas à margem da linha do metrô, fiquei tão contente que você se surpreendeu com minha alegria.

— Oh, então era isso, hein?

— Sim, era isso. O sr. Hugo Oberstein, residente em Caulfield Gardens, 13, passou a ser o meu alvo. Comecei minhas operações na Gloucester Road Station, onde um funcionário prestativo me acompanhou numa caminhada ao longo da linha, e eu matei minha curiosidade não apenas a respeito das janelas traseiras de Caulfield Gardens, que dão para os trilhos, mas até sobre o fato mais essencial de que, devido à interseção de um dos principais ramais, os trens ficam frequentemente parados ali, naquele local exato, durante alguns minutos.

— Esplêndido, Holmes! Você descobriu tudo!

— Nem tanto, Watson, nem tanto. Progredimos, mas o fim ainda está longe. Bem, depois de verificar as janelas traseiras de Caulfield Gardens, vi a parte da frente e confirmei que, de fato, o passarinho tinha voado da gaiola. Trata-se de uma casa grande e, pelo que pude ver, sem mobília nos quartos superiores. Oberstein morava lá apenas com um criado, possivelmente um cúmplice de absoluta confiança. Temos de nos lembrar de que Oberstein foi para o Continente negociar seu tesouro, mas sem desconfiar que se sabe que está fugindo; assim sendo, ele não tem motivo para temer um mandado de prisão, e a ideia de uma visita de um amador em sua casa não lhe ocorreria. E é justamente isso o que vamos fazer.

— Não conseguiríamos um mandado para uma busca legal?
— Dificilmente, pela exiguidade de provas.
— Então, o que podemos fazer?
— Precisamos saber que tipo de correspondência ele tem em casa...
— Não estou gostando disso, Holmes.
— Meu caro amigo, você deve ficar vigiando a rua. Eu farei o trabalho sujo. Não é hora de escrúpulos. Pense no bilhete de Mycroft, no Almirantado, no Gabinete, nas pessoas importantes que aguardam notícias. Temos de agir!

Minha resposta foi levantar-me da mesa.

— Tem razão, Holmes. Temos de agir!

Ele também se levantou e apertou minha mão.

— Eu sabia que você não iria se acovardar no fim — disse, e por um segundo vi nos olhos dele algo que se assemelhava a ternura, o que nunca vira antes. Mas logo em seguida ele voltou a ser o mesmo homem prático e racional. — Fica a uns oitocentos metros daqui, mas não temos pressa. Vamos andando. Não deixe as ferramentas caírem, por favor. Seria uma complicação bastante desagradável se você fosse preso como um sujeito suspeito.

Caulfield Gardens era uma dessas filas de casas com fachadas lisas, pilares e pórticos, produtos característicos de meados da época vitoriana no West End de Londres. Na casa seguinte à que procurávamos parecia estar havendo uma festa infantil, porque um alarido de vozes de crianças e o martelar de um piano ressoavam na noite. O nevoeiro ainda continuava e nos ocultava com seu manto amigo. Holmes acendeu a lanterna e iluminou a porta maciça.

— Este é um obstáculo difícil — disse. — Com certeza, além de trancada, deve ter um ferrolho. Será melhor irmos para os fundos. Há uma excelente arcada lá, caso tenhamos de nos esconder de algum policial zeloso que resolva aparecer. Ajude-me, Watson, e eu o ajudarei depois.

Um minuto depois já estávamos na área. Mal tínhamos chegado ao lugar protegido pelas sombras quando ouvimos em cima os passos de um policial, andando no meio da neblina. Quando o som cadenciado desapareceu, Holmes começou a trabalhar na porta inferior. Eu o vi curvar-se e forçar a porta até que, com um estalo seco, ela se abriu. Pulamos para o interior escuro e ele a fechou. Subimos a escada em curva, sem tapete. A luz amarela de sua lanterna brilhou nos vidros de uma janela baixa.

— Aqui estamos, Watson; deve ser esta...

Abriu a janela e nessa hora ouvimos um som baixo e áspero que foi aumentando até transformar-se num rugido alto quando um trem passou por nós, na escuridão, como uma flecha. Holmes iluminou o peitoril da janela. Havia uma camada da fuligem deixada pelos trens que passavam, mas a superfície preta estava raspada e esfregada em alguns lugares.

— Veja onde eles colocaram o corpo. Ora, Watson, o que é isto? Não há dúvida de que se trata de uma marca de sangue.

Apontava a marca desbotada no peitoril.

— Aqui também, na pedra da escada. A prova está completa. Vamos ficar aqui até que pare um trem.

Não tivemos de esperar muito tempo. O trem seguinte surgiu do túnel, como o anterior, mas diminuiu depois a velocidade e então, com os freios gemendo, parou exatamente embaixo do lugar onde estávamos. A distância da janela até o teto dos vagões não era mais do que 1,5 metro, se tanto. Holmes fechou cuidadosamente a janela.

— Fomos recompensados até aqui — disse. — O que você acha, Watson?

— Uma obra-prima. Você está se superando.

— Não concordo com você. A partir do momento em que concebi a ideia de que o corpo estava no teto de um vagão, o que, afinal, não era assim tão absurdo, todo o resto foi inevitável. Se não fossem os altos interesses envolvidos, o caso até este ponto seria insignificante. Mas ainda temos dificuldades pela frente. Talvez possamos achar algo aqui que nos ajude.

Subimos a escada de serviço e entramos nos aposentos do primeiro andar. O primeiro era uma sala de jantar sobriamente mobiliada, mas que não tinha nada que nos interessasse. O segundo era um quarto de dormir nas mesmas condições. O seguinte pareceu-nos mais promissor e meu amigo fez um exame metódico. Estava cheio de livros e papéis e, evidentemente, tinha sido usado como escritório. Com rapidez e cuidado, Holmes revistou o conteúdo de cada gaveta e de cada armário, mas não descobriu nada que animasse seu rosto austero. Ao fim de uma hora não tinha conseguido nenhum progresso.

— O cão matreiro apagou as pistas — disse. — Não deixou nada que pudesse incriminá-lo. Ele destruiu ou carregou sua correspondência comprometedora. Esta é nossa última esperança.

Era uma caixinha de estanho que estava em cima da escrivaninha. Holmes a abriu com uma ferramenta. Dentro, vários rolos de papel cobertos de números e cálculos, mas sem nenhuma indicação do que se tratava. A repetição das palavras "pressão da água" e "pressão por polegada quadrada" sugeria alguma possível relação com um submarino. Holmes, impaciente, jogou-os de lado. Restou apenas um envelope que continha pedacinhos de jornal. Despejou-os na mesa e vi logo, pelo seu rosto ansioso, que as esperanças haviam renascido.

— O que será isto, Watson? Hein? O que será? Registro de uma série de mensagens nos anúncios de um jornal. Pelo tipo de letra e pelo papel, os classificados do *Daily Telegraph*. Lado superior direito de uma página. Sem datas... mas as mensagens têm sequência. Esta deve ser a primeira:

Esperava receber notícias mais cedo. Condições aceitas. Escreva detalhadamente para endereço fornecido no cartão.

Pierrot

— Em seguida temos:

Complexo demais para entendimento. Necessito relatório completo. Grana o aguarda quando entregar mercadoria.

Pierrot

— Depois vem:

Assunto pressiona. Devo retirar proposta se não cumprir contrato. Marque encontro por carta. Confirmarei em anúncio.

Pierrot

— E finalmente:

Segunda à noite, depois das nove horas. Duas pancadas. Só nós. Não fique tão desconfiado. Pagamento em dinheiro vivo quando entregar mercadoria.

Pierrot

— Um registro bem completo, Watson! Se nós pudéssemos chegar até o homem na outra ponta!...

Sentou-se, perdido nos seus pensamentos, batendo com os dedos na mesa. Finalmente levantou-se:

— Bem, talvez não seja tão difícil, afinal de contas. Não há nada mais que possamos fazer aqui, Watson. Acho melhor irmos até a redação do *Daily Telegraph* para encerrar nosso trabalho de hoje.

Mycroft Holmes e Lestrade compareceram ao encontro marcado para depois do café da manhã, no dia seguinte, e Sherlock contou-lhes o que havíamos feito na noite anterior. O detetive profissional sacudiu a cabeça ao ouvir nossa confissão de arrombadores.

— Não podemos fazer essas coisas na polícia, sr. Holmes — disse Lestrade. — Não é de espantar que obtenha mais resultados do que nós. Mas qualquer dia desses o senhor irá longe demais e, juntamente com seu amigo, vai se meter em complicações...

— Pela Inglaterra, pelo lar e pela beleza... hein, Watson? Mártires no altar do país. Mas o que você acha disso tudo, Mycroft?

— Excelente, Sherlock! Admirável! Mas o que pretende fazer com isso?

Holmes pegou o *Daily Telegraph* que estava em cima da mesa.

— Você viu a mensagem de Pierrot no jornal de hoje?

— O quê? Outra?

— Sim, aqui está:

Hoje à noite. Mesma hora. Mesmo lugar. Duas pancadas. Importância vital. Sua própria segurança em jogo.

Pierrot

— Por Deus! — exclamou Lestrade. — Se ele comparecer, nós o pegaremos!

— Foi esta a minha ideia quando mandei colocar o anúncio. Creio que seria melhor ambos virem conosco ali pelas oito da noite até

Caulfield Gardens, onde possivelmente chegaremos mais perto de uma solução.

Uma das características mais notáveis de Sherlock Holmes era sua capacidade de afastar da cabeça a ação e concentrar todos os seus pensamentos em coisas mais leves, quando se convencia de que não podia mais fazer um trabalho proveitoso. Lembro-me de que durante a maior parte daquele dia memorável ele ficou absorvido numa monografia que estava escrevendo sobre os Motetes Polifônicos de Lassus. Eu, de minha parte, era totalmente desprovido dessa capacidade de abstração, de modo que o dia pareceu-me interminável. A grande importância nacional do assunto, o suspense nos altos escalões, a natureza da experiência que iríamos tentar, tudo se combinou contra meus nervos. Foi um alívio para mim quando, finalmente, depois de um jantar leve, começamos nossa expedição.

Lestrade e Mycroft, de acordo com o combinado, encontraram-se conosco diante da estação de Gloucester Road. A porta traseira da casa de Oberstein havia ficado destrancada na noite anterior, e eu tive de entrar por ela e abrir a da frente, já que Mycroft Holmes se recusara, indignado, a pular as grades. Às nove horas nós estávamos sentados no escritório, aguardando pacientemente o nosso homem.

Passou-se uma hora, depois outra. Às 11, a batida compassada do relógio da igreja parecia soar como o naufrágio de nossas esperanças. Lestrade e Mycroft agitavam-se nos seus assentos e olhavam repetidamente para seus relógios. Holmes estava sentado quieto e calmo, as pálpebras semicerradas, mas com todos os sentidos alertas. Ao escutar um barulho, ergueu a cabeça.

— Ele vem vindo — murmurou.

Ouvimos passos furtivos do lado de fora, um arrastar de pés e depois duas batidas secas com a aldrava. Holmes se levantou, indicando-nos com um gesto que deveríamos continuar sentados. A iluminação a gás do vestíbulo nada mais era do que um fiozinho de luz. Ele abriu a porta da rua e, quando uma figura negra passou rapidamente por ele, fechou e trancou a porta.

— Por aqui! — nós o ouvimos dizer, e um instante depois o homem apareceu diante de nós. Holmes o havia seguido de perto, e quando o visitante se virou para escapar, com um grito de medo e espanto, Holmes o agarrou pelo pescoço e o atirou no chão. Antes que o visitante tivesse tempo de recuperar o equilíbrio, Holmes trancou a porta e ficou encostado nela. O homem olhou em volta, vacilante, e caiu desmaiado no chão. Com a queda, seu chapéu de abas largas caiu, o cachecol deslizou deixando seu rosto à mostra, e vimos as feições suaves e delicadas, a barba clara do coronel Valentine Walter.

Holmes deu um assobio de surpresa:

— Desta vez você pode me descrever como um asno, Watson — ele disse. — Não era este o pássaro que eu esperava encontrar.

— Quem é ele? — perguntou Mycroft, ansioso.

— O irmão mais novo do falecido *sir* James Walter, chefe do departamento de submarinos. Sim, sim, estou vendo a sequência dos acontecimentos agora. Bem, o homem está voltando a si. Acho melhor deixarem o interrogatório a meu cargo.

Tínhamos levado o corpo desmaiado para um sofá. O prisioneiro, recobrando os sentidos, sentou-se, olhou em volta com uma expressão apavorada e passou as mãos na testa, como alguém que não consegue acreditar no que vê.

— O que significa isto? — perguntou. — Vim aqui visitar o sr. Oberstein...

— Já sabemos de tudo, coronel Walter — disse Holmes. — Como um cavalheiro inglês pôde fazer isso é coisa que está além da minha compreensão. Mas toda a sua correspondência e seu relacionamento com Oberstein são de nosso conhecimento, assim como as circunstâncias ligadas à morte do jovem Cadogan West. Gostaria de aconselhá-lo a tentar diminuir sua pena arrependendo-se e confessando tudo, já que há alguns detalhes que só podemos saber por seu intermédio.

O homem gemeu e afundou a cabeça nas mãos. Esperamos, mas ele continuou em silêncio.

— Eu lhe asseguro — continuou Holmes — que conhecemos todos os fatos principais. Sabemos que o senhor precisava de dinheiro, que fez cópias das chaves de seu irmão e que se correspondia com Oberstein, que respondia às suas cartas por meio de anúncios classificados no *Daily Telegraph*. Sabemos que se dirigiu ao escritório de Woolwich na noite de segunda-feira, que foi visto e seguido por West que, possivelmente, tinha algum motivo para desconfiar do senhor.

Ele viu seu roubo mas não pôde dar o alarme, já que seria possível que estivesse apenas pegando os documentos para levar para seu irmão em Londres. Deixando de lado seus problemas pessoais, como bom cidadão que era, ele o seguiu de perto, na neblina, e ficou nos seus calcanhares até chegarem a esta mesma casa. Aí ele interferiu e foi então, coronel Walter, que o senhor acrescentou à sua traição o crime mais terrível de assassinato.

— Eu não o matei! Eu não o matei! Juro, diante de Deus, que eu não o matei! — gritou nosso desprezível prisioneiro.

— Diga-nos, então, como Cadogan West morreu antes de vocês o atirarem no teto de um trem.

— Sim, direi. Juro-lhes que direi. Eu fiz o que o senhor contou, confesso-o. Foi exatamente como o senhor falou. Eu tinha de pagar uma dívida na Bolsa de Valores. Precisava muito de dinheiro, Oberstein me ofereceu cinco mil libras. Foi para salvar-me da ruína que agi. Mas, quanto ao assassinato, sou tão inocente quanto o senhor.

— O que aconteceu, então?

— Ele já suspeitava antes, e me seguiu, como o senhor mesmo disse. Eu não sabia disso, até que cheguei nesta porta. O nevoeiro era denso e não se enxergava além de dois metros. Eu dei as duas pancadas e Oberstein veio abrir a porta. O jovem surgiu de repente e exigiu que lhe explicássemos o que íamos fazer com os documentos. Oberstein tinha um cassetete pequeno, que carregava sempre com ele. Quando Cadogan West tentou entrar à força nesta casa, Oberstein o golpeou na cabeça. O golpe foi mortal. Ele morreu em cinco minutos. Ficou lá no vestíbulo, e nós não sabíamos o que fazer. Então Oberstein teve aquela ideia do trem, que parava embaixo da janela traseira. Mas primeiro ele examinou os papéis que eu havia trazido. Disse que três dos documentos eram essenciais e que precisaria ficar com eles. Mas eu disse que ele não podia ficar com os planos. Iria haver o diabo em Woolwich se não fossem devolvidos. Ele, porém, disse que tinha de ficar com os papéis, porque eram tão técnicos que era impossível copiá-los a tempo. Eu afirmei que todos deviam ser recolocados naquela mesma noite no cofre. Ele ficou pensando por um instante e depois disse que tinha encontrado uma solução. Ficaria com os três principais e colocaria os outros sete no bolso do rapaz. Quando o corpo fosse encontrado, tudo recairia sobre ele. Eu não via outra saída e então fizemos o que ele sugerira. Esperamos meia hora na janela até que um trem parasse. A neblina estava tão densa que não se conseguia ver nada, e não tivemos dificuldade em colocar o corpo de West no teto do vagão. Esse foi o fim do caso, no que me diz respeito.

— E seu irmão?

— Ele não disse nada, mas um dia ele me pegou com as suas chaves e acho que desconfiou. Eu vi a suspeita nos seus olhos. Como o senhor sabe, ele não aguentou o golpe.

Houve um silêncio no quarto, quebrado por Mycroft Holmes:

— Pode reparar o mal que fez? Isso aliviaria a sua consciência e, talvez, o seu castigo.

— Mas, o que posso fazer?

— Onde está Oberstein com os documentos?

— Não sei.

— Ele não lhe deu nenhum endereço?

— Disse que cartas para o Hôtel du Louvre, em Paris, acabariam chegando às mãos dele.

— Então a reparação ainda está ao seu alcance — disse Sherlock Holmes.

— Farei tudo o que puder. Não tenho simpatia por aquele sujeito; afinal, foi minha ruína e desgraça.

— Aqui tem papel e caneta. Sente-se nesta mesa e escreva o que lhe vou ditar. Escreva no envelope o endereço dado. Isso, está ótimo. Agora, vamos à carta.

Caro senhor:

A respeito da nossa transação, o senhor já deve ter visto, a esta altura, que um detalhe essencial está faltando. Possuo um documento que preencherá essa lacuna. Entretanto, vi-me em novas dificuldades e devo pedir-lhe um novo adiantamento de quinhentas libras. Não confio no serviço do correio nem aceitarei nada a não ser ouro ou dinheiro. Poderia encontrá-lo no exterior, mas isso despertaria suspeita, caso eu deixasse o país no momento. Dessa forma, espero encontrá-lo no salão de fumar do Hotel Charing Cross, ao meio-dia de sábado. Lembre-se de que aceitarei somente dinheiro inglês ou ouro.

— Isto será o suficiente — continuou Holmes. — Ficarei muito surpreso se não atrair o nosso homem.

E atraiu! É uma questão de história — a história secreta de um país, que quase sempre é muito mais interessante do que os relatos públicos — que Oberstein, ansioso para completar o maior golpe de sua vida, caiu na armadilha e passou 15 anos numa prisão inglesa. Os valiosos planos do submarino *Bruce-Partington* foram encontrados em sua bagagem, planos que ele havia posto à venda em todos os centros navais da Europa. O coronel Walter morreu na prisão, no fim do segundo ano de sua pena. Quanto a Holmes, voltou, reanimado, a cuidar da monografia sobre os Motetes Polifônicos de Lassus, trabalho que mandara imprimir para distribuição num círculo restrito, e considerado pelos especialistas a última palavra sobre o tema.

Algumas semanas mais tarde eu soube, por acaso, que meu amigo havia passado um dia em Windsor, de onde voltou com uma belíssima esmeralda num prendedor de gravata. Quando lhe perguntei se o havia comprado, respondeu-me que fora presente de certa dama da nobreza, porque ele tivera a felicidade de resolver um pequeno caso do interesse dela. Não disse mais nada, mas eu acho que posso adivinhar o nome da augusta senhora, e não duvido de que a esmeralda sempre fará meu amigo se recordar do caso dos planos do submarino *Bruce-Partington*.

O CASO DO DETETIVE AGONIZANTE

A SENHORA HUDSON, SENHORIA DE SHERLOCK HOLMES, ERA uma mulher paciente. Seu apartamento do primeiro andar não só era invadido a toda hora por hordas de pessoas esquisitas e muitas vezes indesejáveis, como também seu notável inquilino tinha uma vida excêntrica e irregular, o que deve ter posto à prova a paciência dela. O incrível desmazelo dele, sua mania de tocar música nas horas mais impróprias, suas constantes práticas de tiro ao alvo dentro do quarto, as experimentações científicas estranhas e fedorentas, a atmosfera de violência e perigo que o cercava constantemente, tudo isso provavelmente fazia dele o pior inquilino de Londres. Por outro lado, o aluguel que pagava era nababesco. Não tenho dúvida de que a casa poderia ter sido comprada com o que Holmes pagou de aluguel pelos aposentos durante os anos em que morei com ele.

A senhoria o respeitava muitíssimo e jamais ousou intrometer-se na vida dele, por mais estranhas que pudessem ser suas atitudes. Também gostava muito dele, pois ele demonstrava excepcional gentileza no trato com as mulheres. Sherlock não admirava as mulheres e desconfiava delas, mas sempre foi um adversário cavalheiresco. Sabendo como era sincera sua preocupação com ele, ouvi atentamente a história que ela me contou quando veio me ver em minha casa, no segundo ano de meu casamento, falando-me da triste situação a que meu velho amigo estava reduzido.

— Ele está morrendo, dr. Watson — ela disse. — Faz três dias que está se afundando e temo que não viva um dia mais. Ele não me deixa chamar um médico. Hoje de manhã, quando vi os ossos quase furando a pele do seu rosto, os olhos grandes e brilhantes me fitando, não aguentei mais. "Com sua permissão ou sem ela, vou chamar um médico agora mesmo", eu lhe disse. "Então, que seja o Watson", ele respondeu. Eu não perderia um minuto, ou poderá encontrá-lo morto.

Fiquei horrorizado, porque eu não sabia da doença dele. Não preciso dizer que corri para pegar meu paletó e o chapéu. Enquanto estávamos indo para a Baker Street, pedi-lhe mais detalhes.

— Posso lhe contar pouca coisa, senhor. Ele andou trabalhando num caso em Rotherhithe, numa ruazinha perto do rio, e voltou com essa doença. Deitou-se na quarta-feira à tarde e não se levantou mais. Durante estes últimos três dias não bebeu nem comeu.

— Deus do céu! Por que a senhora não chamou um médico?

— Ele não quer. O senhor bem sabe como ele é autoritário. Não ousei desobedecê-lo. Mas ele não ficará muito tempo neste mundo, como o senhor mesmo vai ver quando puser os olhos nele.

Era, de fato, um espetáculo deplorável. Na luz baça de um dia enevoado de novembro, o quarto do doente era um lugar triste, mas o que me gelou o coração foi aquele rosto lívido e descarnado olhando--me da cama. Seus olhos tinham aquele brilho de febre, havia um vermelho doentio em ambas as faces e crostas escuras nos lábios; as mãos magras se contorciam incessantemente sobre o cobertor, a voz estava áspera e convulsiva. Quando entrei no quarto, ele continuou deitado, apático, mas ao me ver seus olhos brilharam como sinal de reconhecimento da minha presença.

— Bem, Watson, parece que o negócio vai mal — ele disse numa voz débil, mas com um pouco do seu velho jeito despreocupado.

— Meu caro amigo! — exclamei, aproximando-me dele.

— Não se aproxime! Fique afastado! — disse num tom autoritário que eu só ouvia nos momentos de crise. — Se você se aproximar de mim, Watson, vou ser obrigado a lhe pedir que saia desta casa.

— Mas... por quê?

— Porque eu quero assim. Não lhe basta isso?

A senhora Hudson tinha razão. Ele estava mais autoritário do que nunca. Mas era lamentável ver seu esgotamento.

— Eu só queria ajudar — expliquei.

— Exatamente! Mas a melhor ajuda será fazer o que estou dizendo!

— Certamente, Holmes.

Ele abrandou sua atitude austera.

— Não ficou zangado? — perguntou, ofegante.

Pobre sujeito! Como eu podia ficar zangado vendo-o naquela situação angustiante na minha frente?

— É para o seu próprio bem, Watson — disse, numa voz rouca.

— Para o *meu* bem?...

— Eu sei o que está acontecendo comigo. É uma doença dos cules de Sumatra, uma doença que os holandeses conhecem mais do que nós, embora lhe tenham dado pouca importância até hoje. Só uma coisa é certa: é infalivelmente mortal e tremendamente contagiosa.

Falava, agora, com uma energia febril, com as mãos magras se contorcendo e se agitando na tentativa de me manter afastado.

— Contagiosa pelo contato, Watson... sim, pelo contato. Fique longe e tudo estará bem.

— Por Deus, Holmes! Você acha que o que disse significa alguma coisa para mim, por um instante sequer? Não me afetaria se se tratasse de um estranho. Imagine se vai me impedir de cumprir meu dever para com um velho amigo.

Aproximei-me de novo, mas ele me repeliu com um olhar furioso.

— Se você ficar ali, eu falo. Do contrário, pode ir embora.

Tenho um respeito tão grande pelas qualidades excepcionais de Holmes que sempre me sujeitei às suas vontades, mesmo quando não conseguia entendê-las. Mas agora todos os meus instintos profissionais estavam alertas. Ele podia ser meu mestre em qualquer outro lugar, mas aqui eu estava no quarto de um doente.

— Holmes, você está perturbado. Um homem doente não passa de uma criança, e é assim que eu vou tratá-lo. Quer você goste ou não, vou examinar seus sintomas e medicá-lo.

— Se eu for obrigado a ter um médico, querendo ou não — ele disse, olhando-me com rancor —, deixe-me, pelo menos, ter um em que eu possa confiar...

— Então não confia em mim?

— Na sua amizade, sem dúvida. Mas fatos são fatos, Watson, e, afinal de contas, você é apenas um clínico geral com experiência limitada e dotes medíocres. É doloroso ter de lhe dizer estas coisas, mas você não me deixa escolha.

Fiquei profundamente magoado.

— Esta observação é indigna de você, Holmes. Ela me mostra claramente o estado de seus nervos. Mas, já que não confia em mim, não vou impor meus préstimos. Deixe-me trazer *sir* Jasper Meek, ou Penrose Fisher, ou qualquer um dos melhores médicos de Londres. Você precisa de um médico, e isto é definitivo. Se acha que vou ficar aqui e vê-lo morrer sem que eu o ajude ou traga algum outro médico para socorrê-lo, então você realmente não me conhece.

— Sei que quer o meu bem, Watson — disse o doente, numa voz mista de soluço e gemido. — Quer que lhe mostre sua ignorância? O que você sabe, por exemplo, sobre a febre de Tapanuli? O que sabe sobre a peste negra de Formosa?

— Nunca ouvi falar em nenhuma delas.

— Há muitas doenças desconhecidas e muitas complicações patológicas estranhas no Oriente, Watson.

Ele fazia uma pausa depois de cada frase para juntar as forças que lhe restavam.

— Aprendi muito durante algumas pesquisas que fiz recentemente, pesquisas de caráter médico-legal. Foi durante uma delas que contraí esta moléstia. Não há nada que você possa fazer.

— Pode ser que não. Mas acontece que eu conheço o dr. Ainstree, a maior autoridade viva em doenças tropicais, e ele está na cidade no momento. Não adianta fazer objeções, Holmes; vou agora mesmo buscá-lo.

Virei-me decidido a sair. Nunca experimentei tamanho choque! Num instante, com um pulo de tigre, o homem agonizante me interceptou. Escutei o estalido seco da chave trancando a porta. Em seguida, cambaleando, ele voltou para a cama, exausto e ofegante, depois do tremendo dispêndio de energia.

— Não vai tirar a chave de mim à força, Watson. Eu o prendi, amigo. Você está aqui e aqui vai ficar até quando eu quiser. Mas vou satisfazer sua vontade.

Dizia isso em rápidos arrancos, esforçando-se tremendamente para respirar entre uma palavra e outra.

— Você quer apenas o meu bem. Claro que sei disso. Você vai fazê-lo, mas dê-me tempo para recuperar minhas forças. Agora não, Watson, agora não! São quatro horas agora. Às seis poderá ir.

— Mas isto é loucura, Holmes.

— Apenas duas horas, Watson. Eu lhe prometo que poderá sair às seis. Pode esperar?

— Não tenho outra alternativa.

— E não tem mesmo, Watson. Obrigado, não preciso de ajuda para arrumar as cobertas. Mantenha distância, por favor. E agora, Watson, há uma outra condição que vou impor. Você vai procurar ajuda, mas não do médico que mencionou; será daquele que eu indicar.

— Está bem, então.

— Estas são as três primeiras palavras sensatas que você diz desde que entrou neste quarto, Watson. Ali na estante você vai encontrar alguns livros. Eu estou exausto; fico imaginando como uma bateria se sente quando joga eletricidade num mau condutor. Às seis horas, Watson, continuaremos nossa conversa.

Mas a conversa estava destinada a ser retomada muito antes da hora combinada, e em circunstâncias que me provocaram um tremendo susto, igual ao que levei quando ele trancou a porta. Eu havia ficado de pé durante algum tempo olhando a figura silenciosa na cama. O rosto estava quase todo coberto e ele parecia dormir. Incapaz de me concentrar em leituras, fiquei andando lentamente pelo quarto, olhando os retratos de criminosos famosos que adornavam as paredes. Finalmente, nessa minha perambulação, aproximei-me do consolo da lareira. *Vários* cachimbos, bolsas de fumo, seringas, canivetes, cartuchos de revólver e outros objetos estavam espalhados ali em cima. No meio de tudo isso havia uma caixinha branca e preta de marfim com uma tampa móvel. Era um objeto bonito e eu estendi a mão para pegá-lo e examiná-lo mais de perto quando... Ele deu um grito horrível, um berro que deve ter sido ouvido na rua inteira. Quando me virei, vi um rosto convulso e olhos desvairados. Fiquei paralisado com a caixinha na mão.

— Largue isso aí! Agora, Watson, agora!

Quando recoloquei o objeto no lugar, ele afundou de novo a cabeça no travesseiro e deu um suspiro de alívio.

— Detesto que mexam nas minhas coisas, Watson. Você sabe disso. Pare de me atormentar. Você, um médico, é capaz de mandar uma pessoa para o hospício... Sente-se, homem, e deixe-me descansar!

O incidente deixou em mim uma impressão extremamente desagradável. A excitação, violenta e injustificada, seguida pela brutalidade das palavras, normalmente gentis, tudo demonstrou sua profunda desorganização mental. De todas as desgraças, a ruína de um cérebro privilegiado é a mais deplorável. Fiquei sentado, numa silenciosa mortificação, até chegar a hora marcada.

Ele parecia ter ficado de olho no relógio, como eu, porque eram quase 18 horas quando começou a falar com a mesma animação febril de antes.

— Agora, Watson — disse. — Tem dinheiro trocado?

— Tenho.

— Moedas?

— Bastante.

— Quantas meias-coroas?

— Cinco.

— Oh, muito pouco! Muito pouco! Que azar, Watson! Mas você pode colocá-las no bolsinho do relógio. Ponha o resto do seu dinheiro no bolso da calça. Obrigado. Isso vai ajudá-lo a manter seu equilíbrio.

Estava delirando! Estremeceu e novamente fez um som meio tosse, meio soluço.

— Acenda o bico de gás, Watson, mas tenha todo o cuidado para que ele não passe, nem por um momento, da metade de sua potência. Excelente. Não, não precisa fechar as cortinas. Agora, por favor, ponha algumas cartas e jornais nesta mesa, aqui perto. Obrigado. Agora, um pouco do material do consolo da lareira. Excelente, Watson. Ali está uma pinça para os tabletes de açúcar. Pegue com ela a caixinha de marfim. Coloque aqui entre os jornais. Está ótimo! Agora pode ir e trazer o sr. Culverton Smith, que mora na Lower Burke Street, 13.

Para dizer a verdade, minha vontade de ir buscar um médico tinha diminuído, porque o pobre Holmes estava delirando e me pareceu perigoso deixá-lo sozinho. Entretanto, agora ele estava tão ansioso para consultar aquela pessoa como estivera obstinado em não aceitar antes.

— Nunca ouvi falar neste nome — eu disse.

— Possivelmente não, meu bom Watson. Talvez fique surpreso ao saber que o homem que mais entende dessa doença no mundo não é um médico, mas um agricultor. O sr. Culverton Smith é um conhecido fazendeiro residente em Sumatra, agora em visita a Londres. Um surto desta moléstia em sua plantação, distante de qualquer assistência médica, obrigou-o a estudá-la profundamente, com resultados impressionantes. É uma pessoa muito metódica e eu não queria que você fosse buscá-lo antes das seis horas porque sei que não o encontraria em casa. Se você puder convencê-lo a vir aqui, com sua excepcional experiência da doença, assunto que se tornou seu passatempo predileto, tenho certeza de que ele poderá me ajudar.

Transcrevo as palavras de Holmes sem quebrar a sequência e sem mostrar como eram interrompidas pela falta de ar, e as mãos crispadas que indicavam a dor que estava sofrendo. A aparência dele havia piorado nas poucas horas em que eu estivera ali no quarto. As manchas vermelhas no rosto estavam maiores, os olhos mais brilhantes nas cavidades ainda mais escuras e um suor frio surgira na testa. Mas ainda mantinha o tom imperioso ao falar. Até o último suspiro ele seria sempre o mestre.

— Conte-lhe exatamente como me deixou. Transmita a impressão que você tem de mim... um homem agonizante... em delírios... Para falar a verdade, não consigo entender por que o leito do mar não é uma massa sólida feita de ostras, já que elas parecem proliferar tanto. Oh, estou delirando de novo... É estranho como o cérebro controla o cérebro! O que eu estava dizendo, Watson?

— Instruções para minha conversa com o sr. Culverton Smith.

— Ah, sim, eu me lembro agora. Minha vida depende disso. Insista com ele, Watson. Não estamos em boas relações. Seu sobrinho... eu desconfiei de algo irregular... e fiz com que ele visse isso. O rapaz teve uma morte horrível. Ele tem mágoa de mim. Você vai convencê-lo, Watson. Implore, suplique, traga-o aqui de qualquer maneira. Ele pode me salvar, só ele!

— Eu o trarei num carro, mesmo que tenha de arrastá-lo!

— Nem pense em fazer uma coisa dessas! Você tem de convencê-lo a vir. E volte sozinho, antes dele. Dê uma desculpa qualquer, mas não venha com ele. Não se esqueça, Watson. Não me decepcione. Você nunca falhou antes. Não há dúvida de que existem inimigos naturais que limitam o aumento das criaturas. Você e eu, Watson, fizemos a nossa parte. O mundo deve, então, ser invadido por ostras? Não, não, é horrível! Você vai transmitir tudo o que está na sua mente!

Deixei-o e saí com a imagem de um intelecto magnífico tagarelando como uma criança retardada. Levei a chave, com medo de ele se trancar no quarto. A sra. Hudson, trêmula e chorosa, me aguardava no corredor. Quando passei por ela, ainda ouvi a voz aguda e penetrante de Holmes numa cantoria delirante. Na rua, enquanto chamava um carro, um homem aproximou-se de mim em meio à neblina.

— Como está o sr. Holmes? — perguntou.

Era um velho conhecido, o inspetor Morton, da Scotland Yard.

— Ele está muito doente — respondi.

Ele me fitou de um modo estranho. Se não fosse perverso demais, eu diria ter visto em seu rosto, à luz do lampião, uma espécie de alegria...

— Ouvi falar — ele comentou.

O cabriolé se aproximou e eu fui embora. Lower Burke Street era uma fila de belas casas, situadas num trecho entre Notting Hill e Kensington. A casa diante da qual o cocheiro parou tinha um aspecto de sóbria respeitabilidade, com grades de ferro de estilo antigo, porta maciça de folha dupla e ornatos de bronze reluzente. Tudo combinava com o solene mordomo que apareceu, enquadrado numa claridade rósea de uma lâmpada atrás dele.

— Sim, o sr. Culverton Smith está. Dr. Watson? Muito bem, senhor, vou levar-lhe o seu cartão.

Meu nome e meu título humildes pareceram não impressionar o sr. Culverton Smith. Pela porta entreaberta ouvi uma voz alta, petulante, penetrante.

— Quem é ele? O que quer? Ora, Staples, quantas vezes eu tenho de lhe dizer que não quero ser incomodado nas minhas horas de estudo?

Seguiu-se uma série de desculpas do mordomo.

— Bem, não vou recebê-lo, Staples. Não posso interromper meu trabalho desta forma. Não estou em casa. Diga-lhe isso. Diga-lhe para voltar amanhã de manhã, se realmente precisa falar comigo.

Novamente ouvi o murmúrio respeitoso.

— Bem, bem, diga-lhe isso. Ele pode vir de manhã, ou não vir. Meu trabalho não pode ser interrompido.

Pensei em Holmes se contorcendo doente na cama e talvez contando os minutos até eu poder levar-lhe ajuda. Não era hora para cerimônias. A vida dele dependia de minha presteza. Antes que o mordomo constrangido me desse o recado, eu o empurrei e entrei na sala.

Com um grito estridente de raiva, um homem levantou-se da espreguiçadeira ao lado da lareira. Vi um rosto amarelo e grande, grosseiro e gorduroso, com uma papada acentuada e os olhos ameaçadores sob as sobrancelhas espessas e grisalhas fixos em mim. A cabeça pontuda e calva tinha um pequeno barrete de veludo inclinado sobre um dos lados do crânio rosado. A cabeça era grande, mas quando olhei para ele vi, com espanto, que o corpo do homem era pequeno e frágil, curvado nos ombros e nas costas, como alguém que tivesse sofrido de raquitismo na infância.

— O que significa isso? — perguntou numa voz alta e estridente. — O que significa esta intromissão? Não mandei lhe dizer que só o receberia amanhã cedo?

— Lamento muito — eu disse —, mas o assunto não pode ser adiado. Sherlock Holmes...

A menção ao nome do meu amigo produziu um efeito extraordinário no homenzinho. A raiva estampada no rosto sumiu de repente. Sua expressão ficou tensa e alerta.

— Você vem da parte de Holmes?

— Acabei de deixá-lo.

— E Holmes, como está?

— Terrivelmente doente. Vim por causa disso.

Ele indicou-me uma cadeira e voltou para o seu lugar. Quando eu estava para me sentar, vi o rosto dele refletido no espelho sobre a lareira. Podia jurar que vi um sorriso malicioso e diabólico. Mesmo assim tentei convencer-me de que se tratava de algum tique nervoso, porque logo em seguida ele se virou para mim com uma expressão de verdadeira preocupação.

— Sinto muito ouvi-lo dizer isso. Só conheço o sr. Holmes por causa de uns negócios que mantivemos, mas tenho grande respeito pelo seu talento e caráter. Ele é um estudioso do crime como eu o sou das doenças. Para ele, o criminoso, para mim, o micróbio. Lá estão minhas prisões.

Ao dizer isso, apontou para uma fila de frascos e tubos de ensaio que estavam em uma mesa.

— No meio daquelas culturas gelatinosas estão cumprindo pena alguns dos piores malfeitores do mundo.

— É por causa do seu conhecimento especial que Sherlock deseja vê-lo. Ele o tem em alta conta e acha que é o único homem em Londres que pode salvá-lo.

O homenzinho estremeceu e o elegante barrete caiu no chão.

— Por quê? — perguntou. — Por que o sr. Holmes acha que eu poderia ajudá-lo agora?

— Por causa de seus conhecimentos sobre doenças orientais.

— Mas por que ele acha que a doença que contraiu é oriental?

— Ele trabalhou recentemente entre marinheiros chineses, nas docas, num caso qualquer.

O sr. Culverton sorriu com satisfação e pegou o barrete do chão.

— Oh, é isso então, hein? Acho que o caso pode não ser tão grave quanto o senhor supõe. Há quanto tempo ele está doente?

— Faz uns três dias.

— Tem tido delírios?

— De vez em quando.

— Ora, ora, isto me parece grave. Seria desumano não atender ao seu pedido de socorro. Não gosto de interromper os meus estudos, dr. Watson, mas este caso é, de fato, excepcional. Irei imediatamente com o senhor.

Lembrei-me da recomendação de Holmes.

— Tenho outro compromisso — desculpei-me.

— Muito bem, irei sozinho, então. Tenho seu endereço anotado. Prometo que estarei lá dentro de meia hora no máximo.

Com o coração apreensivo, voltei ao quarto de Holmes. Temia que o pior tivesse acontecido na minha ausência. Para meu grande alívio, porém, ele tinha melhorado bastante desde que eu saíra. Sua aparência ainda era horrível, mas não estava mais delirando e falava com uma voz fraca, é verdade, porém com mais lucidez e vivacidade do que o normal.

— E então, esteve com ele, Watson?

— Sim, ele está a caminho.

— Formidável, Watson! Formidável! Você é o melhor dos mensageiros!

— Ele queria vir comigo.

— Mas de maneira alguma. Isto não poderia ser. Ele lhe perguntou o que tenho?

— Eu falei dos chineses no East End...

— Ótimo! Bem, Watson, você fez tudo o que um bom amigo podia fazer. Pode sair de cena agora.

— Tenho de esperar para ouvir o diagnóstico dele, Holmes.

— Claro que sim. Mas tenho motivos para supor que a opinião dele será muito mais franca e valiosa se ele pensar que estamos sozinhos. Há espaço suficiente para você se esconder atrás da cabeceira da cama, Watson.

— Holmes!...

— Receio que não haja alternativa, meu amigo. O lugar não despertará suspeita, pois não é próprio para servir de esconderijo. Creio que é o único lugar em que você poderá ficar.

Sentou-se de repente, com uma expressão rígida no rosto descarnado.

— Aí está ele, Watson. Depressa, homem, se gosta de mim! E não se mexa, aconteça o que acontecer, seja lá o que for, ouviu bem? Não diga uma palavra! Não faça um movimento! Apenas fique atento.

Logo em seguida, seu repentino acesso de energia sumiu, e sua fala, autoritária e dominadora, transformou-se no murmúrio vago e baixo de uma pessoa delirante.

Do esconderijo onde me instalei rapidamente, ouvi passos subindo a escada, a porta do quarto sendo aberta e fechada. Então, para minha surpresa, houve um longo silêncio, quebrado apenas pela respiração pesada e ofegante do doente. Eu podia imaginar o visitante de pé ao lado da cama, olhando para o meu amigo sofredor. Finalmente, o estranho silêncio foi rompido.

— Holmes! Holmes! — chamou o visitante no tom insistente de alguém que acorda um dorminhoco. — Pode me ouvir, Holmes?

Ouvi em seguida um farfalhar de panos, como se ele estivesse sacudindo o doente vigorosamente pelos ombros.

— É o sr. Smith? — murmurou Holmes. — Duvidava que viesse.

O outro riu.

— Eu já sabia — respondeu. — E mesmo assim, como vê, aqui estou. Retribuição! Retribuição!

— Foi muita bondade... muito nobre de sua parte. Eu respeito os seus conhecimentos especiais.

O visitante riu, sarcástico.

— Verdade? Felizmente, você é o único homem em Londres que o aprecia. Sabe o que há com você?

— A mesma doença — murmurou Holmes.

— Ah, então você reconhece os sintomas?

— Demais... demais...

— Bem, eu não deveria ficar surpreso, Holmes. Eu não deveria ficar surpreso se *fosse* a mesma doença. Pior para você se for ela. O pobre Victor morreu no quarto dia, um jovem forte e saudável. Como você disse, na verdade foi surpreendente que ele tivesse contraído uma remota doença asiática em pleno coração de Londres; doença sobre a qual fiz um estudo especial. Estranha coincidência, Holmes. Você foi muito esperto em tê-la notado mas foi falta de caridade sugerir que entre os dois fatos existia relação de causa e efeito...

— Eu sabia que você a havia provocado.

— Oh, sabia, não? Bem, não podia provar, de qualquer modo. Mas o que acha de ficar me difamando e depois vir rastejando aos meus pés na hora em que está com problemas? Que tipo de jogo é esse, hein?

Ouvi a respiração difícil e entrecortada do doente.

— Quero água! — ele arquejou.

— Você está no fim, meu caro, mas não quero que morra sem escutar algumas coisas que tenho para lhe dizer. É por isso que vou dar-lhe a água. Aí está... não a beba de uma vez... está bom. Está entendendo o que eu digo?

— Faça o que puder por mim — Sherlock murmurou. — Águas passadas não movem moinho. Vou tirar da cabeça o que eu sei, juro que vou. Apenas me cure... e eu esquecerei o que sei...

— Esquecer o quê?

— Ora, sobre a morte de Victor Savage. Acabou de admitir que o matou... Eu vou esquecer isso...

— Faça como quiser, pode esquecer ou não. Não o vejo no banco de testemunhas. Vejo-o dentro de um caixão, meu caro Holmes, isso eu lhe garanto. Pouco me importa que você saiba como meu sobrinho morreu. Não estamos falando sobre ele. Estamos falando sobre você.

— Sim... sim...

— O sujeito que me procurou, esqueci seu nome, disse-me que você contraiu a doença trabalhando no East End, no meio de marinheiros.

— Só posso achar que foi isso...

— Você se orgulha da sua inteligência, não é? Acha que é esperto, hein? Agora você encontrou alguém que é mais esperto do que você. Tente lembrar-se, Holmes. Não acha que pode ter sido contaminado de outra forma?

— Não consigo pensar... a lembrança sumiu... Pelo amor de Deus, me ajude!

— Sim, vou ajudá-lo. Vou ajudá-lo a se lembrar de onde e como você pegou a peste. Gostaria que você soubesse disso antes de morrer.

— Dê-me alguma coisa para aliviar a dor...

— Está doendo, hein? Sim, os cules berravam de dor quando estavam perto do fim. É uma espécie de câimbra, imagino.

— Sim... sim... câimbras...

— Bem, de qualquer modo, pode escutar o que tenho a lhe dizer. Escute, então! Você se lembra de algum incidente incomum na sua vida, pouco antes de os sintomas aparecerem?

— Não, não, nada...

— Pense de novo!

— Estou muito doente para pensar...

— Bem, então eu vou ajudá-lo. Chegou alguma coisa pelo correio?...

— Pelo correio?

— Uma caixinha, por acaso?

— Estou desmaiando... vou morrer...

— Ouça, Holmes!

Escutei um ruído, como se ele estivesse sacudindo o homem agonizante, e eu só podia ficar quieto no meu esconderijo.

— Você tem de me ouvir! — continuou ele. — Você *vai* me ouvir! Você se lembra de uma caixinha... uma caixinha de marfim? Veio no correio de quarta-feira. Você a abriu, lembra-se?

— Sim... sim, eu a abri. Havia uma agulha movida por mola... alguma brincadeira...

— Não era nenhuma brincadeira, como vai descobrir à própria custa. Idiota, você procurou e achou! Quem lhe pediu para ficar no meu caminho? Se me tivesse deixado em paz, eu não o prejudicaria.

— Eu me lembro — Holmes sussurrou. — A mola! Tirou sangue. Aquela caixinha... aquela caixinha na mesa...

— Esta mesmo, é claro! E vou levá-la comigo, no meu bolso, quando sair. Lá se vai sua última possibilidade de prova. Mas você acabou de ouvir a verdade agora, Holmes, e pode morrer com a certeza de que eu o matei. Você sabia demais a respeito do destino de Victor Savage; de modo que resolvi que você devia ter o mesmo destino. Você está no fim, Holmes. Vou me sentar aqui e vê-lo morrer.

A voz de Sherlock Holmes tinha se transformado num murmúrio quase inaudível.

— Como? — perguntou Culverton Smith. — Aumentar a luz do gás? Ah, as sombras começam a cair, não é? Sim, eu vou aumentá-la para poder vê-lo melhor.

Ele atravessou o quarto e a luz brilhou de repente.

— Mais alguma coisinha que eu possa fazer, amigo?

— Fósforo e cigarro.

Quase gritei de alegria e espanto. Ele estava falando com sua voz normal — um pouco fraca, talvez, mas aquela voz que eu conhecia. Houve um longo silêncio e eu senti que Culverton Smith estava parado, em silêncio, olhando espantado para o meu amigo.

— O que significa isso?... — eu o ouvi perguntar finalmente, num tom seco e áspero.

— A melhor maneira de se representar com sucesso é identificar-se com o papel — respondeu Holmes. — Dou-lhe minha palavra de que nos últimos três dias não toquei em comida nem em bebida até que você teve a bondade de me dar aquele copo d'água. Mas eu senti mais falta foi do fumo. Ah, aqui estão alguns cigarros!...

Ouvi quando ele riscou um fósforo.

— Assim é muito melhor. Ora, ora, estarei escutando os passos de um amigo?

De fato, ouvi passos do lado de fora, a porta foi aberta e apareceu o inspetor Morton.

— Está tudo bem e este é o seu homem — disse Sherlock Holmes.

O policial fez as advertências habituais e concluiu:

— Eu o prendo pelo assassinato de Victor Savage.

— E pode acrescentar a tentativa de assassinato de Sherlock Holmes — comentou meu amigo com um risinho. — Para poupar trabalho a um inválido, o sr. Culverton teve a bondade de fazer o nosso sinal, inspetor, aumentando a luz do gás. A propósito, o seu prisioneiro tem uma caixinha no bolso direito do paletó que seria melhor retirar. Se eu fosse você, teria mais cuidado ao mexer nela. Ponha-a aqui. Vai ser muito importante no julgamento.

Ouvi uma corrida repentina e barulho de luta, e em seguida um tilintar de metais e um grito de dor.

— Vai apenas se machucar — disse o inspetor. — Fique quieto, está bem?

Escutei o ruído de algemas se fechando.

— Uma bela armadilha! — gritou o prisioneiro num tom estridente e ríspido. — Isso levará você à cadeia, Holmes, e não eu. Ele me pediu para vir aqui curá-lo. Senti pena e vim. Agora, sem dúvida vai alegar que eu disse alguma coisa que pode inventar, e que vai confirmar suas suspeitas doentias. Pode mentir à vontade, Holmes. Minha palavra sempre vai valer tanto quanto a sua.

— Meu Deus! — exclamou Holmes. — Esqueci-me totalmente dele! Meu caro Watson, devo-lhe mil desculpas. E pensar que eu me esqueci de você! Não é necessário que eu o apresente ao sr. Culverton Smith, porque eu sei que se conheceram há pouco. O carro está lá embaixo? Vou acompanhá-lo, inspetor, depois de me vestir, porque posso ser útil na delegacia.

— Nunca precisei tanto disso — disse Holmes, se reabastecendo com um copo de vinho e bolachas enquanto tirava a maquiagem. — Você bem sabe como meus hábitos são irregulares, e fazer o que fiz foi bem mais fácil para mim do que para a maioria das pessoas. Era indispensável que a sra. Hudson ficasse impressionada com o meu estado, já que ela transmitiria a impressão a você, e você a transmitiria a Culverton Smith. Você não vai ficar zangado, não é, Watson? Você vai perceber que, entre os seus muitos talentos, não há lugar para a dissimulação, e que, se soubesse do meu segredo, não conseguiria convencer o sr. Smith da necessidade imperiosa de sua presença, ponto vital de todo o esquema. Conhecendo a natureza vingativa dele, eu tinha certeza de que ele viria conferir o seu próprio trabalho...

— Mas e sua aparência, Holmes, seu rosto cadavérico?...

— Três dias de jejum total não ajudam a embelezar ninguém, Watson. Quanto ao resto, não existe nada que uma boa esponja não consiga curar... Com vaselina na testa, beladona nos olhos e crostas de cera nos lábios a gente consegue produzir um bom efeito. Disfarce é um assunto sobre o qual eu já pensei em escrever uma monografia. Uma conversinha de vez em quando sobre meias-coroas, ostras ou qualquer outro assunto esquisito pode produzir um efeito convincente de delírio.

— Mas por que não deixou que eu me aproximasse de você quando, na verdade, não havia perigo de infecção?

— Você ainda pergunta, meu caro Watson? Acredita que eu não tenha respeito pelos seus dotes médicos? Eu podia imaginar que, com seu julgamento perspicaz, você iria acreditar que um homem agonizante, embora fraco, não apresentasse aumento de temperatura nem pulso? Eu conseguiria enganar você a uns três metros de distância. Se não conseguisse, quem traria o sr. Smith ao alcance? Não, Watson, eu não mexeria naquela caixinha. Você mesmo pode ver, se olhar de lado, por onde a lâmina afiada pula como um dente de víbora quando a abrimos. Eu diria que o pobre Savage, que se interpôs entre o monstro e a herança, foi morto de forma semelhante. Mas minha correspondência é muito variada, como você sabe, e eu fico sempre em guarda com relação aos pacotes que me chegam. Mas ficou claro para mim que somente fingindo que ele tivera êxito na sua tentativa é que eu poderia conseguir uma confissão de culpa. Representei o papel com a perfeição de verdadeiro artista. Obrigado, Watson, ajude-me a vestir o casaco. Assim que terminarmos tudo na delegacia, creio que alguma coisa bem nutritiva no Simpson não seria inconveniente.

O CASO DO DESAPARECIMENTO DE *LADY* FRANCES CARFAX

— Mas por que turco? — perguntou Sherlock Holmes, olhando fixamente para meu sapato. Eu estava deitado em uma cadeira de vime, e meus pés esticados haviam atraído sua atenção sempre vigilante.

— Inglês! — respondi com certa surpresa. — Eu comprei em Latimer, na Oxford Street.

Ele sorriu com uma expressão de paciência entediada.

— O banho! — ele disse. — O banho! Por que o debilitante e caro banho turco em vez do revigorante artigo caseiro?

— É porque, nesses últimos dias, eu me senti velho e reumático. Um banho turco é o que chamamos, na medicina, de uma alternativa; um novo ponto de partida, um purificador do sistema. A propósito, Holmes, não tenho dúvida de que a relação entre meu sapato e o banho turco é óbvia para uma mente lógica, mas eu ficaria grato se você a explicasse para mim.

— A sequência do raciocínio não é muito difícil, Watson — ele disse, dando uma piscadela maliciosa. — Pertence à mesma categoria elementar de dedução que eu precisaria explicar se lhe perguntasse quem estava no carro com você hoje de manhã...

— Eu não acho que um novo exemplo seja uma explicação — respondi com certa aspereza.

— Bravo, Watson! Uma reclamação digna e lógica. Deixe-me ver, quais são os pontos? Vejamos, em primeiro lugar, o último. O táxi. Observe que você tem borrifos na manga esquerda e no ombro do seu casaco. Se você tivesse se sentado no meio, com toda a certeza não os teria e, caso os tivesse, seriam simétricos. Portanto, fica claro que você se sentou de um lado. Também está claro que tinha um companheiro.

— Isto é evidente.

— Tremendamente corriqueiro, não?

— Mas e as botas e o banho turco?

— Também infantis. Você tem o hábito de amarrar suas botas de um certo jeito. Agora eu as vejo amarradas com um laço duplo e caprichado, o que não é o seu modo habitual. Assim, você as tirou. Quem as arrumou para você? Um sapateiro ou o rapaz que trabalha no banho turco. Não me parece ser o sapateiro, pois suas botas são praticamente novas. Então, o que resta? O banho. Fácil, não? Mas, por isso tudo, o banho turco serviu para alguma coisa.

— Para quê?

— Você disse que tomou o banho porque precisa de uma mudança. Deixe-me sugerir-lhe que faça uma. Que tal Lausanne, meu caro Watson, com passagens de primeira classe e todas as despesas pagas nababescamente?

— Esplêndido! Mas por quê?

Holmes recostou-se na poltrona e tirou o caderninho do bolso.

— A mulher sem amigos e nômade constitui uma das classes mais perigosas do mundo. Ela é a mais inofensiva e frequentemente a mais útil dos mortais, mas quase sempre se torna a incitadora de crimes para outras pessoas. É um pássaro migratório, tem meios suficientes para se mudar de um país para outro, e de um hotel para outro. Frequentemente fica perdida num labirinto de pensões e hospedarias humildes. É uma galinha perdida num mundo de raposas. Quando desaparece, ninguém sente sua falta. Temo que algo de ruim tenha acontecido com *lady* Frances Carfax.

Fiquei aliviado quando ele passou do geral para o particular. Consultou suas anotações.

— *Lady* Frances — ele continuou — é a única descendente direta viva do falecido conde Rufton. As propriedades da família, como você deve se lembrar, passaram para os herdeiros masculinos, de modo que ela ficou com recursos limitados, mas com antigas e extraordinárias joias espanholas de prata e diamantes curiosamente lapidados, aos quais ficou profundamente apegada; tão apegada que se recusou a deixá-los com seu banqueiro, e sempre os carrega consigo. Uma figura bastante patética essa *lady* Frances, uma mulher bonita, no início da meia-idade e, ainda assim, por um estranho acaso, a última descendente daquilo que, há apenas vinte anos, era uma linhagem ilustre.

— O que aconteceu com ela?

— Ah, o que aconteceu a *lady* Frances? Está viva ou morta? Este é o nosso problema. Ela é uma mulher de hábitos regulares e durante quatro anos manteve o costume invariável de escrever, de duas em duas semanas, uma carta à senhorita Dobney, sua antiga governanta, já aposentada e que mora em Camberwell. Foi essa senhorita Dobney quem me consultou. Já se passaram quase cinco semanas sem uma única palavra. A última carta veio do Hôtel National, em Lausanne. Parece que *lady* Frances saiu de lá e não deixou endereço. Os parentes estão ansiosos e, como são imensamente ricos, não vão economizar para esclarecermos este caso.

— A senhorita Dobney é a única fonte de informações? Ela não se correspondia com outras pessoas?

— Há um correspondente que é uma tacada certa, Watson. É o banco. Mulheres solteiras precisam viver, e seus talões de cheques são diários condensados. Ela mantém conta no Silvester. Dei uma olhada. O penúltimo cheque sacado foi para pagar a conta de Lausanne, mas foi um cheque graúdo, o que provavelmente deve tê-la deixado com dinheiro. Desde então, apenas um cheque foi sacado.

— Em favor de quem e quando?

— Para a senhorita Marie Devine. Não há nada que mostre onde o cheque foi emitido. Foi descontado no Crédit Lyonnais em Montpellier há menos de três semanas. O total era de cinquenta libras.

— E quem é esta senhorita Marie Devine?

— Tive de descobrir isso também. Ela era a criada de *lady* Frances Carfax. Por que esta lhe pagou este cheque ainda não sabemos. Mas tenho certeza de que suas pesquisas vão esclarecer logo o caso.

— *Minhas* pesquisas?!

— Eis aí o motivo de sua saudável expedição a Lausanne. Você sabe que eu não posso sair de Londres enquanto o velho Abrahams estiver com tanto medo de morrer. Além do mais, em princípio, é melhor que eu não saia do país. A Scotland Yard se sente órfã sem a minha presença e isso provoca uma excitação mórbida entre os criminosos do país. Vá, então, meu caro Watson, e se meu humilde conselho pode ser útil à extravagante quantia de dois pence por palavra, estará à sua disposição noite e dia, neste lado do telégrafo.

Dois dias depois eu já estava no Hôtel National, em Lausanne, onde recebi todas as atenções do sr. Moser, o conhecido gerente. Ele me informou que *lady* Frances ficara hospedada ali durante várias semanas. Todos que a conheciam gostavam muito dela. Não tinha mais de quarenta anos. Ainda era bonita e conservava sinais de ter sido uma mulher adorável na juventude. O sr. Moser nada sabia a respeito de joias valiosas, mas os empregados haviam notado que no quarto da mulher havia uma mala pesada sempre cuidadosamente trancada. Marie Devine, a criada, era tão conhecida quanto a patroa. Estava noiva de um dos chefes dos garções do hotel, de modo que não foi difícil descobrir seu endereço, rue de Trajan, 11, Montpellier. Anotei tudo isso e tive a sensação de que nem Sherlock Holmes teria apurado os fatos com tanta rapidez.

Apenas um detalhe permaneceu obscuro. Nenhuma informação de que eu dispunha explicava a partida repentina da mulher. Ela estava muito feliz em Lausanne. Havia todos os motivos para se acreditar que ela pretendia ficar durante toda a temporada no seu luxuoso apartamento que dava para o lago. Mas foi embora sem dizer uma palavra, perdendo uma semana de aluguel já pago. Somente Jules Vibart, o noivo da criada, tinha alguma sugestão a dar. Ele relacionava a partida repentina à visita ao hotel, um ou dois dias antes, de um homem alto, moreno e barbudo.

— *Un sauvage... un véritable sauvage!* — exclamou Jules Vibart.

O homem morava em algum lugar da cidade, pois fora visto antes conversando com *lady* Frances na avenida perto do lago. Depois aparecera no hotel e ela se recusara a vê-lo. Ele era inglês, mas ninguém sabia seu nome. Ela foi embora logo depois disso. Jules Vibart e, o que é mais importante, sua noiva pensavam que a visita e a partida tinham uma relação de causa e efeito. Jules só não falava sobre uma coisa — o motivo por que Marie deixara a patroa. Sobre isso ele não podia ou não queria dizer nada. Se eu quisesse saber, deveria ir a Montpellier e perguntar a ela.

Terminou assim o primeiro capítulo de minhas investigações. Dediquei o segundo ao lugar para onde *lady* Frances Carfax foi quando saiu de Lausanne. Sobre este ponto havia um certo mistério, o que confirmava a teoria de que ela partira com a intenção de despistar alguém. Do contrário, por que sua bagagem não fora endereçada abertamente a Baden? Tanto a mulher como a bagagem chegaram à estação de Rhenish por uma rota indireta. Fiquei sabendo disso pelo gerente da agência Cook. Parti, então, para Baden, depois de enviar a Holmes um relato de tudo o que já fizera e receber, em resposta, um elogio meio irônico.

Não foi difícil seguir a pista dela em Baden. *Lady* Frances passara 15 dias hospedada no Englischer Hof. Ali fizera amizade com um tal dr. Shlessinger e a esposa, um missionário da América do Sul. Como a maioria das mulheres solitárias, ela encontrou conforto e ocupação na religião. Ela foi profundamente afetada pela personalidade marcante do dr. Shlessinger, sua devoção desinteressada, e pelo fato de estar se recuperando de uma doença contraída no exercício de suas funções apostólicas. Ela ajudava a sra. Shlessinger a tomar conta do santo convalescente. Ele passava o dia todo numa espreguiçadeira colocada no alpendre, com as duas mulheres como solícitas enfermeiras, uma de cada lado. Preparava um mapa da Terra Santa, com referência especial ao reino dos Medianistas, sobre os quais estava escrevendo uma monografia. Finalmente, com a saúde bem melhor, ele e a esposa voltaram para Londres, e *lady* Frances partira com eles. Isso acontecera apenas três semanas antes, e o gerente nada mais ouvira desde então.

Quanto à criada, Marie, partira alguns dias antes, chorando, depois de informar às outras criadas que estava deixando o serviço definitivamente. O dr. Shlessinger pagara as despesas de todo o grupo antes de partir.

— A propósito — completou o gerente —, o senhor não foi o único amigo de *lady* Frances Carfax que perguntou por ela nestes últimos dias. Há uma semana, mais ou menos, esteve aqui um senhor com o mesmo propósito.

— Ele deu o nome? — perguntei.

— Não, mas ele era inglês, embora de um tipo pouco comum.

— Um selvagem? — arrisquei, ligando os fatos à maneira de meu ilustre amigo Holmes.

— Exatamente. Esta palavra o descreve muito bem. É um sujeito corpulento, barbudo, queimado de sol, um tipo que ficaria mais à vontade numa pensão de roceiros do que num hotel de luxo. Um sujeito durão, violento eu diria, e alguém que eu lamentaria irritar.

O mistério começava a se definir, com os personagens mais nítidos à medida que a névoa ia se dissipando. Aqui estava a mulher boa e piedosa, perseguida em todos os lugares por uma figura sinistra e insistente. Ela o temia, ou não teria fugido de Lausanne. Ele a seguiu. Mais cedo ou mais tarde ele a alcançaria. Já teria conseguido? Seria esse o segredo do prolongado silêncio de *lady* Frances Carfax? Será que seus companheiros, pessoas boas, a teriam escondido da violência e chantagem dele? Que propósito terrível, que plano obscuro estavam por trás de sua perseguição longa e implacável? Este era o problema que eu tinha de resolver.

Escrevi a Holmes mostrando-lhe com que rapidez e precisão eu atingira o âmago da questão. Sua resposta foi um telegrama pedindo uma descrição da orelha esquerda do dr. Shlessinger. O conceito de humor de Holmes às vezes é estranho e ofensivo, de modo que não dei atenção à brincadeira. Na verdade, eu já havia chegado a Montpellier com o objetivo de encontrar a criada antes de receber seu telegrama.

Não tive dificuldade em localizar a ex-criada e saber tudo o que ela podia me contar. Era uma criatura dedicada, que só deixara a patroa porque tinha certeza de que ela estava em boas mãos e também porque seu casamento se aproximava, o que causaria inevitavelmente uma separação. A patroa havia demonstrado — ela contou com desgosto — certa irritação com ela durante a estada em Baden, e chegara a interrogá-la uma vez, como se desconfiasse de sua honestidade, e isso fez com que a separação fosse mais fácil do que em outras condições. A patroa lhe dera cinquenta libras como presente de casamento. Como eu, também Marie desconfiava do estranho que fizera a mulher fugir de Lausanne. Ela mesma vira o homem agarrar com violência o pulso de *lady* Frances na alameda perto do lago. Era um sujeito terrível e selvagem. Ela acreditava que era por medo dele que *lady* Frances aceitara a companhia dos Shlessinger na volta para Londres. *Lady* Frances nunca comentara nada com Marie, mas esta sentia que a patroa vivia num permanente estado de nervosismo e apreensão. Nesta altura de sua descrição, ela pulou da cadeira com o rosto transtornado, surpreso e aterrorizado.

— Veja! — exclamou. — O desgraçado ainda está aí! É o mesmo homem de quem eu lhe falava!

Pela janela aberta da sala divisei um homem forte, moreno, com uma barba preta encrespada, descendo lentamente a rua, olhando com ansiedade os números das casas. Estava claro que ele, como eu, também estava no encalço da criada. Agindo por impulso, corri para a rua e me aproximei dele.

— O senhor é inglês — disse-lhe eu.

— E daí? — perguntou, com cara de poucos amigos.

— Posso saber o seu nome?

— Não, não pode — respondeu com decisão.

A situação era estranha, mas o caminho reto é sempre o melhor.

— Onde está *lady* Frances Carfax? — perguntei.

Ele me fitou, aturdido.

— O que o senhor fez com ela? Por que a perseguiu? Exijo uma resposta!

O sujeito soltou um grito de raiva e pulou em cima de mim como um tigre. Sempre soube me defender em muitas brigas, mas o camarada tinha uma garra de aço e a fúria de um demônio. Apertou minha garganta e eu estava quase perdendo os sentidos quando um operário francês barbudo, vestido com uma camisa azul, saiu em disparada do bar do outro lado da rua com um pedaço de pau na mão e acertou meu agressor com um golpe seco no antebraço, o que fez com que ele largasse a presa. Ficou por alguns segundos fungando de raiva e sem saber se devia recomeçar o ataque. Finalmente, com um rugido de raiva, ele me largou e entrou na casa da qual eu acabara de sair. Eu me virei para agradecer ao meu salvador, ali parado ao meu lado na rua.

— Ora, Watson — ele disse —, que bela trapalhada você aprontou! Acho que será melhor você voltar comigo para Londres no trem desta noite.

Uma hora mais tarde, Sherlock Holmes, com sua elegância e seu estilo habituais, estava sentado no meu quarto no hotel. A explicação para o seu aparecimento repentino e oportuno era a própria simplicidade, porque, descobrindo que podia sair de Londres, decidira adiantar-se a mim no próximo passo óbvio de minhas investigações. Disfarçado de operário, sentara-se no bar, esperando que eu aparecesse.

— Você fez uma investigação extraordinariamente coerente, meu caro Watson — disse ele. — Não me ocorre agora nenhuma asneira que você tenha deixado de fazer. O resultado geral de suas investigações foi o de alarmar todo mundo e não descobrir coisa alguma.

— Talvez você tivesse feito melhor — respondi magoado.

— Não há "talvez" a respeito disso. Eu fiz melhor. Aqui está o sr. Philip Green, também hóspede deste hotel e quem pode ser o ponto de partida para uma investigação mais bem-sucedida.

Haviam trazido um cartão de visita numa bandeja, e em seguida apareceu o mesmo vilão barbudo que me atacara na rua. Ele estremeceu quando me viu.

— O que é isto, sr. Holmes? — perguntou. — Recebi seu recado e vim. Mas o que este homem tem a ver com o caso?

— Este é meu velho amigo e parceiro dr. Watson, que está nos ajudando neste caso.

O estranho estendeu a mão grande e bronzeada, dizendo algumas palavras de desculpas.

— Espero não tê-lo machucado. Quando o senhor me acusou de tê-la ferido, me descontrolei. Na verdade, não respondo por mim nestes últimos dias. Meus nervos estão à flor da pele. A situação me desespera. O que eu desejo saber, em primeiro lugar, dr. Watson, é como diabo o senhor ficou sabendo de minha existência.

— Estou em contato com a senhorita Dobney, criada de *lady* Frances Carfax.

— A velha Susan Dobney com a touca! Lembro-me muito bem dela.

— E ela se lembra do senhor. Foi naqueles dias... naqueles dias antes de o senhor achar que seria melhor ir para a África do Sul.

— Ah, vejo que conhece toda a minha história. Não preciso esconder-lhe nada. Juro-lhe, sr. Holmes, que nunca existiu neste mundo alguém que amasse uma mulher com tanta devoção como eu amava Frances. Eu era um jovem devasso, eu sei, mas não pior do que tantos de minha idade. Mas o coração dela era puro como a neve. Ela não podia suportar uma sombra sequer de grosseria. Assim, quando ficou sabendo de algumas coisas que eu havia feito, não quis mais falar comigo. E mesmo assim ela me amava, e isso é o mais estranho, amava-me tanto a ponto de permanecer solteira durante toda sua santa vida, somente por minha causa. Com o passar do tempo, ganhei a vida em Barbeton e pensei que talvez pudesse procurá-la e abordá-la. Eu sabia que ela ainda estava solteira. Encontrei-a em Lausanne e tentei tudo o que pude. Ela ficou comovida, eu acho, mas sua vontade era forte, e quando a procurei de novo havia partido. Consegui localizá-la em Baden e depois de algum tempo ouvi dizer que sua empregada estava aqui. Sou um sujeito rude, vindo de uma vida difícil, e quando o dr. Watson falou comigo naqueles termos perdi o controle. Mas, diga-me, pelo amor de Deus, o que aconteceu com *lady* Frances?

— Isto é o que nós temos de descobrir — respondeu Sherlock Holmes. — Qual é o seu endereço em Londres, sr. Green?

— Vai me achar no Langham Hotel.

— Posso pedir-lhe que volte para lá e fique de prontidão no caso de eu precisar do senhor? Não quero alimentar falsas esperanças, mas pode ter certeza de que será feito tudo o que for possível pela segurança de *lady* Frances. Não posso dizer mais nada por ora. Vou deixar-lhe este cartão para que possa entrar em contato conosco. Agora, Watson, se você fizer as malas, vou telegrafar à sra. Hudson e pedir que prepare o melhor que puder para dois viajantes famintos às 7h30.

Um telegrama nos aguardava na Baker Street; Holmes o leu, soltando exclamações de alegria, e o passou para mim. A mensagem dizia "Serrada ou arrancada", e fora expedida de Baden.

— O que é isto? — perguntei.

— É tudo! Talvez você se lembre de minha pergunta aparentemente irrelevante sobre a orelha esquerda do missionário. Você não respondeu.

— Eu já havia saído de Baden e não pude perguntar.

— Exatamente. Por causa disso mandei um telegrama igual ao gerente do Englischer Hof, e aqui está a resposta.

— O que significa?

— Significa, meu caro Watson, que estamos enfrentando um homem excepcionalmente esperto e perigoso. O reverendo dr. Shlessinger, missionário vindo da América do Sul, é ninguém menos que Holy Peters, um dos vigaristas mais inescrupulosos que a Austrália já produziu; e para um país jovem até que tem apresentado alguns tipos perfeitos. A especialidade dele é enganar mulheres solitárias, explorando seus sentimentos religiosos, e sua pseudoesposa é uma inglesa chamada Fraser, uma colaboradora fiel. A tática que ele usou sugeriu-me sua identidade, e seu defeito físico, ele foi mordido com violência numa briga de bar em Adelaide, em 1889, confirmou minha suspeita. Essa pobre senhora está nas mãos de uma dupla infernal, que não teme nada, Watson. Que esteja morta é uma suposição bem plausível. Se estiver viva, com toda certeza ela se encontra em algum tipo de prisão e impedida de escrever à srta. Dobney ou a outros amigos. É possível que nem tenha chegado a Londres, ou tenha passado pela cidade; mas a primeira suposição é improvável porque, pelo sistema de registro, não é fácil para os estrangeiros burlar a polícia do Continente; a segunda hipótese também é improvável, já que esses vigaristas não poderiam encontrar um outro local onde seja tão fácil manter uma pessoa cativa. Os meus instintos me dizem que ela está em Londres, mas como no momento não temos meios de saber exatamente onde, só podemos fazer o óbvio, ou seja, jantar e ter paciência. Mais tarde vou dar uma saída e conversar com o amigo Lestrade na Scotland Yard.

Entretanto, nem a polícia oficial nem a pequena mas eficiente organização particular de Holmes foram suficientes para esclarecer o mistério. Entre os milhões de pessoas em Londres, as que procurávamos estavam invisíveis como se nunca tivessem existido. Foram tentados anúncios em jornais, sem resultado. Pistas foram seguidas, mas levaram a nada. Todos os antros de criminosos que Shlessinger pudesse frequentar foram verificados, mas em vão. Seus antigos comparsas foram vigiados, mas não se aproximaram dele. Então, de repente, depois de uma semana de suspense, surgiu um raio de luz. Um pingente de prata, de antigo desenho espanhol, foi penhorado em Bovington, na Westminster Road. O sujeito que o penhorara era grande, sem barba, com uma aparência clerical. Naturalmente, o nome e o endereço que forneceu eram falsos. Não mencionaram o detalhe da orelha, mas a descrição, com toda certeza, era a de Shlessinger. Nosso amigo barbudo do Langham Hotel aparecera três vezes à procura de notícias; na terceira vez, uma hora depois de termos recebido novas informações... As roupas já estavam folgadas no seu corpo enorme. Parecia que, pela ansiedade que o consumia, estava definhando a olhos vistos.

— Se pelo menos o senhor me desse algo para fazer!... — era seu constante lamento. Finalmente Holmes podia satisfazê-lo.

— Ele começou a penhorar as peças. Vamos pegá-lo agora.

— Mas será que isto significa que algo de ruim aconteceu a *lady* Frances?

Holmes balançou gravemente a cabeça.

— Supondo que eles a tenham mantido cativa até agora, está claro que não a podem libertar sem arriscarem a própria destruição. Temos de nos preparar para o pior.

— O que posso fazer?

— Essas pessoas o conhecem de vista?

— Não.

— É possível que ele vá a outra loja de penhores no futuro. Nesse caso, precisamos começar de novo. Por outro lado, ele obteve bom preço e não lhe fizeram perguntas, de modo que, se estiver precisando de dinheiro, provavelmente vai voltar a Bovington. Vou lhe dar um cartão de apresentação e eles permitirão que fique na loja. Se o sujeito aparecer, deverá segui-lo. Mas sem indiscrições e, sobretudo, nada de violência. Espero que o senhor não faça nada sem meu conhecimento e consentimento.

Durante dois dias o sr. Philip Green não nos deu notícias (ele era, devo dizer, filho do famoso almirante de mesmo nome, comandante da esquadra do mar de Azof, na Guerra da Crimeia).

Na noite do terceiro dia ele entrou correndo em nossa sala, pálido, com todos os músculos do corpo possante vibrando de emoção.

— Nós o pegamos! Nós o pegamos! — gritava.

Estava incoerente em sua agitação; Holmes o acalmou com algumas palavras e fê-lo sentar-se numa poltrona.

— Calma, conte-nos os fatos pela ordem.

— Uma hora atrás ela apareceu. Foi a mulher desta vez, e o pingente que trazia faz par com o anterior. É uma mulher alta, de pele clara, com olhos de furão.

— É ela — disse Holmes.

— Quando ela saiu da loja, eu a segui. Andou até a Kennington Road e eu fiquei atrás dela. Depois entrou em uma loja. Sr. Holmes, era uma funerária!

— Sim? — perguntou Holmes numa voz vibrante que mostrava a alma impetuosa por trás do rosto impassível.

— Ela estava conversando com uma mulher atrás do balcão. Eu também entrei. "É tarde", eu a ouvi dizer, ou qualquer coisa parecida. A atendente estava pedindo desculpas: "Já devia estar lá a esta altura", respondeu. "Demorou mais por ser fora do comum." As duas pararam de falar e me encararam. Fiz uma pergunta qualquer e saí.

— O senhor fez muito bem. E aí, o que aconteceu?

— Quando a mulher saiu, eu estava escondido em um portal. Eu acho que ela já estava desconfiada, porque olhou em volta. Tomou um táxi. Tive a sorte de conseguir outro e a segui. Mais tarde ela desceu em frente ao número 36 da Poultney Square, em Brixton. Passei direto, deixei o táxi na esquina da praça e fiquei vigiando a casa.

— Viu alguém?

— Todas as janelas estavam escuras, com exceção de uma. A cortina estava descida e não consegui ver dentro da casa. Eu estava lá, de pé, pensando no que faria em seguida, quando chegou uma carroça fechada com dois homens. Eles desceram, tiraram alguma coisa da carroça e a levaram escada acima, até a porta de entrada. Sr. Holmes, era um caixão!

— Ah!

— Por um segundo eu estive a ponto de invadir a casa. A porta estava aberta para que eles passassem com a encomenda. Foi a própria mulher que a abriu. E eu continuei lá, ela me viu e creio que me reconheceu. Vi que ela estremeceu e fechou rapidamente a porta. Lembrei-me de sua recomendação e aqui estou.

— Fez um belo trabalho — disse Holmes, escrevendo alguma coisa numa folha de papel. — Não podemos fazer nada legal sem um mandado, e o senhor pode ajudar levando este bilhete às autoridades e conseguindo um. Pode haver alguma dificuldade, mas eu creio que a venda das joias seja suficiente. Lestrade cuidará de todos os detalhes.

— Mas eles podem matá-la nesse meio-tempo. O que significa o caixão e para quem é, a não ser para ela?

— Vamos fazer tudo o que for possível, sr. Green. Não perderemos um minuto sequer. Deixe o caso em nossas mãos. E agora, Watson — ele acrescentou, depois que o visitante saiu —, ele fará a polícia entrar em ação. Como sempre, nós somos as forças irregulares e temos de seguir nossa linha de ação. A situação me parece tão desesperadora que qualquer medida extrema se justifica. Não podemos perder tempo; temos de ir a Poultney Square.

"Vamos tentar reconstituir a situação", disse Holmes enquanto passávamos rapidamente pelo edifício do Parlamento e entrávamos na Westminster Bridge. "Esses vigaristas atraíram a pobre mulher a Londres, depois de a livrarem da empregada fiel. Se ela tivesse escrito alguma carta, teria sido interceptada. Arranjaram alguma casa mobiliada, provavelmente por intermédio de algum cúmplice. Depois de estabelecidos, fizeram-na prisioneira e se apossaram das joias preciosas, objetivo da vigarice desde o início. Já começaram a vender a fortuna, o que lhes deve parecer seguro a esta altura, pois não há motivo para acharem que alguém se interesse pelo destino de *lady* Frances Carfax. Se ela fosse libertada, naturalmente os denunciaria. Assim sendo, não pode ser libertada. Mas, ao mesmo tempo, não podem mantê-la cativa para sempre. Matá-la é a única saída."

— Isto me parece lógico.

— Vamos ver agora outra linha de raciocínio. Quando seguimos duas linhas distintas de pensamento, Watson, acabamos encontrando um ponto qualquer de ligação que leva à verdade. Vamos começar agora não da mulher, mas do caixão, e daí para trás. O fato mostra, sem dúvida, que ela está morta. Indica também um funeral ortodoxo, com atestado de óbito e os documentos legais. Se eles a tivessem assassinado, iriam enterrá-la num buraco no quintal. Mas, neste caso, tudo está sendo feito às claras e de maneira normal. O que significa isso? Certamente eles deram um jeito de ela morrer de uma maneira que enganaria o médico, e simularam uma morte natural... envenenamento, talvez. Mesmo assim me parece estranho que tenham permitido que um médico se aproximasse dela, a menos que ele também fosse um cúmplice, mas é difícil acreditar nisso.

— Mas eles não poderiam falsificar um atestado de óbito?

— É perigoso, Watson, muito perigoso. Não, não acho que eles fariam isso. Pare, cocheiro! Evidentemente aqui é a casa funerária, porque acabamos de passar pela loja de penhores. Você quer entrar, Watson? Sua aparência inspira confiança. Pergunte a que horas será o enterro de Poultney Square amanhã.

A mulher da funerária respondeu sem hesitar que seria às oito horas.

— Está vendo, Watson, não há mistério; tudo às claras! De algum modo os procedimentos legais foram cumpridos, e eles acham que não têm o que temer. Bem, nada mais resta a não ser um ataque direto. Está armado?

— Minha bengala!

— Bem, bem, seremos suficientemente fortes. "Três vezes está armado quem luta por uma causa justa." Simplesmente não podemos nos dar ao luxo de aguardar a polícia ou ficar nos limites da lei. Pode ir embora, cocheiro. E agora, Watson, vamos confiar na nossa sorte, como já fizemos algumas vezes antes.

Ele bateu com força na porta de uma casa escura e grande, no centro de Poultney Square. Ela foi aberta imediatamente e a silhueta de uma mulher alta apareceu à luz fraca do vestíbulo.

— Sim, o que desejam? — perguntou rispidamente, espiando-nos na escuridão.

— Quero falar com o dr. Shlessinger! — respondeu Holmes.

— Não há ninguém aqui com este nome — ela disse, tentando fechar a porta; mas Holmes a impediu, colocando o pé.

— Bem, quero conversar com o homem que mora aqui, seja lá qual for o seu nome — ele insistiu.

Ela hesitou. Depois abriu a porta.

— Bem, entrem. Meu marido não tem medo de enfrentar nenhum homem no mundo.

Fechou a porta e nos conduziu a uma sala à direita da entrada, acendendo o lampião antes de sair.

— O sr. Peters estará aqui num minuto — disse.

Ela dissera a verdade, porque mal tínhamos tido tempo de dar uma olhada no lugar poeirento e cheio de traças em que estávamos quando uma porta se abriu e um homem alto, de rosto bem-barbeado e careca entrou silenciosamente na sala. Tinha uma cara redonda e vermelha, bochechas caídas e um ar de benevolência superficial, contrastando com uma boca que sugeria crueldade.

— Com certeza deve haver algum engano aqui, cavalheiros — ele disse, numa voz untuosa e solícita. — Receio que os senhores tenham se enganado de endereço. Talvez se tentarem a casa vizinha...

— Chega, não temos tempo a perder — disse Holmes com firmeza. — O senhor é Henry Peters, de Adelaide, ultimamente conhecido como o reverendo dr. Shlessinger, de Baden e da América do Sul. Tenho tanta certeza disso como de que meu nome é Sherlock Holmes.

Peters, como o chamarei daqui para a frente, tremeu e encarou seu poderoso adversário.

— Acho que seu nome não me atemoriza, sr. Holmes — ele disse com frieza. — Quando um homem tem a consciência tranquila, não há o que temer. O que o traz à minha casa?

— Quero saber o que o senhor fez com *lady* Frances Carfax, que trouxe de Baden.

— Eu ficaria contente se o senhor pudesse me dizer onde está essa senhora — respondeu Peter com frieza. — Tenho uma conta a acertar com ela de quase cem libras e nada como garantia a não ser um par de pingentes falsos que um negociante nem sequer olharia. Ela se ligou à minha mulher e a mim em Baden, é verdade que eu usava outro nome na ocasião, e ficou grudada em nós até virmos para Londres. Paguei as despesas e a passagem dela. Depois que chegamos aqui ela sumiu e, como eu disse, deixou como pagamento essas joias antiquadas. Encontre-a, sr. Holmes, e eu ficarei grato.

— Eu quero encontrá-la mesmo! — disse Sherlock Holmes. — Vou vasculhar esta casa até achá-la.

— Onde está o mandado?

Holmes mostrou um revólver no bolso.

— Isto vai servir até que chegue um.

— Ora, então o senhor é um ladrão comum.

— Pode me descrever assim — respondeu Holmes jovialmente. — Meu companheiro também é um bandido perigoso. E juntos nós vamos examinar sua casa.

O homem abriu a porta.

— Chame a polícia, Annie! — gritou.

Ouvimos o farfalhar de um vestido no corredor e a porta da frente sendo aberta e fechada.

— Nosso tempo é curto, Watson — disse Holmes. — Se tentar nos impedir, Peters, vai se machucar. Onde está aquele caixão que foi trazido para cá?

— O que quer com ele? Está ocupado. Há um corpo dentro dele.

— Preciso ver esse corpo.

— Não permitirei.

— Então será sem a sua permissão.

Com um movimento rápido, Holmes empurrou o sujeito para o lado e entrou no vestíbulo. Diante de nós havia uma porta semiaberta. Entramos. Era a copa. Na mesa, sob um candelabro, havia um caixão. Holmes aumentou a luz do ambiente e abriu a tampa. Lá no fundo estava uma figura magrinha. À luz do candelabro vimos um rosto velho e enrugado. Nenhum processo de crueldade, fome ou doença poderia transformar o rosto ainda belo de *lady* Frances Carfax naquela ruína. O rosto de Holmes mostrou espanto e alívio.

— Graças a Deus! — murmurou. — É outra pessoa.

— Ah, o senhor se deu mal pelo menos uma vez, sr. Holmes — disse Peters, que entrara na copa atrás de nós.

— Quem é esta morta?

— Bem, se quer mesmo saber, é a velha ama de minha mulher, Rose Spender, que encontramos no Asilo de Brixton. Nós a trouxemos para cá, chamamos o dr. Horsom, de Firbank Villas, 13, se quer saber o endereço, e tratamos dela, como bons cristãos. Ela morreu no terceiro dia, o atestado de óbito diz senilidade, mas essa é apenas a opinião do médico, e naturalmente o senhor sabe mais. Contratamos os serviços funerários de Stimson and Co., da Kennington Road, que a enterrará amanhã, às oito horas. Alguma coisa ilegal nisso tudo, sr. Holmes? Cometeu um erro infantil, e a culpa é toda sua. Daria tudo por uma fotografia de sua cara embasbacada quando abriu o caixão, esperando encontrar *lady* Frances Carfax e achando somente uma pobre velha de noventa anos.

A expressão de Holmes estava impassível como sempre diante do sarcasmo de seu adversário, mas suas mãos crispadas revelavam seu aborrecimento.

— Vou vasculhar a casa — disse.

— Chegaram, finalmente! — exclamou Peters, quando a voz da mulher e passos rápidos soaram no corredor. — Vamos ver isso. Por aqui, senhores policiais, por favor. Estes dois homens entraram à força na minha casa e não consigo me livrar deles. Ajudem-me a pô-los para fora.

No corredor estavam um sargento e um soldado. Holmes tirou seu cartão do bolso.

— Este é meu nome e o endereço. Este aqui é o meu amigo dr. Watson.

— Ora, nós o conhecemos muito bem — disse o sargento —, mas o senhor não pode ficar aqui sem um mandado.

— Claro que não. Sei perfeitamente disso.

— Prenda-o! — gritou Peters.

— Sabemos onde encontrar este cavalheiro se for preciso — disse o sargento num tom solene. — Mas o senhor tem de sair, sr. Holmes.

Um minuto depois estávamos novamente na rua. Holmes se mostrava calmo como sempre, mas eu estava fervendo de raiva e humilhação. O sargento nos havia acompanhado.

— Lamento muito, sr. Holmes, mas é a lei.

— Claro, sargento, o senhor não poderia agir de outra forma.

— Espero que haja um bom motivo para sua presença lá. Se há qualquer coisa que eu possa fazer...

— Há uma senhora desaparecida, sargento, e acreditamos que ela esteja naquela casa. Estou aguardando um mandado.

— Então vou ficar vigiando, sr. Holmes. Se acontecer qualquer coisa, eu lhe comunicarei.

Eram apenas 21 horas e nós continuamos com nossas investigações. Primeiro fomos ao Asilo de Brixton, onde descobrimos que realmente um casal caridoso havia aparecido alguns dias antes e levara uma velha, antiga criada, depois de obter autorização legal para isso. Ninguém ficou surpreso com a notícia da morte da mulher. O médico foi nosso passo seguinte. Ele fora chamado e constatara que a velha estava morrendo de velhice. Na verdade, viu-a morrer e assinou o atestado de óbito.

— Garanto a vocês que tudo foi perfeitamente legal e não havia nada de estranho no caso — disse ele.

Ele não vira nada de suspeito na casa, a não ser o fato curioso de que gente daquela classe não tivesse criados. Foi tudo o que pôde nos dizer.

Finalmente fomos à Scotland Yard. Houve algumas dificuldades em relação ao mandado. A demora era inevitável. A assinatura do juiz só poderia ser conseguida na manhã seguinte. Se Holmes aparecesse ali pelas nove horas, poderia ir com Lestrade e tudo seria providenciado. Assim terminou o nosso dia, mas por volta da meia-noite nosso amigo sargento apareceu para dizer que vira luzes nas janelas da casa, mas ninguém entrara ou saíra. Só podíamos ter paciência e esperar pela manhã.

Sherlock Holmes estava muito irritado para conversar e muito inquieto para dormir. Deixei-o fumando, com as espessas sobrancelhas negras contraídas e os dedos longos e nervosos tamborilando nos braços da poltrona, enquanto tentava vislumbrar alguma solução possível para o caso. Escutei-o andando pela casa várias vezes durante a madrugada. Finalmente, logo depois que acordei de manhã, ele entrou apressado no meu quarto. Ainda vestia o roupão, mas suas olheiras profundas e seu rosto pálido me mostraram que havia passado a noite em claro.

— A que horas era o enterro? Oito, não? — perguntou ansioso. — Bem, já são 7h20. Puxa, Watson, o que aconteceu com a inteligência que Deus me deu? Depressa, homem, depressa! É questão de vida ou morte, 99% de morte e apenas 1% de vida. Jamais me perdoarei se for tarde demais!

Cinco minutos depois já estávamos voando numa carruagem pela Baker Street. Já eram 7h35 quando passamos pelo Big Ben, e às oito horas entramos na Brixton Road. Mas os outros estavam tão atrasados quanto nós. Dez minutos depois, o carro fúnebre ainda se encontrava parado diante da porta da casa, e quando nosso cavalo parou, arquejante, surgiu o caixão, levado por três homens. Holmes se adiantou e impediu a passagem.

— Levem isto de volta! — gritou, pondo a mão no peito do homem que se achava à frente. — Levem isto de volta imediatamente.

— Mas que diabo significa isso? Vou lhe perguntar de novo: onde está o mandado? — explodiu Peters, furioso, com o rosto vermelho brilhando do outro lado do caixão.

— O mandado está a caminho. O caixão deve ficar na casa até que ele chegue.

A autoridade na voz de Holmes surtiu efeito nos carregadores. Peters desapareceu de repente dentro da casa e os outros obedeceram às ordens.

— Depressa, Watson, depressa! Aqui está uma chave de fenda — gritou Holmes, depois que colocaram o caixão na mesa. — Aqui está outra chave para você, meu rapaz! Dou-lhe um soberano se tirar a tampa depressa. Não faça perguntas, mãos à obra! Ótimo! Mais uma vez! De novo! Agora vamos puxar juntos! Está funcionando! Ah, finalmente!

Com um esforço conjunto puxamos a tampa do caixão e imediatamente sentimos um cheiro forte e estonteante de clorofórmio. Dentro, um corpo com a cabeça envolvida em algodão embebido no narcótico. Rapidamente Holmes arrancou tudo e surgiu o rosto inerte e de uma bela mulher de meia-idade. Ele passou os braços em volta da mulher, fazendo-a ficar em posição sentada.

— Está morta, Watson? Ainda respira? Será que chegamos tarde demais?

Durante meia hora tivemos a impressão de que era tarde demais. Parecia que *lady* Frances não resistira à sufocação e à emanação venenosa do clorofórmio. Mas depois, finalmente, com respiração artificial, com todos os recursos disponíveis, com injeções de éter, uma vibração de vida, alguns tremores nas pálpebras e o embaçamento de um espelho mostraram o lento retorno à vida.

Pela janela Holmes viu um coche se aproximando.

— Aí está Lestrade com o mandado. Vai ver que os pássaros já fugiram. E aqui — acrescentou, ao ouvir passos apressados no corredor — está alguém que tem mais direito de cuidar desta senhora do que nós. Bom dia, sr. Green. Creio que será melhor removê-la o quanto antes. Nesse meio-tempo, o enterro pode prosseguir e a pobre velha que ainda está no caixão pode seguir para sua última morada sozinha.

"Você deve acrescentar este caso à sua coleção, meu caro Watson", disse Holmes, à noite. "É um exemplo de eclipse temporário que acomete até mesmo as mentes mais equilibradas. Esses deslizes são comuns para a maioria dos mortais, e grande será aquele capaz de reconhecê-los e saná-los. Quero crer que tenho direito a isso. Passei a noite inteira dando tratos à bola, pensando que uma pista em algum lugar, uma frase solta, uma observação curiosa tivessem chegado ao meu conhecimento e eu as tivesse descartado com facilidade. Então, de repente, com as primeiras luzes da manhã, as palavras surgiram à minha frente. Foi a frase da mulher da casa funerária, contada por Philip Green. Ele a ouviu dizer: "Já devia estar lá a esta altura. Demorou mais por ser fora do comum". Ela estava falando do caixão. Ele era fora do comum. Só podia significar que ele fora feito com medidas especiais. Mas, por quê? Por quê? Num segundo lembrei-me do tamanho do caixão e da pequena forma no fundo. Por que um caixão tão grande para um corpo tão pequeno? Era para deixar espaço para outro corpo. Os dois corpos seriam enterrados com um só atestado de óbito. Tudo era tão claro, apenas eu não conseguira enxergar. *Lady* Frances seria enterrada às oito horas. Nossa única chance era impedir que o caixão saísse da casa. Havia uma possibilidade remota de nós a encontrarmos com vida, mas ainda assim *era* uma possibilidade, como o resultado mostrou. Aqueles vigaristas jamais cometeram um assassinato, pelo que sei. Evitariam qualquer violência até o fim. Poderiam enterrá-la sem nenhum sinal do modo como morrera, e mesmo que fosse exumada eles ainda teriam uma chance. Minha esperança era que tivessem agido dessa forma. Você pode reconstituir a cena muito bem. Você viu o cubículo horrível onde ela ficou presa tanto tempo. Eles entraram e a dominaram com o clorofórmio, trouxeram-na para baixo, puseram mais clorofórmio no caixão para impedir que ela despertasse e aparafusaram a tampa. Engenhoso, Watson. Isto é novo para mim nos anais do crime. Se nosso ex-missionário e a mulher escaparem das garras de Lestrade, tenho certeza de que ainda vou ouvir falar de outros casos brilhantes na carreira futura deles."

O CASO DO PÉ DO DIABO

Às vezes, ao escrever sobre algumas das experiências curiosas e recordações interessantes ligadas à minha longa e íntima amizade com Sherlock Holmes, enfrento dificuldades por causa de sua aversão à publicidade. Seu espírito cínico sempre foi avesso a qualquer aplauso popular, e nada o divertia mais, ao fim de um caso em que tivesse obtido sucesso, do que transferir o mérito a um policial ortodoxo e ouvir, com um sorriso sarcástico, o coro de parabéns para a pessoa errada. Foi, na verdade, por causa desta atitude de meu amigo, e, evidentemente, não por falta de material interessante, que nos últimos anos eu apresentei ao público uma parte pequena dos meus registros. Minha participação em algumas de suas aventuras sempre foi um privilégio que me impunha discrição e silêncio. Foi, portanto, com grande surpresa que recebi um telegrama de Holmes na última terça-feira — ele nunca escreve uma carta quando basta um telegrama — nos seguintes termos:

Por que não publicar o caso de Cornish, um dos mais estranhos que já enfrentei?

Não sei que fato fez com que ele se lembrasse do caso, ou que capricho motivou seu desejo de que eu o contasse; mas, antes que chegasse outro telegrama cancelando o primeiro, eu me apressei em coligir as anotações que relatavam o caso com detalhes precisos para apresentá-lo aos meus leitores.

Foi, então, na primavera de 1897 que a saúde férrea de Holmes começou a mostrar alguns sinais de estafa por causa do trabalho constante e duro, agravada, talvez, por sua própria imprudência. Em março daquele ano, o dr. Moore Agar, da Harley Street (cuja dramática apresentação a Holmes talvez eu conte um dia), deu ordens expressas para que o famoso detetive particular deixasse de lado todos os seus casos e se entregasse a um descanso absoluto, se quisesse evitar um colapso total.

O estado de sua saúde era um assunto pelo qual o próprio Holmes não tinha o mínimo interesse, já que seu desprendimento mental era absoluto, mas, finalmente, foi convencido, diante da ameaça de ficar permanentemente inutilizado para o trabalho, a fazer uma mudança completa de cenário e de ares. Foi assim que, no início da primavera daquele ano, partimos juntos para um pequeno chalé perto de Poldhu Bay, no ponto extremo da península de Cornish.

Era um ambiente diferente e especialmente adequado ao estado de espírito sombrio do meu paciente. Das janelas de nossa pequena casa caiada no alto de um morro coberto de relva, víamos todo o sinistro semicírculo Mounts Bay, antiga armadilha para veleiros com sua borda de precipícios negros e recifes perigosos, nos quais incontáveis homens do mar haviam morrido. A baía parecia plácida e protegida, com uma brisa do norte, um convite a embarcações castigadas por tormentas para que entrassem à procura de descanso e proteção. Então vinha o zumbido do vento, lufadas do sudoeste, arrastando âncoras, a praia surgindo e a última batalha nos rochedos espumantes. Os navegadores mais experientes se mantêm distantes desse lugar infernal.

No lado da terra a paisagem ao nosso redor era tão sombria quanto a do mar. Era uma região de charneca irregular, isolada e parda, com uma ou outra torre de igreja para indicar a existência de algum vilarejo naquele fim de mundo. Em todas as direções havia sinais de alguma raça desaparecida, que tivesse se extinguido e deixado como lembrança estranhos monumentos de pedra, lápides irregulares que continham as cinzas carbonizadas dos antepassados e curiosos trabalhos de cerâmica que indicavam um passado pré-histórico. O encanto e mistério do lugar, com seu ar sinistro de civilizações desaparecidas, eram um desafio à imaginação de meu amigo, que passava a maior parte do tempo em caminhadas e meditações solitárias pelos arredores. O linguajar arcaico de Cornish também lhe chamara a atenção, pelo fato de que era originário dos caldeus e em grande parte derivado dos mercadores fenícios de estanho. Recebeu uma coleção de livros de filologia e estava se dedicando ao desenvolvimento de uma tese quando de repente, para tristeza minha e desenfreada alegria dele, vimo-nos, até mesmo ali, mergulhados num problema que bateu à nossa porta, mais forte, perigoso e infinitamente mais misterioso do que qualquer um dos que nos afastaram de Londres. Nossa vida, simples e pacata, e a saudável rotina foram subitamente interrompidas e fomos jogados no meio de um acontecimento que causou comoção não só em Cornwall mas também em todo o oeste da Inglaterra. Muitos de meus leitores devem ter alguma lembrança do que, na época, foi chamado de "O Terror de Cornish", embora a imprensa londrina tenha recebido um relato bastante incompleto. Agora, passados 13 anos, vou contar ao público os verdadeiros detalhes deste caso inconcebível.

Eu disse que torres espalhadas indicavam os vilarejos que pontilhavam esta região de Cornwall. O mais próximo era o povoado de Tredannick Wollas, onde os chalés de duas centenas de habitantes se agrupavam em torno de uma igreja antiga e cheia de limo. O vigário do lugar, sr. Roundhay, gostava de arqueologia, e Holmes fizera amizade com ele por causa disso. Homem de meia-idade, afável e educado, conhecia bem os fatos locais. Uma vez tomamos chá na paróquia a convite dele, e assim ficamos conhecendo também o sr. Mortimer Tregennis, um cavalheiro independente, que ajudava a aumentar os parcos recursos do clérigo alugando um quarto em sua casa grande e afastada. Sendo solteiro, o vigário ficou contente com isso, embora tivesse pouco em comum com seu inquilino, homem magro, moreno, de óculos, com um andar que dava a impressão de uma deformidade física. Lembro-me de que durante nossa rápida visita o vigário estava loquaz, mas o outro ficou estranhamente reticente, introspectivo, com um ar infeliz, sentado com os olhos baixos, aparentemente mergulhado nos próprios pensamentos.

Foram estes dois homens que entraram subitamente na nossa acanhada sala de visitas, no dia 16 de março, uma terça-feira, logo após o café da manhã, quando estávamos sentados e fumando, preparando-nos para nossa excursão diária pelos arredores.

— Sr. Holmes — disse o vigário com a voz agitada —, aconteceu um caso extraordinário e trágico esta noite. Nunca ouvi falar num negócio assim. Só podemos agradecer à Providência o fato de o senhor estar aqui agora porque, em toda a Inglaterra, é o homem de que mais precisamos.

Lancei ao vigário intruso um olhar pouco amistoso; mas Holmes endireitou-se na cadeira, tirou o cachimbo dos lábios, atento como um velho cão de caça ao ouvir as trombetas...

Indicou o sofá ao nervoso visitante, que se sentou ao lado de seu agitado companheiro. O sr. Mortimer Tregennis estava mais controlado do que o clérigo, mas suas mãos crispadas e o brilho nos olhos escuros mostravam que estava tão emocionado quanto o outro.

— Falo eu ou o senhor? — ele perguntou ao pároco.

— Bem, como foi o senhor que fez a descoberta, seja lá o que for, e o senhor vigário ficou sabendo de modo indireto, talvez seja melhor que o senhor conte — disse Holmes.

Olhei para o vigário vestido com simplicidade e para seu companheiro em traje formal sentado a seu lado, e me diverti com a surpresa que ambos demonstraram com a simples dedução de Sherlock Holmes.

— Talvez seja melhor eu dizer antes algumas palavras — adiantou-se o vigário — e então o senhor decidirá se quer ouvir os detalhes do sr. Tregennis ou se deveremos ir imediatamente até o local deste acontecimento misterioso. Devo dizer que nosso amigo aqui passou a última noite na companhia de seus dois irmãos, Owen e George, e da irmã Brenda, na casa deles em Tredannick Wartha, perto da velha cruz de pedra. Ele os deixou pouco depois das dez da noite, e eles ficaram jogando cartas na mesa da sala de jantar, em perfeitas condições físicas e mentais. Esta manhã, como tem o costume de levantar-se cedo, antes de tomar seu café ele saiu andando naquela direção e foi alcançado pela charrete do dr. Richards, que disse ter sido chamado com urgência a Tredannick Wartha. O sr. Mortimer Tregennis foi com ele. Quando chegaram, depararam com uma situação extraordinária. Os dois irmãos e a irmã dele estavam sentados à mesa exatamente como ele os tinha deixado, com as cartas ainda espalhadas na mesa e as velas queimadas até o fim. A irmã estava rígida e morta na cadeira, enquanto os dois irmãos, um de cada lado dela, estavam rindo, gritando e cantando, completamente fora de si. Todos os três, a mulher morta e os dois loucos, ainda tinham nos rostos a expressão de um terror mortal, horrível de se ver. Na casa não havia sinal da presença de ninguém, exceto a sra. Porter, velha caseira e cozinheira, que afirmou que dormira profundamente e nada ouvira durante a noite. Nada fora roubado ou desarrumado, e não há nenhuma explicação sobre o que pode ter apavorado tanto a mulher a ponto de matá-la e deixar dois homens fortes perderem o juízo. Esta é a situação, sr. Holmes, em resumo, e se o senhor puder nos ajudar a esclarecê-la, terá feito um grande trabalho.

Eu esperava, de algum modo, convencer meu amigo a continuar no repouso, que era o objetivo de nossa viagem; mas uma olhada para o seu rosto atento e para as suas sobrancelhas contraídas me disse que minha esperança era inútil. Ficou em silêncio durante algum tempo, pensando no estranho drama que viera interromper nossa paz.

— Cuidarei do caso — disse Holmes finalmente. — Diante do que foi exposto, parece ser um caso de natureza excepcional. O senhor esteve lá, reverendo Roundhay?

— Não, sr. Holmes. O sr. Tregennis levou a notícia até a paróquia e eu vim correndo consultá-lo.

— A que distância fica a casa onde ocorreu a tragédia?

— Mais ou menos a 1,5 quilômetro.

— Então iremos juntos até lá. Mas, antes de irmos, tenho algumas perguntas a lhe fazer, sr. Mortimer.

O outro estivera em silêncio o tempo todo, mas eu notara que sua agitação controlada era ainda mais forte do que a do vigário. Ficara sentado, com o rosto pálido e abatido, os olhos ansiosos fixos em Holmes e as duas mãos magras se contorcendo, nervosas. Seus lábios tremiam enquanto ouvia a tragédia que se abatera sobre sua família e seus olhos escuros pareciam ainda refletir um pouco do horror do espetáculo.

— Pergunte o que quiser, sr. Holmes — respondeu, ansioso. — É horrível falar a respeito disso, mas responderei com a verdade.

— Fale-me a respeito da noite passada.

— Bem, sr. Holmes, eu jantei lá, como disse o vigário, e meu irmão mais velho, George, convidou-me para um jogo de uíste logo depois. Eram umas nove horas quando começamos. Às 22h45 eu saí. Eu os deixei em volta da mesa, tão contentes como sempre.

— Quem o acompanhou até a porta?

— A sra. Porter já se deitara, de modo que saí sozinho. Fechei a porta atrás de mim. A janela do cômodo onde eles ficaram também estava fechada, mas a cortina estava aberta. Hoje de manhã a porta e a janela estavam do mesmo jeito, e não havia motivo para pensar que algum estranho tenha estado na casa. E mesmo assim lá estavam eles, doidos varridos, e Brenda morta pelo medo, com a cabeça inclinada sobre o braço da cadeira. Nunca mais vou me esquecer da visão daquele quarto pelo resto de minha vida.

— Os fatos, como o senhor os descreve, são extraordinários — disse Holmes. — O senhor não tem nenhuma ideia do que possa ter ocorrido com eles?

— É diabólico, sr. Holmes, é diabólico! — exclamou o sr. Mortimer. — Não é coisa deste mundo. Alguma coisa entrou naquela sala e apagou a luz da razão da mente deles. Que maldade humana poderia fazer isso?

— Receio que, se o assunto não for de natureza humana, estará além do meu alcance. Mesmo assim devemos verificar todas as explicações naturais antes de aceitarmos uma teoria deste tipo. Quanto ao senhor, imagino que por algum motivo estivesse afastado do resto de sua família, já que eles moravam juntos e o senhor tem seus próprios aposentos.

— É verdade, sr. Holmes, mas o assunto pertence ao passado e está enterrado. Éramos uma família de mineiros de estanho em Redruth, mas vendemos nossa mina a uma companhia e nos aposentamos com o suficiente para o nosso sustento. Não nego que houve um certo desentendimento quanto à partilha do dinheiro, e isso nos manteve afastados durante algum tempo, mas depois tudo foi esquecido e perdoado, e éramos bons amigos.

— Voltando à noite de ontem, quando esteve com eles, lembra-se de alguma coisa que possa esclarecer um pouco esta tragédia? Pense bem, sr. Tregennis, porque qualquer pista pode me ajudar.

— Não me lembro de absolutamente nada, senhor.

— Seu pessoal estava no estado de espírito normal?

— Nunca vi melhor.

— Eram pessoas nervosas? Demonstraram alguma vez medo de um perigo iminente?

— Nada desse tipo.

— Então não tem nada a acrescentar que possa me orientar?

O sr. Mortimer pensou um pouco.

— Uma coisa me ocorre agora — disse finalmente. — Quando nós estávamos sentados à mesa, fiquei de costas para a janela e George, meu irmão e parceiro no jogo, estava sentado de frente para ela. Em certo momento eu o vi olhar fixamente sobre meus ombros, tanto que eu também me virei para olhar. A cortina estava levantada, mas a janela fechada, e mesmo assim pude notar os arbustos do jardim e por um segundo tive a impressão de ver alguma coisa se movendo ali. Não pude dizer se era uma pessoa ou um animal, mas eu senti que havia qualquer coisa lá fora. Quando perguntei a George o que ele estava olhando, ele me disse que tivera a mesma impressão. E isso é tudo o que posso dizer.

— O senhor investigou?

— Não; o caso nos pareceu sem importância.

— Quando o senhor saiu, então, eles não tinham nenhuma premonição diabólica?

— Claro, nenhuma.

— Não entendi direito como o senhor ficou sabendo da tragédia tão cedo.

— Sou um madrugador e geralmente dou um passeio antes do café. Eu mal tinha começado a andar hoje cedo quando a carruagem do médico me alcançou. Ele me disse que a velha sra. Porter tinha enviado um menino com uma mensagem urgente. Fui com ele. Quando chegamos lá, vimos aquela cena horrorosa. As velas e a lareira deviam ter se apagado muito tempo antes, e eles ficaram sentados ali, na escuridão, até que amanheceu. O médico disse que Brenda já devia estar morta havia pelo menos seis horas. Não havia sinais de violência. Ela simplesmente estava caída no braço da cadeira, com aquela expressão no rosto. George e Owen cantavam trechos de canções e se contorciam como dois macacos. Oh, foi horrível ver aquilo! Eu não aguentei e o médico estava branco feito cera. Na verdade, ele caiu numa cadeira, como que desmaiado, e quase morreu também!...

— Notável! Realmente notável! — disse Holmes, levantando-se e pegando o chapéu. — Acho que talvez seja melhor irmos logo para Tredannick Wartha. Confesso que raramente ouvi um caso que, à primeira vista, me parecesse um problema tão fora do comum.

Nossas providências naquela primeira manhã não fizeram a investigação avançar muito. Mas, logo no início, houve um fato que deixou em mim a mais sinistra das impressões.

A estradinha que dava no local da tragédia era estreita e cheia de curvas. Quando estávamos indo para lá, ouvimos o barulho de uma carruagem vindo atrás de nós, e encostamos à beira do caminho para deixá-la passar. Quando passou por nós, consegui ver na janela um rosto horrível e deformado, com um sorriso malévolo, olhando para nós. Aquele olhar fixo e os dentes num esgar perverso passaram rapidamente, como uma visão medonha.

— Meus irmãos — gemeu Mortimer Tregennis, com os lábios brancos. — Eles os estão levando para o Hospício de Helston.

Olhamos com horror para a carruagem negra que desaparecia no caminho. Então continuamos em direção à casa maldita na qual eles tiveram esse destino trágico.

Era uma residência grande e clara, mais uma vila do que um chalé, com um jardim grande que, naquela atmosfera de Cornish, já estava cheio de flores da primavera.

Lá estava a janela da sala que dava para o jardim e através dela, de acordo com Mortimer Tregennis, deve ter vindo o mal que, pelo simples horror, num instante arruinara o juízo de seus irmãos. Holmes andou lentamente pelos canteiros e pela alameda, pensativo, antes de entrarmos na casa.

Ele estava tão absorto nos seus pensamentos que, eu me lembro, tropeçou num regador, derramando o conteúdo e molhando nossos pés e o caminho arenoso do jardim. Na casa, fomos atendidos pela velha empregada, sra. Porter, que, ajudada por uma criada jovem, cuidava das necessidades da família. Respondeu prontamente às perguntas de Holmes. Não ouvira nada durante a noite. Seus patrões estavam em excelente estado de espírito nos últimos tempos, e ela nunca os vira mais alegres e satisfeitos. De manhã, ao entrar na sala, desmaiara, horrorizada ao ver o quadro medonho em volta da mesa. Quando recobrou os sentidos, abriu a janela para deixar entrar o ar fresco da manhã, saiu pela estrada e mandou um rapaz que trabalha numa fazenda chamar o médico. A morta estava na cama dela, no segundo andar, caso quiséssemos vê-la. Foram necessários quatro homens fortes para colocar os dois irmãos dementes no carro do hospício. A velha criada não ficaria um dia a mais na casa e voltaria naquela mesma tarde para perto de sua família, em St. Ives.

Subimos as escadas e vimos a morta. A srta. Brenda Tregennis fora uma garota muito bonita, embora estivesse agora beirando a meia--idade. Seu rosto moreno, bem delineado, era bonito, mesmo depois de morta, mas ainda havia vestígios da convulsão de terror, sua última emoção humana. Fomos até a sala de jantar, onde ocorrera a tragédia. Na lareira ainda estavam as cinzas carbonizadas. Na mesa, os quatro candelabros e as velas totalmente consumidas, e as cartas de baralho ainda espalhadas. As cadeiras haviam sido encostadas nas paredes, mas as outras coisas estavam na mesma posição da noite anterior. Holmes andou pelo aposento, sentou-se nas várias cadeiras, colocando-as nas posições anteriores.

Do interior, verificou que parte do jardim era possível ver da janela; examinou o chão, o teto e a lareira. Mas em nenhum momento vi no rosto dele o brilho repentino dos olhos e a contração dos lábios que me teriam revelado que vira alguma luz naquela escuridão absoluta.

— Por que uma lareira? — perguntou. — Eles sempre mantinham o fogo aceso nesta sala pequena, nas noites de primavera?

Mortimer Tregennis explicou que a noite estava fria e úmida. Por causa disso, acenderam a lareira depois que ele chegou.

— O que vai fazer agora, sr. Holmes? — ele perguntou.

Meu amigo sorriu e pôs a mão no meu braço.

— Eu acho, Watson, que devo voltar a me envenenar com o fumo, coisa que você tem condenado tão frequentemente e com razão. Com sua permissão, cavalheiros, vamos voltar agora para o nosso chalé, porque eu acho que nenhuma novidade vai aparecer agora. Vou analisar os fatos, sr. Tregennis, e se me ocorrer algo naturalmente comunicarei ao senhor e ao vigário. Até lá, desejo-lhes um bom dia.

Holmes quebrou seu longo silêncio muito tempo depois de termos voltado ao chalé de Poldhu. Sentara-se encolhido na sua poltrona, com o rosto magro e contemplativo envolto numa nuvem azul de seu cachimbo, as espessas sobrancelhas castanhas e a testa contraídas, os olhos vazios e distantes. Finalmente, deixou de lado o cachimbo e levantou-se.

— Assim não dá, Watson — disse, com uma risada. — Vamos dar uma caminhada pelos campos e procurar setas de pedra. Será mais fácil achá-las do que encontrar pistas para o nosso caso. Deixar o cérebro trabalhar sem alimentá-lo com material suficiente é o mesmo que exigir demais de um motor. Ele se reduz a pedaços. A brisa marinha, a luz do sol, e paciência, Watson... todo o resto virá.

— Agora, Watson — disse, enquanto contornávamos os rochedos —, vamos definir com calma a nossa posição. Vamos nos apegar ao pouco que já sabemos, de modo que, se houver fatos novos, estaremos prontos para encaixá-los nos devidos lugares. Em primeiro lugar, temos de admitir que nenhum de nós aceita este caso como intrusões diabólicas em assuntos humanos. Vamos começar tirando essas ideias da cabeça. Muito bem. Temos três pessoas que foram perversamente atingidas por um agente humano, consciente ou inconsciente. Isto é certo. E agora, quando ocorreu isso? Evidentemente, supondo que o relato do sr. Mortimer Tregennis seja verdadeiro, foi logo depois que ele saiu da casa. Este é um ponto muito importante. A suposição é que tenha ocorrido poucos minutos depois. As cartas ainda estavam na mesa. Já passara da hora em que eles costumavam dormir. Mesmo assim não mudaram de posição nem afastaram as cadeiras. Repito, portanto, que o fato ocorreu logo após a partida do irmão, e antes das 11 horas. Nosso próximo passo, logicamente, é verificar, até onde pudermos, os movimentos de Mortimer Tregennis depois que saiu da casa. Não há dificuldades quanto a isso, e eles não me parecem suspeitos. Você, que conhece meus métodos, também sabe que, derrubando o regador, consegui uma impressão mais nítida de suas pegadas do que conseguiria de outra forma. O caminho cheio de areia a imprimiu maravilhosamente. A noite de ontem estava úmida, como sabe, e não foi difícil, depois de ter conseguido o modelo, seguir suas pegadas no meio de outras e acompanhar seus movimentos. Parece que ele foi para a paróquia, andando rapidamente. Se Mortimer Tregennis saiu de cena e alguém de fora perturbou os jogadores, como poderemos descrever essa pessoa e que tipo de horror ela transmitiu? A sra. Porter pode ser descartada. Ela, evidentemente, é inofensiva. Existe alguma prova de que alguém tenha espiado pela janela do jardim e, de algum modo, provocado um efeito tão terrível naqueles que o viram a ponto de enlouquecerem? A única sugestão neste sentido vem do próprio Mortimer Tregennis, que afirmou que seu irmão mencionou algum movimento no jardim. Isto, sem dúvida, é extraordinário, já que a noite estava chuvosa, nublada e escura. Qualquer um que quisesse assustar aquelas pessoas seria obrigado a encostar a cara na vidraça para ser visto. Há um canteiro, de mais ou menos um metro, perto da janela, mas sem nenhuma marca de pés. Fica difícil imaginar como uma pessoa, do lado de fora, conseguiu causar uma impressão tão terrível no grupo, e não descobrimos um motivo plausível para um atentado tão estranho e complexo. Percebe as nossas dificuldades, Watson?

— São bastante claras — respondi com convicção.

— E mesmo assim, com um pouco mais de material, poderíamos provar que elas não são intransponíveis. Creio que no meio de seu vasto arquivo, Watson, você vai encontrar alguns casos que eram tão estranhos quanto este. Por enquanto vamos deixar o assunto de lado até termos mais alguns dados disponíveis, e vamos dedicar o resto de nossa manhã à perseguição do homem neolítico.

Já devo ter comentado a respeito da capacidade mental do meu amigo em se desligar, mas eu nunca ficara tão admirado com isso como naquela manhã em Cornwall; durante duas horas ele discorreu sobre os celtas, pontas de flechas e cacos de cerâmica com tanta tranquilidade como se não houvesse um mistério sinistro esperando que ele o esclarecesse.

Só voltamos ao nosso chalé à tarde e encontramos um visitante nos aguardando, o que nos fez pensar novamente no caso. Ninguém precisava nos dizer quem era o visitante. O corpo volumoso, o rosto de traços marcados e rugas profundas, os olhos ferozes e o nariz de águia, os cabelos grisalhos que quase varriam o teto do chalé, a barba — loura nas pontas e branca ao redor dos lábios, a não ser pela mancha de nicotina de seu eterno charuto —, tudo isso era tão conhecido em Londres quanto na África, e só podia ser associado à imponente figura do dr. Leon Sterndale, o grande caçador de leões e explorador.

Sabíamos de sua presença na região e uma ou duas vezes nós o tínhamos visto nas estradas locais. Mas ele não se aproximara de nós, nem nós sequer sonharíamos fazer isso, já que todo mundo sabia que fora seu amor pela solidão que o levara a passar a maior parte dos intervalos entre suas viagens num pequeno bangalô escondido nas matas isoladas de Beauchamp Arriance. Ali, entre seus livros e mapas, vivia totalmente solitário, cuidando de si mesmo e aparentemente não se importando com a vida de seus vizinhos. Portanto, foi uma surpresa para mim ouvi-lo perguntar a Holmes, numa voz ansiosa, se meu amigo havia feito algum progresso na reconstituição do misterioso episódio.

— A polícia local está completamente sem ação — disse o visitante —, mas talvez o senhor, com sua grande experiência, tenha alguma explicação cabível. O motivo de lhe perguntar isso é que, durante as várias vezes em que estive aqui, fiquei conhecendo muito bem a família Tregennis. Na verdade, posso até mesmo chamá-los de primos, pelo lado materno, e o trágico destino deles naturalmente foi um tremendo choque para mim. Eu já estava em Plymouth, a caminho da África, mas, como fiquei sabendo da notícia hoje de manhã, voltei diretamente para cá, a fim de ajudar nas investigações.

Holmes ergueu as sobrancelhas.

— O senhor, então, perdeu o navio?

— Tomarei o próximo.

— Céus! Isso é que é amizade!

— Eu lhe disse que são parentes.

— É verdade, primos por parte de mãe. A sua bagagem já estava a bordo?

— Uma parte; mas a principal ainda está no hotel.

— Sei. Mas com certeza a notícia ainda não estava nos jornais de Plymouth hoje de manhã.

— Não. Eu recebi um telegrama.

— Posso saber de quem?

Uma sombra passou pelo rosto desolado do caçador.

— O senhor faz muitas perguntas, sr. Holmes.

— É a minha profissão.

Com um esforço, o dr. Sterndale recuperou a serenidade.

— Não tenho nenhum motivo para não lhe dizer. Foi o sr. Roundhay, o vigário, que me mandou o telegrama que me trouxe de volta.

— Obrigado — disse Holmes. — Para responder à sua primeira pergunta, digo que ainda não tenho uma ideia muito precisa do caso, mas tenho grande esperança de chegar a uma conclusão. Seria prematuro dizer mais.

— O senhor se importaria de me dizer se sua suspeita aponta para alguma direção específica?

— Não tenho condições de responder.

— Então, perdi meu tempo e não devo mais prolongar a visita.

O famoso caçador saiu do chalé irritado e mal-humorado. Holmes o seguiu cinco minutos depois. Só fui vê-lo novamente à noite, quando voltou em passos lentos e com a fisionomia carrancuda, o que me mostrou que não progredira nas investigações. Deu uma olhada rápida num telegrama que o aguardava e o jogou no fogo.

— Veio do Plymouth Hotel, Watson — ele disse. — Fiquei sabendo do nome pelo vigário e mandei um telegrama para verificar se a história do dr. Leon Sterndale era verdadeira. Parece que ele realmente passou lá a noite de ontem e deu ordens para algumas de suas malas seguirem para a África, enquanto voltava para estar presente nas investigações. O que você acha, Watson?

— Ele está profundamente interessado.

— Sim, muitíssimo interessado. Há um fio aqui que ainda não conseguimos pegar, e que pode conduzir através desse emaranhado. Ânimo, Watson, porque tenho certeza de que ainda não temos todo o material nas mãos. Quando o tivermos, superaremos todas as dificuldades.

Eu mal suspeitava que as palavras de Holmes se tornariam realidade em pouco tempo, nem imaginava o curso estranho e sinistro que o caso tomaria, abrindo uma nova frente de investigação.

Eu estava me barbeando de manhã, perto da janela, quando ouvi o tropel de cavalos e, ao olhar, vi uma charrete vindo a todo o galope pela estrada. Parou diante da nossa porta e o vigário desceu e passou correndo pelo jardim. Holmes já estava vestido, e descemos rapidamente para receber o visitante. Ele estava tão nervoso que mal conseguia falar, mas, finalmente, ofegando e arfando, contou-nos sua história trágica.

— O diabo está à solta, sr. Holmes! O diabo tomou conta de minha pobre paróquia! — exclamou. — O próprio Satanás está aí! Estamos à sua mercê!

O pobre vigário estava tão agitado que parecia dançar, uma figura que seria ridícula não fossem seu rosto pálido e os olhos assustados. Finalmente conseguiu contar a notícia terrível.

— O sr. Mortimer Tregennis morreu ontem à noite, exatamente com os mesmos sintomas de sua família!

Holmes levantou-se de um salto, com uma energia repentina.

— Pode levar-nos no seu carro?

— Sim.

— Watson, vamos adiar nosso café. Sr. Roundhay, estamos inteiramente à sua disposição. Depressa, depressa, antes que as coisas sejam desarrumadas.

O inquilino do vigário ocupava dois cômodos, um em cima do outro, numa das extremidades da casa paroquial. O de baixo era uma sala espaçosa, o outro, o quarto. Ambos davam para um campo de croqué que ficava diante das janelas. Havíamos chegado antes do médico e da polícia, de modo que tudo estava intocado. Vou descrever a cena exatamente como a vimos naquela nublada manhã de março. Deixou-me uma impressão que jamais se apagará de minha memória. A atmosfera do quarto era horrivelmente sufocante e depressiva. A criada, que entrara antes no local, abrira as janelas, do contrário estaria ainda pior. Isto era devido, em parte, ao fato de que um lampião ainda estava aceso e fumegante na mesa do centro. Ao lado dela estava o morto, recostado na cadeira, a barba rala esticada para a frente, com os óculos puxados sobre a testa, o rosto magro e moreno virado para a janela e contorcido pelo mesmo terror que marcara as feições de sua irmã. Seus membros estavam contraídos e as mãos crispadas, como se tivesse morrido num paroxismo de medo. Estava todo vestido, embora houvesse sinais de tê-lo feito às pressas. Já sabíamos que havia dormido na cama e que morrera nas primeiras horas da manhã.

Percebia-se a energia que havia por trás da fleuma exterior de Holmes na súbita mudança que se operou nele a partir do momento em que entrou no apartamento. Ficou instantaneamente tenso e alerta, os olhos brilhando, o rosto sério, as mãos trêmulas numa expectativa ansiosa. Andou pela grama ao redor da casa, olhou pela janela, examinou a sala e o quarto em cima, como um cão de caça farejando a presa. Fez uma inspeção rápida no quarto e acabou abrindo a janela, o que parece ter-lhe dado novo motivo para excitação, porque inclinou-se para fora, com exclamações de interesse e satisfação. Em seguida desceu apressadamente a escada e atirou-se pela janela aberta, caindo no gramado, então levantou-se e voltou para a sala com a energia de um caçador no rastro da presa.

Examinou o lampião, de um modelo comum, com muita atenção, fazendo algumas medições de sua capacidade. Com a lente, examinou cuidadosamente a fuligem que cobria a parte superior e raspou um pouco das cinzas que tinham ficado grudadas na superfície, colocando-as num envelope que guardou no caderninho de bolso. Finalmente, logo após a chegada do médico e de um policial, fez sinal para mim e para o vigário e nós três saímos para o gramado.

— Fico contente em dizer que minha investigação não foi totalmente inútil — ele contou. — Não posso ficar aqui para discutir o caso com o policial, mas ficaria imensamente grato, sr. Roundhay, se o senhor apresentasse a ele meus cumprimentos e lhe pedisse que prestasse atenção na janela do quarto e no lampião da sala. Cada um é bem sugestivo e, juntos, são conclusivos. Se a polícia quiser mais alguma informação, terei prazer em receber qualquer um deles no meu chalé. E agora, Watson, acho que nosso tempo poderia ser mais bem empregado em outro lugar.

Talvez a polícia tenha ficado ressentida com a intromissão de um amador, ou pensava que estivesse numa linha promissora de investigação. Mas o fato é que durante dois dias não tivemos nenhuma notícia. Holmes passou boa parte desses dois dias fumando e pensando, no chalé, mas na maior parte do tempo deu longas caminhadas solitárias pelos campos da região, voltando horas depois sem dizer onde estivera.

Uma experimentação dele mostrou-me sua linha de investigação. Tinha comprado um lampião exatamente igual ao que ficara aceso na casa de Mortimer Tregennis no dia da tragédia. Ele o encheu com o mesmo fluido usado na paróquia e marcou cuidadosamente o tempo que levava para ser consumido. Outra experiência que fez foi tão desagradável que provavelmente jamais vou esquecer.

— Você se lembra, Watson — ele comentou certa tarde —, de que existe um ponto comum nas narrativas que ouvimos. Este ponto é o efeito que a atmosfera de cada ambiente produziu em quem entrou primeiro. Lembre-se de que Mortimer Tregennis, ao descrever a sua última visita à casa dos irmãos, comentou que o médico, ao entrar na sala, caiu numa cadeira? Esqueceu? Bem, eu estou lembrado disso.

Agora lembre-se de que a sra. Porter, a empregada, nos contou que, quando entrou na sala, ela também desmaiou, e mais tarde abriu a janela. No segundo caso, a tragédia do próprio Mortimer, você certamente se recorda da horrível sufocação na sala quando chegamos, embora a empregada já tivesse aberto a janela. Essa empregada, descobri na investigação, sentiu-se tão mal que teve de deitar-se. Você vai admitir, Watson, que esses detalhes são muito significativos. Em todos eles há uma indicação de atmosfera venenosa. Neles havia, também, combustão no ambiente: no primeiro, na lareira, e no segundo, no lampião. A lareira estava apagada, mas o lampião, aceso, uma comparação do fluido mostra isso, muito tempo depois que amanhecera. Por quê? Seguramente porque existe alguma ligação entre as três coisas: a combustão, a atmosfera sufocante e, finalmente, a loucura ou morte dos infelizes. Está claro, não?

— Parece que sim.

— Pelo menos devemos aceitá-la como uma hipótese plausível. Vamos supor, então, que alguma coisa foi queimada em cada caso e que produziu emanações que causaram efeitos tóxicos estranhos. No primeiro caso, o da família Tragennis, a substância foi posta na lareira. A janela estava fechada mas o fogo produziria fumaça que sairia em parte pela chaminé. Por isso era de se esperar que os efeitos do veneno fossem menos eficazes do que no segundo caso, em que havia menos escapamento do vapor. O resultado parece mostrar que foi assim, porque, no primeiro caso, apenas a mulher morreu, talvez por ter um organismo mais sensível, enquanto os outros manifestaram uma loucura, temporária ou definitiva que, evidentemente, é o primeiro efeito da droga. No segundo caso, o resultado foi completo. Assim sendo, parece que os fatos sustentam a teoria de um veneno que funciona quando é queimado. Com esta sequência de raciocínio, naturalmente vasculhei a sala de Mortimer Tregennis à procura de algum vestígio dessa substância. O óbvio seria encontrá-la no lampião. De fato, lá encontrei uma camada de cinza e nas bordas um punhado de pó castanho, ainda não consumido. Raspei a metade, como viu, e guardei o material no envelope.

— Por que só a metade, Holmes?

— Meu caro Watson, não é do meu feitio atrapalhar o trabalho da polícia. Deixei para ela todas as provas que encontrei. O veneno ainda está lá no lampião, se ela quiser examiná-lo. E agora, Watson, vamos acender o nosso lampião. Mas vamos tomar o cuidado de deixar a janela aberta para evitar o desaparecimento prematuro de dois dignos membros da sociedade. Sente-se na poltrona, perto da janela aberta, a menos que, como pessoa sensata, não queira participar da experiência. Oh, vai me ajudar, não? Eu sabia que conhecia o meu Watson. Vou colocar minha poltrona bem em frente à sua, de modo que ficaremos cara a cara e à mesma distância do veneno. Deixaremos a porta entreaberta. Cada um de nós estará numa posição que permite vigiar o outro e suspender a experiência se os sintomas forem perigosos. Está tudo claro? Bem, então vou pegar o pó do envelope, ou o que resta dele, e colocá-lo no lampião aceso. Ótimo! E agora, Watson, vamos nos sentar e esperar os resultados.

Não tivemos de esperar muito. Eu mal havia me sentado quando comecei a sentir um cheiro forte e almiscarado, penetrante, repugnante. À primeira inalação, meu cérebro e meus sentidos ficaram fora de controle. Uma nuvem espessa e negra girava na minha frente e meu cérebro me dizia que nela, ainda que invisível mas prestes a saltar sobre os meus sentidos embotados, estava todo o horror, tudo o que havia de monstruoso e incrivelmente perverso no mundo. Formas vagas e indefinidas rodopiavam e dançavam no meio da nuvem escura, cada uma delas uma ameaça e uma advertência de algo que se aproximava, algo de inenarrável chegando à porta, e sua sombra já bastaria para fulminar minha alma. Um medo gelado me dominou. Senti meus cabelos ficarem em pé, os olhos querendo saltar das órbitas, a boca aberta e a língua como um pedaço de couro. Dentro de meu cérebro o turbilhão era tamanho que alguma coisa acabaria estourando. Tentei gritar e ouvi vagamente o som rouco em que se transformara minha voz, distante e fora de mim.

Nesse momento, num esforço para escapar, rompi aquela névoa de desespero e vi no rosto de Holmes, branco, rígido e cheio de terror, a mesma expressão que eu vira no rosto dos mortos. Foi essa visão que me deu um momento de lucidez e força. Dei um salto da minha poltrona, coloquei os braços em volta de Holmes e saímos cambaleando pela porta; em seguida nos jogamos na grama e ali ficamos, lado a lado, percebendo apenas a gloriosa luz do sol que irrompia pela infernal nuvem de terror que nos envolvia. Lentamente ela se dissipou na nossa mente, como a neblina dos brejos, até que recuperamos a calma e a razão, e ficamos sentados na grama, limpando o suor viscoso de nossas testas e olhando apreensivos um para o outro, para observar os últimos vestígios da experiência terrível pela qual havíamos acabado de passar.

— Palavra de honra, Watson! — disse Holmes, finalmente, com voz trêmula. — Devo-lhe um agradecimento e um pedido de desculpas. Foi uma experiência injustificável para mim sozinho, e ainda mais para um amigo. Lamento muito.

— Você sabe — respondi emocionado, pois nunca vira tanto carinho nele antes — que é uma grande alegria e um privilégio ajudá-lo.

No mesmo instante Holmes voltou a ser o homem meio irônico e cínico, exibindo sua atitude habitual para com as pessoas que se preocupavam com ele.

— Seria desnecessário nos fazer enlouquecer, meu caro Watson. Um observador casual diria que já estávamos loucos quando fizemos a experiência insensata. Confesso que não imaginava que o efeito pudesse ser tão rápido e intenso.

Ele entrou correndo no chalé e voltou com o lampião fumegante, mantendo-o afastado do rosto, e o atirou num monte de espinheiros.

— Temos de esperar até que a sala fique arejada. Suponho, Watson, que já não haja mais nenhuma dúvida a respeito do modo como as tragédias ocorreram?

— Nenhuma.

— Mas o caso continua tão misterioso como antes. Vamos nos sentar no caramanchão e analisar o assunto. Parece que aquela coisa maldita ainda está apertando minha garganta. Temos de admitir que todos os indícios apontam Mortimer Tregennis como o autor da primeira tragédia, embora tenha sido vítima na segunda. Em primeiro lugar devemos nos lembrar de que houve uma briga na família, seguida de reconciliação. Não sabemos qual foi a gravidade da briga nem a sinceridade da reconciliação. Quando me lembro de Mortimer Tregennis, com sua cara de raposa e os olhinhos maldosos por trás dos óculos, não consigo ver nele um homem que eu julgaria capaz de perdoar. Bem, em segundo lugar você deve se lembrar de que a história de alguém andando no jardim, que desviou um pouco nossa atenção da verdadeira causa da tragédia, partiu dele. Tinha motivo para tentar nos despistar. E depois, se não foi ele mesmo quem jogou a substância na lareira quando saiu, quem foi? O fato aconteceu logo após a saída dele. Se outra pessoa tivesse entrado na casa, a família certamente teria se levantado da mesa. Além do mais, nesta Cornwall pacata, as visitas não aparecem depois das dez horas. Temos de aceitar, portanto, que todos os indícios apontam para Mortimer Tregennis como o criminoso.

— Então ele se suicidou?

— Bem, Watson, diante dos fatos, isso não é uma suposição impossível. O homem, que tinha na alma a culpa de dar à sua própria família esse destino, podia muito bem ser levado pelo remorso a fazer o mesmo com si próprio. Entretanto, há fortes argumentos contra isso. Felizmente existe um homem na Inglaterra que sabe tudo a respeito disso, e fiz alguns arranjos para que ele mesmo conte todos os fatos esta tarde. Ah, ele está chegando um pouco antes da hora. Por aqui, dr. Sterndale. Fizemos uma experiência química na sala que deixou o ambiente impróprio para recebermos um visitante tão ilustre.

Escutei o rangido do portão do jardim e surgiu a figura imponente do famoso explorador africano. Ele se dirigiu, um tanto surpreso, para o caramanchão rústico onde estávamos sentados.

— O senhor me chamou, sr. Holmes. Recebi seu recado há uma hora e vim, embora não saiba por que deva obedecer às suas intimações.

— Talvez possamos esclarecer a questão antes de nos separarmos — respondeu Holmes. — Enquanto isso, fico-lhe muito grato por atender à solicitação. Desculpe-nos por esta recepção informal ao ar livre, mas meu amigo Watson e eu quase fornecemos um capítulo adicional ao que os jornais andam chamando de "O Terror de Cornish", de modo que preferimos um ar limpo, no momento. Talvez, já que os assuntos que vamos discutir o afetam pessoalmente, seja bom que conversemos onde não haja intrusos nos ouvindo.

O caçador tirou o charuto da boca e olhou para o meu amigo com uma expressão severa.

— Não consigo imaginar o que o senhor tem para me dizer que possa me afetar pessoalmente.

— O assassinato de Mortimer Tregennis.

Por um momento desejei estar armado. O rosto feroz de Sterndale ficou vermelho de raiva, os olhos brilharam, as veias saltaram na testa enquanto ele avançava em direção ao meu amigo, com os punhos cerrados. Ele parou de repente, e com grande esforço recuperou uma calma fria e rígida que talvez fosse mais perigosa do que a explosão de ódio.

— Vivi tanto tempo entre os selvagens e longe da lei — ele disse — que peguei a mania de fazer justiça por mim mesmo. Será bom que não se esqueça disso, sr. Holmes, porque não desejo lhe fazer nenhum mal.

— Eu também não desejo lhe fazer nenhum mal, dr. Sterndale. A maior prova disso é que, sabendo o que sei, mandei chamar o senhor, e não a polícia.

O visitante sentou-se com um suspiro, talvez intimidado pela primeira vez em sua vida de aventuras. Era difícil resistir à segurança e à calma que havia na atitude de Holmes. O explorador hesitou, por alguns segundos, com as mãos grandes se abrindo e se fechando em sua agitação.

— O que quer dizer? — perguntou, finalmente. — Se se trata de um blefe seu, escolheu a pessoa errada para a tentativa, sr. Holmes. Vamos parar de rodeios. O que o senhor está insinuando?

— Vou contar-lhe — disse Holmes — e o motivo por que o faço é que espero que franqueza produza franqueza. Meu próximo passo depende de sua defesa.

— Minha defesa?

— Sim, senhor.

— Contra o quê?

— Contra a acusação de matar Mortimer Tregennis.

Sterndale enxugou a testa com um lenço.

— Palavra de honra, o senhor está indo longe demais. Todos os seus sucessos dependem de seu prodigioso poder de blefar?

— O blefe — respondeu Holmes com severidade — está do seu lado, dr. Sterndale, não do meu. Como prova, vou contar-lhe alguns fatos nos quais baseei minhas conclusões. O que primeiro me alertou para o fato de o senhor ter alguma coisa a ver com esse drama foi seu retorno de Plymouth, deixando que algumas de suas malas seguissem para a África...

— Eu voltei...

— Já ouvi seus motivos e os considero inadequados e pouco convincentes. Deixemos isso de lado. Voltou aqui para me perguntar de quem eu suspeitava. Recusei-me a responder. O senhor, então, foi para a paróquia e durante algum tempo esperou do lado de fora e voltou depois para sua cabana.

— Como sabe disso?

— Eu o segui.

— Não vi ninguém.

— Pode esperar mesmo não ver ninguém quando eu o seguir. Passou a noite acordado na sua cabana e elaborou planos que pôs em prática logo ao amanhecer. Saiu da cabana bem cedinho, pôs no bolso algumas pedrinhas vermelhas que ficam num montinho ao lado do seu portão.

Sterndale estremeceu e encarou Holmes, aturdido.

— Percorreu rapidamente a distância que separa sua cabana da paróquia. Devo dizer que estava usando o mesmo par de tênis que usa agora. Na paróquia, passou pelo pomar e pela cerca, ficando debaixo da janela de Tregennis. O dia já estava claro, mas o inquilino ainda dormia. Tirou algumas pedrinhas do bolso e as atirou na janela, logo acima.

Sterndale levantou-se.

— Eu acho que o senhor é o próprio diabo! — exclamou.

Holmes sorriu com o cumprimento.

— Foram necessários dois ou três punhados de pedras até que o inquilino surgisse à janela. O senhor fez-lhe sinal para que descesse. Ele se vestiu apressadamente e desceu até a sala. O senhor entrou pela janela. Houve uma conversa rápida, durante a qual o senhor ficou andando de um lado para outro na sala. Depois saiu, fechou a janela e ficou esperando no gramado, fumando seu charuto e observando o que acontecia. Finalmente, depois que Tregennis morreu, o senhor foi embora rapidamente, como havia chegado. E agora, dr. Sterndale, como o senhor justifica sua conduta, e quais os motivos de seus atos? Se tentar mentir para mim ou tentar me enganar, dou-lhe minha palavra de que o assunto não mais ficará em minhas mãos.

O rosto de nosso visitante ficou branco como cera ao ouvir as palavras de acusação. Ficou sentado em silêncio durante algum tempo com a cabeça apoiada nas mãos. Depois, com um gesto brusco, tirou da carteira uma foto, que jogou diante de nós.

— Aí está por que eu fiz isso — ele disse.

O retrato mostrava o busto e o rosto de uma mulher lindíssima. Holmes inclinou-se para olhar.

— Brenda Tregennis — disse.

— Sim, Brenda Tregennis — repetiu o visitante. — Eu a amei durante anos. E durante anos ela me amou. Este é o segredo de minha reclusão em Cornish, que tem intrigado todo mundo. Esse amor me trouxe para perto da única coisa no mundo que eu queria. Não podia me casar com ela, porque tenho uma esposa que me abandonou há muito tempo e, mesmo assim, pelas leis deploráveis da Inglaterra, não pude me divorciar. Brenda esperou durante anos. Eu também. E esperamos para ter este final trágico.

Um suspiro profundo fez estremecer aquela figura enorme e ele apertou a garganta sob a barba. Depois, com esforço, conseguiu controlar-se e continuou.

— O vigário sabia do nosso segredo. Ele poderá dizer-lhe que ela era um anjo na terra. Foi por isso que me telegrafou e eu voltei. Que me importavam as malas e a África quando fiquei sabendo do que acontecera com o meu amor? Aí está o elo que faltava para explicar a minha ação, sr. Holmes.

— Prossiga — pediu Holmes.

O dr. Sterndale tirou do bolso um pacotinho e o colocou na nossa frente. No papel do embrulho estava escrito *"Radix pedis diaboli"*, com uma etiqueta vermelha embaixo, indicando tratar-se de veneno. Empurrou-o em minha direção.

— Sei que o senhor é médico. Já ouviu falar desta planta?

— Raiz pé do diabo. Não, nunca ouvi.

— Isto não desmerece seu conhecimento profissional — ele continuou — porque eu acho que, com exceção de um exemplar num laboratório de Budapeste, não existe outro espécime na Europa. Ainda não está devidamente catalogado na farmacopeia ou nos tratados sobre toxicologia. A raiz tem o formato de um pé, meio humano, meio animal, como o de um bode, daí o nome extravagante dado por um missionário botânico. É usado como veneno para castigos pelos curandeiros de algumas regiões da África Ocidental, e guardado como segredo entre eles. Consegui esta amostra no distrito de Ubangi, em circunstâncias muito especiais.

Abriu o pacote enquanto falava e mostrou um montinho de um pó castanho-avermelhado, parecido com rapé.

— E daí, senhor? — perguntou Holmes, incisivo.

— Vou contar-lhe, sr. Holmes, tudo que realmente aconteceu, porque parece que o senhor já sabe tanto que é, logicamente, do meu interesse que saiba de tudo. Já lhe expliquei o meu relacionamento com a família Tregennis. Pelo amor à irmã, eu era amigo dos irmãos. Houve um desentendimento entre eles a respeito de dinheiro, o que fez Mortimer afastar-se deles; mas supunha-se que tudo estivesse resolvido, e eu me encontrei com ele depois, como o fizera antes com os outros. Ele era um sujeito astucioso, sutil e vingativo, e várias coisas fizeram com que eu suspeitasse dele, mas não tinha motivo para uma briga de fato. Um dia, há apenas duas semanas, ele foi até meu chalé e eu lhe mostrei algumas de minhas curiosidades africanas. Entre outras coisas, mostrei-lhe este pó e falei das suas estranhas propriedades, que ele estimula os centros nervosos do cérebro que controlam a emoção do medo, e que o nativo infeliz que é submetido à provação pelo curandeiro da tribo fica louco ou morre. Contei-lhe também que a ciência europeia é incapaz de detectá-lo. Como ele conseguiu a erva eu não sei, já que não saí da sala, mas sem dúvida foi quando eu estava abrindo os armários e procurando coisas nas caixas que ele deu um jeito de pegar um pouco da raiz pé do diabo. Lembro que ele fez perguntas sobre a quantidade e o tempo necessários para produzir efeito, mas eu nem sonhava que ele pudesse ter motivos pessoais para perguntar. Não pensei mais no assunto até receber o telegrama do vigário em Plymouth. O bandido pensava que eu estaria em alto-mar quando recebesse a notícia, e que eu ficaria perdido na África durante anos. Mas voltei imediatamente. Ao ouvir os detalhes, claro que percebi que meu veneno fora usado. Vim falar com o senhor para saber se havia alguma outra explicação possível. Mas não poderia haver. Eu sabia que o assassino era Mortimer Tregennis; pelo amor ao dinheiro, e talvez com a ideia de que, se seus irmãos enlouquecessem, ele poderia assumir sozinho a tutela dos bens, usou contra eles o pó venenoso, deixando dois irmãos loucos e matando a irmã, a única mulher que amei na vida. Ali estava o crime dele. Qual deveria ser o seu castigo? Deveria apelar para a justiça? Onde estavam as minhas provas? Como eu poderia fazer um júri composto de aldeões acreditar numa história tão fantástica? Eu poderia ou não. Mas não podia dar-me ao luxo de arriscar. Minha alma clamava por vingança. Já lhe disse antes, sr. Holmes, que passei grande parte da minha vida longe da lei, e que me acostumei a praticá-la por mim mesmo. Agora era a ocasião. Decidi que o mesmo destino que ele infligira aos outros deveria ser dado a ele também. Isto, ou então eu faria justiça com minhas próprias mãos. Não existe na Inglaterra ninguém que dê menos valor à própria vida do que eu agora. Já lhe disse tudo. O senhor conhece o resto. Como o senhor mesmo contou, saí bem cedo de minha cabana depois de uma noite insone. Eu já havia previsto minhas dificuldades para acordá-lo, de modo que apanhei algumas pedras do montinho que o senhor mencionou e as usei para jogar na janela. Ele desceu e deixou-me entrar pela janela da sala. Eu o acusei do crime e disse que estava ali no papel de juiz e carrasco. Aquele trapo humano afundou-se na cadeira, paralisado ao ver o meu revólver. Acendi o lampião, coloquei o pó ali e fiquei do lado de fora da janela, pronto para cumprir minha ameaça de matá-lo caso tentasse sair da sala. Ele morreu em cinco minutos. Meu Deus! O modo como ele morreu! Mas meu coração estava duro como uma pedra, porque ele sentiu tudo o que minha amada Brenda tinha sentido antes dele. Esta é a minha história, sr. Holmes, e talvez, se amasse uma mulher, faria o mesmo. De qualquer maneira, estou nas suas mãos. Pode fazer o que achar melhor. Como já disse, não existe ninguém que tema a morte menos do que eu.

Holmes permaneceu sentado em silêncio durante algum tempo.

— Quais eram seus planos? — perguntou, finalmente.

— Pretendia embrenhar-me na África Central. Meu trabalho lá ainda está pela metade.

— Vá e faça a outra metade — disse Holmes. — Eu, pelo menos, não posso impedi-lo.

O dr. Sterndale levantou-se, uma figura imensa, curvou a cabeça solenemente num cumprimento e saiu.

Holmes acendeu o cachimbo e me entregou a bolsa do fumo.

— Uma fumaça não venenosa seria uma mudança bem-vinda. Acho que você concorda, Watson, que este é um final em que não devemos interferir. Nossas investigações foram independentes, e nossa ação também deve ser. Você denunciaria o homem?

— Claro que não — respondi.

— Nunca amei, Watson, mas se o fizesse e a mulher que eu amasse tivesse um fim assim, eu agiria da mesma forma que o nosso destemido caçador de leões. Quem sabe? Bem, Watson, não vou ofender sua inteligência contando-lhe o óbvio. As pedras no peitoril da janela foram, é claro, o ponto de partida das minhas investigações. Não havia nada igual no jardim da paróquia. Somente quando minha atenção foi atraída para o dr. Sterndale e sua cabana é que achei pedras iguais. O lampião aceso em plena luz do dia e os restos do pó eram elos sucessivos de uma sequência lógica. E agora, caro Watson, acho que devemos tirar o assunto da cabeça e voltar, com a consciência limpa, ao estudo das raízes dos caldeus que, seguramente, podem ser encontradas no ramo cornualhês da língua celta.

SEU ÚLTIMO CASO

UM EPÍLOGO DE SHERLOCK HOLMES

Eram nove da noite de 2 de agosto — o mais terrível agosto da história do mundo. Podia-se pensar que a cólera de Deus já se abatera violentamente sobre um mundo degenerado, porque havia um silêncio apavorante e dava uma sensação de expectativa no ar abafado e sufocante. O sol já havia se posto há bastante tempo, mas uma fímbria vermelho-sangue, como uma ferida aberta, era visível no oeste distante. Acima, as estrelas brilhavam, intensamente, e embaixo havia as luzes vacilantes das embarcações ancoradas na baía.

Os dois famosos alemães estavam encostados na proteção de pedra da alameda do jardim, com a casa comprida e baixa atrás deles, e olhavam a ampla curva da praia abaixo, aos pés do grande rochedo sobre o qual Von Bork, como uma águia errante, pousara quatro anos antes. Suas cabeças estavam próximas e eles conversavam num tom baixo e confidencial. As pontas acesas de seus charutos pareciam os olhos em brasa de um espírito maligno perscrutando a escuridão.

Um homem notável, este Von Bork — um homem que dificilmente encontraria rival entre todos os dedicados agentes do Kaiser. Foram os seus talentos que, antes de mais nada, faziam dele a pessoa indicada para a missão inglesa, a mais importante de todas, e depois que a assumira esses dotes se tornaram cada vez mais evidentes para a meia dúzia de pessoas no mundo que sabiam da verdade.

Uma dessas pessoas era seu companheiro na ocasião, o barão Von Herling, primeiro-secretário da missão diplomática, cujo imenso Mercedes Benz de cem cavalos bloqueava a estradinha, enquanto aguardava para levar seu dono de volta a Londres.

— Pelo que vejo do rumo dos acontecimentos, você estará de volta a Berlim dentro de uma semana — dizia o secretário. — Quando chegar lá, meu caro Von Bork, acho que vai se surpreender com a recepção de boas-vindas que o aguarda. Acontece que eu sei o que se pensa nos altos escalões a respeito do seu trabalho neste país.

O secretário era um homem alto, forte, corpulento, com um jeito seguro e lento de falar, sua principal característica na carreira diplomática.

Von Bork riu.

— Não é muito difícil tapeá-los — comentou. — Não se pode imaginar um povo mais dócil e simples.

— Não tenho muita certeza disso — observou o outro, pensativo. — Eles têm limites estranhos e nós temos de aprender a observá-los. É esta simplicidade superficial deles que vira uma armadilha para os estrangeiros. A primeira impressão é que eles são completamente flexíveis. Então, de repente, esbarramos em algo muito duro e ficamos sabendo que chegamos ao limite e precisamos nos adaptar ao fato. Por exemplo, eles têm as suas convenções insulares que precisam ser respeitadas.

— Quer dizer "boas maneiras" e coisas desse tipo?

Von Bork suspirou, como alguém que tinha sofrido muito.

— Estou querendo dizer preconceito britânico em todas as suas estranhas manifestações. Como exemplo, posso citar um dos meus piores erros; permito-me falar dos meus erros porque você conhece suficientemente o meu trabalho para saber dos meus sucessos. Foi na minha primeira visita. Fui convidado para uma reunião de fim de semana na casa de campo de um membro do Gabinete. A conversa foi espantosamente indiscreta.

Von Bork concordou com a cabeça.

— Eu estava lá — disse secamente.

— Exatamente. Bem, é claro que eu naturalmente enviei a Berlim um resumo das informações. Infelizmente nosso bom chanceler é um tanto desastrado em assuntos dessa natureza e transmitiu uma observação que mostrava que estava a par do que fora dito. Isto, é óbvio, tornou-me o suspeito direto. Você não imagina o mal que me fez. Asseguro-lhe que não houve nada de delicado com nossos anfitriões ingleses na época. Amarguei aquilo durante dois anos. E agora você, com sua pose de esportista...

— Não, não, eu não a considero uma pose. Pose é uma coisa artificial. Isto é completamente espontâneo. Sou um esportista nato. Gosto disto.

— Bem, isso torna tudo mais fácil. Você compete com eles em corridas de iate, caça com eles, joga polo, enfrenta-os em qualquer jogo, sua carruagem ganha o prêmio em Olímpia. Até ouvi dizer que luta boxe com os jovens oficiais. Qual é o resultado? Ninguém o leva a sério. Você é um "bom sujeito, esportista, um camarada bastante decente para um alemão", é beberrão, boêmio, frequentador de cabarés, farrista. E durante todo o tempo sua pacata casa de campo é o centro de metade das confusões na Inglaterra, e o cavalheiro esportista é o mais astuto agente do serviço secreto na Europa. Gênio, meu caro Von Bork, gênio!

— Isto é uma lisonja, barão. Mas certamente posso afirmar que meus quatro anos neste país não foram improdutivos. Nunca lhe mostrei meu pequeno arsenal. Quer entrar um pouquinho, por favor?

A porta do escritório dava direto no terraço. Von Bork a empurrou e, indo na frente, ligou o interruptor da luz elétrica. Depois fechou a porta atrás do vulto corpulento que o seguiu e cerrou cuidadosamente a pesada cortina da janela. Só depois de tomar todas essas precauções foi que voltou o rosto aquilino e queimado de sol para o visitante.

— Alguns de meus documentos já seguiram — disse. — Ontem, quando minha mulher e a empregada partiram para Flushing, levaram os menos importantes. Claro que devo exigir a proteção da embaixada para os demais.

— Seu nome já consta da lista para uma das suítes. Não haverá dificuldade com suas malas. Claro, é bem possível que não tenhamos de partir. A Inglaterra pode ter deixado a França entregue ao seu destino. Sabemos que não há nenhuma aliança entre elas.

— E a Bélgica?

— Sim, e a Bélgica também.

Von Bork sacudiu a cabeça.

— Não vejo como isso pode acontecer. Há um tratado definido ali. A Inglaterra nunca se recuperará de tamanha humilhação.

— Pelo menos teria paz por algum tempo.

— Mas e sua honra?

— Ora, meu caro, vivemos numa época utilitária. A honra é uma concepção medieval. Além do mais, a Inglaterra ainda não está pronta. É algo inconcebível, mas nem mesmo nossa taxa especial de guerra de cinquenta milhões, que se poderia pensar que tornou nosso objetivo tão evidente como se tivéssemos anunciado na primeira página do *Times*, fez com que este povo saísse de sua modorra. De vez em quando se ouve uma indagação. É minha função encontrar uma resposta. Mas posso assegurar-lhe que quanto ao essencial, o estoque de munições, a preparação para ataques de submarinos, os acertos para fabricação de explosivos de alta potência, nada disso está pronto. Não se pode, portanto, pensar numa intervenção inglesa, principalmente agora que fomentamos essa infernal guerra civil da Irlanda e tudo o mais para mantê-la voltada para si mesma.

— Ela tem de pensar no futuro.

— Ah, isso já é outro assunto. Imagino que, no futuro, teremos nossos planos bem definidos a respeito da Inglaterra e suas informações serão vitais para nós. Será hoje ou amanhã com o sr. John Bull.[1] Se ele preferir hoje, estamos perfeitamente preparados. Se for amanhã, estaremos mais preparados ainda. Tenho certeza de que eles preferirão lutar com os aliados do que sem eles, mas isso é problema deles. Esta é a semana do destino deles. Mas você estava falando de seus documentos.

Ele sentou-se numa poltrona, com a luz brilhando na cabeça calva, enquanto fumava tranquilamente o charuto.

A sala grande, forrada de painéis de carvalho e cheia de estantes de livros, tinha uma cortina numa das extremidades. Quando ela foi puxada, revelou um cofre grande de bronze. Von Bork tirou uma chave pequena da corrente do relógio e depois de mexer um pouco na fechadura abriu a porta pesada.

— Veja! — ele disse, afastando-se e fazendo um sinal com a mão.

A luz brilhava intensamente no cofre aberto e o secretário da embaixada olhou com vivo interesse os compartimentos cheios de documentos. Cada compartimento tinha uma etiqueta, e ele viu uma série de títulos como *Passagens, Defesas de portos, Aviões, Irlanda, Egito, Fortificações de Portsmouth, Canal da Mancha, Rosythe* e muitos outros. Cada compartimento estava abarrotado de documentos e planos.

[1]Nome usado para designar o povo inglês. (N.T.)

— Fantástico, secretário. — Deixando o charuto de lado, ele bateu palmas com as mãos gordas.

— Tudo em quatro anos, barão. Nada mau para um cavalheiro beberrão. Entretanto, a joia de minha coleção ainda está por chegar e já tem o seu trono reservado.

Apontou para um espaço vazio, sobre o qual se lia: *Sinalizações navais*.

— Mas você já tem um ótimo dossiê.

— Documentos antiquados e inúteis. O Almirantado de alguma forma recebeu um alarme e mudou todos os códigos. Foi um golpe, barão, o pior retrocesso em todo o meu trabalho. Mas, graças ao meu talão de cheques e ao bom Altamont, tudo estará bem hoje à noite.

O barão consultou o relógio e soltou uma exclamação gutural de desapontamento.

— Bem, não posso mesmo esperar mais. Você bem pode imaginar que as coisas estão acontecendo no momento em Carlton Terrace e nós todos temos de estar em nossos postos. Eu esperava poder levar novidades de seu grande golpe. Altamont disse a que horas viria?

Von Bork mostrou-lhe um telegrama:

Irei sem falta esta noite e levarei novas velas.

Altamont

— Velas, hein?

— Como vê, ele passa por mecânico e eu por dono de uma grande garagem. Em nosso código, tudo o que recebo vem com nome de peças de motor. Se ele se refere a um radiador, trata-se de um vaso de guerra; se fala de bomba de óleo, é um cruzador, e assim por diante. Velas são sinalizações marítimas.

— De Portsmouth, ao meio-dia — disse o secretário, examinando o telegrama. — A propósito, quanto você lhe pagou?

— Quinhentas libras por este trabalho especial. É claro que ele tem também um salário.

— Um velhaco ganancioso. Esses traidores são úteis, mas lamento o dinheiro sujo que lhes damos.

— Quanto a Altamont, não lamento nada. É um ajudante maravilhoso. Pago-lhe bem e ele, pelo menos, entrega a mercadoria, para usar sua própria linguagem. Além do mais, ele não é um traidor. Garanto-lhe que nosso sentimento germânico em relação à Inglaterra não passa de uma pomba inocente se comparado com a amargura demonstrada por esse irlandês-americano.

— Oh, um irlandês-americano?

— Se você o ouvisse falar, não teria a menor dúvida. Ele parece ter declarado guerra ao inglês do rei e ao rei inglês. Mas precisa mesmo ir embora? Ele pode chegar a qualquer momento.

— Não, sinto muito, mas já demorei demais. Esperamos você amanhã bem cedo, e quando tiver passado o livro de sinalizações pela portinha nas escadas do Duke of York, poderá acrescentar um final glorioso à sua carreira na Inglaterra. O quê?! Tokay!

Indicava uma garrafa coberta de poeira que estava ao lado de dois copos numa bandeja.

— Posso oferecer-lhe um copo antes de ir embora?

— Não, obrigado. Mas parece uma festança.

— Altamont tem bom gosto para vinhos e se apaixonou pelo meu Tokay. É um sujeito muito sensível e tenho de agradá-lo nas pequenas coisas. Asseguro-lhe que tive de estudá-lo.

Haviam saído novamente para o terraço, e lá embaixo, a um toque do motorista, o carro tremeu e sacudiu.

— Acho que aquelas são as luzes de Harwich — disse o secretário, vestindo o sobretudo. — Tudo parece calmo e em paz. Haverá outras luzes dentro de uma semana, e a costa inglesa será um local menos tranquilo! Os céus também não serão tão pacíficos se tudo o que nosso bom Zeppelin nos prometeu tornar-se realidade. A propósito, quem é aquela mulher?

Atrás deles, apenas uma janela estava iluminada; ao lado de uma lâmpada, via-se uma velha de rosto vermelho, com uma touca. Estava curvada sobre um bordado e de vez em quando acariciava um enorme gato preto, deitado num banquinho perto dela.

— É Martha, a única empregada que ficou.

O secretário riu.

— Ela bem que poderia personificar a Inglaterra — comentou — com sua absorção total e um aspecto de confortável sonolência... Bem, *au revoir*, Von Bork!

Com um aceno final, entrou no carro, e alguns segundos depois os dois cones dourados dos faróis iluminavam o caminho escuro. O secretário recostou-se no banco da luxuosa limusine, pensando na tragédia iminente da Europa, e mal viu quando seu possante carro chegou à estrada, passando por um pequeno Ford que vinha na direção contrária.

Von Bork voltou lentamente para o seu escritório depois que as luzes do carro desapareceram na distância. Notou que a velha empregada apagara a luz e se retirara. O silêncio e a escuridão da casa eram uma experiência nova para ele, já que sua família e a criadagem eram grandes. Entretanto sentia um certo alívio ao pensar que todos estavam em segurança e que, a não ser pela velha na cozinha, ele estava sozinho na casa. Havia ainda muita coisa para pôr em ordem no escritório, e ele se entregou ao trabalho até que seu rosto alerta e simpático ficou vermelho com o calor dos documentos que ia queimando. Começou a empacotar, cuidadosa e sistematicamente, o precioso conteúdo de seu cofre, colocando os documentos numa valise de couro que estava em uma mesa. Mal havia começado o trabalho quando seus ouvidos alertas perceberam o barulho de um carro ao longe. Na mesma hora soltou uma exclamação de satisfação, fechou a valise, fechou e trancou o cofre e correu para o terraço a tempo de ver os faróis de um carro pequeno parando diante do portão. Um passageiro desceu rapidamente e se encaminhou para ele, enquanto o motorista, um sujeito corpulento e idoso com um bigode grisalho, ficou na direção, como que resignado a uma longa espera.

— E então? — perguntou Von Bork, ansioso, correndo ao encontro do visitante.

Como resposta, o homem sacudiu, triunfante, acima da cabeça, um embrulho de papel marrom.

— Pode felicitar-me esta noite, senhor — disse o recém-chegado. — Finalmente estou lhe trazendo a sorte grande.

— As sinalizações?

— Tal qual eu disse no telegrama. Todas elas, semáforos, códigos de lâmpadas, telégrafo, uma cópia, lembre-se, e não o original. O original era muito perigoso. Mas é o negócio mesmo, pode ter certeza.

Deu um tapinha no ombro do alemão com uma familiaridade rude, que fez o outro se encolher.

— Entre — disse. — Estou sozinho na casa. Estava apenas esperando isso. Claro que uma cópia é melhor do que o original. Se o original desaparecesse, eles mudariam tudo de novo. Você tem certeza de que está tudo bem com as cópias?

O irlandês-americano havia entrado no escritório e esticado as longas pernas numa poltrona. Era um sujeito alto, magro, de uns sessenta anos, com feições nítidas e um cavanhaque que o deixava parecido com uma caricatura do Tio Sam. Do canto da boca pendia um charuto meio fumado e encharcado, que ele acendeu de novo ao se sentar.

— Vai cair fora? — perguntou, olhando em volta. — Diga-me — acrescentou, quando viu o cofre exposto pela cortina aberta —, será que guarda seus documentos naquilo?

— Por que não?

— Diabo! Numa geringonça fácil como esta? E o senhor é um espião! Ora, qualquer malandro americano conseguiria arrombá-lo com um abridor de latas! Se eu soubesse que alguma carta minha ia ficar num treco assim, eu seria um palerma se lhe escrevesse.

— Daria trabalho a qualquer malandro para arrombar o cofre — respondeu Von Bork. — Não se consegue cortar o metal com nenhuma ferramenta.

— Mas e a fechadura?

— É de combinação dupla. Sabe o que é isso?

— Estou por fora — respondeu o americano.

— Bem, antes de se tentar abrir a fechadura, é necessário que se conheça uma certa palavra, assim como uma combinação de números.

Ele levantou e mostrou um disco duplo em torno da fechadura.

— O disco de fora é para a palavra, e o de dentro, para os números — explicou.

— Bom, bom, muito bom.

— Assim sendo, não é tão fácil como pensou. Mandei fabricá-lo há quatro anos, e adivinhe que palavra e que número eu escolhi?

— Não faço ideia.

— Bem, para a palavra escolhi "agosto", e para os números, "1914", e aí estão.

O rosto do americano revelou surpresa e admiração.

— Puxa, mas foi muito bem bolado! Fez um belíssimo trabalho!

— Sim, mesmo naquela época, bem poucos de nós poderiam ter adivinhado a data. Está aí, e eu parto amanhã cedo.

— Bem, acho que tem de dar um jeito na minha situação também. Não vou ficar sozinho neste país maldito. Pelo que sinto, dentro de uma semana ou menos John Bull vai estar de quatro e esbravejando. Quero estar bem longe...

— Mas você não é um cidadão americano?

— Ora, Jack James também era cidadão americano e está cumprindo pena em Portland este tempo todo. Não adianta dizer a um tira inglês que se é cidadão americano. Sempre dizem "Aqui, a lei e a ordem são britânicas". A propósito, senhor, por falar em Jack James, parece que o senhor não dá muita cobertura aos seus agentes...

— O que quer dizer? — perguntou Von Bork rispidamente.

— Bem, o senhor é o patrão, não é? Cabe ao senhor falar para que eles não sejam apanhados. Mas acabam sendo presos, e quando foi que o senhor os socorreu? Há o James...

— A culpa foi do próprio James. Você sabe disso. Ele estava muito confiante no serviço.

— Ele era um cabeça-dura, isso é verdade. Mas também temos Hollis...

— Ele era um louco.

— Bem, ficou meio biruta no fim. Um sujeito acaba ficando mesmo meio atarantado quando tem de trabalhar de manhã e à noite com uma centena de sujeitos prontos para lançar os tiras atrás dele. Mas agora temos Steiner...

Von Bork estremeceu violentamente e o rosto corado empalideceu.

— O que aconteceu com Steiner?

— Ora, ele foi apanhado; é isso aí. Invadiram a loja dele ontem à noite, e ele e os documentos estão na cadeia de Portsmouth agora. O senhor vai embora e o coitado do sujeito vai aguentar a barra pesada, e vai ter muita sorte se conseguir escapar com vida. É por causa disso que quero estar do outro lado do canal o mais cedo possível.

Von Bork era um sujeito frio, controlado, mas era fácil ver que a notícia o deixara abalado.

— Como conseguiram chegar até Steiner? — perguntou. — Este foi o pior golpe.

— Bem, o senhor quase recebeu um golpe pior ainda, pois acho que os homens estão atrás de mim...

— Você não fala a sério!

— No duro. Minha senhoria já foi interrogada, e quando soube disso, vi que era hora de me mandar. Mas o que eu quero saber, senhor, é como os tiras ficam sabendo dessas coisas. Steiner é o quinto homem que o senhor perde desde que estou a seu serviço e já sei o nome do sexto, se não me virar. Como o senhor explica isso, e não fica envergonhado de ver seus homens caírem assim?

Von Bork ficou vermelho.

— Como ousa falar comigo assim?

— Se eu não ousasse fazer coisas, senhor, não estaria a seu serviço. Mas vou ser franco. Dizem que vocês, políticos alemães, quando um agente acabou o serviço, não lamentam se ele for morto.

Von Bork levantou-se num pulo.

— Você tem a ousadia de insinuar que eu me livrei de meus próprios agentes?

— Não chego a tanto, senhor, mas há um delator ou um galho qualquer em algum lugar, e cabe ao senhor descobrir. De qualquer maneira, eu não vou me arriscar mais. Vou para a pequena Holanda, e quanto antes melhor.

Von Bork controlou a raiva.

— Fomos aliados durante tempo demais para brigarmos agora, no momento da vitória — disse. — Você fez um trabalho esplêndido e correu riscos, e isso eu não posso esquecer. Parta para a Holanda e pegue um navio em Rotterdã que o leve para Nova York. Daqui a uma semana, nenhuma outra linha será segura. Agora vou pegar este pacote e guardá-lo com os outros.

O americano segurava o pacotinho nas mãos, mas não fez menção de entregá-lo ao alemão.

— E que tal o tutu? — perguntou.

— Que tal o quê?

— A bufunfa. O dinheiro. As quinhentas libras. O atirador ultimamente endureceu a barra e tive de amaciá-lo com mais cem dólares, ou então o negócio pifava para nós dois. "Nada feito", ele dizia, e falava sério, mas os últimos cem dólares funcionaram. O negócio todo me custou duzentas libras, de modo que não será justo que eu me desfaça dele sem receber minha bolada.

Von Bork sorriu com desdém.

— Parece que você não tem em alta conta a minha honra — disse. — Quer o dinheiro antes de entregar a mercadoria.

— Bem, senhor, é uma questão de negócios...

— Está bem. Como quiser.

Sentou-se à mesa e preencheu um cheque, que destacou do talão, mas não o entregou ao companheiro.

— Afinal de contas, já que vamos agir desta maneira, sr. Altamont, não vejo por que deva confiar no senhor mais do que confia em mim. Está me entendendo? — acrescentou, olhando por sobre os ombros para o americano. — Aqui está o cheque, na mesa. Exijo o direito de examinar o pacote antes que apanhe o dinheiro.

O americano entregou o material sem dizer uma palavra. Von Bork desfez o nó do barbante e tirou duas folhas de papel que cobriam o embrulho. Então sentou-se, contemplando num silêncio aturdido um pequeno livro de capa azul diante dele. Na capa, em letras douradas, estava impresso *Manual prático de apicultura*. O espião-chefe olhou apenas por um segundo o título estranho. No instante seguinte, uma garra de ferro o segurou pela nuca e uma esponja embebida em clorofórmio foi colocada diante do seu rosto contorcido.

— Outro copo, Watson! — disse Sherlock Holmes ao passar a garrafa do Imperial Tokay.

O motorista gordo, que se sentara à mesa, empurrou seu copo com certa avidez.

— Um bom vinho, Holmes.

— Excelente, Watson. Nosso amigo do sofá garantiu-me que veio da adega especial de Franz Josef, do palácio Schoenbrunn. Por favor, abra a janela, porque o cheiro de clorofórmio estraga o paladar.

O cofre estava aberto e Holmes, de pé diante dele, tirava dossiê por dossiê, examinando cada um com cuidado e colocando-os caprichosamente na valise de Von Bork. O alemão estava deitado no sofá, dormindo e roncando, com uma correia em volta dos braços e outra nas pernas.

— Não precisamos ter pressa, Watson. Não seremos interrompidos. Poderia tocar a campainha? Não há ninguém na casa a não ser a velha Martha, que representou o papel com perfeição. Arrumei para ela este serviço aqui quando comecei a trabalhar no caso. Ah, Martha vai ficar contente em saber que está tudo bem.

A mulher havia aparecido à porta. Fez uma mesura para Holmes, com um sorriso, mas olhou apreensiva para a figura deitada no sofá.

— Está tudo bem, Martha. Ele não está ferido.

— Fico satisfeita com isso, sr. Holmes. A seu modo, foi um bom patrão. Queria que eu partisse para a Alemanha, ontem, junto com a esposa. Mas isso não seria bom para os planos, não é verdade, sr. Holmes?

— Não, não seria mesmo, Martha. Enquanto você estivesse aqui, eu ficaria descansado. Esperamos durante algum tempo o seu sinal hoje à noite.

— Foi por causa do secretário, senhor.

— Eu sei. O carro dele passou pelo nosso.

— Achei que não iria mais embora. Eu sabia que não seria conveniente para os seus planos encontrá-lo aqui.

— É verdade. Bem, tivemos de aguardar durante meia hora até ver sua lâmpada apagada e saber que o caminho estava livre. Encontre-se comigo em Londres amanhã, no Claridge Hotel, Martha.

— Muito bem, senhor.

— Acho que já está com tudo pronto para ir embora.

— Sim, senhor. Ele mandou sete cartas hoje. Como sempre, anotei os endereços.

— Muito bem, Martha. Amanhã dou uma olhada nelas. Boa noite.

Depois que a mulher saiu ele continuou.

— Estes documentos não são muito importantes porque as informações que contêm naturalmente já foram mandadas há muito tempo para o governo alemão. Estes são os originais que não podiam sair impunemente do país.

— Então eles não servem para nada.

— Não diria tanto, Watson. Pelo menos servem para mostrar ao nosso pessoal o que já se sabe ou não. Devo dizer que muitos destes documentos vieram por meu intermédio e não preciso acrescentar que são inteiramente falsos. Seria uma alegria, nos meus últimos anos, ver um cruzador alemão navegar pelo Solem de acordo com um mapa de campo de minas que lhes entreguei. Mas você, Watson — ele interrompeu o trabalho e segurou o velho amigo pelos ombros —, eu mal o vi na luz ainda. Como o tempo o trata? Você parece o rapaz alegre de sempre.

— Sinto-me vinte anos mais moço, Holmes. Poucas vezes me senti tão feliz como quando recebi seu telegrama pedindo-me para encontrá-lo em Harwich com o carro. Mas você, Holmes... você mudou muito pouco, a não ser por este horrível cavanhaque.

— São os sacrifícios que fazemos pelo país, Watson — ele disse, alisando o pequeno tufo. — Amanhã isto será apenas uma recordação desagradável. Com o cabelo cortado e algumas outras modificações superficiais, sem dúvida vou reaparecer amanhã no Claridge como eu era antes de topar esta parada... perdão, Watson; mas meu poço de puritanismo britânico parece estar definitivamente poluído... antes que esta empreitada americana surgisse em meu caminho.

— Mas você estava aposentado, Holmes. Soubemos que vivia como um verdadeiro eremita entre suas abelhas e seus livros numa pequena fazenda de South Downs.

— Exatamente, Watson. Aqui está o fruto de meu tempo de lazer, a *magum opus* dos últimos anos.

Pegou o livro na mesa e leu em voz alta o título completo: *Manual prático de apicultura, com algumas observações sobre a segregação da rainha.*

— Eu o escrevi sozinho. Contemplei o fruto de noites em claro e dias atarefados enquanto eu observava os pequenos bandos trabalhando, tal como eu fazia antes com os criminosos de Londres.

— Mas como voltou a trabalhar?

— Ah, eu mesmo tenho me perguntado isso. Eu podia ter convencido o ministro das Relações Exteriores, mas quando o próprio primeiro-ministro também me deu a honra de visitar minha humilde casa... A verdade, Watson, é que este cavalheiro ali no sofá era bom demais para o nosso pessoal. Estava numa categoria especial. As coisas não estavam dando certo e ninguém conseguia entender por quê. Suspeitava-se de agentes, e alguns chegaram a ser apanhados, mas havia indícios de uma força central, secreta e poderosa. Era absolutamente necessário descobri-la. Fui pressionado para cuidar do caso. Isto me custou dois anos, Watson, mas eles não foram destituídos de emoção. Quando lhe disser que comecei minha peregrinação em Chicago, que me filiei a uma sociedade secreta irlandesa em Buffalo, que dei muito trabalho à polícia de Skibbareen até chamar a atenção de um agente do Von Bork, que me recomendou como pessoa de confiança, você vai perceber que o assunto era muito complexo. Desde então, fui honrado com a confiança do homem, o que não impediu que a maior parte de seus planos fosse sutilmente frustrada e que cinco de seus melhores agentes estejam presos. Fiquei de olho neles, Watson, e os apanhei assim que amadureceram. Bem, senhor, espero que esteja melhor!

Esta última observação fora dirigida ao próprio Von Bork, que, depois de muito ofegar e piscar, ouvia calado o que Holmes dizia. Explodiu, em seguida, numa furiosa torrente de imprecações em alemão, com o rosto contorcido de ódio. Holmes continuou calmamente a pesquisa nos documentos enquanto seu prisioneiro praguejava e amaldiçoava.

— Embora não seja melodioso, o alemão é a mais expressiva de todas as línguas — observou Holmes depois que Von Bork, cansado, parou. — Olalá! — exclamou ao examinar um desenho, antes de colocá-lo no cofre. — Isto aqui vai pôr outro passarinho na gaiola. Eu não imaginava que o tesoureiro fosse um velhaco, embora há muito tempo estivesse desconfiado dele. Sr. Von Bork, há um punhado de coisas pelas quais vai ter de responder.

O prisioneiro, depois de muito esforço, conseguira se sentar e olhava para seu captor com incredulidade e ódio.

— Ainda vou pegá-lo, Altamont — disse lenta e deliberadamente. — Mesmo que leve o resto de minha vida, ainda vou acertar as contas com vocês!

— A velha e doce canção de sempre — ironizou Holmes. — Quantas e quantas vezes já a ouvi no passado! Era a cantilena favorita do finado professor Moriarty. O coronel Sebastian Moran também gostava de entoá-la. E eu ainda estou vivo e crio abelhas em South Downs.

— Maldito seja, duplo traidor! — o alemão gritou para Holmes, retesando as cordas e com uma fúria homicida nos olhos.

— Não, não, não sou tão mau assim — respondeu Holmes, sorrindo. — Como deve ter entendido, o sr. Altamont de Chicago na verdade não existe. Usei-o, e ele já não mais existe.

— Então, quem é você?

— Não importa quem eu seja, mas já que o assunto parece interessá-lo, sr. Von Bork, posso dizer-lhe que este não é meu primeiro contato com membros de sua família. No passado fiz uma série de trabalhos na Alemanha e meu nome talvez lhe seja familiar.

— Gostaria de saber qual é — disse o prussiano, carrancudo.

— Fui eu quem provocou a separação entre Irene Adler e o finado rei da Boêmia, quando seu primo Heinrich era o enviado imperial. Fui eu quem o salvou de morrer assassinado pelo niilista Klopman, o conde Von und Zu Grafenstein, que era o irmão mais velho de sua mãe. Fui eu quem...

Von Bork ficou boquiaberto.

— Só existe um homem! — exclamou.

— Exatamente — disse Holmes.

Von Bork gemeu e afundou no sofá.

— E a maior parte das informações veio de você! — exclamou. — Qual o valor delas? O que foi que eu fiz? Estou arruinado para sempre...

— Sem dúvida as informações que transmiti não são muito confiáveis — disse Holmes. — Exigiria uma verificação e vocês não têm tempo para fazer isso. Seu almirante vai descobrir que os novos canhões são maiores do que ele esperava e que os cruzadores talvez sejam um pouco mais velozes...

Von Bork, num gesto de desespero, apertou a própria garganta.

— Há muitos outros detalhes que, sem dúvida, virão à luz no momento próprio. Mas o senhor tem uma qualidade rara num alemão, sr. Von Bork: é um esportista, e não vai guardar rancor de mim quando compreender que, depois de tapear tanta gente, finalmente foi tapeado por mim. Afinal de contas, fez o melhor por seu país, e eu fiz o melhor pelo meu. Assim sendo, o que pode ser mais natural? Além do mais — acrescentou Holmes, com certa bondade, pondo a mão no ombro do homem prostrado —, é melhor assim do que cair diante de um inimigo mais implacável. Os documentos já estão prontos, Watson. Se me ajudar com o prisioneiro, acho que podemos partir para Londres imediatamente.

Não foi fácil levar Von Bork, pois era um sujeito forte e violento. Finalmente, segurando os braços dele, os dois amigos o arrastaram lentamente pelo caminho do jardim, onde o alemão andara com tanta confiança e orgulho algumas horas antes, ao receber as congratulações do famoso diplomata. Após uma luta rápida, ele foi colocado no banco traseiro do carro, com os pés e as mãos amarrados. A preciosa maleta foi colocada ao seu lado.

— Espero que esteja o mais confortável possível nesta situação — disse Holmes quando estava tudo pronto. — Posso acender um charuto e colocá-lo entre seus lábios?

Mas as amenidades eram inúteis como o alemão zangado.

— Creio que sabe, sr. Sherlock Holmes, que se seu governo o apoia neste tratamento ele se torna um ato de guerra.

— E o que acha de seu governo e todo este tratamento? — perguntou Holmes, dando um tapinha na valise.

— O senhor não é uma autoridade oficial. Não tem um mandado de prisão. O seu procedimento é totalmente ilegal e abusivo.

— Totalmente — concordou Holmes.

— Está sequestrando um súdito alemão.

— E roubando seus documentos particulares.

— Bem, reconhece sua situação, o senhor e seu cúmplice aqui. Se eu gritar por socorro quando passarmos pela aldeia...

— Meu caro senhor, se fizesse algo tão estúpido assim, com toda a certeza iria aumentar os poucos nomes das hospedarias da aldeia, dando-nos sugestões como "O Prussiano Pendente" como tabuleta! O inglês é uma criatura paciente, mas no momento seu ânimo anda um tanto exaltado e seria aconselhável não inflamá-lo demais. Não, sr. Von Bork, irá conosco bem quieto, uma atitude sensata, até a Scotland Yard, de onde poderá chamar seu amigo, o barão Von Herling, e ver se ele ainda o quer no lugar que reservou para o senhor na embaixada. Quanto a você, Watson, vai juntar-se a nós, com sua antiga função, de modo que Londres está no seu caminho. Fique um pouco comigo aqui no terraço, pois esta pode ser a última conversa tranquila que teremos.

Os dois amigos se envolveram numa conversa íntima durante alguns minutos, recordando os dias gloriosos do passado, enquanto o prisioneiro se debatia em vão, tentando livrar-se das cordas que o prendiam. Quando voltaram para o carro, Holmes apontou para o mar, iluminado pela lua, e balançou a cabeça, pensativo.

— Vem vindo um vento do leste, Watson.

— Não creio, Holmes. Está muito quente.

— Meu bom e velho Watson! Você é um ponto fixo numa época de mudanças! De qualquer forma vem vindo um vento do leste como nunca antes outro varreu a Inglaterra. Será frio e amargo, Watson, e muitos de nós poderão ser fulminados por sua rajada. Mas, afinal, é a vontade de Deus, e quando passar a tempestade um país mais puro, melhor, mais forte brilhará ao sol. Ligue a máquina, Watson, porque está na hora de nos pormos a caminho. Tenho um cheque de quinhentas libras que preciso descontar logo, pois o sacado é bem capaz de sustar seu pagamento se puder.

HISTÓRIAS DE SHERLOCK HOLMES

PREFÁCIO

Receio que Sherlock Holmes fique parecido com um desses tenores populares que, tendo sobrevivido à sua época, ainda se sentem tentados a fazer repetidas mesuras de despedida para o seu público complacente. Isto tem de acabar, e ele precisa seguir o caminho de todo ser humano, real ou imaginário. Gostamos de pensar que existe um limbo fantástico para os filhos da imaginação, algum lugar estranho e impossível, onde os beaux *de Fielding ainda podem cortejar as* belles *de Richardson, onde os heróis de Scott ainda podem pavonear-se, os deliciosos Cockneys de Dickens ainda provocam riso, e os mundanos de Thackeray continuam suas carreiras censuráveis. Talvez, em algum canto humilde deste* Valhalla,[1] *Sherlock e seu Watson possam encontrar abrigo durante algum tempo, enquanto um detetive mais astuto, com algum companheiro ainda menos astuto, possa ocupar o palco que eles abandonaram.*

Sua carreira foi longa — embora seja possível exagerá-la; cavalheiros decrépitos, que se aproximaram de mim e afirmaram que as aventuras de Sherlock Holmes constituíram a leitura de sua infância, não obtiveram a reação que pareciam esperar. Ninguém deseja que sua idade seja tratada de maneira tão descortês. A fria realidade é que Holmes fez o seu début *com* Um estudo em vermelho *e* O sinal dos quatro, *dois livros pequenos que apareceram entre 1887 e 1889. Foi em 1891 que "Um escândalo na Boêmia", o primeiro da longa série de contos, apareceu na* The Strand Magazine. *O público pareceu gostar e querer mais, de modo que, a partir desta data, 39 anos atrás, elas têm sido produzidas a intervalos irregulares e agora totalizam 56 histórias, republicadas em* As aventuras, Memórias, A volta *e* Os últimos casos, *ainda restam estas doze, publicadas durante os últimos anos e que são edita-*

[1] Valhalla — Da literatura germânica, o paraíso para onde os combatentes mortos eram levados pelas Valquírias, deusas guerreiras. (N.T.)

das aqui, com o título de Histórias de Sherlock Holmes. *Ele começou suas aventuras bem no meio da era vitoriana, continuou durante o curto reinado de Edward e conseguiu conservar seu lugar mesmo durante esta época febril. Portanto, seria correto afirmar que os primeiros a ler sobre ele quando eram jovens viveram para ver os próprios filhos crescidos acompanhando as mesmas aventuras, na mesma revista. Este é um exemplo admirável da paciência e da lealdade do público britânico.*

Ao término do Memórias, *eu estava realmente decidido a dar um fim a Holmes, pois sentia que as minhas energias literárias não deveriam ser direcionadas para um só canal. Aquela figura pálida e desengonçada, de traços bem definidos, estava absorvendo uma parte excessiva da minha imaginação. Realizei a façanha, mas, felizmente, nenhum médico-legista se pronunciou sobre os despojos, de modo que, depois de um longo intervalo, não foi difícil responder aos apelos lisonjeiros e explicar meu ato ousado. Nunca me arrependi disto, pois, na prática, não achei que esses esboços mais leves tenham me impedido de explorar e descobrir minhas limitações em ramos variados da literatura, como história, poesia, romances históricos, pesquisa psíquica e drama. Se Holmes nunca tivesse existido, eu não poderia ter realizado mais, embora ele talvez tenha impedido o reconhecimento do meu trabalho literário mais sério.*

Portanto, leitor, dê adeus a Sherlock Holmes! Agradeço a sua fidelidade e espero que tenha tido alguma recompensa, na forma de distração das preocupações da vida e de uma estimulante mudança de pensamento, que só podem ser encontradas no reino encantado do romance.

Arthur Conan Doyle

A AVENTURA DO CLIENTE ILUSTRE

— Isto agora não pode mais causar nenhum prejuízo — foi o comentário de Sherlock Holmes quando, pela décima vez em muitos anos, pedi seu consentimento para divulgar esta narrativa. E foi assim que, finalmente, obtive permissão para relatar o que, de certa forma, foi o momento supremo da carreira do meu amigo.

Holmes e eu tínhamos uma fraqueza pelo banho turco. Foi depois de um cigarro, na agradável lassidão da sala de repouso, que o encontrei menos reticente e mais humano do que em qualquer outro lugar. No andar superior do estabelecimento, na Northumberland Avenue, há um canto isolado, com dois sofás um ao lado do outro, e era neles que estávamos deitados no dia 3 de setembro de 1902, quando começa minha narrativa. Eu lhe perguntei se estava acontecendo alguma coisa e, como resposta, ele esticou seu braço longo, fino e nervoso para fora dos lençóis que o envolviam e puxou um envelope de dentro do bolso do paletó, que estava pendurado a seu lado.

— Pode ser algum presunçoso, algum tolo vaidoso; pode ser um caso de vida ou morte — ele disse ao me entregar o bilhete. — Não sei nada além do que esta mensagem me diz.

A mensagem vinha do Clube Carlton e trazia a data do dia anterior. Estava escrito:

> *Sir James Damery apresenta seus cumprimentos ao sr. Sherlock Holmes e lhe fará uma visita amanhã às 16h30.* Sir *James informa que o assunto sobre o qual deseja consultar o sr. Holmes é bastante delicado, e também muito importante. Ele acredita, portanto, que o sr. Holmes fará o possível para conceder-lhe esta entrevista e que a confirmará por telefone ao Clube Carlton.*

— Não preciso dizer que confirmei a entrevista, Watson — disse Holmes quando lhe devolvi o papel. — Sabe alguma coisa sobre esse homem, Damery?

— Apenas que seu nome é bastante conhecido na sociedade.

— Bem, posso contar-lhe um pouco mais do que isto. Ele tem, principalmente, a fama de tratar de negócios delicados, que precisem ser mantidos em sigilo. Você deve se lembrar das negociações dele com *sir* George Lewis sobre o caso do testamento de Hammerford. Ele é um homem do mundo, com uma inclinação natural para a diplomacia. Portanto, espero que esta não seja uma pista falsa, e que ele precise mesmo da nossa ajuda.

— Nossa?

— Bem, se você quiser cooperar, Watson.

— Eu me sentirei honrado.

— Então você sabe a hora: 16h30. Até lá, podemos esquecer esse assunto.

Nessa época eu estava morando em meus próprios aposentos, na Queen Anne Street, mas voltei à Baker Street antes da hora marcada. Pontualmente, meia hora depois das 16 horas, o coronel *sir* James Damery foi anunciado. Não é necessário descrevê-lo, pois muitos se lembrarão de sua figura volumosa, fanfarrona, honesta, daquele rosto largo, barbeado e, sobretudo, daquela voz agradável e suave. Seus olhos cinzentos de irlandês irradiavam franqueza, e o bom humor brincava em seus lábios sorridentes. Sua resplandecente cartola, sua sobrecasaca escura, cada detalhe — da pérola do alfinete na gravata preta de cetim às polainas cor de alfazema sobre os sapatos envernizados — revelava o cuidado meticuloso no vestir que o tornara famoso.

— Naturalmente eu esperava encontrar o dr. Watson — ele observou, com uma cortês inclinação da cabeça. — Sua colaboração pode ser muito necessária, porque agora iremos lidar, sr. Holmes, com um homem para quem a violência é familiar e que, literalmente falando, não se deterá diante de nada; eu diria que não existe homem mais perigoso em toda a Europa.

— Já tive vários adversários a quem este termo lisonjeiro foi aplicado — disse Holmes com um sorriso. — Não fuma? Então vai me desculpar por eu acender meu cachimbo. Se esse homem é mais perigoso do que o falecido professor Moriarty, ou do que o ainda vivo coronel Sebastian Moran, então realmente vale a pena conhecê-lo. Posso perguntar o nome dele?

— Já ouviu falar do barão Gruner?

— O senhor se refere ao assassino austríaco?

O coronel Damery ergueu suas mãos enluvadas e deu uma gargalhada.

— Ninguém pode com o senhor! Maravilhoso! Quer dizer que o senhor já o classificou de assassino?

— É minha profissão acompanhar os detalhes do crime no Continente. Quem poderia ler a respeito do que aconteceu em Praga e ter alguma dúvida sobre a culpabilidade deste homem? Foram apenas um detalhe técnico-legal e a morte suspeita de uma testemunha que o salvaram. Tenho tanta certeza de que ele matou a esposa, quando ocorreu o chamado "acidente" no Splügen Pass, quanto se eu mesmo tivesse presenciado a cena. Soube também que ele tinha vindo para a Inglaterra e tive um pressentimento de que, mais cedo ou mais tarde, ele me daria trabalho. Bem, o que é que o barão Gruner andou aprontando? Presumo que não se trate desta velha tragédia que veio à tona de novo.

— Não, é mais sério do que isso. Vingar um crime é importante, mas evitá-lo é mais importante ainda. É uma coisa terrível, sr. Holmes, presenciar um acontecimento espantoso, uma situação cruel, sendo preparada diante de seus olhos, compreender claramente aonde isto conduzirá, e mesmo assim ser incapaz de evitar o mal. Pode um ser humano ser colocado em situação mais difícil?

— Talvez não.

— Então o senhor se compadecerá do cliente em cujo interesse eu estou agindo.

— Não sabia que o senhor era apenas um intermediário. Quem é o principal interessado?

— Sr. Holmes, devo pedir-lhe que não insista nesta pergunta. É importante que eu garanta ao senhor que o honrado nome dele não foi, de modo algum, envolvido neste assunto. Seus motivos são nobres e cavalheirescos no mais alto grau, mas ele prefere permanecer incógnito. Não preciso dizer-lhe que seus honorários estarão assegurados, e que o senhor terá absoluta liberdade de ação. Posso ter certeza de que o nome verdadeiro de seu cliente é pouco importante?

— Sinto muito — disse Holmes. — Estou acostumado a ter mistério de um dos lados dos meus casos, mas dos dois é confuso demais. Receio, *sir* James, que eu deva me recusar a agir.

Nosso visitante ficou muito perturbado. Seu rosto largo e sensível adquiriu uma expressão de tristeza e decepção.

— O senhor dificilmente poderá compreender o efeito de sua atitude, sr. Holmes — ele disse. — O senhor me deixa num dilema muito sério, porque tenho certeza de que ficaria orgulhoso de aceitar a causa se eu pudesse apresentar-lhe os fatos, mas uma promessa me proíbe de revelá-los. Eu gostaria, pelo menos, de expor-lhe o que posso.

— Certamente, contanto que fique entendido que eu não estou me comprometendo com coisa alguma.

— Isso está claro. Em primeiro lugar, o senhor, sem dúvida nenhuma, ouviu falar do general de Merville?

— De Merville, que se tornou célebre em Khyber? Sim, já ouvi falar dele.

— Ele tem uma filha, Violet de Merville, jovem, rica, bonita, perfeita, uma mulher maravilhosa em todos os sentidos. E é esta filha, esta moça adorável e inocente que estamos tentando salvar das garras de um vilão.

— Então o barão Gruner tem alguma influência sobre ela?

— A mais forte de todas no que diz respeito a uma mulher, a influência do amor. Ele é, como o senhor já deve ter ouvido falar, extraordinariamente bonito, seu jeito extremamente fascinante, uma voz amável, e aquele ar de romance e mistério que significa tanto para uma mulher. Dizem que ele tem todo o belo sexo à sua mercê e que já fez amplo uso deste fato.

— Mas como pôde um homem desses conhecer uma dama do nível da srta. Violet de Merville?

— Foi numa viagem de iate pelo Mediterrâneo. Os passageiros, embora selecionados, pagaram suas próprias passagens. Sem dúvida, os promotores só perceberam o verdadeiro caráter do barão quando já era tarde demais. O vilão aproximou-se da fidalga, e com tamanha eficácia que conquistou seu coração. Dizer que ela o ama não descreve seu estado. Ela o venera, está obcecada por ele. Além dele, não existe mais nada na terra. Ela não dará ouvidos a uma palavra dita contra ele. Fizeram tudo para curá-la desta loucura, mas foi em vão. Em resumo, ela pretende casar-se com ele no mês que vem. Como é maior de idade e tem uma vontade de ferro, é difícil saber como impedi-la.

— Ela sabe o que aconteceu na Áustria?

— O astuto demônio contou-lhe todos os sórdidos escândalos públicos de sua vida passada, mas sempre de modo a fazê-lo parecer um mártir inocente. Ela aceita a versão dele e não ouvirá nenhuma outra.

— Valha-me Deus! Mas o senhor, inadvertidamente, não revelou o nome de seu cliente? Sem dúvida é o general de Merville.

O nosso visitante agitou-se na cadeira.

— Eu poderia enganá-lo dizendo que sim, sr. Holmes, mas isto não seria verdade. De Merville está arrasado. O soldado vigoroso ficou desmoralizado depois deste incidente. Perdeu o vigor, que nunca o abandonou no campo de batalha, e tornou-se um velho fraco e trôpego, totalmente incapaz de lutar com um patife brilhante e poderoso como esse austríaco. Mas o meu cliente é um velho amigo, que conhece o general intimamente há muitos anos e que tem um interesse paternal por esta moça, desde que ela usava vestido curto. Ele não pode ver esta tragédia consumar-se sem tentar impedi-la. Não há nada que a Scotland Yard possa fazer. Foi ele mesmo que sugeriu que o senhor fosse consultado, mas, como já disse, com a condição expressa de que ele não seria envolvido pessoalmente na questão. Eu não duvido, sr. Holmes, que o senhor, com sua capacidade, poderia descobrir sem dificuldade, por intermédio da minha pessoa, quem é o meu cliente, mas devo pedir-lhe, como ponto de honra, que não faça isso e que o deixe permanecer incógnito.

Holmes sorriu de maneira esquisita.

— Acho que posso prometer-lhe isso. Devo acrescentar que seu problema me interessa, e que estarei preparado para investigá-lo. Como poderei manter-me em contato com o senhor?

— O Clube Carlton me encontrará. Mas, em caso de urgência, existe um telefone particular, *XX.31*.

Holmes, sentado e ainda sorrindo, anotou o número em sua agenda aberta sobre os joelhos.

— O endereço atual do barão, por favor?

— Vernon Lodge, perto de Kingston. É uma casa enorme. Ele teve sorte em algumas especulações um tanto obscuras e é um homem rico, o que o torna, naturalmente, um adversário ainda mais perigoso.

— Ele está em casa no momento?

— Sim.

— Além do que você já me disse, pode me dar mais alguma informação sobre ele?

— Ele teve hábitos dispendiosos. Gosta de cavalos. Jogou polo em Hurlingham, durante pouco tempo, mas então este assunto de Praga espalhou-se, e ele foi obrigado a desistir. É um homem com forte inclinação artística. Coleciona livros e quadros. Ele é, eu creio, uma renomada autoridade em cerâmica chinesa, e escreveu um livro sobre o assunto.

— Uma mente complexa — disse Holmes. — Todos os grandes criminosos a possuem. Meu velho amigo, Charlie Peace, era um exímio violinista. Wainwright não era um mau artista. Eu poderia citar muitos outros. Bem, *sir* James, o senhor informará seu cliente que eu estou concentrando minha atenção no barão Gruner. Não posso dizer mais nada. Tenho algumas fontes de informação particulares, e eu diria que podemos descobrir meios de resolver o assunto.

Quando o nosso visitante foi embora, Holmes ficou sentado meditando, durante tanto tempo que achei que ele havia se esquecido da minha presença. Mas finalmente ele voltou animado à Terra.

— Bem, Watson, alguma ideia? — ele perguntou.

— Acho que é melhor você conhecer a jovem dama pessoalmente.

— Meu caro Watson, se seu pobre velho pai não consegue dissuadi-la, como posso eu, um desconhecido, convencê-la? Mesmo assim a sugestão é válida, se tudo o mais falhar. Mas acho que devemos começar por um ângulo diferente. Tenho um palpite de que Shinwell Johnson poderá ajudar.

Não tive ocasião de mencionar Shinwell Johnson nestas narrativas, porque poucas vezes extraí os casos da última fase da carreira do meu amigo. Durante os primeiros anos do século ele tornou-se um assistente valioso. Johnson, lamento dizer, ficou famoso primeiro como um perigoso patife e cumpriu pena duas vezes em Parkhurst. Finalmente arrependeu-se e aliou-se a Holmes, atuando como seu agente no imenso submundo do crime de Londres, e obtendo informações que quase sempre eram de importância fundamental. Se Johnson tivesse sido um espião da polícia, logo teria sido descoberto, mas, como ele lidava com casos que nunca iam diretamente para os tribunais, suas atividades não foram percebidas por seus companheiros. Com o glamour de suas duas condenações, ele tinha passe livre em todos os clubes noturnos, pardieiros e inferninhos de jogo da cidade, e sua capacidade de observação rápida e seu cérebro ágil fizeram dele um agente ideal para a obtenção de informações. E era a ele que Sherlock Holmes queria recorrer agora.

Não me foi possível acompanhar os passos imediatos do meu amigo porque eu tinha alguns negócios profissionais urgentes, mas marquei um encontro com ele naquela tarde, no Simpson, onde, sentado a uma mesinha na janela da frente e observando o apressado fluxo de vida no Strand, ele me contou um pouco do que acontecera.

— Johnson está em ação. Ele pode encontrar alguma pista nos cantos mais escuros do submundo, porque é lá embaixo, entre as raízes obscuras do crime, que devemos procurar os segredos deste homem.

— Mas, se a moça não quer aceitar o que já se sabe, por que alguma nova descoberta iria fazê-la mudar de ideia?

— Quem sabe, Watson? O coração e a mente da mulher são para o homem enigmas insolúveis. O homicídio pode ser perdoado ou explicado, mas algum crime menor pode irritar. O barão Gruner me fez uma advertência.

— Ele o advertiu!

— Oh, é claro que não lhe contei os meus planos! Bem, Watson, adoro combater de perto o meu homem. Gosto de encontrá-lo cara a cara e descobrir pessoalmente de que matéria ele é feito. Após dar instruções a Johnson, tomei um táxi para Kingston e encontrei o barão num estado de espírito bastante afável.

— Ele o reconheceu?

— Quanto a isto não houve dificuldade, porque apenas mandei entregar-lhe o meu cartão. Ele é um excelente adversário, frio como o gelo, voz macia e tão tranquilizadora quanto qualquer um de seus médicos especialistas, e venenoso como uma cascavel. Ele tem raça, um verdadeiro aristocrata do crime, lembrando ao mesmo tempo o chá das cinco e toda a crueldade do túmulo. Sim, estou satisfeito por ter voltado minha atenção para o barão Gruner.

— Você disse que ele foi afável?

— Um gato ronronando porque pensa que tem um rato em perspectiva. A afabilidade de certas pessoas é mais mortal do que a violência de almas mais rudes. Seu cumprimento foi característico. "Pensei que iria, com toda a certeza, vê-lo mais cedo ou mais tarde, sr. Holmes", ele disse. "O senhor deve ter sido contratado pelo general de Merville para tentar impedir meu casamento com a filha dele, Violet. É isso, não?"

"Concordei.

"'Meu caro', ele disse, 'o senhor apenas arruinará sua merecida reputação. Este não é um caso em que possa ter êxito. Seu trabalho será infrutífero, para não falar que estará sujeito a algum perigo. Deixe-me adverti-lo veementemente para que se afaste de vez'.

"'É curioso', respondi, 'pois é o mesmo conselho que pretendia lhe dar. Respeito a sua inteligência, barão, e o pouco que vi de sua personalidade não a diminui em meu conceito. Deixe-me expor-lhe isto, de homem para homem. Ninguém deseja revolver seu passado e deixá-lo excessivamente desconfortável. O que passou passou e o senhor agora está em águas tranquilas, mas, se insistir neste casamento, vai atiçar um enxame de inimigos poderosos, que não o deixarão em paz até que tenham inflamado a Inglaterra o bastante para que o agarrem. Será que o jogo vale a pena? Certamente, seria mais prudente deixar a moça em paz. Não seria agradável para o senhor se esses fatos do seu passado fossem levados ao conhecimento dela'.

"O barão tem, embaixo do nariz, pequenas pontas engorduradas de cabelo semelhantes às curtas antenas de um inseto. Esses cabelos tremiam enquanto o barão ouvia, e ele, finalmente, deu uma risadinha.

"'Desculpe-me por ter achado graça, sr. Holmes', ele disse, 'pois realmente é divertido vê-lo tentando jogar sem ter cartas na mão. Acho que ninguém poderia fazê-lo melhor, mas, de qualquer maneira, é um tanto patético. Nenhuma carta na mão, sr. Holmes. Nada, nem a menor delas'.

"'É o que o senhor pensa.'

"'É o que sei. Deixe-me esclarecer uma coisa para o senhor, porque meu jogo é tão forte que posso me dar ao luxo de mostrá-lo. Tive a sorte de conquistar a afeição dessa dama. Essa afeição foi-me dedicada apesar de eu ter-lhe contado muito claramente todos os incidentes infelizes da minha vida passada. Também disse a ela que certas pessoas perversas e mal-intencionadas — espero que o senhor reconheça que está entre elas — iriam contar-lhe essas coisas, e a preveni, para que soubesse como tratá-las. Já ouviu falar em sugestão pós-hipnótica, sr. Holmes? Bem, o senhor verá como ela funciona, porque um homem de personalidade pode usar o hipnotismo sem aplicar passes ou outras tolices vulgares. De modo que ela está preparada para o senhor e, não tenho dúvida, irá conceder-lhe uma entrevista, pois é bastante submissa à vontade paterna... exceto neste assunto.'

"Bem, Watson, parecia que não havia mais nada a dizer, de modo que eu me despedi da maneira mais digna e fria que pude, mas, quando eu estava com a mão na maçaneta da porta, ele me fez parar.

"'A propósito, sr. Holmes', ele disse, 'o senhor conhece o agente francês Le Brun?'

"'Conheço', respondi.

"'O senhor sabe o que aconteceu com ele?'

"'Ouvi dizer que foi espancado por alguns Apaches, no distrito de Montmartre, e ficou aleijado para o resto da vida.'

"'Exatamente, sr. Holmes. Por uma curiosa coincidência, ele estava investigando os meus negócios apenas uma semana antes. Não faça o mesmo, sr. Holmes, pois não dá sorte. Muitos descobriram isso. Minha última palavra é: siga seu próprio caminho e deixe que eu siga o meu. Adeus!'

"Foi isso, Watson. Você agora está atualizado."

— O sujeito parece perigoso.

— Muitíssimo perigoso. Eu desprezo o fanfarrão, mas ele é o tipo do homem que diz muito menos do que aquilo que pretende fazer.

— Você precisa interferir? Importa realmente se ele se casar com a moça?

— Considerando que ele, sem dúvida nenhuma, assassinou sua última esposa, eu diria que importa muito. Além disso, o cliente! Bem, bem, não precisamos discutir isso. Quando você terminar seu café, será melhor vir comigo até minha casa, pois o jovial Shinwell estará lá com seu relatório.

Nós o encontramos mesmo; um homem enorme, rude, de rosto vermelho, com olhos pretos e vivos, único sinal exterior de uma mente muito ágil. Parecia que ele havia penetrado naquilo que era tipicamente o seu mundo, e ao lado dele, no sofá, estava um tipo que ele trouxera, uma jovem esbelta, vistosa, de rosto pálido e enérgico, mas tão devastada pelo pecado e pela tristeza que era possível perceber os anos terríveis que haviam deixado nela a sua marca.

— Esta é a srta. Kitty Winter — disse Shinwell Johnson, balançando sua gorda mão num gesto de apresentação. — O que ela não sabe, bem, olhe, ela mesma falará. Botei as mãos nela, sr. Holmes, uma hora depois de ter recebido sua mensagem.

— Sou fácil de ser encontrada — disse a jovem. — Que inferno Londres, sempre me encontram. O mesmo endereço para o Gordo Shinwell. Somos velhos companheiros, o Gordo, você e eu. Mas valha-me Deus! Há um outro que devia estar lá embaixo, num inferno ainda pior do que o nosso se houvesse justiça no mundo. Esse é o homem que o senhor está procurando, sr. Holmes.

Holmes sorriu.

— Entendo que está nos desejando boa sorte, srta. Winter.

— Se eu puder ajudar a levá-lo para o lugar onde ele devia estar, pode contar comigo — disse a nossa visitante com uma energia feroz. Havia muito ódio no seu rosto branco e decidido, e nos seus olhos em chamas, numa intensidade que as mulheres raramente conseguem atingir, e os homens, nunca. — O senhor não precisa investigar o meu passado, sr. Holmes. Meu passado não é nem bom nem mau. Mas o que sou devo a Adelbert Gruner. Se eu pudesse destruí-lo! — Ela cerrou os punhos furiosamente, erguendo as mãos. — Oh, se eu pudesse arrastá-lo para o fosso onde ele jogou tanta gente!

— Você sabe do que se trata?

— O Gordo Shinwell me falou a respeito. Ele está atrás de alguma outra pobre tola, e desta vez quer se casar com ela. O senhor quer impedi-lo. Bem, o senhor deve saber bastante a respeito desse demônio para impedir qualquer moça decente, em seu juízo perfeito, de compartilhar sua vida.

— Ela não está em seu juízo perfeito. Ela está loucamente apaixonada. Já lhe contaram tudo a respeito dele. Ela não se importa.

— Falaram-lhe sobre o assassinato?

— Sim.

— Meu Deus, ela deve ser muito corajosa!

— Ela refuta tudo como sendo calúnias.

— O senhor não poderia colocar provas diante de seus olhos estúpidos?

— Bem, poderia nos ajudar nisso?

— Não sou eu mesma uma prova? E se eu ficasse na frente dela e lhe contasse como ele me usou?

— Você faria isto?

— Se eu o faria? Como não!

— Bem, deve valer a pena tentar. Mas ele contou a ela a maior parte de seus pecados e recebeu seu perdão, e sei que ela não vai querer voltar ao assunto.

— Eu direi que ele não lhe contou tudo — disse a srta. Winter. — Soube de mais um ou dois assassinatos além daquele que causou tanta confusão. Ele costumava falar de alguém, com sua voz aveludada, depois olhava para mim com o olhar firme e dizia: "Ele morreu em um mês." Não era mentira dele, de modo nenhum. Mas eu prestava pouca atenção. O senhor compreende, naquele tempo eu o amava. Tudo o que ele fazia eu aceitava, do mesmo modo que esta pobre tola! Houve apenas uma coisa que me chocou. Sim, por Deus! Se não fosse por sua língua venenosa e mentirosa, que explica e tranquiliza, eu o teria deixado naquela mesma noite. Trata-se de um livro que ele tem, um livro de couro marrom com um fecho, e seu brasão em ouro na parte de fora. Acho que naquela noite ele estava um pouco bêbado, do contrário não teria me mostrado esse livro.

— O que era este livro?

— Eu lhe digo, sr. Holmes. Este homem coleciona mulheres e tem orgulho disso, assim como alguns homens colecionam mariposas ou borboletas. Ele tinha tudo no seu livro. Instantâneos fotográficos, nomes, detalhes, tudo sobre elas. Era um livro abominável, um livro que nenhum homem, mesmo que tivesse vindo da sarjeta, poderia ter organizado. Mas era o livro de Adelbert Gruner, de qualquer modo. "Almas que arruinei", ele poderia ter escrito isto na capa se tivesse espírito. Mas isso não vem ao caso porque o livro não lhe serviria, e se servisse o senhor não poderia obtê-lo.

— Onde está o livro?

— Como posso lhe dizer onde está agora? Faz mais de um ano que o deixei. Naquela ocasião eu sabia onde ele o guardava. Em muitos de seus hábitos ele parece um gato cuidadoso e ordeiro, de modo que talvez o livro ainda esteja no escaninho da velha escrivaninha, no escritório interno. O senhor conhece a casa dele?

— Estive no escritório — disse Holmes.

— Esteve lá? O senhor foi rápido no seu trabalho, se só começou esta manhã. Talvez o querido Adelbert desta vez tenha encontrado um inimigo à altura. O escritório externo é aquele com as louças chinesas, uma grande estante envidraçada entre as janelas. Atrás da escrivaninha está a porta que dá no seu gabinete interno, uma sala pequena, onde ele guarda papéis e coisas.

— Ele não tem medo de ladrões?

— Adelbert não é covarde. Nem seu pior inimigo poderia dizer isso dele. Ele sabe se defender. À noite há um alarme contra ladrões. Além do mais, o que é que tem lá para um ladrão, a menos que o ladrão leve toda aquela louça bonita?

— Nada feito — disse Shinwell Johnson com a voz decidida de um especialista. — Nenhum comprador de objetos roubados quer coisas desse tipo, que você não pode derreter nem vender.

— Exatamente — disse Holmes. — Bem, agora, srta. Winter, se vier até aqui amanhã às 17 horas, eu poderia, enquanto isso, verificar se sua sugestão de conhecer esta moça poderia ser arranjada. Estou muitíssimo grato pela sua cooperação. Não preciso dizer que meus clientes levarão isto em consideração, prodigamente.

— De maneira alguma, sr. Holmes — exclamou a jovem. — Não estou interessada em dinheiro. Deixe-me ver este homem na lama e eu terei conseguido tudo o que quero; na lama, com meu pé na sua maldita cara. Este é o meu preço. Estarei com o senhor amanhã ou em qualquer outro dia, contanto que o senhor esteja em sua pista. O Gordo aqui lhe dirá onde me encontrar.

Só voltei a ver Holmes na noite seguinte, quando jantamos mais uma vez no restaurante do Strand. Ele deu de ombros quando lhe perguntei se teve sorte em sua entrevista. Então contou a história, que vou reproduzir a meu modo. Seu relato ríspido e seco precisa ser um pouco mais burilado para se tornar real.

— Não houve nenhuma dificuldade quanto à entrevista — disse Holmes —, pois a moça vangloria-se de mostrar uma obediência filial abjeta em todas as coisas secundárias, numa tentativa de compensar sua flagrante violação desta obediência no caso do seu noivado. O general telefonou informando que estava tudo preparado, e a impetuosa srta. Winter compareceu, de acordo com o combinado, de modo que às 17h30 um táxi nos deixou em frente ao número 104 da Berkeley Square, onde mora o velho soldado. Um daqueles horríveis castelos londrinos cinzentos que fariam uma igreja parecer insignificante. Um lacaio nos levou até uma grande sala de visitas com cortinas amarelas, e lá estava a moça nos esperando, séria, pálida, controlada, tão inflexível e distante quanto uma figura de neve sobre uma montanha.

"Não sei como descrevê-la para você, Watson. Talvez você deva encontrá-la antes de terminarmos, e possa usar seu próprio dom da palavra. Ela é bonita, mas com aquela beleza etérea sobrenatural de uma fanática, cujos pensamentos estão voltados para o alto. Já vi rostos assim nos quadros dos velhos mestres da Idade Média. Não consigo imaginar como uma besta humana pôde botar suas patas depravadas sobre este ser do além. Você deve ter observado como os extremos se atraem, o espiritual atrai o animal, o homem das cavernas é atraído pelos anjos. Você nunca viu caso pior do que este.

"É claro que ela sabia o motivo da nossa presença — aquele vilão não perdera tempo, envenenando a mente dela contra nós. A presença da srta. Winter, eu creio, deixou-a um pouco assustada, mas ela indicou nossas cadeiras como uma venerável abadessa recebendo dois mendigos leprosos. Se sua cabeça tem propensão à soberba, meu caro Watson, faça um curso com a srta. Violet de Marville.

"'Bem, senhor', ela disse com uma voz que parecia o vento vindo de um *iceberg*, 'seu nome me é familiar. Sei que o senhor veio nos visitar para difamar meu noivo, o barão Gruner. Foi só porque o meu pai pediu que eu o recebo, e advirto-o de antemão que nada que o senhor disser poderá me influenciar'.

"Tive pena, Watson. Naquele instante pensei nela como teria pensado numa filha. Não costumo ser eloquente. Uso a cabeça, não o coração. Mas realmente argumentei com ela, com todo o ardor de que minha natureza é capaz. Descrevi-lhe a terrível situação da mulher que só descobre o caráter de um homem depois que se torna sua esposa — uma mulher que tem de se sujeitar a ser acariciada por mãos sanguinárias e lábios lascivos. Não lhe poupei coisa alguma: a vergonha, o medo, a agonia, a desesperança de tudo. Minhas palavras apaixonadas não conseguiram trazer qualquer colorido àquelas faces de marfim ou um brilho de emoção àqueles olhos ausentes. Pensei no que o canalha dissera a respeito da influência pós-hipnótica. Podia-se mesmo acreditar que ela vivia acima da Terra, em algum sonho extático. Mas não havia nada de vago em suas respostas.

"'Eu o ouvi com paciência, sr. Holmes', ela disse. 'O efeito sobre a minha mente é exatamente o que estava previsto. Sei que Adelbert, meu noivo, teve uma vida tumultuada, que lhe acarretou ódios amargos e a mais injusta das desonras. O senhor é apenas o último de uma série de pessoas que me contaram calúnias a seu respeito. Possivelmente está bem-intencionado, embora eu saiba que é um agente pago e que estaria tão disposto a agir a favor do barão quanto contra ele. Mas, de qualquer modo, quero que compreenda de uma vez por todas que eu o amo e que ele me ama, e que a opinião do mundo inteiro não significa mais para mim do que o chilrear daqueles pássaros do lado de fora da janela. Se sua natureza nobre, alguma vez, por um instante, degradou-se, pode ser que eu tenha sido especialmente enviada para conduzi-la ao seu verdadeiro nível elevado. Não sei', aqui ela olhou minha acompanhante, 'quem é esta jovem senhora'.

"Eu estava prestes a responder quando a moça começou a falar como um turbilhão. Se alguma vez você viu fogo e gelo face a face, eram aquelas duas mulheres.

"'Eu vou lhe dizer quem sou!', ela gritou, saltando da cadeira, a boca retorcida pela emoção. 'Sou a última amante dele. Sou uma entre as cem que ele tentou, usou, arruinou e atirou na pilha de refugos, como fará com você também. Sua pilha de refugos mais parece um túmulo e talvez assim seja melhor. Eu lhe direi, mulher tola, se vier a se casar com este homem, ele será como a morte para você. Pode ser um coração dilacerado, ou, talvez, um pescoço quebrado, mas ele o fará, de uma maneira ou de outra. Não é por amor a você que estou falando. A mim não importa que você viva ou morra. É por ódio, para contrariá-lo e para devolver-lhe tudo o que me fez. Mas tanto faz, e você não precisa me olhar deste jeito, minha fina senhorita, pois poderá tornar-se inferior a mim antes de terminar com ele.'

"'Prefiro não discutir esses assuntos', disse a srta. De Merville friamente. 'Deixe-me dizer, de uma vez por todas, que estou ciente dos três incidentes na vida do meu noivo, nos quais ele se enredou com mulheres astuciosas, e que eu estou certa de seu arrependimento sincero por qualquer mal que ele possa ter praticado.'

"'Três incidentes!', gritou minha companheira. 'Sua tola! Sua tola de uma figa!'

"'Sr. Holmes, peço-lhe que dê esta entrevista por encerrada', disse a voz gelada. 'Recebendo-o e ouvindo-o, obedeci à vontade de meu pai, mas não sou obrigada a ouvir os delírios desta pessoa.'

"Com uma imprecação, a srta. Winter precipitou-se para a frente e, se eu não a segurasse pelo pulso, teria agarrado pelos cabelos esta mulher encolerizada. Eu a puxei em direção à porta e tive a sorte de colocá-la de volta dentro do táxi sem uma cena, pois ela estava fora de si de raiva. De maneira controlada, eu mesmo estava furiosíssimo, Watson, porque havia algo indescritivelmente incômodo na calma indiferença, e na suprema autocomplacência daquela mulher que tentávamos salvar. Portanto agora, mais uma vez, você sabe exatamente em que pé estamos, e é evidente que preciso planejar alguma nova jogada, pois esta inicial não vai adiantar. Vou manter contato com você, Watson, pois é muito provável que você tenha de representar sua parte, mas talvez a próxima jogada seja mais deles do que nossa."

E foi. Eles deram o golpe, ou melhor, ele deu, porque jamais pude acreditar que a srta. De Merville tivesse conhecimento disso. Acho que eu seria capaz de mostrar-lhe exatamente onde eu estava quando meus olhos caíram sobre o título de uma notícia, e uma angústia atravessou minha alma. Foi entre o Grand Hotel e a estação de Charing Cross, onde um jornaleiro perneta exibia os jornais vespertinos. Isto foi apenas dois dias depois da última conversa. Ali, em letras grandes, estava o terrível cabeçalho.

Assassino Ataca Sherlock Holmes

Creio que fiquei atordoado durante alguns minutos. Depois, lembro-me vagamente de ter apanhado um jornal, dos protestos do homem a quem eu não paguei, e, finalmente, de ficar parado na porta de uma farmácia enquanto procurava o parágrafo fatídico. Que dizia o seguinte:

"Soubemos, com pesar, que o sr. Sherlock Holmes, o famoso detetive particular, foi vítima, esta manhã, de uma tentativa de homicídio que o deixou bastante machucado. Não temos detalhes precisos, mas parece que o fato ocorreu por volta de meio-dia, na Regent Street, em frente ao Café Royal. Ele foi atacado por dois homens armados com pedaços de pau e o sr. Holmes levou pancadas na cabeça e no corpo, ficando com ferimentos que os médicos consideram muito graves. Ele foi levado para o hospital de Charing Cross e depois insistiu em ser conduzido para os seus aposentos na Baker Street. Parece que os bandidos que o atacaram eram homens bem-vestidos, e escaparam dos transeuntes que assistiram à cena passando por dentro do Café Royal e pela Glasshouse Street, que fica atrás do café. Não há dúvida de que eles pertencem à fraternidade criminosa que tantas vezes teve ocasião de lastimar a energia e o talento do homem agora ferido."

Não preciso dizer que mal acabara de dar uma olhada na notícia e já saltava para dentro de um coche, seguindo para a Baker Street. Encontrei *sir* Leslie Oakshott, o famoso cirurgião, no hall, e sua carruagem esperando no meio-fio.

— Nenhum perigo imediato — foi o que ele informou. — Dois cortes no couro cabeludo e algumas escoriações graves. Foram necessários muitos pontos. Ele recebeu injeção de morfina, e o repouso é essencial, mas uma visita de alguns minutos não está totalmente proibida.

Com esta permissão, entrei silenciosamente no quarto em penumbra. O paciente estava acordado, e escutei meu nome num sussurro rouco. A veneziana estava quase toda fechada, mas um raio de sol entrava obliquamente, incidindo na cabeça enfaixada do homem ferido. Uma mancha vermelha tinha molhado as ataduras brancas. Sentei-me a seu lado e inclinei a cabeça.

— Tudo bem, Watson. Não fique tão assustado — murmurou ele numa voz muito fraca. — Não é tão mau quanto parece.

— Graças a Deus!

— Como você sabe, sou um hábil esgrimista. Coloquei muitos deles em posição de defesa. O segundo homem é que foi demais para mim.

— O que posso fazer, Holmes? É claro que foi aquele maldito sujeito que os mandou. Irei arrancar-lhe o couro, se me ordenar.

— Meu velho e bom Watson! Não podemos fazer nada até que a polícia ponha as mãos neles. Mas sua fuga foi bem preparada. Podemos estar certos disso. Espere um pouco. Tenho meus planos. A primeira coisa é exagerar meus ferimentos. Eles irão procurá-lo para saber notícias. Exagere, Watson. Diga que serei um felizardo se conseguir viver esta semana, concussão, delírio, o que você quiser! Você só não pode exagerar demais.

— E *sir* Leslie Oakshott?

— Oh, tudo bem. Ele conhecerá o meu pior lado. Cuidarei disso.

— Alguma coisa mais?

— Sim. Diga a Shinwell Johnson para afastar aquela moça. Aquelas belezinhas irão atrás dela agora. Naturalmente, eles sabem que ela está me ajudando neste caso. Se ousaram me atacar, não é provável que a esqueçam. É urgente. Faça isto hoje à noite.

— Vou embora agora. Mais alguma coisa?

— Coloque meu cachimbo na mesa... e a bolsa de tabaco. Bem! Venha todas as manhãs e faremos nosso plano de ação.

Naquela tarde combinei com Johnson que ele levaria a srta. Winter para um subúrbio tranquilo e a manteria escondida até passar o perigo.

Durante seis dias o público ficou com a impressão de que Holmes estava às portas da morte. Os boletins eram muito sombrios, e havia parágrafos sinistros nos jornais. Minhas visitas constantes deram-me a certeza de que seu estado não era tão grave assim. Sua constituição resistente e sua determinação faziam maravilhas. Recuperava-se rapidamente e às vezes eu suspeitava que ele, na verdade, estava melhor do que fingia estar, mesmo para mim. Havia naquele homem um curioso traço de discrição que resultava em muitos efeitos dramáticos, mas que deixava até seu amigo mais íntimo imaginando quais seriam exatamente os seus planos. Ele levou ao extremo o axioma de que o único planejador seguro é o que planeja sozinho. Eu estava mais próximo dele do que qualquer outra pessoa, e mesmo assim estava sempre consciente da distância entre nós.

No sétimo dia os pontos foram retirados, e apesar disso os jornais vespertinos publicaram uma notícia sobre erisipela. Os mesmos vespertinos noticiaram que eu estava pronto para levar meu amigo, quer ele estivesse bem ou mal. E dizia simplesmente que, entre os passageiros do navio *Ruritania*, da empresa Cunard, que partia de Liverpool na sexta-feira, estava o barão Adelbert Gruner, que tinha de tratar de alguma transação financeira importante nos Estados Unidos antes de seu casamento com a srta. Violet de Merville, única filha de etc. etc. Holmes ouviu as notícias com o olhar frio e concentrado, e seu rosto pálido me mostrou que a notícia o abalara bastante.

— Sexta-feira! — ele gritou. — Apenas três dias! Acho que o velhaco quer se colocar fora de perigo. Mas ele não o fará, Watson. Por Deus, ele não o fará! Agora, Watson, preciso que você faça uma coisa para mim.

— Estou aqui para ser útil, Holmes.

— Bem, então dedique as próximas 24 horas a um estudo intensivo de cerâmica chinesa.

Ele não deu explicação e eu não pedi nenhuma. Por meio de longa experiência eu aprendera a sabedoria da obediência. Mas, quando saí do quarto, desci a Baker Street me perguntando como eu iria cumprir uma ordem tão estranha. Finalmente, segui para a Biblioteca de Londres, em James's Square, expus o assunto ao meu amigo Lomax, o bibliotecário-assistente, e saí com um volume respeitável debaixo do braço.

Dizem que o advogado que estuda um caso com zelo, mas às pressas, a fim de interrogar uma testemunha especialista na segunda-feira, no sábado já esqueceu todo o conhecimento que foi obrigado a adquirir. Claro que eu agora não gostaria de bancar uma autoridade em cerâmica. Mesmo assim, durante toda aquela tarde e toda aquela noite, com um pequeno intervalo para descanso, e durante toda a manhã seguinte, eu absorvia conhecimentos e decorava nomes. Aprendi sobre os carimbos em ouro e prata dos grandes artistas decoradores, o mistério das datas cíclicas, os símbolos do Hung-wu e as belezas do Yung-lo, os manuscritos de Tang-ying e as glórias do período primitivo do Sung e do Yuan. Na tarde seguinte, quando visitei Holmes, já estava de posse de todas essas informações. Ele já saíra da cama, embora não se pudesse adivinhar isto pelas notícias publicadas, e estava sentado em sua poltrona preferida, com a cabeça enfaixada apoiada na mão.

— Ora, Holmes — eu disse —, quem acredita em jornais pensa que você está morrendo.

— É esta — ele disse — a impressão que pretendo dar. E então, Watson, já aprendeu sua lição?

— Pelo menos tentei.

— Ótimo. Você conseguiria manter uma conversa inteligente sobre o assunto?

— Creio que sim.

— Então, pegue aquela caixinha na prateleira sobre a lareira.

Ele abriu a tampa e tirou um pequeno objeto, cuidadosamente enrolado em magnífica seda oriental. Desembrulhou-o e fez surgir um pires pequeno e delicado, do mais belo azul-escuro.

— É preciso segurar com cuidado, Watson. Esta é a verdadeira porcelana chinesa casca de ovo, da dinastia Ming. Nenhuma peça mais delicada jamais passou pela Christie's. Um aparelho completo desta cerâmica é digno de um resgate real. Na verdade, não se sabe se existe um conjunto completo fora do Palácio Imperial de Pequim. Este pires deixaria maluco um verdadeiro conhecedor.

— O que devo fazer com isso?

Holmes me estendeu um cartão onde se lia: Dr. Hill Barton, 369, Half Moon Street.

— Este será o seu nome esta tarde, Watson. Você irá visitar o barão Gruner. Sei alguma coisa a respeito de seus hábitos, e às 20h30 ele provavelmente estará livre. Um bilhete avisará antes que você vai visitá-lo, e você dirá que está levando um exemplar de um aparelho de porcelana Ming muito raro. Você pode também ser um médico, já que este é um papel que você pode desempenhar sem duplicidade. Você é um colecionador, este aparelho lhe chegou às mãos, você ouviu falar do interesse do barão pelo assunto e não se recusa a vendê-lo por determinado preço.

— Que preço?

— Boa pergunta, Watson. Você certamente se daria mal se não soubesse o preço de sua mercadoria. Foi *sir* James que conseguiu este pires para mim, e suponho que faça parte da coleção do cliente dele. Você não estará exagerando se disser que dificilmente pode haver outra peça igual no mundo.

— Eu poderia sugerir que o aparelho fosse avaliado por um especialista.

— Excelente, Watson! Você está brilhante hoje. Sugira Christie ou Sotheby. A sua delicadeza impede que você mesmo determine o preço.

— E se ele não quiser me receber?

— Oh, sim, ele o receberá. Ele sofre da mania de coleção sob a forma mais aguda, e principalmente deste tipo de coleção, porque é uma autoridade reconhecida neste assunto. Sente-se, Watson, e eu ditarei a carta. Não há necessidade de resposta. Você apenas dirá que vai vê-lo e por quê.

A carta era um documento admirável, curto, polido e estimulante para a curiosidade de um *connaisseur*. Foi enviada por um mensageiro. Na mesma noite, com o precioso pires na mão e o cartão do dr. Hill Barton no bolso, parti para a minha aventura.

A beleza da casa e dos jardins indicava que o barão Gruner era, como *sir* James havia dito, um homem muito rico. Um acesso longo e curvo, com arbustos raros de ambos os lados, dava numa grande praça de cascalho adornada com estátuas. A casa foi construída por um rei do ouro sul-africano, nos dias do grande *boom*, e a casa comprida e baixa, com suas pequenas torres nas extremidades, apesar de um pesadelo arquitetônico, era imponente em seu tamanho e solidez. Um mordomo, que mais parecia um bispo, me fez entrar e entregou-me a um lacaio vestido com roupa de pelúcia, que me levou à presença do barão.

Ele estava de pé diante de uma grande estante aberta que ficava entre as janelas e que continha parte de sua coleção chinesa. Quando entrei, ele virou-se, tendo na mão um pequeno vaso marrom.

— Queira sentar-se, por favor, doutor — ele disse. — Eu estava examinando meus tesouros e me perguntando se poderia arcar com despesas para aumentar esta coleção. Este pequeno exemplar Tang, que data do século VII, provavelmente lhe interessaria. Tenho certeza de que nunca viu artesanato mais admirável ou um polimento mais magnífico. O senhor trouxe o pires Ming de que falou?

Desembrulhei-o com cuidado e o entreguei a ele. Ele sentou-se à sua escrivaninha, puxou a lâmpada, pois estava ficando escuro, e passou a examiná-lo. A luz amarela batia em seu rosto, e pude observá-lo atentamente.

Era de fato um homem bonito. Sua fama europeia de beleza era inteiramente merecida. Sua altura era mediana, mas tinha traços graciosos e enérgicos. Seu rosto era moreno, quase oriental, com grandes olhos escuros e lânguidos que podiam facilmente provocar uma fascinação irresistível nas mulheres. O cabelo e o bigode eram negros e lustrosos, e o bigode era curto, pontudo e cuidadosamente encerado. Seus traços eram regulares e agradáveis, com exceção de sua boca reta de lábios finos. Se alguma vez vi a boca de um assassino, ali estava ela — um talhe cruel e duro em seu rosto, cerrada, inexorável e terrível. Ele não deveria ter afastado o bigode da boca deixando-a descoberta, pois ela era um sinal de perigo, um aviso da natureza às suas vítimas. Sua voz era sedutora e suas maneiras perfeitas. Quanto à idade, eu teria calculado um pouco mais de trinta anos, embora seu registro mostrasse mais tarde que ele tinha 42.

— Muito bonito, realmente muito bonito! — ele disse depois de algum tempo. — E o senhor diz que tem um jogo com meia dúzia deles. O que me intriga é que eu não tenha ouvido falar de peças tão magníficas. Eu sabia de apenas um na Inglaterra que poderia se comparar a este, mas com certeza não está à venda. Seria indiscrição se eu lhe perguntasse, dr. Hill Barton, como o obteve?

— Será que isto realmente tem importância? — perguntei com o ar mais displicente que consegui exibir. — O senhor pode ver que a peça é genuína, e, quanto ao valor, eu me contento em aceitar a avaliação de um perito.

— Muito misterioso — disse ele com um brilho rápido e desconfiado em seus olhos escuros. — Quem negocia com objetos tão valiosos quer saber tudo sobre a transação. Que a peça é genuína, é certo.

Não tenho nenhuma dúvida a esse respeito. Mas suponha, sou obrigado a levar em consideração todas as possibilidades, que mais tarde fique provado que o senhor não tinha o direito de vendê-la?

— Eu lhe daria uma garantia contra qualquer alegação deste tipo.

— Isso, naturalmente, suscitaria a questão do mérito de sua garantia.

— Meus banqueiros responderiam por isto.

— Com certeza. Mas toda a transação me parece um tanto estranha.

— O senhor pode ou não fazer negócio — eu disse com indiferença. — Fiz minha primeira oferta ao senhor, pois sabia que era um *connaisseur*, mas não teria nenhuma dificuldade com outros.

— Quem lhe disse que eu era um *connaisseur*?

— Eu sabia que o senhor havia escrito um livro sobre o assunto.

— Já leu o livro?

— Não.

— Valha-me Deus! É cada vez mais difícil entender! O senhor é um *connaisseur* e colecionador, com uma peça muito valiosa em sua coleção, e mesmo assim nunca se deu ao trabalho de consultar o único livro que lhe teria informado o verdadeiro significado e o valor do que possui. Como explica isto?

— Sou um homem muito ocupado. Sou um médico que pratica a medicina.

— Isto não é resposta. Se um homem tem um *hobby*, dedica-se a ele, sejam quais forem suas outras ocupações. No bilhete o senhor me disse que era um *connaisseur*.

— E sou.

— Posso fazer-lhe algumas perguntas para testá-lo? Sou obrigado a dizer-lhe, doutor, se é mesmo um médico, que este caso está ficando cada vez mais suspeito. Eu lhe perguntaria o que sabe sobre o imperador Shomu e como o senhor o associa ao Shoso-in, perto de Nara? Valha-me Deus, isto o deixa confuso? Fale-me um pouco a respeito da dinastia Wei, do Norte, e o lugar que ocupa na história das cerâmicas.

Saltei da cadeira com uma raiva fingida.

— Isto é intolerável, senhor — eu disse. — Venho aqui para fazer-lhe um favor, e não para ser examinado como se fosse um colegial. Meu conhecimento sobre estes assuntos pode ser inferior ao seu, mas não é por isso que responderei a perguntas feitas de maneira tão ofensiva.

Ele me olhou com firmeza. A languidez havia desaparecido de seus olhos. De repente, eles brilharam de raiva. Houve um cintilar de dentes por entre aqueles lábios cruéis.

— Qual é o jogo? O senhor está aqui como espião. O senhor é um emissário de Holmes. Isto é um estratagema contra mim. Ouvi dizer que o sujeito está morrendo, de modo que ele envia seus instrumentos para me vigiar. O senhor poderá achar mais difícil sair daqui do que entrar.

Ele ficou de pé num salto, e eu recuei, preparando-me para um ataque, pois o homem estava fora de si de raiva. Ele devia ter suspeitado de mim desde o início; certamente este interrogatório mostrou-lhe a verdade; mas estava claro que eu não conseguiria enganá-lo. Ele enfiou a mão numa gaveta lateral e tateou com raiva entre os papéis. Nesse momento, ele ouviu alguma coisa, porque parou e ficou prestando atenção.

— Ah! — ele gritou. — Ah! — E correu para dentro do aposento que ficava atrás dele.

Em dois passos cheguei até a porta aberta, e minha mente sempre se recordará nitidamente da cena ali dentro. A janela que dava para o jardim estava aberta. Ao lado dela estava Sherlock Holmes parecendo um terrível fantasma, a cabeça envolta em ataduras ensanguentadas, o rosto contraído e branco. No instante seguinte ele atravessava a brecha da janela, e ouvi o estrondo de seu corpo entre os arbustos de louro do lado de fora. Com um gemido de raiva, o dono da casa precipitou-se atrás dele até a janela.

E então! Aconteceu num instante, e mesmo assim eu vi com clareza. Um braço — um braço de mulher — surgiu por entre as folhagens. Na mesma hora o barão deu um grito terrível — um uivo que ressoará eternamente em meus ouvidos. Ele bateu com as duas mãos no rosto e começou a correr em círculos pelo aposento, batendo com a cabeça nas paredes. Depois caiu no tapete, rolando e retorcendo-se, enquanto seus gritos ressoavam pela casa.

— Água! Pelo amor de Deus, água! — ele gritava.

Peguei uma garrafa numa mesa lateral e corri em seu auxílio. Neste momento o mordomo e vários criados entraram vindos do hall.

Lembro que um deles desmaiou quando me ajoelhei ao lado do homem ferido e virei aquele rosto horrível para a luz da lâmpada. O ácido sulfúrico estava comendo tudo e pingava das orelhas e do queixo. Um olho já estava branco e vidrado. O outro, vermelho e inflamado. As feições que eu admirara alguns minutos antes pareciam agora uma bela pintura sobre a qual o artista passou uma esponja úmida e imunda. Elas estavam borradas, descoloridas, medonhas, não pareciam humanas.

Em poucas palavras expliquei exatamente o que havia ocorrido, em relação ao ataque com o ácido. Alguns saltaram pela janela e outros correram para fora, em direção ao gramado, mas estava escuro e começara a chover. Em meio a gritos, a vítima enfurecia-se e ameaçava o vingador.

— Foi aquela mulher vingativa, Kitty Winter! — ele gritou. — Oh, aquele demônio! Ela pagará por isso! Ela pagará! Oh, Deus do céu, esta dor é mais do que eu posso suportar!

Banhei seu rosto com óleo, coloquei algodão nas partes em carne viva e dei-lhe uma injeção de morfina. Toda a desconfiança que ele tinha de mim desaparecera com o choque, e ele agarrava-se às minhas mãos como se eu tivesse o poder, ainda, de desembaçar aqueles olhos de peixe morto que se fixavam em mim. Eu poderia ter chorado diante daquela ruína se não me lembrasse muito bem da vida depravada que provocara aquela transformação medonha. Era repugnante sentir o toque de suas mãos queimadas, e fiquei aliviado quando o médico da família e, logo depois, um especialista, chegaram para me aliviar do meu fardo. Um inspetor de polícia também havia chegado, e eu entreguei a ele o meu verdadeiro cartão. Teria sido inútil e imprudente agir de outra forma, porque sou quase tão conhecido de vista pela Scotland Yard quanto o próprio Holmes. Em seguida, saí daquela casa de tristeza e terror. Uma hora depois eu estava na Baker Street.

Holmes estava sentado em sua cadeira de sempre e parecia muito pálido e exausto. Além de seus ferimentos, mesmo os seus nervos de aço ficaram abalados pelos acontecimentos da tarde, e ele ouviu com horror o meu relato sobre a transformação do barão.

— O preço do pecado, Watson, o preço do pecado! — ele disse. — Mais cedo ou mais tarde ele terá de ser pago. Deus sabe que havia pecado suficiente — acrescentou, pegando um livro marrom que estava na mesa: — Este é o livro de que a mulher falou. Se isto não desmanchar o noivado, nada jamais o fará. Mas este livro conseguirá, Watson. Tem de consegui-lo. Nenhuma mulher que se preza poderia suportar isto.

— É seu diário de amor?

— Ou seu diário de luxúria. Chame isto como quiser. Quando a mulher nos falou do livro, percebi que havia ali uma arma tremenda, se pudéssemos botar as mãos nele. Na hora, não disse nada que revelasse meus pensamentos, pois aquela mulher poderia me trair e contar a ele. Mas refleti sobre o assunto. Depois, esse ataque que sofri deu-me a oportunidade de fazer o barão pensar que não precisava tomar nenhuma precaução contra mim. Foi tudo providencial. Eu teria esperado mais um pouco, porém sua viagem aos Estados Unidos me obrigou a agir. Ele nunca deixaria para trás um documento tão comprometedor. Portanto, precisávamos agir imediatamente. Um assalto à noite é impossível. Ele toma precauções. Mas havia uma chance à tarde, se eu pelo menos pudesse ter certeza de que a atenção dele estaria ocupada. Foi aí que você e o seu pires entraram em ação. No entanto, eu precisava ter certeza do lugar onde estava o livro, e sabia que tinha apenas alguns minutos, porque meu tempo seria limitado pelos seus conhecimentos de porcelana chinesa. Por isso trouxe a moça comigo no último momento. Como eu poderia ter adivinhado o que continha o pacotinho que ela carregava com tanto cuidado debaixo da capa? Pensei que ela estivesse a meu serviço, mas parece que tinha um trabalho próprio a realizar.

— Ele adivinhou que eu fora mandado por você.

— Eu temia isso. Mas você o manteve no jogo o suficiente para que eu pudesse pegar o livro, embora não o suficiente para uma fuga despercebida. Ah, *sir* James, estou muito satisfeito por ter vindo!

Nosso elegante amigo apareceu, atendendo a uma convocação prévia. Ele ouviu com a maior atenção o relato de Holmes sobre os acontecimentos.

— Vocês fizeram maravilhas, maravilhas! — ele exclamou quando acabou de ouvir a narrativa. — Mas, se esses ferimentos são tão terríveis quanto o dr. Watson os descreve, certamente nosso objetivo de impedir o casamento está garantido, sem a necessidade de se fazer uso deste livro horrendo.

Holmes sacudiu a cabeça.

— Mulheres como De Merville não agem desta forma. Ela o amaria ainda mais como um mártir desfigurado. Não, não. É o seu lado moral, não físico, que precisamos destruir. Este livro a trará de volta à terra, não sei de mais nada que o conseguisse. Está escrito com sua própria caligrafia. Ela não pode ignorá-lo.

Sir James levou o livro e o pires precioso. Como eu já estava atrasado, desci com ele até a rua. Uma carruagem o esperava. Ele saltou para dentro dela, deu uma ordem apressada ao cocheiro, que trazia suas cores no chapéu, e partiu rapidamente. Jogou metade do seu sobretudo para fora da janela, a fim de cobrir o escudo sobre a almofada da porta, mas eu já o avistara, devido à luz que vinha da nossa porta. A surpresa me deixou sem ar. Então voltei e subi as escadas, em direção à sala de Holmes.

— Descobri quem é o nosso cliente — exclamei, entusiasmado com a minha grande novidade. — Holmes, ele é...

— É um amigo leal e um cavalheiro cortês — disse Holmes, erguendo a mão para me impedir de continuar. — Que isto, agora e para sempre, fique entre nós.

Não sei como foi usado o livro incriminador. *Sir* James deve ter conseguido isto. Ou é mais provável que uma tarefa tão delicada tenha sido confiada ao pai da jovem dama. De qualquer modo, o resultado foi aquele que se poderia desejar. Três dias depois apareceu uma nota no *The Morning Post* dizendo que o casamento do barão Adelbert Gruner com a srta. Violet de Merville não seria realizado. O mesmo jornal trazia os primeiros depoimentos do processo contra a srta. Kitty Winter, acusada de ter jogado ácido sulfúrico. Surgiram tantas circunstâncias atenuantes durante o julgamento que a sentença, como devem lembrar-se, foi a menor possível para um crime desse tipo. Sherlock Holmes foi ameaçado com uma ação judicial por roubo e arrombamento, mas, quando um objetivo é bom e o cliente é suficientemente ilustre, até a rígida lei britânica torna-se humana e elástica. Meu amigo até agora não foi para o banco dos réus.

A AVENTURA DO SOLDADO DESCORADO

As ideias de meu amigo Watson, embora limitadas, são extremamente obstinadas. Durante muito tempo ele me atormentou para que eu mesmo escrevesse uma aventura que eu tivesse vivido. Talvez eu tenha provocado essa insistência dele, já que muitas vezes lhe disse que suas narrativas são superficiais e o acusei de querer agradar ao gosto popular em vez de limitar-se rigidamente a fatos e números — "Tente você mesmo, Holmes!", ele revidou — e sou obrigado a admitir que, de pena na mão, começo a perceber que o assunto deve ser apresentado de modo que possa interessar ao leitor. O caso que vou narrar dificilmente pode falhar neste ponto, pois está entre os acontecimentos mais estranhos de minha coleção, embora, por acaso, Watson não tenha anotações sobre ele em sua agenda. Falando do meu velho amigo e biógrafo, aproveito esta oportunidade para frisar que, se carrego um companheiro em minhas várias e modestas investigações, não é por sentimentalismo ou capricho, mas porque Watson possui algumas características notáveis, às quais, em sua modéstia, ele dá pouca atenção, exagerando, ao mesmo tempo, as minhas próprias realizações. Um aliado que prevê minhas conclusões e o rumo de minhas ações é sempre perigoso, mas um que encara cada progresso como uma surpresa permanente e para quem o futuro é sempre um livro fechado é, realmente, um auxiliar ideal.

Descobri no meu caderno de apontamentos que foi em janeiro de 1903, logo após o fim da Guerra dos Bôeres, que recebi a visita do sr. James M. Dodd, um britânico grandalhão, robusto, queimado de sol, de porte ereto. Naquela época, o bom Watson me abandonara por causa de uma esposa — a única atitude egoísta de que posso lembrar-me em nossa associação. Eu estava só.

Tenho o hábito de sentar-me de costas para a janela e instalar meus visitantes na cadeira oposta, para que a luz caia em cheio sobre eles. Quando começou a entrevista, o sr. Dodd parecia um tanto embaraçado. Não tentei ajudá-lo, pois seu silêncio dava-me mais tempo para observá-lo. Eu achava que era bom dar ao meus clientes a impressão de poder, de modo que transmiti a ele algumas de minhas conclusões.

— Percebo que o senhor é da África do Sul.

— Sim, senhor — ele respondeu um tanto surpreso.

— Corpo da Guarda Imperial, imagino.

— Exatamente.

— Do batalhão de Middlesex, sem dúvida.

— É isto, sr. Holmes, o senhor é um adivinho.

— Quando um cavalheiro de aparência viril entra em meus aposentos com o rosto queimado de um modo que o sol inglês jamais o faria, usando o lenço na manga e não no bolso, não é difícil dizer de onde vem. O senhor usa a barba curta, o que mostra que não é da ativa. Tem o estilo de um cavaleiro. Quanto a Middlesex, seu cartão já me mostrou que o senhor é um corretor de Throgmorton Street. A que outro regimento poderia pertencer?

— O senhor vê tudo.

— Não *vejo* mais do que o senhor, mas treinei para perceber o que vejo. Entretanto, sr. Dodd, não foi para discutir a ciência da observação que o senhor veio me visitar. O que aconteceu em Tuxbury Old Park?

— Sr. Holmes...!

— Meu caro senhor, não há nenhum mistério. Sua carta veio com este cabeçalho, e, como o senhor marcou esta entrevista com muita urgência, está claro que aconteceu alguma coisa repentina e importante.

— Sim, de fato. Mas a carta foi escrita à tarde, e muitas coisas aconteceram desde então. Se o coronel não tivesse me chutado de sua casa...

— Ele o chutou?

— Bem, foi como se o tivesse feito. Ele é um osso duro de roer, o coronel Emsworth. O maior disciplinador do Exército na sua época, e foi uma época linha-dura, também. Eu não teria suportado o coronel, se não fosse por consideração a Godfrey.

Acendi meu cachimbo e recostei-me na cadeira.

— Talvez o senhor queira explicar sobre o que está falando.

Meu cliente sorriu com malícia.

— Eu estava quase acreditando que o senhor sabia de tudo sem que ninguém lhe contasse — ele disse. — Mas vou expor-lhe os fatos, e espero em Deus que seja capaz de me dizer o que significam. Fiquei acordado a noite inteira quebrando a cabeça e, quanto mais eu penso, mais incrível me parece.

"Quando entrei para o Exército, em 1901, exatamente há dois anos, o jovem Godfrey Emsworth havia ingressado no mesmo esquadrão. Ele era o único filho do coronel Emsworth, Emsworth, o veterano da Guerra da Crimeia, e tinha o sangue de um combatente, de modo que não é de admirar que tenha se alistado como voluntário. Não havia no regimento rapaz melhor do que ele. Fizemos amizade, o tipo de amizade que só pode ser feita quando se vive a mesma vida e se participa das mesmas alegrias e tristezas. Ele era o meu camarada, e isso significa muitíssimo no Exército. Enfrentamos juntos a tempestade e a bonança durante um ano de luta árdua. Então ele foi ferido por uma bala disparada por uma arma de caçar elefantes, numa ação perto de Diamond Hill, nos arredores de Pretória. Recebi uma carta do hospital, na Cidade do Cabo, e outra de Southampton. Desde então, nem mais uma palavra, nem uma linha, sr. Holmes, durante seis meses, talvez mais, e ele é o meu companheiro mais chegado.

"Bem, quando a guerra acabou e todos nós voltamos, escrevi ao pai dele e perguntei onde estava Godfrey. Não houve resposta. Aguardei um pouco e depois escrevi novamente. Desta vez tive uma resposta curta e impertinente. Godfrey tinha partido numa longa viagem pelo mundo e não era provável que regressasse antes de um ano. Foi tudo.

"Não fiquei satisfeito, sr. Holmes. Tudo me parecia tão esquisito. Ele era um bom rapaz e não iria abandonar um companheiro desta maneira. Não era o jeito dele. Mais tarde, soube que ele havia herdado muito dinheiro, e também que o pai e ele nem sempre se davam bem. O velho às vezes podia ser um tirano, e o jovem Godfrey, genioso demais para aguentar o pai. Não, eu não estava satisfeito e decidi que iria à raiz do problema. Aconteceu, porém, que meus negócios, depois de dois anos de ausência, precisavam ser postos em ordem, de modo que somente esta semana pude tratar novamente do caso de Godfrey. Mas, já que vou me dedicar ao problema, pretendo deixar tudo em ordem, a fim de ver este caso terminado."

O sr. James M. Dodd parecia ser o tipo de pessoa que é preferível se ter como amigo a inimigo. Seus olhos azuis eram duros, e sua mandíbula quadrada retesava-se enquanto falava.

— Bem, o que foi que o senhor fez? — perguntei.

— Meu primeiro passo foi ir até a casa dele, em Tuxbury Old Park, perto de Bedford, e ver pessoalmente como estava a situação. Por isso, escrevi à mãe dele, já estava farto do velho rabugento, e fiz uma investida direta: Godfrey era meu companheiro, e eu queria muito poder contar a ela nossas experiências comuns; estaria nas redondezas, haveria alguma objeção etc. etc.? Recebi uma resposta muito amável e um convite para que eu passasse a noite lá. Foi por isso que parti na segunda-feira.

"Tuxbury Old Hall é inacessível — fica a oito quilômetros de qualquer lugar. Na estação não havia transporte, de modo que tive de ir a pé, carregando a mala, e já estava ficando escuro quando cheguei. É uma casa grande, esquisita, no meio de um vasto parque. Eu diria que a casa tem todas as épocas e estilos, começando pelos alicerces elisabetanos e terminando num pórtico vitoriano. O interior está repleto de painéis, tapeçarias e velhos quadros meio apagados, uma casa de sombras e mistério. Havia um mordomo, o velho Ralph, que parecia ter a mesma idade da casa, e sua esposa, que devia ser mais velha. Ela havia sido governanta de Godfrey, e eu ouvira Godfrey falar dela como a pessoa de quem ele mais gostava depois da própria mãe, de modo que me interessei por ela, apesar de sua aparência excêntrica. Também gostei da mãe dele — uma mulher pequena e dócil como um camundongo branco. Só o coronel é que eu não conseguia engolir.

"Logo de início tivemos uma pequena discussão, e eu teria voltado para a estação, se não tivesse sentido que com isso eu estaria fazendo o jogo dele. Fui levado diretamente para o seu gabinete de trabalho e lá o encontrei, um homem imenso e curvo, com uma pele doentia e uma barba cinzenta e hirsuta, sentado atrás da escrivaninha em desordem. Um nariz vermelho e cheio de veias projetava-se como um bico de abutre, e dois cruéis olhos cinzentos fitavam-me com raiva, sob os tufos das sobrancelhas. Agora eu podia entender por que Godfrey raramente falava de seu pai.

"'Bem, senhor', ele disse em voz áspera. 'Eu gostaria de saber o verdadeiro motivo de sua visita.'

"Respondi que havia explicado esses motivos em minha carta à sua esposa.

"'Sim, sim; você disse que conheceu Godfrey na África. Naturalmente, como prova, você tem apenas a sua palavra.'

"'Tenho no bolso as cartas que ele me escreveu.'

"'Tenha a bondade de me mostrar as cartas.'

"Ele olhou de relance as duas cartas que lhe entreguei e depois atirou-as de volta.

"'Bem, e então?', ele perguntou.

"'Eu gostava muito de seu filho Godfrey, senhor. Muitos laços e recordações nos uniam. Não é natural que eu estranhe o seu repentino silêncio e queira saber o que aconteceu com ele?'

"'Lembro-me de que já me correspondi com o senhor e que já lhe contei o que aconteceu com ele. Ele está fazendo uma viagem ao redor do mundo. Depois de suas experiências na África, sua saúde ficou abalada e tanto a mãe dele quanto eu achamos que ele precisava de repouso absoluto e de uma mudança de vida. Faça-me o obséquio de transmitir esta explicação a outros amigos que possam estar interessados no assunto.'

"'Certamente', respondi. 'Mas talvez o senhor pudesse ter a bondade de me dar o nome do vapor e da companhia pela qual ele viaja, e também a data da partida. Tenho certeza de que eu conseguiria enviar uma carta para ele.'

"Meu pedido pareceu deixá-lo não só intrigado, mas também irritado. Suas sobrancelhas espessas quase cobriram os olhos, e ele bateu os dedos com impaciência na mesa. Finalmente, ergueu os olhos com a expressão de quem vira seu adversário no xadrez fazer um movimento perigoso e havia decidido como combatê-lo.

"'Muitas pessoas, sr. Dodd', ele disse, 'ficariam ofendidas com a sua obstinação infernal e achariam que esta insistência atingiu o ponto de uma maldita impertinência.'

"'Deve atribuir isso, senhor, à minha verdadeira amizade pelo seu filho.'

"'Justamente. Já levei em consideração este motivo. Mas devo pedir-lhe para desistir destas perguntas. Cada família tem seus segredos e seus motivos particulares, que nem sempre podem ser explicados a estranhos, apesar de bem-intencionados. Minha esposa está ansiosa para ouvir o que o senhor tem para contar sobre o passado de Godfrey, mas eu lhe pediria que não fizesse perguntas sobre o presente e o futuro. Essas perguntas não servem para nada e nos deixam numa situação difícil e delicada.'

"De modo que não cheguei a nenhuma conclusão, sr. Holmes. Não havia como ir além disso. Eu podia apenas fingir que aceitava a situação e prometer a mim mesmo que jamais descansaria até esclarecer o destino do meu amigo. Foi uma tarde melancólica. Jantamos em silêncio, nós três, em uma sala sombria, velha e desbotada. A senhora me interrogou, ansiosamente, a respeito de seu filho, mas o velho parecia triste e deprimido. Estava tão aborrecido com toda a situação que arranjei uma desculpa e fui para meu aposento assim que pude. Era um quarto enorme e simples no andar térreo, tão sombrio quanto o resto da casa, mas, sr. Holmes, depois de ter dormido durante um ano na estepe, não se pode ser exigente a respeito de alojamentos. Abri as cortinas e olhei para o jardim, notando que a noite estava bonita e a meia-lua resplandecente. Sentei-me, então, perto do fogo que crepitava e, com uma lâmpada ao meu lado, na mesa, tentei me distrair lendo um romance. Mas fui interrompido por Ralph, o velho mordomo, que entrou trazendo mais carvão.

"'Pensei que talvez ficasse sem carvão à noite, senhor. A temperatura está desagradável e estes quartos são frios.'

"Ele hesitou antes de sair do quarto e, quando olhei, estava parado, e seu rosto enrugado me encarava com um olhar suplicante.

"'Peço-lhe que me perdoe, senhor, mas eu não pude deixar de ouvir o que o senhor disse durante o jantar a respeito do meu amo Godfrey. O senhor sabe que minha mulher o amamentou, de modo que posso dizer que sou seu pai adotivo. É natural que a gente se interesse. E o senhor disse que ele se portou bem?'

"'Não havia no regimento homem mais corajoso. Uma vez ele me salvou dos rifles dos Bôeres, do contrário eu não estaria aqui.'

"O velho mordomo esfregou as mãos descarnadas.

"'Sim, senhor, este é o amo Godfrey, exatamente. Ele sempre foi corajoso. Não existe no parque uma única árvore em que ele não tenha trepado. Ninguém conseguia impedi-lo. Ele foi um menino admirável, oh, senhor, ele foi um homem admirável.'

"Fiquei de pé num salto.

"'Escute aqui!', gritei. 'Você disse que ele foi. Você fala como se ele estivesse morto. O que significa todo esse mistério? O que aconteceu a Godfrey Emsworth?'

"Agarrei o velho pelos ombros, mas ele recuou.

"'Não sei o que o senhor quer dizer. Pergunte ao patrão pelo amo Godfrey. Ele sabe. Não cabe a mim interferir.'

"Ele estava saindo do quarto, mas segurei-o pelo braço.

"'Escute', disse eu. 'Você vai responder a uma pergunta antes de sair do quarto, mesmo que eu tenha de prendê-lo aqui a noite inteira. Godfrey está morto?'

"Ele não conseguiu me encarar. Parecia um homem hipnotizado. A resposta saiu arrastada de seus lábios. Foi uma resposta terrível e inesperada.

"'Eu pediria a Deus que estivesse!', ele exclamou, e, libertando-se, saiu do quarto apressadamente.

"O senhor pode imaginar, sr. Holmes, que eu não estava feliz quando voltei para minha cadeira. As palavras do velho pareciam ter apenas uma explicação. Evidentemente, o meu pobre amigo havia se envolvido em algum crime, ou, pelo menos, em alguma transação vergonhosa que manchou a honra da família. O pai severo mandou o filho para longe, escondeu-o do mundo, com receio de algum escândalo. Godfrey era um sujeito imprudente. Deixava-se influenciar facilmente por outras pessoas. Sem dúvida caíra em mãos perversas e foi iludido até sua ruína. Seria uma pena se fosse isso, mas, mesmo agora, meu dever era procurá-lo e ver se podia ajudá-lo. Eu estava refletindo sobre o assunto quando ergui os olhos, e lá estava Godfrey Emsworth parado na minha frente."

Meu cliente fez uma pausa como se estivesse muito emocionado.

— Peço-lhe que continue — eu disse. — Seu problema teve algumas características muito estranhas.

— Ele estava do lado de fora da janela, sr. Holmes, com o rosto comprimido contra o vidro. Eu lhe disse, sr. Holmes, que estivera observando a noite. Quando fiz isso, deixei as cortinas parcialmente abertas. Godfrey apareceu nessa abertura. A janela ia até o chão, e eu pude vê-lo por inteiro, mas foi o seu rosto que chamou minha atenção. Ele estava mortalmente pálido; eu nunca tinha visto homem tão pálido. Imagino que os fantasmas tenham essa aparência, mas os olhos dele encontraram os meus, e eram olhos de um homem vivo. Ele saltou para trás quando percebeu que eu estava olhando para ele e desapareceu na escuridão.

"Havia alguma coisa chocante a respeito desse homem, sr. Holmes. Não era apenas aquele rosto de fantasma brilhando na escuridão, branco como um queijo. Era algo mais sutil do que isso, alguma coisa, alguma coisa oculta, furtiva, alguma coisa criminosa, muito diferente daquele rapaz franco e corajoso que eu havia conhecido. Isso deixou uma sensação de horror em minha mente.

"Mas, quando um homem brinca de soldado durante um ou dois anos com os Bôeres, mantém o sangue-frio e age rapidamente. Godfrey mal havia desaparecido, e eu já estava à janela. Havia um trinco complicado, e demorei algum tempo para abri-lo. Pulei a janela e corri pela trilha do jardim na direção que achava que ele podia ter tomado.

"O caminho era longo e a luz não muito boa, mas tive a impressão de que alguma coisa estava se movendo à minha frente. Continuei correndo e gritei o nome dele, mas foi inútil. Quando cheguei ao fim do caminho, havia muitas bifurcações que conduziam a várias dependências externas da casa. Fiquei indeciso e, enquanto estava ali, ouvi distintamente o ruído de uma porta que se fechava. Não foi atrás de mim, na casa, mas à minha frente, em algum lugar na escuridão. Aquilo foi suficiente, sr. Holmes, para eu ter certeza de que o que eu vira não era um fantasma. Godfrey havia fugido de mim e fechado uma porta atrás dele. Disso eu tinha certeza.

"Não havia mais nada que eu pudesse fazer, e passei a noite inquieto, revolvendo o assunto em minha cabeça e tentando encontrar uma teoria que pudesse explicar os fatos. No dia seguinte, encontrei o coronel um pouco mais conciliador, e, como sua esposa comentou que na vizinhança havia alguns locais interessantes, isto me deu o ensejo de perguntar se minha presença, por mais uma noite, seria incômoda. O consentimento do velho, dado com certa má vontade, permitiu-me fazer observações durante um dia inteiro. Eu já me convencera de que Godfrey estava num esconderijo em algum lugar próximo, mas onde e por que eram perguntas que ainda tinham de ser respondidas.

"A casa é tão grande e tão malplanejada que um regimento poderia esconder-se dentro dela sem que ninguém ficasse sabendo. Se o segredo estivesse na casa, seria difícil desvendá-lo. Mas a porta que ouvi fechar com certeza não era de lá. Eu precisava explorar os jardins e ver o que conseguia descobrir. Não encontrei dificuldades no caminho, pois os velhos estavam ocupados e deixaram-me à vontade.

"A casa tem muitas dependências externas, mas no fim do jardim há uma construção isolada, de certo porte — suficientemente grande para servir de moradia a um jardineiro ou caçador. Poderia ter sido dali que viera o som daquela porta se fechando? Aproximei-me da casa como quem não quer nada, como se estivesse apenas passeando pelos jardins. Quando cheguei perto, um homenzinho barbado, agitado, de casaco preto e chapéu-coco — não tinha nada de jardineiro — saiu pela porta. Para meu espanto, ele a trancou e pôs a chave no bolso. Depois olhou para mim, espantado.

"'O senhor é um hóspede da casa?', perguntou.

"Expliquei-lhe que sim, e que era amigo de Godfrey.

"'Que pena que ele esteja viajando, porque teria gostado tanto de me ver', continuei.

"'Perfeitamente. Com certeza', ele disse, com um ar de culpa. 'Sem dúvida o senhor virá outra vez numa ocasião mais propícia.' Ele saiu andando, mas, quando me virei, observei que ele estava parado me vigiando, meio escondido pelos loureiros, na extremidade do jardim.

"Enquanto passava pela casa, observei-a bem, mas as janelas tinham cortinas pesadas, e até onde foi possível ver, estava vazia. Eu podia estragar meu jogo, e até receber ordens para me retirar da propriedade se fosse audacioso demais, pois eu tinha consciência de que estava sendo observado. Portanto, voltei para a casa e esperei até a noite para continuar minha investigação. Quando tudo ficou escuro e quieto, saltei a janela e fui caminhando, tão silenciosamente quanto possível, até a casa misteriosa.

"Eu havia dito que a casa tinha cortinas pesadas, mas então descobri que, além disso, tinha venezianas. Mas uma luz saía por uma delas, de modo que concentrei nela minha atenção. Tive sorte, pois a cortina não tinha sido totalmente fechada, e ainda havia uma fenda na veneziana, que me permitiu ver o interior da sala. Era uma sala de fato alegre, com uma lâmpada forte e um bom fogo na lareira. À minha frente estava sentado o homenzinho que eu vira de manhã. Ele estava fumando cachimbo e lendo um jornal."

— Que jornal? — perguntei.

Meu cliente pareceu aborrecido com a interrupção de sua narrativa.

— Que diferença faz? — ele perguntou.

— Isto é extremamente importante.

— Não prestei atenção.

— Talvez o senhor tenha observado se era um jornal de folhas largas, ou aquele tipo menor, como os semanais.

— Agora que o senhor mencionou isso, ele não era grande. Podia ser *The Spectator*. Mas não me lembrei de reparar nesses detalhes, porque havia outro homem sentado, com as costas viradas para a janela, e eu podia ter jurado que este segundo homem era Godfrey. Não consegui ver seu rosto, mas reconheci a inclinação de seus ombros. Ele estava apoiado no cotovelo, numa atitude de grande melancolia, o corpo voltado para a lareira. Eu estava indeciso quanto ao que deveria fazer, quando senti uma forte pancada no ombro, e ali estava o coronel Emsworth, ao meu lado.

"'Por aqui, senhor!', ele disse em voz baixa. Ele caminhou em silêncio até a casa, eu o segui e fui para o meu quarto. Ele havia apanhado na sala um horário de trens.

"'Há um trem para Londres que sai às 8h30', ele disse. 'A charrete estará na porta às oito horas.'

"Ele estava branco de raiva e, na verdade, eu me sentia numa posição tão difícil que só consegui gaguejar umas desculpas incoerentes, com as quais tentava me justificar alegando minha preocupação com meu amigo.

"'O assunto não comporta discussão', ele disse com rispidez. 'O senhor se intrometeu de uma maneira extremamente condenável na privacidade de nossa família. O senhor estava aqui como hóspede e tornou-se um espião. Nada mais tenho a dizer, senhor, a não ser que não desejo vê-lo nunca mais.'

"Ao ouvir isso, perdi a cabeça, sr. Holmes, e falei com certa irritação.

"'Vi seu filho, e estou convencido de que, por algum motivo particular, o senhor o está escondendo. Não sei o que o leva a escondê-lo dessa maneira, mas tenho certeza de que ele não é mais um homem livre. Eu o previno, coronel Emsworth, que, enquanto eu não estiver convencido quanto à segurança e ao bem-estar do meu amigo, não desistirei das tentativas de chegar ao fundo do mistério e, certamente, não me deixarei intimidar por coisa alguma que o senhor possa dizer ou fazer.'

"O velho tinha um aspecto diabólico, e realmente pensei que ele fosse me atacar. Eu disse que ele era um velho gigante, macilento e feroz, e embora eu não seja uma criatura fraca, teria sido difícil defender-me dele. Mas, depois de um longo olhar de raiva, ele virou-se e saiu do quarto. Quanto a mim, de manhã tomei o trem que me fora indicado, com a intenção de vir diretamente ao seu encontro para pedir seu conselho e sua ajuda, conforme já lhe havia escrito."

Esse foi o problema que meu visitante me expôs. Sua solução, como o leitor astuto já deve ter percebido, apresenta algumas dificuldades, porque são muito poucas as alternativas que permitem chegar ao fundo da questão. Ainda que elementar, o caso tinha detalhes interessantes e novos, o que pode justificar o fato de eu tê-lo registrado nas minhas andanças. Agora passo a utilizar meu já familiar método de análise lógica, para diminuir o número de hipóteses plausíveis.

— Os criados — perguntei. — Quantos criados havia na casa?

— Acredito que havia apenas o velho mordomo e sua mulher. Eles pareciam viver de maneira muito simples.

— Então não havia criados na casa afastada?

— Nenhum, a não ser que o homenzinho de barba fosse um criado. Mas ele parecia ser uma pessoa de nível bem superior.

— Isso parece muito sugestivo. O senhor percebeu algum indício de que eles estivessem transportando comida de uma casa para outra?

— Agora que o senhor mencionou essa possibilidade, de fato vi o velho Ralph no jardim, carregando uma cesta e andando em direção a essa casa. Na ocasião não me ocorreu que fosse comida.

— O senhor fez investigações locais?

— Sim, fiz. Falei com o chefe da estação e também com o estalajadeiro na aldeia. Perguntei apenas se eles sabiam alguma coisa sobre o meu velho camarada Godfrey Emsworth. Ambos me garantiram que ele estava fazendo uma viagem ao redor do mundo. Ele havia voltado para casa e depois, quase de imediato, partira outra vez. A história era evidentemente aceita por todos.

— O senhor não comentou nada acerca de suas suspeitas?

— Nada.

— Isso foi prudente. Sem dúvida nenhuma, o assunto deve ser investigado. Voltarei com o senhor para Tuxbury Old Park.

— Hoje?

Mas na ocasião eu estava esclarecendo o caso que o meu amigo Watson descreveu como o da Abbey School, no qual o duque de Greyminster estava tão profundamente envolvido. Havia também uma missão, que me fora dada pelo sultão da Turquia e que exigia ação imediata, já que, se fosse negligenciada, poderia provocar consequências políticas das mais graves. Portanto, só no começo da semana seguinte, como está registrado no meu diário, pude partir em companhia do sr. James M. Dodd para minha missão em Bedfordshire. A caminho de Euston, apanhamos um cavalheiro sério e taciturno, com quem eu havia combinado previamente.

— Este é um velho amigo — eu disse a Dodd. — É possível que a sua presença seja inteiramente desnecessária, mas, por outro lado, pode vir a ser essencial. Não é preciso, no estágio atual da investigação, aprofundarmo-nos no assunto.

Sem dúvida as narrativas de Watson acostumaram o leitor ao fato de que eu não desperdiço palavras ou revelo meus pensamentos enquanto um caso estiver sob investigação. Dodd pareceu surpreso, porém nada mais foi dito, e nós três continuamos juntos a viagem. No trem, fiz a Dodd mais uma pergunta, que eu queria que o nosso companheiro ouvisse.

— O senhor afirmou que viu o rosto de seu amigo nitidamente na janela, tão nitidamente que o senhor está certo de sua identidade?

— Não tenho nenhuma dúvida a esse respeito. O nariz dele estava comprimido contra o vidro. A luz da lâmpada caía em cheio sobre ele.

— Não poderia ter sido alguém parecido com ele?

— Não, era ele mesmo.

— Mas o senhor disse que ele mudou?

— Apenas na cor. Seu rosto era... como poderei descrevê-lo? Era de uma brancura de barriga de peixe. Estava descorado.

— Seu rosto estava todo pálido por igual?

— Acho que não. Foi a testa que vi com mais nitidez, porque estava comprimida contra a janela.

— Você o chamou?

— Na hora fiquei impressionado e horrorizado demais. Depois eu o persegui, como lhe disse, mas sem resultado.

Meu caso estava praticamente concluído, e havia apenas um pequeno incidente que precisava ser esclarecido. Quando, após uma viagem longa, chegamos à velha casa estranha e de construção irregular que meu cliente havia descrito, foi Ralph, o velho mordomo, quem abriu a porta. Eu havia solicitado a charrete para o dia todo, e pedi ao meu amigo mais velho para permanecer dentro dela, a menos que o chamássemos. Ralph, um sujeito pequeno e enrugado, usava o casaco preto convencional e calças cinzentas, com apenas uma variante curiosa. Calçava luvas de couro marrom, que ele tirou imediatamente quando nos viu, colocando-as na mesa do vestíbulo ao passarmos por lá. Como Watson deve ter mencionado, tenho os sentidos excepcionalmente desenvolvidos, e senti um cheiro fraco mas penetrante. Parecia que vinha da mesa. Voltei, coloquei lá o meu chapéu, joguei as luvas no chão, parei para apanhá-las e tentei aproximar o nariz delas. Sim, sem dúvida nenhuma, era da luva que vinha aquele estranho cheiro de alcatrão. Quando passei em direção ao gabinete de trabalho, eu já havia esclarecido o mistério. Ai de mim, se eu tivesse de mostrar minha mão assim quando contasse a história! Era pelo fato de eu esconder esses elos da cadeia que Watson nunca era capaz de escrever finais sensacionais.

O coronel Emsworth não estava em seu quarto, mas veio depressa ao receber o recado de Ralph. Ouvimos seus passos pesados e rápidos no corredor. Ele abriu a porta com violência e entrou apressadamente, com sua barba eriçada, as feições contraídas, o velho mais terrível que eu já vira. Pegou nossos cartões, rasgou-os e sapateou sobre os pedaços.

— Eu já não lhe disse, seu intrometido dos infernos, que o senhor deve ficar longe dessa propriedade? Nunca mais ouse mostrar sua cara maldita por aqui. Se o senhor entrar aqui de novo sem minha autorização, estarei no meu direito de usar de violência. Eu o matarei, senhor. Por Deus, eu o farei. Quanto ao senhor — ele disse, virando-se para mim —, faço-lhe a mesma advertência. Conheço a sua profissão desprezível, mas o senhor deve empregar seus supostos talentos em outro lugar. Não há oportunidade para eles aqui.

— Não posso ir embora — disse meu cliente com firmeza —, antes de ouvir do próprio Godfrey que ele não está preso.

Nosso anfitrião involuntário tocou a campainha.

— Ralph — ele disse —, telefone para a polícia da comarca e peça ao inspetor que envie dois policiais. Diga-lhe que há ladrões na casa.

— Um momento — eu disse. — O senhor deve estar ciente, sr. Dodd, de que o coronel Emsworth está em seus direitos, e que não temos autorização legal para estar dentro desta casa. Por outro lado, ele deveria reconhecer que a sua atitude é inteiramente motivada pela amizade que o senhor tem pelo filho dele. Acho que, se me for permitido conversar cinco minutos com o coronel, conseguirei mudar sua opinião sobre o assunto.

— Eu não mudo tão facilmente o meu modo de pensar — disse o velho soldado. — Ralph, faça o que eu lhe disse. Diabo, o que é que você está esperando? Telefone para a polícia!

— Nada disso — eu disse, encostando-me na porta. — Qualquer interferência da polícia provocaria a catástrofe que o senhor teme. — Tirei do bolso o meu caderno de anotações e rabisquei uma palavra numa folha solta. — Isto — eu disse, enquanto o entregava ao coronel Emsworth — foi o que nos trouxe aqui.

Ele olhou fixamente para o que estava escrito, e seu rosto perdeu toda a expressão, menos a de espanto.

— Como é que o senhor sabe? — ele perguntou com a respiração ofegante, sentando-se pesadamente em sua cadeira.

— Faz parte da minha profissão saber as coisas. Esse é o meu negócio.

Ele ficou sentado, refletindo, a mão magra puxando a barba emaranhada. Depois fez um gesto de resignação.

— Bem, se os senhores querem ver Godfrey, podem vê-lo. Eu não tive culpa, vocês me obrigaram. Ralph, diga ao sr. Godfrey e ao sr. Kent que dentro de cinco minutos estaremos lá.

Cinco minutos depois, atravessamos o jardim e chegamos diante da casa misteriosa. Um homenzinho de barba estava em pé à porta, e seu rosto tinha uma expressão de grande espanto.

— Isso é muito inesperado, coronel Emsworth — ele disse. — Isto vai atrapalhar nossos planos.

— Não posso evitá-lo, sr. Kent. Fomos obrigados. O sr. Godfrey pode nos receber?

— Sim; ele está esperando lá dentro. — Ele virou-se e nos conduziu até um quarto grande, mobiliado de maneira simples. Um homem estava de pé, de costas para a lareira, e ao avistá-lo meu cliente saltou para a frente com as mãos estendidas.

— Ora, Godfrey, meu velho, isto é esplêndido!

— Não me toque, Jimmie. Fique afastado. Sim, você pode me olhar espantado. Eu não me pareço mais com Emsworth, o bonito cabo dos lanceiros do Esquadrão B, não é?

Sua aparência era realmente estranha. Podia-se ver que ele havia sido um homem bonito, com feições bem-definidas, queimadas pelo sol africano, mas sobre esta superfície mais escura havia curiosas manchas esbranquiçadas, que tinham descorado sua pele.

— É por isso que eu não quero visitas — ele disse. — Você, eu não me importo, Jimmie, mas teria sido melhor sem o seu amigo. Imagino que haja um bom motivo, mas você me apanhou desprevenido.

— Eu queria me certificar de que estava tudo bem com você, Godfrey. Eu o vi quando você me olhou pela janela naquela noite, e não podia deixar o assunto de lado enquanto as coisas não ficassem esclarecidas.

— O velho Ralph me contou que você estava lá, e não pude deixar de dar uma espiada. Eu esperava que não me visse e tive de correr para o meu esconderijo quando ouvi a janela se abrir.

— Mas, pelo amor de Deus, o que está havendo?

— Bem, não é uma história longa — ele disse, acendendo um cigarro. — Você se lembra daquela luta de manhã em Buffelsspruit, nos arredores de Pretória, sobre a estrada de ferro oriental? Você soube que eu fui ferido?

— Sim, fiquei sabendo, mas nunca obtive detalhes a esse respeito.

— Três de nós se separaram dos outros. O país estava muito dividido, como você deve se lembrar. Havia o Simpson Careca, o Anderson e eu. Estávamos fazendo uma operação de limpeza, mas o irmão bôer estava escondido e apanhou os três. Os outros dois foram mortos. Uma bala para matar elefante atravessou o meu ombro. Mas me segurei no cavalo, e ele galopou alguns quilômetros até que eu desmaiei e caí da sela.

"Quando voltei a mim, estava anoitecendo; levantei-me, sentindo-me muito fraco e doente. Para minha surpresa, um pouco atrás de mim havia uma casa bem grande, com uma varanda ampla e muitas janelas. Estava um frio terrível. Você se lembra daquele frio entorpecedor que costumava fazer ao anoitecer, um frio mortal, arrasador, muito diferente de uma geada saudável. Bem, eu estava gelado até os ossos e minha única esperança seria chegar até aquela casa. Fiquei de pé cambaleando e fui me arrastando, quase sem saber o que estava fazendo. Tenho uma vaga lembrança de ter subido lentamente os degraus, de ter entrado por uma porta aberta, chegado a um quarto grande com muitas camas e de ter me jogado numa delas com um suspiro de satisfação. A cama não estava feita, mas isto não me preocupou de modo algum. Puxei as cobertas sobre o meu corpo que tiritava de frio e num instante estava dormindo profundamente.

"De manhã, quando acordei, tive a impressão de que entrava num pesadelo horrível, em vez de voltar ao mundo normal. O sol africano jorrava através das grandes janelas sem cortinas, e cada detalhe do dormitório grande e pobre, caiado de branco, se destacava de maneira desagradável e clara. Na minha frente estava um homem baixo, parecido com um anão, com uma cabeça imensa em forma de bulbo, tagarelando excitadamente em holandês e balançando duas mãos horríveis, que me pareciam esponjas marrons. Atrás dele havia um grupo de pessoas que parecia se divertir muito com a situação, mas senti um arrepio quando olhei para elas. Nenhum deles era um ser humano normal. Todos estavam retorcidos, ou inchados, ou desfigurados de alguma maneira estranha. O riso desses estranhos monstros era horrível de se ouvir.

"Parecia que nenhum deles sabia falar inglês, mas a situação devia ser esclarecida, pois a criatura de cabeça grande estava ficando muito zangada e, gritando como uma besta selvagem, pôs suas mãos deformadas em mim e me puxou para fora da cama, sem se importar com o sangue que espirrava da minha ferida. O pequeno monstro era forte como um touro, e não sei o que ele poderia ter feito comigo, se a algazarra não tivesse atraído até o quarto um homem mais velho, evidentemente uma autoridade. Ele disse algumas palavras ásperas em holandês, e meu perseguidor recuou. Então ele se virou para mim, olhando-me com o maior espanto.

"'Como é que o senhor veio parar aqui?', ele perguntou, perplexo. 'Espere um pouco! Vejo que está exausto, e que a ferida em seu ombro precisa de cuidados. Sou médico, vou já tratar disso. Mas, homem de Deus! O senhor está correndo perigo muito maior aqui do que no próprio campo de batalha. O senhor está no Hospital de Lepra e dormiu na cama de um leproso.'

"Preciso dizer-lhe mais, Jimmie? Parece que, em vista de uma batalha que se aproximava, todas aquelas pobres criaturas haviam sido evacuadas no dia anterior. Depois, à medida que os ingleses avançavam, foram trazidos de volta por este homem, o médico superintendente, que me garantiu que, embora acreditando que fosse imune à doença, jamais ousaria fazer o que eu havia feito. Ele me colocou em um quarto separado, tratou-me com bondade e, mais ou menos uma semana depois, fui removido para o hospital geral em Pretória.

"Pois aí está a minha tragédia. Esperei pelo impossível, mas só depois que voltei para casa é que as manchas terríveis que você vê em meu rosto me mostraram que eu não havia escapado. O que é que eu podia fazer? Fiquei nesta casa isolada. Tínhamos dois criados em quem podíamos confiar plenamente. Havia uma casa onde eu podia morar. Sob a promessa de segredo, o sr. Kent, que é cirurgião, estava disposto a ficar comigo. Isto parecia muito simples. A alternativa era terrível: segregação entre estranhos, durante toda a vida, sem ter jamais uma esperança de liberdade. Mas era necessário o segredo absoluto, do contrário, mesmo nesta região tranquila, poderia haver uma denúncia e eu seria arrastado para o meu destino terrível. Até mesmo você, Jimmie, até mesmo você tinha de ser mantido a distância. Por que meu pai cedeu, não consigo imaginar."

O coronel Emsworth apontou para mim.

— Foi este cavalheiro que me obrigou a fazer isso. — Ele desdobrou o pedaço de papel no qual havia escrito a palavra *Lepra*. — Já que ele sabia tanto, achei que seria mais seguro informá-lo de tudo.

— É verdade — eu disse. — Quem sabe se de tudo isto não resultará alguma coisa boa? Acho que só o sr. Kent viu o paciente. Posso perguntar-lhe, senhor, se é uma autoridade nesta doença que, segundo meus conhecimentos, pode ser tropical ou subtropical?

— Possuo o conhecimento normal de todo médico formado — observou com certa aspereza.

— Não duvido que o senhor seja muito competente, mas estou certo de que concordará que, num caso desses, uma segunda opinião é valiosa. O senhor evitou isso, pelo que entendi, por medo de ser pressionado a isolar o paciente.

— É verdade — disse o coronel Emsworth.

— Eu previ esta situação — expliquei — e trouxe um amigo, em cuja discrição pode-se confiar totalmente. Uma vez prestei-lhe um serviço profissional, e ele está disposto a aconselhá-lo mais como amigo do que como especialista. Seu nome é *sir* James Sauders.

A perspectiva de uma entrevista com lorde Roberts não teria provocado, em um subalterno inexperiente, maior assombro e prazer do que aquele que agora se refletia no rosto do sr. Kent.

— Na verdade, ficarei lisonjeado — ele murmurou.

— Então pedirei a *sir* James para vir até aqui. Ele está agora lá fora, na carruagem. Enquanto isso, coronel Emsworth, talvez pudéssemos nos reunir em seu escritório, onde eu lhes darei as explicações necessárias.

E é aqui que sinto falta de Watson. Com perguntas astuciosas e exclamações de admiração, ele consegue transformar minha arte insignificante, que não passa de bom senso sistematizado, em algo extraordinário. Quando eu mesmo narro minhas histórias, não conto com esta ajuda. Mas explicarei o desenvolvimento de meu raciocínio, da mesma maneira que o expliquei no escritório do coronel Emsworth à minha pequena plateia, que incluía a mãe de Godfrey.

— Esse processo — eu disse — parte da suposição de que, quando eliminamos tudo o que é impossível, aquilo que permanece, ainda que improvável, deve ser a verdade. Pode ser que permaneçam várias explicações, e neste caso faz-se um teste após o outro, até que um ou outro obtenha uma quantidade convincente de argumentos. Nós agora vamos aplicar este princípio ao caso em questão. Conforme o que me foi narrado no início, havia três explicações possíveis para a reclusão ou encarceramento deste jovem numa dependência externa da mansão de seu pai. Havia a suposição de que ele estivesse num esconderijo por causa de um crime, ou que estivesse louco e eles quisessem evitar o asilo, ou que pudesse ter contraído uma moléstia que exigisse a segregação. Eu não podia imaginar outras explicações mais adequadas. Então essas explicações deviam ser investigadas e comparadas umas com as outras.

"A hipótese de um crime não resistiu à investigação. Naquele distrito, nenhum crime ficou sem solução. Eu estava certo disso. Se fosse algum crime ainda não descoberto, então, é claro, seria do interesse da família livrar-se do delinquente, mandá-lo para fora do país, e não mantê-lo oculto em casa. Eu não via explicação para este tipo de conduta.

"Insanidade seria mais plausível. A presença de uma segunda pessoa na dependência externa da casa fazia pensar na possibilidade de um vigia. O fato de ele ter trancado a porta quando saiu reforçou esta hipótese e passou a ideia de confinamento. Por outro lado, este confinamento não devia ser rigoroso, ou o jovem não poderia ter saído para ver seu amigo. O senhor há de se lembrar, sr. Dodd, que eu tateava à procura de detalhes quando lhe perguntei, por exemplo, a respeito da publicação que o sr. Kent estava lendo. Se tivesse sido *The Lancet* ou *The British Medical Journey*, isto teria me ajudado. Mas não é ilegal manter um louco numa propriedade privada, contanto que haja uma pessoa qualificada para assisti-lo, e que as autoridades tenham sido devidamente notificadas. Por que, então, todo esse desejo desesperado de segredo? Mais uma vez eu não conseguia fazer com que a teoria combinasse com os fatos.

"Ainda restava a terceira possibilidade, rara e improvável, mas na qual tudo parecia se encaixar. A lepra não é rara na África do Sul. Esse jovem poderia ter contraído lepra devido a alguma circunstância extraordinária. Sua família ficaria numa situação muito desagradável, já que iria querer livrá-lo da segregação. Seria necessário um grande sigilo para impedir que os boatos se espalhassem, e para evitar a subsequente interferência das autoridades. Um médico dedicado e bem-pago para tomar conta do doente poderia ser encontrado facilmente. Não havia motivo para que o doente não pudesse ficar em liberdade depois que escurecesse. A descoloração da pele é uma consequência comum da moléstia. O caso era grave, tão grave que decidi agir como se a moléstia já tivesse sido comprovada. Quando, ao chegar aqui, reparei que Ralph, ao transportar as refeições, usava luvas impregnadas de desinfetantes, minhas últimas dúvidas desapareceram. Uma única palavra mostrou ao senhor que o segredo havia sido descoberto, e se eu preferi escrever a falar foi para provar-lhe que poderia confiar em minha discrição."

Eu estava terminando esta rápida análise dos fatos quando a porta se abriu e a figura austera do grande dermatologista entrou na sala. Mas desta vez suas feições de esfinge estavam descontraídas e havia em seus olhos muito calor humano. Aproximou-se do coronel Emsworth e apertou-lhe as mãos.

— Quase sempre o meu papel é transmitir notícias de doenças, e raramente boas — ele disse. — Este momento é dos mais agradáveis. Não é lepra.

— O quê?

— É um caso bem típico de pseudolepra ou *ictiose*, uma doença que deixa a pele escamosa, desagradável à vista, persistente, mas possivelmente curável, e certamente não infecciosa. Sim, sr. Holmes, a coincidência é extraordinária. Mas seria uma coincidência? Será que não há forças sutis em ação, sobre as quais sabemos pouco? Temos certeza de que o medo terrível que este rapaz sem dúvida sentiu desde que se expôs ao contágio não poderia ter produzido um efeito físico que simulou aquilo que ele temia? De qualquer modo, dou como garantia minha reputação profissional. Mas a senhora desmaiou! Acho que é melhor o dr. Kent ficar com ela até que se recupere de seu choque de alegria.

A AVENTURA DA PEDRA MAZARIN

Para o dr. Watson era agradável encontrar-se mais uma vez no quarto desarrumado, no primeiro andar da Baker Street, que havia sido o ponto de partida de tantas aventuras notáveis. Ele olhou em volta para os gráficos científicos na parede, para a bancada queimada pelos ácidos, para a caixa de violino encostada no canto da parede e para o balde de carvão, que continha os habituais cachimbos e o tabaco. Finalmente seus olhos pousaram no rosto sorridente e saudável de Billy, o jovem mas muito sábio e discreto que ajudara a amenizar um pouco a solidão e o isolamento que cercavam a figura melancólica do grande detetive.

— Nada aqui mudou, Billy. Você também não mudou. Espero que se possa dizer o mesmo a respeito dele.

Billy olhou com preocupação para a porta fechada do quarto de dormir.

— Acho que ele está dormindo — ele disse.

Eram sete da noite de um agradável dia de verão, mas o dr. Watson estava suficientemente familiarizado com os horários irregulares de seu velho amigo para se surpreender com o fato.

— Isto significa um caso, eu presumo.

— Sim, senhor, no momento ele está muito empenhado. Estou preocupado com a sua saúde. Ele parece cada vez mais pálido e mais magro, e não se alimenta. Quando a sra. Hudson perguntou "A que horas gostaria de jantar, sr. Holmes?", ele respondeu: "Às 19h30, depois de amanhã." O senhor sabe como ele se comporta quando está interessado em algum caso.

— Sim, Billy, eu sei.

— Ele está atrás de alguém. Ontem saiu disfarçado de operário à procura de emprego. Hoje se transformou numa velha. Ele quase me enganou, embora eu já conheça seus métodos. — Billy apontou sorrindo para uma sombrinha deformada que estava apoiada no sofá. — Faz parte do traje da velha senhora — ele disse.

— Mas o que significa tudo isso, Billy?

Billy baixou a voz, como alguém que revela grandes segredos de Estado.

— Não me incomodo de contar ao senhor, mas isto não pode ser comentado. Trata-se do caso do diamante da Coroa.

— O quê? O assalto das cem mil libras?

— Sim, senhor. Eles precisam recuperá-la, senhor. Ora, o primeiro-ministro e o secretário do Interior estiveram aqui sentados naquele sofá. O sr. Holmes foi muito gentil com eles. Ele os deixou logo à vontade e prometeu que faria tudo que pudesse. Mas há lorde Cantlemere...

— Ah!

— Sim, o senhor sabe o que isso significa. Ele é intransigente, senhor, se é que posso dizer isso. Eu consigo gostar do primeiro-ministro e não tenho nada contra o secretário do Interior, que me pareceu um homem civilizado e cortês, mas não consigo tolerar Sua Excelência, o lorde. Nem o sr. Holmes o consegue. Veja o senhor, ele não acredita no sr. Holmes e não queria que o contratassem. Ele até *prefere* que o sr. Holmes fracasse.

— E o sr. Holmes sabe disso?

— O sr. Holmes sempre sabe o que é preciso saber.

— Bem, esperemos que ele não falhe e que lorde Cantlemere vá para o diabo. Mas, Billy, para que serve aquela cortina na frente da janela?

— O sr. Holmes mandou colocá-la há três dias. Temos uma coisa muito engraçada atrás dela.

Billy adiantou-se e puxou o pano que ocultava o espaço formado pela janela em curva.

O dr. Watson não pôde reprimir um grito de espanto. Ali estava uma reprodução do seu velho amigo, de roupão e tudo, o rosto um pouco virado para a janela e para baixo, como se lesse um livro invisível, enquanto o corpo estava afundado na poltrona. Billy arrancou a cabeça e segurou-a no ar.

— Nós a colocamos em ângulos diferentes, para que pareça mais natural. Eu não tocaria nela se a persiana não estivesse abaixada. Porque, quando está aberta, pode-se ver isto do outro lado da rua.

— Já usamos algo semelhante antes.

— Antes do meu tempo — disse Billy. Ele abriu a cortina da janela e olhou para a rua. — Alguns indivíduos nos espreitam lá do outro lado. Posso ver um sujeito agora na janela. Dê uma olhada o senhor mesmo.

Watson dera um passo para a frente quando a porta do quarto se abriu e a figura comprida e magra de Holmes apareceu, rosto pálido e abatido, mas com passos e postura ágeis como sempre. Com um único salto ele chegou até a janela e fechou a persiana novamente.

— Basta, Billy — ele disse. — Você está correndo perigo de vida, meu rapaz, e eu não posso ficar sem você justamente agora. Olá, Watson, é bom vê-lo novamente em seus antigos aposentos. Você chegou num momento crítico.

— É o que estou vendo.

— Você pode ir, Billy. Este rapaz é um problema, Watson. Até que ponto posso permitir que ele corra perigo?

— Perigo de quê, Holmes?

— De ser morto de repente. Estou esperando alguma coisa esta noite.

— Esperando o quê?

— Ser assassinado, Watson.

— Não, não, você está brincando, Holmes!

— Até meu limitado senso de humor poderia produzir uma piada melhor do que esta. Mas podemos ficar à vontade enquanto isso, não podemos? O álcool é permitido? O acendedor e os charutos estão no lugar de sempre. Deixe-me vê-lo outra vez na sua poltrona habitual. Espero que você não tenha aprendido a desprezar meu cachimbo e meu tabaco deplorável. Eles precisam substituir a comida esses dias.

— Mas por que não comer?

— Porque as faculdades mentais se aprimoram quando você as deixa passar fome. Ora, certamente, como médico, meu caro Watson, você deve reconhecer que aquilo que a sua digestão ganha em suprimento sanguíneo é subtraído ao cérebro. Eu sou cérebro, Watson. O restante do corpo é um mero apêndice. Portanto, é o cérebro que devo levar em consideração.

— Mas e esse perigo, Holmes?

— Ah, sim; no caso de se concretizar, talvez fosse conveniente que você sobrecarregasse sua memória com o nome e o endereço do assassino. Você pode entregá-lo à Scotland Yard, com minhas saudações e uma bênção de despedida. O nome é Sylvius, conde Negretto Sylvius. Anote isto, homem, anote! Moorside Gardens, 136, Londres N.W. Anotou?

O rosto honesto de Watson estava crispado de emoção. Ele sabia muito bem o imenso risco que Holmes corria e sabia também que aquilo que ele acabara de dizer era, provavelmente, mais uma atenuação dos fatos do que um exagero. Watson sempre foi um homem de ação, e colocou-se à altura da ocasião.

— Inclua-me nisso, Holmes. Não tenho nada para fazer durante um ou dois dias.

— Sua moral não melhorou nada, Watson. Você acrescentou a mentira aos seus outros vícios. Você mostra todos os sinais de um médico muito ocupado, com chamados a toda hora.

— Não são chamados tão importantes. Mas você não pode mandar prender esse homem?

— Sim, Watson, eu poderia. É isto que o deixa tão preocupado.

— E por que não o faz?

— Porque não sei onde está o diamante.

— Ah! Billy me contou: a joia da Coroa que sumiu.

— Sim, a grande pedra amarela Mazarin. Eu joguei a rede e prendi o meu peixe. Mas não consegui a pedra. De que adianta mandar prendê-los? Poderemos tornar o mundo melhor, capturando-os. Mas não é isso o que me interessa. É a pedra que eu quero.

— E o conde Sylvius é um de seus peixes?

— Sim, ele é um tubarão. Ele morde. O outro é Sam Merton, o lutador de boxe. Sam não é um mau sujeito, mas o conde o tem usado. Sam não é um tubarão. Ele é uma grande isca tola. Mas também está se debatendo em minha rede.

— Onde está este conde Sylvius?

— Passei a manhã inteira muito perto dele. Você já me viu vestido de velha, Watson. Nunca estive mais convincente. Ele chegou a apanhar a sombrinha para mim, uma vez. "Com sua permissão, madame", ele disse, com sotaque italiano, você sabe, e com a elegância do sulista, quando está disposto, mas a encarnação do demônio quando está com outra disposição de espírito. A vida está repleta de acontecimentos estranhos, Watson.

— Podia ter ocorrido uma tragédia.

— Bem, talvez. Eu o segui até a velha oficina de Straubenzee, nas Minories. Straubenzee fez a pistola de ar comprimido, um trabalho muito bonito, pelo que sei, e eu imagino que esta pistola está, neste momento, numa das janelas do outro lado da rua. Você viu o boneco? Naturalmente Billy o mostrou a você. Bem, ele pode receber a qualquer momento uma bala em sua bonita cabeça. Ah, Billy, o que é?

O rapaz entrou na sala com um cartão numa bandeja. Holmes olhou para o cartão, com as sobrancelhas erguidas e um sorriso divertido.

— O homem, ele próprio. Eu dificilmente esperaria isto. Segure a rede com firmeza, Watson! Um homem ousado. Você deve ter ouvido falar de sua fama de caçador de animais grandes. Seria mesmo um final glorioso para a excelente ficha de esportista dele, se ele me acrescentasse a sua coleção. É uma prova de que ele sente os meus pés bem perto dos seus calcanhares.

— Chame a polícia.

— Provavelmente chamarei. Mas não agora. Quer olhar com cuidado pela janela, Watson, e ver se há alguém parado na rua?

Watson olhou discretamente.

— Sim, há um sujeito mal-encarado perto da porta.

— Deve ser Sam Merton, o fiel mas um tanto presunçoso Sam. Onde está o cavalheiro, Billy?

— Na sala de estar, senhor.

— Traga-o aqui quando eu tocar a campainha.

— Sim, senhor.

— Se eu não estiver na sala, deixe-o entrar assim mesmo.

— Sim, senhor.

Watson esperou até que a porta fosse fechada e então virou para o seu amigo.

— Escute aqui, Holmes, isto é impossível. Ele é um homem desesperado jogando sua última cartada. Ele pode ter vindo para matá-lo.

— Eu não me surpreenderia.

— Insisto em ficar com você.

— Você seria um obstáculo.

— No caminho *dele*?

— Não, meu caro companheiro. No meu caminho.

— Bem, não posso deixá-lo sozinho.

— Sim, você pode, Watson. E você fará isso, pois nunca deixou de jogar o jogo. Tenho certeza de que irá jogá-lo até o fim. Este homem veio pelos seus próprios interesses, mas pode ficar pelos meus. — Holmes tirou seu bloco de anotações e escreveu algumas linhas. — Tome um táxi até a Scotland Yard e entregue isto a Youghal, do C.I.D. Volte com a polícia. A prisão do sujeito será imediata.

— Farei isso com alegria.

— Até você voltar terei tempo suficiente para descobrir onde está a pedra. — Holmes tocou a campainha. — Acho que sairemos pelo dormitório. Esta segunda saída é extremamente útil. Prefiro ver meu tubarão sem que ele me veja e, como você deve se lembrar, tenho minha maneira própria de fazê-lo.

Portanto, foi para uma sala vazia que, um minuto depois, Billy levou o conde Sylvius. O famoso atirador, desportista e homem de sociedade era um sujeito enorme, moreno, com um formidável bigode negro que ocultava uma boca cruel, de lábios finos, coroada por um nariz longo e curvo como o bico de uma águia. Ele estava bem-vestido, mas sua gravata brilhante, seu alfinete ofuscante e anéis deslumbrantes produziam um efeito exagerado. Quando a porta se fechou, ele observou em volta com olhos ferozes e assustados, como alguém que suspeita de uma armadilha a cada passo. Então levou um susto ao ver a cabeça impassível e a gola do roupão que apareciam por cima da poltrona junto à janela. A princípio sua expressão foi de puro assombro. Em seguida, a luz de uma esperança terrível brilhou em seus escuros olhos de assassino. Ele deu mais uma olhada em volta para ver se não havia testemunhas e então, na ponta dos pés, com a bengala grossa meio levantada, aproximou-se da figura silenciosa. Ele estava se agachando para o salto e o golpe finais quando uma voz fria e mordaz, vinda da porta aberta do dormitório, o interrompeu.

— Não o quebre, conde! Não o quebre!

O assassino cambaleou para trás, com uma expressão de espanto no rosto. Por um instante ele ergueu novamente a bengala carregada, como se fosse desviar sua violência do boneco para o original; mas havia alguma coisa naqueles olhos cinzentos decididos e naquele sorriso de zombaria que fez com que abaixasse a mão.

— É uma coisa bonitinha — disse Holmes, aproximando-se do boneco. — Tavernier, o modelador francês, o fez. Ele é tão bom em trabalhos de cera quanto seu amigo Straubenzee em pistolas de ar comprimido.

— Pistolas de ar comprimido, senhor! O que quer dizer?

— Ponha seu chapéu e sua bengala na mesinha. Obrigado! Por favor, sente-se. O senhor se incomodaria de tirar o seu revólver também? Oh, muito bem, se prefere sentar-se sobre ele. Sua visita realmente é bastante oportuna, porque eu queria muito conversar alguns minutos com o senhor.

O conde franziu a testa, as sobrancelhas espessas e ameaçadoras.

— Eu também gostaria de trocar algumas palavras com você, Holmes. É por isso que estou aqui. Não nego que pretendia atacá-lo há pouco.

Holmes balançou a perna sobre a quina da mesa.

— Eu imaginei que você tivesse essa ideia — ele disse. — Mas por que estas atenções pessoais?

— Porque você se afastou de seu caminho para me importunar. Porque você pôs seus homens na minha pista.

— Meus homens! Garanto-lhe que não!

— Tolice! Eu mandei que os seguissem. Dois podem jogar este jogo, Holmes.

— É uma questão sem muita importância, mas o senhor talvez possa, por gentileza, tratar-me de *senhor* quando fala comigo. O senhor deve compreender que, com a minha rotina de trabalho, eu acabaria sendo tratado com intimidade por metade da coleção de velhacos, e o senhor deve concordar que as exceções são odiosas.

— Bem, *sr.* Holmes.

— Excelente! Mas garanto que o senhor está enganado quanto aos meus supostos agentes.

O conde Sylvius deu uma gargalhada insolente.

— Outras pessoas também podem observar tão bem quanto o senhor. Ontem foi um velho temerário. Hoje, uma senhora de idade avançada. Eles me espionaram o dia inteiro.

— Na verdade, senhor, isto é um elogio. O velho barão Dowson disse-me, na noite antes de ser enforcado, que, no meu caso, o que a lei ganhou o palco perdeu. E agora o senhor dá às minhas insignificantes caracterizações o seu amável elogio!

— Era o senhor, o senhor mesmo?

Holmes deu de ombros.

— O senhor pode ver ali no canto a sombrinha que tão gentilmente me entregou, no Minories, antes que começasse a suspeitar.

— Se eu soubesse, o senhor talvez nunca...

— Tivesse visto este humilde lar novamente. Eu estava ciente disto. Todos nós temos a lamentar oportunidades desperdiçadas. Como costuma acontecer, o senhor não sabia, de modo que aqui estamos!

As sobrancelhas hirsutas do conde ficaram mais franzidas sobre os seus olhos ameaçadores.

— O que o senhor diz só piora as coisas. Não foram os seus agentes, mas o senhor mesmo representando e bisbilhotando. O senhor então admite que estava me seguindo. Por quê?

— Ora, conde. O senhor costumava matar leões na Argélia.

— E daí?

— Por que fazia isso?

— Por quê? Como passatempo, por ser excitante, pelo perigo!

— E, sem dúvida, para livrar o país de uma praga?

— Exatamente!

— São essas também as minhas razões, em resumo.

O conde ergueu-se de um salto, e sua mão, involuntariamente, moveu-se em direção ao bolso traseiro.

— Sente-se, senhor, sente-se. Havia outro motivo mais prático. Eu quero aquele diamante amarelo!

O conde Sylvius recostou-se outra vez na cadeira, com um sorriso perverso.

— Palavra de honra! — ele disse.

— O senhor sabia que eu o perseguia por isso. O verdadeiro motivo que o trouxe aqui esta noite foi descobrir o que eu sei sobre o assunto e se minha eliminação é absolutamente necessária. Bem, eu diria que, do seu ponto de vista, ela *é* essencial, porque eu sei tudo a este respeito, menos uma coisa, que o senhor está prestes a me contar.

— Oh, realmente! Por favor, o que é que está lhe faltando saber?

— Onde está agora o diamante da Coroa.

O conde olhou com ironia para o outro.

— Ah, o senhor quer saber isso, não? E como eu poderia lhe dizer onde está o diamante?

— O senhor pode, e o senhor vai dizer.

— Imagine!

— O senhor não pode blefar comigo, conde Sylvius. — Os olhos de Holmes, ao se fixarem no conde, se contraíram e se iluminaram até ficarem como dois ameaçadores pontos de aço. — O senhor é muito transparente. Vejo até o interior de sua mente.

— Então, naturalmente, o senhor vê onde está o diamante!

Holmes bateu palmas, divertido, e então apontou o dedo para ele e disse, troçando:

— Então o senhor sabe. O senhor admitiu.

— Eu não admiti nada.

— Bem, conde, se o senhor for razoável, poderemos negociar. Do contrário, o senhor será prejudicado.

O conde Sylvius virou os olhos para o teto.

— E o senhor fala em blefe! — ele disse.

Holmes olhou para ele pensativamente, como um mestre de xadrez que medita sobre um movimento final. Então abriu a gaveta da mesa e tirou uma agenda grossa.

— Sabe o que guardo neste livro?

— Não, senhor, não sei!

— O senhor mesmo.

— Eu?

— Sim, *o senhor*! O senhor está todo aqui, cada ação de sua vida depravada e perigosa.

— Maldito Holmes! — gritou o conde, com os olhos em fogo. — Minha paciência tem limite!

— Está tudo aqui, conde: os fatos verídicos sobre a morte da velha sra. Harold, que lhe deixou a herdade de Blymer, que o senhor perdeu tão rapidamente no jogo.

— O senhor está sonhando!

— E a história completa da vida da srta. Minnie Warrender.

— Ora! O senhor não fará nada com isto!

— Há muito mais aqui, conde. Há o assalto ao trem de luxo para a Riviera, em 13 de fevereiro de 1892. Aqui, no mesmo ano, o cheque falso contra o Crédit Lyonnais.

— Não, aí o senhor se engana.

— Então estou certo em relação aos outros. Bem, conde, o senhor é um jogador. Quando o outro jogador tem todos os trunfos, abrir o jogo poupa tempo.

— O que toda essa conversa tem a ver com a joia que o senhor mencionou?

— Devagar, conde. Controle esta mente impaciente! Deixe-me tratar dos assuntos à minha maneira monótona. Tenho tudo isto contra o senhor, mas tenho, principalmente, provas concretas contra ambos, o senhor e o seu capanga brigão, no caso do diamante da Coroa.

— Não diga!

— Conheço o cocheiro que o levou a Whitehall e o outro que o trouxe de volta. Sei quem é o porteiro que o viu perto da caixa. Ikey Sanders, que se recusou a cortar o diamante para o senhor. Ikey o delatou e a sua trama foi descoberta.

As veias saltaram na testa do conde. Suas mãos escuras e peludas se fecharam num espasmo de emoção reprimida. Ele tentou falar, mas as palavras não saíram de sua boca.

— Estas são as cartas que eu tenho. Estou pondo todas na mesa. Mas está faltando uma carta. É o Rei de Diamantes. Não sei onde está a pedra.

— O senhor nunca saberá.

— Não? Ora, seja razoável, conde. Considere sua situação. O senhor ficará preso durante vinte anos. Sam Merton também. Que proveito os senhores irão tirar do diamante? Nenhum! Mas se o devolver, bem, eu proporia uma traição. Não queremos o senhor ou Sam. Queremos a pedra. Desista dela, e, no que me diz respeito, o senhor pode partir livremente, contanto que se comporte no futuro. Se cometer outra falta, bem, será a última. Mas, desta vez, minha missão é reaver a pedra, não é prendê-lo.

— E se eu me recusar?

— Ora, então, ai do senhor! Então será o senhor e não a pedra.

Billy apareceu, atendendo a um chamado.

— Acho, conde, que seria conveniente que o seu amigo Sam estivesse presente a esta conferência. Afinal de contas, os interesses dele deveriam estar representados. Billy, há um cavalheiro grande e feio na calçada, diante da porta da frente. Peça-lhe que suba até aqui.

— E se ele não quiser vir, senhor?

— Nada de violência, Billy. Não seja rude com ele. Se você lhe disser que o conde Sylvius o chama, ele certamente subirá.

— O que é que o senhor vai fazer agora? — o conde perguntou quando Billy desapareceu.

— Meu amigo Watson esteve aqui comigo há pouco. Contei-lhe que tinha um tubarão e um peixe-isca na minha rede; agora estou puxando a rede e os dois estão vindo juntos.

O conde tinha se levantado da cadeira, e sua mão estava nas costas. Holmes segurou alguma coisa que estava no bolso do roupão.

— Você não morrerá na sua cama, Holmes.

— Tenho pensado nisto frequentemente. E tem muita importância? Afinal de contas, conde, também é mais provável que a sua morte ocorra na posição vertical do que na horizontal. Mas estas previsões do futuro são mórbidas. Por que não nos entregarmos às ilimitadas alegrias do presente?

Um brilho repentino e feroz apareceu nos olhos escuros e ameaçadores do grande criminoso. Holmes parecia crescer, à medida que ficava mais tenso e mais alerta.

— Não adianta apalpar o revólver, meu amigo — ele disse com voz tranquila. — O senhor sabe muito bem que não teria a coragem de usá-lo, mesmo que eu lhe desse tempo para sacá-lo. Os revólveres são coisas sórdidas e barulhentas, conde. É melhor permanecer fiel às pistolas de ar comprimido. Ah, acho que ouvi os passos de fada de seu estimado sócio. Bom dia, sr. Merton. Muito monótono lá na rua, não é?

O lutador, um jovem robusto, de rosto retangular e uma expressão estúpida e teimosa, estava parado na porta, constrangido, olhando em volta com uma expressão perplexa. O jeito afável de Holmes era uma experiência nova para ele, e, embora percebesse vagamente que era um jeito hostil, não sabia como enfrentá-lo. Ele virou-se para o seu companheiro mais esperto, pedindo ajuda.

— Que brincadeira é esta agora, conde? O que é que este sujeito quer? O que está acontecendo? — A voz dele era grave e rouca.

O conde encolheu os ombros, e foi Holmes quem respondeu.

— Se me permite resumir, sr. Merton, eu diria que está tudo terminado.

O boxeador ainda dirigiu seus comentários ao sócio.

— O cara aí está querendo ser engraçado ou o quê? Eu não estou com disposição para brincadeiras.

— Não, espero que não — disse Holmes. — Acho que posso prometer-lhe que se sentirá ainda menos bem-humorado à medida que a noite avançar. Agora, olhe aqui, conde Sylvius. Sou um homem ocupado e não posso perder tempo. Vou até aquele quarto. Por favor, fiquem à vontade durante a minha ausência. O senhor poderá explicar ao seu amigo em que pé está o caso, sem o constrangimento da minha presença. Tentarei tocar a *Barcarola*, de Hoffmann, no meu violino. Dentro de cinco minutos estarei de volta, para a sua resposta definitiva. O senhor compreendeu qual é a alternativa, não? Devemos prendê-lo ou vamos ter a pedra de volta?

Holmes retirou-se, apanhando no caminho seu violino que estava no canto da parede. Alguns minutos depois eles ouviram, através da porta fechada do quarto, as notas prolongadas e gemidas de uma música, que parecia vir de um mundo mal-assombrado.

— O que está havendo? — perguntou Merton com ansiedade quando seu cúmplice se virou para ele. — Ele sabe a respeito da pedra?

— Maldição, ele sabe demais. Não tenho certeza se ele já não sabe tudo a respeito dela.

— Meu Deus! — O rosto pálido do boxeador ficou ainda mais branco.

— Ikey Sanders nos dedurou.

— Ele fez isso, é? Vou dar cabo dele mesmo que eu acabe sendo enforcado por isto.

— Isto não vai nos ajudar muito. Precisamos decidir o que vamos fazer.

— Um instantinho — disse o boxeador, olhando com desconfiança para a porta do quarto. — Ele é um sujeito escorregadio que precisa ser vigiado. Como vou acreditar que ele não está escutando?

— Como ele pode ouvir com o barulho da música?

— Isto é verdade. Talvez haja alguém atrás da cortina. Há cortinas demais nesta sala. — Quando ele olhou em volta, viu de repente, pela primeira vez, o boneco na janela, e ficou olhando e apontando, assustado demais para conseguir falar.

— Ora, é só um boneco — disse o conde.

— Um manequim, não? Bem, me assustou! Madame Tussaud não está nesta. É a cópia viva dele, de roupão e tudo. Mas as cortinas, conde!

— Ora, danem-se as cortinas! Estamos perdendo nosso tempo, e temos pouco. Ele pode nos condenar por causa desta pedra.

— Com os diabos, ele pode!

— Mas ele nos deixará escapar se nós apenas lhe dissermos onde está a pedra.

— O quê? Desistir disto? Desistir de cem mil libras?

— É um ou outro.

Merton coçou a cabeça.

— Ele está sozinho lá dentro. Vamos dar cabo dele. Se sua luz se apagasse, não teríamos nada a temer.

O conde sacudiu a cabeça.

— Ele está armado e alerta. Se nós atirarmos nele, dificilmente conseguiremos escapar de um lugar como este. Além disso, é bem provável que a polícia tenha conhecimento das provas que ele conseguiu. Ei! O que foi isso?

Um som impreciso parecia vir da janela. Os dois homens viraram-se num salto, mas tudo estava quieto. A não ser pela estranha figura sentada na poltrona, a sala com certeza estava vazia.

— Alguma coisa na rua — disse Merton. — Agora, escute aqui, chefe, você é o inteligente. Certamente você pode imaginar uma saída. Se acabar com ele não adianta, então compete a você achar uma solução.

— Tenho enganado homens melhores do que ele — disse o conde. — A pedra está aqui, no meu bolso secreto. Eu não arrisco deixá-la em qualquer outro lugar. Ela pode ser levada para fora da Inglaterra esta noite, e em Amsterdã, antes deste domingo, será cortada em quatro pedaços. Ele nada sabe a respeito de Van Seddar.

— Pensei que Van Seddar ia viajar só na próxima semana.

— Ele *ia*. Mas agora ele precisa partir no próximo navio. Um de nós dois tem de fugir com a pedra e ir até a Lime Street para avisá-lo.

— Mas o fundo falso não está pronto.

— Bem, ele precisa levá-la assim mesmo e correr o risco. Não temos um minuto a perder. — Novamente, com o senso de perigo que para o desportista torna-se um instinto, ele parou e olhou para a janela. — Sim, com certeza foi da rua que veio aquele som quase imperceptível.

— Quanto a Holmes — ele continuou —, podemos enganá-lo com a maior facilidade. Veja você, o maldito tolo não nos prenderá se conseguir a pedra. Bem, nós vamos lhe prometer a pedra. Vamos colocá-lo atrás dela numa pista falsa, e, antes que ele descubra que a pista é falsa, a pedra estará na Holanda e nós estaremos fora do país.

— Isto me soa bem! — disse Sam Merton, arreganhando os dentes.

— Vá e diga ao holandês para se apressar. Eu verei este bobalhão e vou despistá-lo, até em cima, com uma confissão falsa. Vou dizer a ele que a pedra está em Liverpool. Malditos gemidos; esta música me dá nos nervos! Quando ele descobrir que a pedra não está em Liverpool, ela já terá sido dividida e nós estaremos em alto-mar. Volte aqui, saia da frente do buraco da fechadura. Aqui está a pedra.

— Eu não sei como você tem coragem de carregá-la com você.

— Onde ela estará mais segura? Se eu consegui tirá-la de Whitehall, alguém com certeza poderia tirá-la dos meus aposentos.

— Vamos dar uma espiada nela.

O conde Sylvius deu uma olhada nada lisonjeira para o seu cúmplice e ignorou a mão suja que estava estendida para ele.

— O quê? Você pensa que vou tirá-la de você? Olha aqui, chefe, estou ficando cansado dos seus métodos.

— Ora, calma; nada de ofensas, Sam. Não estamos em condições de brigar. Venha até a janela se quiser ver bem a *beldade*. Agora segure-a na luz! Aí!

— Obrigado.

Com um único salto Holmes pulou da poltrona do boneco e agarrou a joia preciosa. Ele a segurava agora em uma das mãos, enquanto a outra apontava o revólver para a cabeça do conde. Os dois bandidos cambalearam para trás, num espanto total. Antes que eles se recuperassem do susto, Holmes tocou a campainha.

— Nada de violência, senhores. Nada de violência, peço-lhes. Pensem na minha mobília! Os senhores devem saber que a situação é crítica. A polícia está esperando lá embaixo.

A perplexidade do conde superou sua raiva e o seu medo.

— Mas como? Com mil diabos! — ele exclamou, ofegante.

— Sua surpresa é muito natural. O senhor não sabia que atrás daquela cortina há uma segunda porta, que dá no meu quarto. Eu imaginei que o senhor pudesse ter me ouvido, quando retirei o boneco, mas a sorte estava do meu lado. Isto deu-me a oportunidade de ouvir a sua conversa espirituosa, que teria sido lamentavelmente encerrada se soubessem da minha presença.

O conde fez um gesto de resignação.

— Nós nos damos por vencidos, Holmes. Acho que você é o próprio demônio.

— De qualquer maneira, não estou longe dele — respondeu Holmes com um sorriso cortês.

O cérebro lento de Sam Merton só conseguiu avaliar a situação gradualmente. Enfim ele rompeu o silêncio ao ouvir sons de passos pesados que vinham das escadas lá fora.

— Tiras do diabo! — ele disse. — Mas o que há com esse violino desgraçado? Ainda o ouço.

— Ora, ora! — respondeu Holmes. — Você está absolutamente certo. Deixe-o tocar! Esses gramofones modernos são uma invenção notável.

Houve uma invasão da polícia, o clique das algemas, e os criminosos foram levados para o carro que estava esperando. Watson ficou muito tempo com Holmes, cumprimentando-o por esta nova folha acrescentada aos seus louros. Mais uma vez a conversa deles foi interrompida pelo imperturbável Billy, com sua bandeja de cartões.

— Lorde Cantlemere, senhor.

— Mande-o subir, Billy. Este é o ilustre fidalgo, que representa os mais altos interesses — disse Holmes. — É uma pessoa excelente e leal, mas bastante antiquado. Vamos deixá-lo à vontade? Devemos nos arriscar a fazer uma brincadeira? Podemos imaginar que ele não sabe nada do que aconteceu.

A porta se abriu e entrou uma figura magra e austera, com cara de poucos amigos e suíças caídas no estilo vitoriano e de um negrume brilhante, que pouco combinavam com seus ombros arredondados e seu modo de andar delicado. Holmes adiantou-se de forma cortês e apertou uma mão que não respondeu ao cumprimento.

— Como vai o senhor, lorde Cantlemere? Está frio para esta época do ano, mas quente dentro de casa. Posso pendurar o seu sobretudo?

— Não, obrigado; não vou tirá-lo.

Holmes manteve sua mão insistentemente sobre a manga.

— Rogo-lhe que me permita! Meu amigo, o dr. Watson, pode lhe garantir que estas mudanças de temperatura são bem perigosas.

Sua Excelência livrou-se das mãos de Holmes com certa impaciência.

— Estou perfeitamente confortável, senhor. Não tenho necessidade de ficar aqui. Vim apenas rapidamente, para saber como vai progredindo sua tarefa não autorizada.

— É difícil, muito difícil.

— Eu temia que o senhor fosse achar isso.

Havia um perceptível sarcasmo nas palavras e no jeito do velho cortesão.

— Todo homem encontra suas limitações, sr. Holmes, mas pelo menos isto nos cura da fraqueza da presunção.

— Sim, senhor, tenho estado muito perturbado.

— Não há dúvida.

— Principalmente a respeito de um detalhe. Talvez o senhor possa me ajudar.

— O senhor pede o meu conselho tarde demais. Pensei que o senhor tivesse seus próprios métodos autossuficientes. Ainda assim estou pronto a ajudá-lo.

— Veja, lorde Cantlemere, nós podemos, sem dúvida nenhuma, enquadrar os verdadeiros ladrões dentro da lei.

— Quando os tiver capturado.

— Exatamente. Mas a pergunta é a seguinte: como devemos proceder com o receptador da pedra?

— Não é um tanto prematuro?

— Seria bom ter os nossos planos prontos. Bem, o que o senhor consideraria como evidência final contra o receptador?

— A posse da pedra.

— O senhor o prenderia por causa disso?

— Evidentemente.

Holmes raramente ria, mas desta vez chegou muito perto, como se recorda o seu velho amigo Watson.

— Neste caso, meu caro senhor, tenho o penoso dever de informá-lo de sua prisão.

Lorde Cantlemere ficou muito irritado. Um pouco do antigo ardor coloriu levemente suas faces pálidas.

— O senhor é muito confiado, sr. Holmes. Em cinquenta anos de serviço público, não consigo me recordar de coisa parecida. Sou um homem ocupado, senhor, envolvido em assuntos importantes, não tenho tempo nem disposição para brincadeiras tolas. Devo dizer-lhe francamente, senhor, que jamais acreditei em seus poderes e que sempre fui de opinião que o caso estaria mais seguro nas mãos da polícia. Sua conduta confirma todas as minhas conclusões. Tenho a dignidade, senhor, de desejar-lhe boa noite.

Holmes havia mudado rapidamente de posição, colocando-se entre o nobre e a porta.

— Um momento, senhor — ele disse. — Sair com a pedra Mazarin seria um crime mais sério do que ser encontrado na posse provisória dela.

— Senhor, isto é intolerável! Deixe-me passar.

— Ponha sua mão no bolso direito do sobretudo.

— O que é que o senhor quer dizer?

— Vamos, vamos, faça o que eu peço.

Um minuto depois o perplexo nobre estava ali, piscando e gaguejando, com a grande pedra amarela na mão trêmula.

— O quê! O quê! Como pode ser isto, sr. Holmes?

— Sinto muito, lorde Cantlemere, sinto muito — exclamou Holmes. — Meu velho amigo aqui lhe dirá que tenho o péssimo costume de fazer brincadeiras deste tipo. E também que eu jamais resisto a uma situação dramática. Tomei a liberdade, admito que exagerei, de colocar a pedra no seu bolso no início da nossa entrevista.

O velho nobre olhava espantado para a pedra e para o rosto sorridente diante dele.

— Senhor, estou perplexo. Mas, sim, esta é mesmo a pedra Mazarin. Devemos muito ao senhor. O seu senso de humor pode ser, como o senhor admitiu, um pouco deturpado, e a sua exibição bastante inoportuna, mas, pelo menos, retiro qualquer reflexão que eu tenha feito a respeito de seus espantosos poderes profissionais. Mas como...

— O caso ainda está pela metade; os detalhes podem esperar. Sem dúvida, lorde Cantlemere, o prazer que sentirá ao relatar este bom resultado ao círculo nobre para o qual o senhor retorna agora será uma pequena compensação pela minha brincadeira. Billy, mostre a saída à Sua Excelência, e diga à sra. Hudson que eu ficaria satisfeito se ela pudesse mandar subir jantar para dois o mais cedo possível.

A AVENTURA DAS TRÊS CUMEEIRAS

Acho que nenhuma de minhas aventuras com Sherlock Holmes começou de modo tão repentino e tão dramático como aquela que associo a As Três Cumeeiras. Eu não vira Holmes durante alguns dias e não sabia ainda do novo rumo que suas atividades tinham tomado. Mas, naquela manhã, ele estava com vontade de conversar. Eu havia acabado de me instalar na velha e baixa poltrona ao lado do fogo, e ele, com o cachimbo na mão, havia se sentado encolhido na cadeira oposta. Foi quando nosso visitante chegou. Se eu tivesse dito que um touro louco havia chegado, daria uma impressão mais exata do que ocorreu.

A porta foi aberta com violência, e um negro enorme entrou bruscamente na sala. Ele seria uma figura cômica, se não fosse espantosa, porque estava usando um terno xadrez cinzento, muito espalhafatoso, e uma gravata esvoaçante cor de salmão. Seu rosto largo e seu nariz achatado estavam projetados para a frente, enquanto seus coléricos olhos pretos, com um brilho de maldade latente, nos fitavam alternadamente.

— Qual dos senhores é o *sinhô* Holmes? — ele perguntou.

Holmes ergueu seu cachimbo com um sorriso indolente.

— Oh! é o *sinhô*, é? — disse nosso visitante, contornando a mesa com passos furtivos. — Olhe aqui, *sinhô* Holmes, não meta as mãos nos negócios alheios. Deixe que as pessoas cuidem de seus próprios negócios. Entendeu, *sinhô* Holmes?

— Continue falando — disse Holmes. — Está muito bom.

— Ah! Está muito bom? — rosnou o selvagem. — Maldição; não será tão bom quando eu *tivé* tratado *ocê*. Eu já lidei com gente de sua laia antes, e eles não pareciam estar bons quando eu acabei. Olhe p'ra isto, *sinhô* Holmes!

Ele sacudiu o punho enorme e nodoso sob o nariz do meu amigo. Holmes examinou o punho de perto, com ar de grande interesse.

— Você nasceu assim? — ele perguntou. — Ou isto aconteceu gradativamente?

Pode ter sido o sangue-frio do meu amigo ou o ligeiro ruído que fiz quando apanhei o atiçador. De qualquer modo, a atitude do nosso visitante tornou-se menos exuberante.

— Bem, eu lhe dei um aviso claro — disse ele. — Um amigo meu tem interesses lá para as bandas de Harrow, você sabe o que estou querendo *dizê*. E ele não quer que *ocê* se intrometa. Entendeu? *Ocê* não é a lei, e eu também não sou a lei, e se *ocê* se mete eu estarei por perto da mesma forma. Não se esqueça disso.

— Há já algum tempo que eu queria encontrá-lo — disse Holmes. — Não o convido para sentar-se porque não gosto do seu cheiro, mas você não é Steve Dixie, o pugilista?

— Este é o meu nome, *sinhô* Holmes, e vou acabar com *ocê*, esteja certo, se *tentá* me *passá* a conversa.

— Isto é certamente a última coisa de que você precisa — disse Holmes, olhando fixamente a boca medonha do nosso visitante. — Mas foi a morte do jovem Perkins, na frente do Holborn Bar... O quê! Você não vai embora?

O negro havia saltado para trás, e seu rosto ficou cinzento.

— Não quero ouvir esse tipo de conversa — ele disse. — O que tenho a ver com o tal do Perkins, *sinhô* Holmes? Eu estava treinando no Bull Ring' em Birmingham, quando este garoto se meteu em encrenca.

— Sim, você vai contar isto ao juiz, Steve — disse Holmes. — Andei observando você e Barney Stockdale...

— Se é assim, que Deus me ajude! *Sinhô* Holmes...

— Basta. Saia daqui. Eu agarro você quando quiser.

— Bom dia, *Sinhô* Holmes. Espero que não tenha raiva deste seu visitante.

— Terei, a menos que você me diga quem o mandou aqui.

— Ora, isto não é nenhum segredo, *sinhô* Holmes. Foi o mesmo cavalheiro de quem o *sinhô* acabou de *falá*.

— E quem o mandou agir?

— Deus me ajude. Eu não sei, *sinhô* Holmes. Ele disse apenas: "Steve, você vai ver o sr. Holmes, e diga-lhe que a vida dele não estará segura se ele for para os lados de Harrow." Esta é toda a verdade.

Sem esperar por qualquer outra pergunta, nosso visitante saiu da sala, de maneira tão precipitada como entrou. Holmes bateu as cinzas do cachimbo com um risinho silencioso.

— Estou satisfeito por você não ter sido obrigado a quebrar-lhe a carapinha, Watson. Percebi seus movimentos com o atiçador. Mas, na verdade, ele é um sujeito inofensivo, um bebê grande, musculoso, tolo e fanfarrão, e acovarda-se facilmente, como você viu. Ele faz parte da quadrilha de Spencer John e tomou parte em muitos desses últimos trabalhos sujos, que preciso esclarecer quando tiver tempo. Seu superior imediato, Barney, é uma pessoa mais esperta. São especializados em assaltos, chantagem e coisas desse tipo. O que eu quero saber é quem está por trás deles desta vez.

— Mas por que eles querem intimidá-lo?

— Trata-se deste caso de Harrow Weald. Isto me fez decidir investigar o assunto, porque se alguém acha que vale a pena ter tanto trabalho com isso é porque deve haver alguma coisa aí.

— Mas o que será?

— Eu ia dizer-lhe, quando tivemos esse cômico interlúdio: aqui está o bilhete da sra. Maberley. Se você quiser ir comigo, vamos telefonar a ela e sair imediatamente.

Prezado sr. Sherlock Holmes, [eu li]

Houve uma sucessão de incidentes estranhos comigo em relação a esta casa, e eu apreciaria os seus conselhos. O senhor me encontrará em casa amanhã, a qualquer hora. A casa fica perto da estação de Weald. Acho que o meu falecido marido, Mortimer Maberley, foi um dos seus primeiros clientes.

Respeitosamente,

Mary Maberley

O endereço era "As Três Cumeeiras, Harrow Weald".

— É isso! — disse Holmes. — E agora, se você dispõe de tempo, Watson, podemos partir.

Uma curta viagem de trem, e outra mais curta de carruagem, levou-nos até o endereço, uma casa de campo de tijolos e madeira, situada num terreno de uns quatro mil metros quadrados de terras não cultivadas. Três pequenas saliências, acima das janelas superiores, faziam uma débil tentativa de justificar seu nome. Atrás havia um melancólico bosque de pinheiros ainda não crescidos, e o aspecto geral do lugar era pobre e deprimente. Entretanto, verificamos que a casa estava muito bem mobiliada, e a senhora que nos recebeu era uma pessoa de idade, encantadora, e exibia todos os sinais de refinamento e cultura.

— Lembro-me muito bem de seu marido, madame — disse Holmes —, embora já faça alguns anos que ele usou os meus serviços, em algum assunto de pouca importância.

— Talvez o senhor esteja mais familiarizado com o nome de meu filho Douglas.

Holmes olhou-a com grande interesse.

— Valha-me Deus! A senhora é a mãe de Douglas Maberley? Eu o conheci ligeiramente. Mas é claro que toda Londres o conhecia. Que criatura magnífica! Onde ele está agora?

— Morto, sr. Holmes, morto! Ele era adido em Roma e morreu lá de pneumonia, no mês passado.

— Sinto muito. Não se consegue associar a morte a um homem como ele. Jamais conheci alguém com mais vitalidade. Ele viveu intensamente, cada fibra de seu corpo!

— Intensamente demais, sr. Holmes. Esta foi a sua ruína. O senhor recorda-se dele, como ele era, alegre e brilhante. O senhor não viu a criatura mal-humorada, melancólica, pessimista em que ele se transformou. Seu coração ficou partido. Em apenas um mês, tive a impressão de ver meu intrépido rapaz garboso transformar-se em um homem descrente e arrasado.

— Um caso de amor, uma mulher?

— Ou um demônio. Bem, não foi para falar de meu pobre rapaz que lhe pedi que viesse, sr. Holmes.

— Dr. Watson e eu estamos às suas ordens.

— Têm acontecido coisas muito estranhas. Já faz mais de um ano que estou nesta casa, e, como eu queria levar uma vida reclusa, tenho visto muito pouco meus vizinhos. Há três dias, recebi um telefonema de um homem, que se identificou como imobiliário. Ele me disse que esta casa era exatamente o que convinha a um cliente seu e que, se eu concordasse em vendê-la, não haveria objeções quanto a dinheiro. Isto me pareceu muito estranho, porque há várias casas vazias à venda, que poderiam servir muito bem, mas, naturalmente, fiquei interessada no que ele disse. De modo que fixei um preço, quinhentas libras a mais do que eu paguei. Ele aceitou imediatamente a proposta, mas acrescentou que o seu cliente desejava comprar também a mobília, e que eu fizesse o preço. Alguns destes móveis são de minha antiga casa e, como o senhor pode ver, são de muito boa qualidade, de modo que pedi uma quantia bem alta. Ele também concordou com isso na mesma hora. Eu sempre quis viajar, e o negócio era tão bom que realmente me pareceu que eu poderia ser senhora de mim mesma pelo resto da vida.

"Ontem o homem veio com o contrato pronto. Felizmente eu o mostrei ao sr. Sutro, meu advogado, que mora em Harrow. Ele me disse: 'Este documento é muito estranho. A senhora está sabendo que, se assiná-lo, não poderá, legalmente, retirar *nada* da casa — nem mesmo seus objetos pessoais?' Quando o homem voltou, à noite, eu chamei sua atenção para isso e disse-lhe que queria vender apenas a mobília.

"'Não, não, tudo', ele disse.

"'E minhas roupas? Minhas joias?'

"'Bem, bem, pode ser feita alguma concessão no que se refere aos objetos pessoais. Mas nada deverá ser retirado da casa sem que seja examinado. Meu cliente é um homem muito liberal, mas tem seus caprichos e sua própria maneira de fazer as coisas. Com ele é tudo ou nada.'

"'Então deve ser nada', eu disse. E deixamos o assunto assim, mas tudo me pareceu tão estranho que eu pensei..."

Aqui houve uma interrupção inusitada.

Holmes ergueu a mão pedindo silêncio. Em seguida atravessou a sala a passos largos, abriu a porta rapidamente e puxou para dentro uma mulher grande e magra, que ele agarrou pelo ombro. Ela entrou, debatendo-se desajeitadamente, como uma galinha imensa e desengonçada, cacarejando ao ser arrancada do ninho.

— Deixe-me em paz! O que é que você está fazendo? — ela gritou com voz estridente.

— Ora, Susan, o que é isso?

— Bem, madame, eu estava chegando para perguntar se as visitas iam ficar para o almoço, quando este homem pulou em cima de mim.

— Eu a estava ouvindo durante os últimos cinco minutos, mas não quis interromper sua história tão interessante. Apenas um pouco ofegante, Susan, não é? Você respira forte demais para este tipo de trabalho.

Susan virou o rosto zangado mas espantado para o seu captor.

— De qualquer modo, quem é você, e que direito tem de me arrastar por aí desse jeito?

— Foi simplesmente porque eu queria fazer uma pergunta na sua presença. Senhora Maberley, mencionou a alguém que ia escrever-me para fazer uma consulta?

— Não, sr. Holmes, eu não o fiz.

— Quem levou sua carta ao correio?

— Susan.

— Exatamente. Agora, Susan, para quem foi que você escreveu ou mandou um recado dizendo que sua patroa estava pedindo a minha ajuda?

— Isso é mentira. Não mandei nenhuma mensagem.

— Ora, Susan, pessoas ofegantes podem não viver muito, você sabe. Falar mentiras é uma coisa má. A quem você contou?

— Susan — disse sua patroa —, acredito que você seja uma mulher má e traiçoeira. Lembro-me agora de que a vi falando com alguém, por cima da cerca.

— Aquilo é só da minha conta — disse a mulher, com raiva.

— E se eu disser que foi com Barney Stockdale que você falou? — perguntou Holmes.

— Bem, se você sabe, por que está perguntando?

— Eu não tinha certeza, mas agora tenho. Bem, Susan, você pode ganhar dez libras se me disser quem está por trás de Barney.

— Alguém que poderia me dar mil libras para cada dez que você tem no mundo.

— Então, um homem tão rico? Não, você sorriu. Uma mulher rica. Agora que já fomos tão longe, você pode, também, dizer-me o nome e receber as dez libras.

— Prefiro vê-lo no inferno primeiro.

— Oh, Susan! Olhe a linguagem!

— Vou dar o fora daqui. Já estou cheia de vocês todos. Mandarei buscar minha mala amanhã — ela dirigiu-se rapidamente para a porta.

— Adeus, Susan. Você precisa é de um calmante. Bem — ele continuou, passando rapidamente do tom espirituoso para o sério quando a porta se fechou atrás da mulher nervosa e zangada —, essa quadrilha deve ser levada a sério. Vejam como eles são rápidos no jogo. Sua carta, endereçada a mim, tinha o selo das dez da noite. E, mesmo assim, Susan informou Barney. Barney teve tempo de ir até o chefe e receber instruções; ele ou ela... acho que é "ela" por causa do sorriso de Susan, quando pensou que eu me tivesse enganado... faz um plano. Black Steve é chamado, e eu, na manhã seguinte, às 11 horas, sou advertido de que devo me manter afastado. Isto é trabalho rápido, a senhora compreende.

— Mas o que eles querem?

— Sim, este é o problema. Antes da senhora, quem era o dono da casa?

— Um capitão da Marinha reformado, chamado Ferguson.

— Alguma coisa digna de menção a respeito dele?

— Nada de que eu soubesse.

— Eu estava me perguntando se ele teria enterrado alguma coisa. É claro que hoje em dia, quando as pessoas enterram tesouros, o fazem no Banco do Correio. Mas sempre existem alguns malucos. Sem eles o mundo seria insípido. A princípio pensei em valores enterrados. Mas, neste caso, por que eles iriam querer a mobília? A senhora não teria por acaso um Rafael ou uma primeira edição de Shakespeare sem saber disso?

— Não, acho que não penso que tenho nada mais raro do que um aparelho de chá Crown Derby.

— Isto dificilmente justificaria tanto mistério. Além disso, por que é que eles não dizem logo o que querem? Se cobiçam seu aparelho de chá, eles podem decerto oferecer-lhe um preço por ele, sem precisar comprar tudo que a senhora possui. Não, o que eu acho é que existe alguma coisa que a senhora não sabe que tem, e da qual não abriria mão, se soubesse.

— É isto o que eu penso — eu disse.

— O dr. Watson concorda, de modo que isso confirma o que eu disse.

— Bem, sr. Holmes, o que pode ser?

— Vamos ver se conseguimos chegar a uma conclusão melhor, apenas com a análise mental. A senhora está nesta casa há um ano.

— Quase dois.

— Tanto melhor. Durante este longo período, ninguém quis nada da senhora. Agora, de repente, há três ou quatro dias, a senhora recebeu ofertas urgentes. Que conclusão a senhora tira disso?

— Isto pode significar — eu disse — que o objeto, qualquer que seja, acabou de chegar a esta casa.

— Mais uma vez de acordo — disse Holmes. — Sra. Maberley, há algum objeto que tenha acabado de chegar?

— Não; não comprei nada novo este ano.

— Realmente, isto é estranho. Bem, acho que o melhor que temos a fazer é deixar que as coisas progridam um pouco mais, até que possamos obter informações mais claras. Este seu advogado é um homem competente?

— O sr. Sutro é extremamente competente.

— A senhora tem outra criada ou foi a loura Susan, ela própria, quem acabou de bater na porta da frente?

— Tenho uma mocinha.

— Tente fazer com que Sutro passe uma ou duas noites na casa, a senhora pode precisar de proteção.

— Contra quem?

— Quem sabe? O caso é misterioso. Se eu não conseguir descobrir o que eles querem, terei de abordar o assunto pela outra ponta e tentar chegar ao chefão. O corretor imobiliário deu algum endereço?

— Apenas seu cartão e sua profissão. Haines, Johnson, leiloeiro e avaliador.

— Acho que não iremos encontrá-lo na lista telefônica. Profissionais honestos não escondem seu local de trabalho. Bem, a senhora me informará sobre qualquer fato novo. Aceitei este caso, e a senhora pode confiar que irei até o fim.

Quando passamos pelo vestíbulo, os olhos de Holmes, que não deixam escapar nada, descobriram muitas malas e caixas que estavam empilhadas num canto. As etiquetas eram bem visíveis.

— "Milão", "Lucernia". Vieram da Itália.

— São as coisas do pobre Douglas.

— A senhora ainda não as abriu? Há quanto tempo estão aqui?

— Chegaram na semana passada.

— Mas aí está. Ora, certamente isto deve ser o elo que faltava. Como é que a senhora sabe que não há nada de valor aí dentro?

— Isto não seria possível, sr. Holmes. O pobre Douglas recebia apenas o seu salário e uma pequena renda anual. O que ele poderia ter de valor?

Holmes refletiu durante algum tempo.

— Não protele mais, sra. Maberley — ele disse finalmente. — Mande levar essas coisas para cima, para o seu quarto. Examine-as quanto antes, e veja o que contêm. Voltarei amanhã e ouvirei seu relato.

Era evidente que As Três Cumeeiras estava sob vigilância, pois, quando contornamos a alta cerca viva no final da rua, lá estava o negro pugilista parado na sombra. Nós nos aproximamos dele de repente, e, naquele lugar ermo, sua figura era medonha e ameaçadora. Holmes enfiou depressa a mão no bolso.

— Procurando seu revólver, *sinhô* Holmes, não é?

— Não, meu vidro de perfume, Steve.

— *Tá* querendo *sê* engraçado, *sinhô* Holmes.

— Não vai ser engraçado para você, Steve, se eu o apanhar. Eu lhe dei um aviso bastante claro esta manhã.

— Bem, *sinhô* Holmes, eu pensei sobre o que me disse e não quero mais papo sobre este assunto do *sinhô* Perkins. Se *pudé ajudá, sinhô* Holmes, estou às ordens.

— Então diga-me quem está por trás de você neste negócio.

— Que Deus me ajude! *Sinhô* Holmes, eu falei a verdade antes. Eu não sei. Meu chefe Barney me dá as ordens, e isto é tudo.

— Bem, ponha na sua cabeça, Steve, que a senhora naquela casa e tudo sob aquele teto estão sob minha proteção. Não se esqueça disto.

— Está bem, *sinhô* Holmes. Vou me *lembrá*.

— Eu o fiz temer pela própria pele, Watson — observou Holmes, enquanto caminhávamos. — Acho que ele teria traído seu chefe se soubesse quem era. Foi sorte eu ter conhecimento do grupo de Spencer John, e que Steve fosse um deles. Ora, Watson, este é um caso para Langdale Pike, e vou vê-lo agora. Quando eu voltar, talvez possa estar mais informado sobre o caso.

Não vi mais Holmes durante o dia, mas podia imaginar como ele o passou, pois Langdale Pike era seu livro humano de referências sobre todos os escândalos sociais. Esta criatura esquisita e mórbida passava as horas que ficava acordado na janela de um clube, na St. James' Street, e era a estação receptora e transmissora de todos os mexericos da metrópole. Dizia-se que ele tinha uma renda de quatro algarismos pelas notícias que ele fornecia, toda semana, aos jornais de segunda categoria, que atendiam a um público muito curioso. Se houvesse algum redemoinho ou turbilhão estranhos, bem lá embaixo, nas profundezas da turva vida londrina, seria registrado na superfície com precisão automática por esse mostrador humano. Holmes ajudava discretamente Langdale a tomar conhecimento de fatos, e às vezes era ajudado por ele.

Quando encontrei meu amigo na manhã seguinte em seu quarto, seu comportamento deu-me a certeza de que estava tudo bem, mas, mesmo assim, uma surpresa bastante desagradável estava nos aguardando. Esta surpresa tomou a forma do seguinte telegrama:

Por favor, venha imediatamente. Casa do cliente assaltada à noite. Polícia no caso.

Sutro

Holmes deu um assobio.

— O drama transformou-se numa crise, e mais depressa do que eu esperava. Por trás desse negócio há uma grande força motriz, Watson, o que não me surpreende depois do que fiquei sabendo. Este Sutro, naturalmente, é o advogado dela. Acho que cometi um erro, não lhe pedindo que passasse a noite de guarda. Este sujeito mostrou claramente que não é digno de confiança. Bem, não há nada que se possa fazer, a não ser outra viagem a Harrow Weald.

Encontramos As Três Cumeeiras completamente diferente da tranquila casa de família do dia anterior. Um pequeno grupo de desocupados havia se reunido no portão do jardim, enquanto dois policiais estavam examinando as janelas e os canteiros de gerânios. Dentro da casa encontramos um cavalheiro idoso, de cabelos grisalhos, que se apresentou como o advogado, juntamente com um alvoroçado e corado inspetor da polícia, que cumprimentou Holmes como a um velho amigo.

— Ora, sr. Holmes, não há qualquer oportunidade para o senhor neste caso. Apenas um caso de assalto comum, e perfeitamente dentro da capacidade da pobre e velha polícia. Não é necessário um perito.

— Tenho certeza de que o caso está em ótimas mãos — disse Holmes. — O senhor acha que é apenas um assalto comum?

— Perfeitamente. Sabemos muito bem quem são os homens e como encontrá-los. É a quadrilha de Barney Stockdale, e aquele negro grandão está nessa. Ele foi visto nestas redondezas.

— Excelente! E o que foi que eles levaram?

— Bem, parece que não levaram muita coisa. Fizeram a sra. Maberley dormir com clorofórmio e a casa foi... Ah! Aqui está a senhora.

Nossa amiga do dia anterior, parecendo muito pálida e doente, tinha entrado na sala, apoiando-se numa pequena criada.

— O senhor me deu um bom conselho, sr. Holmes — ela disse, sorrindo com pesar. — Ai de mim! Eu não o ouvi! Não quis incomodar o sr. Sutro, de modo que fiquei desprotegida.

— Eu só soube hoje de manhã — explicou o advogado.

— O sr. Holmes aconselhou-me a ficar com algum amigo em casa. Não dei importância ao seu conselho e paguei por isso.

— A senhora parece muito doente. Talvez seja difícil contar-me o que ocorreu.

— Está tudo aqui — disse o inspetor, dando uma pancadinha num volumoso caderno de anotações.

— Mesmo assim, se a senhora não estiver cansada demais...

— Há realmente tão pouco para contar. Não tenho dúvida de que a malvada da Susan planejou uma maneira de eles entrarem. Eles deviam conhecer a casa muito bem. Durante um minuto tive consciência do pano com clorofórmio com que taparam a minha boca, mas não sei quanto tempo fiquei sem sentidos. Quando acordei, um dos homens estava ao lado da cama e o outro estava se levantando, tendo na mão um pacote que retirou da bagagem de meu filho, que estava parcialmente aberta e espalhada no chão. Antes que ele conseguisse fugir, dei um pulo e o agarrei.

— A senhora arriscou-se muito — disse o inspetor.

— Eu me agarrei a ele, mas ele conseguiu se livrar, e o outro deve ter me golpeado, porque não consigo me lembrar de mais nada. Mary, a criada, ouviu o barulho e começou a gritar na janela. Isto atraiu a polícia, mas os patifes tinham ido embora.

— O que foi que eles levaram?

— Bem, não acho que esteja faltando alguma coisa de valor. Tenho certeza de que não havia nada nas malas do meu filho.

— Os homens não deixaram nenhuma pista?

— Há uma folha de papel que eu devo ter arrancado do homem a quem me agarrei. Estava no chão, todo amassado. A letra é do meu filho.

— O que significa que não tem grande utilidade — disse o inspetor. — Agora, se pertencesse ao ladrão...

— Exatamente — disse Holmes. — Que bom senso aguçado! Mesmo assim, estou curioso para ver este papel.

O inspetor tirou de sua agenda uma folha de papel almaço dobrada.

— Eu nunca deixo passar nada, por mais insignificante que seja — ele disse com certa afetação. — Este é o conselho que lhe dou, sr. Holmes. Em 25 anos de experiência, aprendi minha lição. Existe sempre a possibilidade de uma impressão digital ou de alguma outra coisa.

Holmes examinou a folha de papel.

— O que o senhor acha disto, inspetor?

— Pelo que posso ver, parece ser o final de um romance excêntrico.

— Pode ser mesmo o final de uma história excêntrica — disse Holmes. — O senhor reparou no número no alto da página? É o número 245. Onde estão as outras 244 páginas?

— Ora, imagino que os ladrões apanharam essas folhas. Vão ser muito úteis para eles!

— Parece uma coisa esquisita entrar numa casa a fim de roubar papéis como esses. Isto lhe sugere alguma coisa, inspetor?

— Sim, senhor; sugere que os malandros, na pressa, agarraram o que lhes caiu primeiro na mão. Desejo que se divirtam com o que roubaram.

— Por que estariam interessados nas coisas do meu filho? — perguntou a sra. Maberley.

— Bem, eles não encontraram nada de valioso no primeiro andar, de modo que tentaram a sorte no andar de cima. Essa é a minha opinião. O que acha disso, sr. Holmes?

— Preciso refletir sobre isto, inspetor. Venha até a janela, Watson.

Então, quando ficamos sozinhos, ele leu rapidamente o que estava escrito no pedaço de papel. Começava no meio de uma frase e continuava assim:

...o rosto sangrava muito pelos cortes e golpes, mas isto não era nada comparado ao sangramento do seu coração, quando ele viu aquele rosto adorável, pelo qual estava pronto a sacrificar sua própria vida, contemplando sua agonia e sua humilhação. Ela sorriu — sim, por Deus! Ela sorriu, como o demônio sem coração que era, quando ele ergueu os olhos para ela. Foi naquele momento que o amor morreu e nasceu o ódio. O homem precisa viver por alguma coisa. Se não for pelo seu abraço, minha senhora, então o será certamente pela sua destruição e pela minha completa vingança.

— Que maneira estranha de se expressar! — disse Holmes, com um sorriso, ao devolver o papel ao inspetor. — O senhor notou como o ele, de repente, mudou para minha? O escritor estava tão arrebatado pela sua própria história que, no momento supremo, imaginou que ele próprio era o herói.

— Parece literatura muito pobre — disse o inspetor, enquanto guardava novamente o papel na sua agenda. — Mas o senhor já vai, sr. Holmes?

— Acho que não tenho mais nada a fazer neste caso, agora que ele está em mãos tão competentes. A propósito, sra. Maberley, a senhora disse que gostaria de viajar?

— Este sempre foi o meu sonho, sr. Holmes.

— Para onde gostaria de ir... Cairo, Madeira, Riviera?

— Oh! Se eu tivesse dinheiro, faria a volta ao mundo.

— Perfeitamente. A volta ao mundo. Bem, bom dia. Talvez eu lhe mande um bilhete, à noite.

Quando passamos pela janela, vi, de relance, o inspetor sorrindo e sacudindo a cabeça. Estes sujeitos muito espertos têm sempre um quê de loucura. Foi o que percebi no sorriso do inspetor.

— Agora, Watson, estamos na última etapa de nossa curta viagem — disse Holmes, quando voltamos mais uma vez ao barulhento centro de Londres. — Acho que devemos esclarecer este assunto imediatamente; e seria bom se você pudesse me acompanhar, porque é mais seguro ter uma testemunha quando lidamos com uma dama como Isadora Klein.

Tínhamos tomado um cabriolé e seguimos velozmente para algum lugar em Grosvenor Square. Holmes estivera mergulhado em seus pensamentos, mas animou-se de repente.

— A propósito, Watson, acho que você já percebeu tudo.

— Não, não posso dizer isso. Só entendi que vamos ver a senhora que está por trás de toda esta confusão.

— Exatamente! Mas esse nome, Isadora Klein, não significa nada para você? Ela era, é claro, famosa por sua beleza. Nunca houve mulher que se comparasse a ela em beleza. Ela é uma espanhola genuína, sangue verdadeiro dos altivos conquistadores, e seu povo tem tido líderes importantes em Pernambuco durante gerações. Ela casou-se com um alemão idoso, rei do açúcar, Klein, e atualmente é a viúva mais rica e também mais adorável da face da terra. Então houve um intervalo de aventuras, quando ela satisfez suas próprias preferências. Teve vários amantes, e Douglas Maberley, um dos homens mais admiráveis de Londres, foi um deles. Com ele, sem dúvida, foi mais do que uma aventura. Ele não era um doidivanas da sociedade, mas um homem forte, orgulhoso, que dava tudo e também esperava tudo. Mas ela é a *belle dame sans merci* de romance da ficção. Quando seu capricho é satisfeito, acaba o interesse e, se a outra parte interessada não quiser acreditar, ela sabe como fazê-la compreender.

— Então, esta era a própria história dele...

— Ah! Você agora está juntando as peças do quebra-cabeça. Ouvi dizer que ela está para se casar com o jovem duque de Lomond, que quase poderia ser seu filho. A mãe do jovem duque pode perdoar a idade, mas um grande escândalo seria uma coisa diferente, de modo que é imprescindível... Ah! Chegamos.

Era uma das melhores casas de esquina do West End. Um lacaio, que parecia uma máquina, pegou nossos cartões e voltou dizendo que a senhora não estava em casa.

— Então, vamos esperar até que ela esteja — disse Holmes alegremente.

A máquina sucumbiu.

— Não está em casa significa que não está para os senhores — disse o lacaio.

— Ótimo — respondeu Holmes. — Isto significa que não teremos de esperar. Por favor, entregue este bilhete à sua patroa.

Ele escreveu três ou quatro palavras numa folha do seu caderno de anotações, dobrou-a e entregou-a ao lacaio.

— O que foi que você disse, Holmes? — perguntei.

— Eu escrevi simplesmente: "Então, será a polícia?" Acho que isso nos fará entrar.

E fez — com espantosa rapidez. Um minuto depois estávamos numa sala de visitas das mil e uma noites, ampla e maravilhosa, numa penumbra, produzida por algumas lâmpadas elétricas cor-de-rosa. Percebi que a senhora havia chegado àquela idade em que até mesmo a mulher mais orgulhosa de sua beleza acha a penumbra mais conveniente. Ela se levantou do sofá quando entramos: alta, majestosa, uma figura perfeita, um rosto adorável parecido com uma máscara, dois maravilhosos olhos espanhóis que nos fitavam como se quisessem nos matar.

— O que significa esta invasão... e esta mensagem insolente? — ela perguntou, segurando o pedaço de papel.

— Não preciso explicar, madame. Respeito demais sua inteligência para fazer isso... embora reconheça que a sua inteligência ultimamente tem se enganado.

— Como assim, senhor?

— Supondo que seus capangas contratados pudessem me amedrontar, afastando-me do meu trabalho. Com certeza, nenhum homem abraçaria minha profissão, se não tivesse atração pelo perigo. Foi a senhora, portanto, que me forçou a examinar o caso do jovem Maberley.

— Não tenho ideia do que o senhor está falando. O que tenho eu a ver com capangas contratados?

Holmes afastou-se de mau humor.

— Sim, subestimei sua inteligência. Bem, boa tarde!

— Pare! Aonde o senhor vai?

— À Scotland Yard.

Ainda não havíamos chegado à metade do caminho para a porta quando ela nos alcançou e segurou o braço dele. Num minuto, ela se transformara de aço em veludo.

— Cavalheiros, venham, sentem-se. Vamos discutir o assunto. Sinto que posso ser franca com o senhor. Acho que o senhor tem os sentimentos de um cavalheiro. Como o instinto feminino descobre isso depressa, sr. Holmes. Vou tratá-lo como se fosse um amigo.

— Não posso prometer retribuição, madame. Não sou a lei, mas represento a justiça até onde os meus frágeis poderes alcançam. Estou pronto para ouvir, e depois lhe direi como vou agir.

— Sem dúvida, foi uma tolice de minha parte ameaçar um homem corajoso como o senhor.

— O que realmente foi uma tolice, madame, é que a senhora se colocou em poder de um bando de patifes, que podem fazer chantagem ou traí-la.

— Não, não! Não sou assim tão ingênua. Já que lhe prometi ser franca, posso dizer-lhe que ninguém, a não ser Barney Stockdale e Susan, sua mulher, tem a mínima ideia de quem seja seu chefe. Quanto a eles, bem, não é a primeira... — Ela sorriu e inclinou a cabeça com uma intimidade encantadora e provocante.

— Compreendo. A senhora os testou antes.

— São bons cães de caça, que correm silenciosamente.

— Esses cães têm o hábito de, mais cedo ou mais tarde, morder as mãos que os alimentam. Eles serão presos por este assalto. A polícia já está atrás deles.

— Eles receberão o que lhes couber. É para isso que são pagos. Eu não vou aparecer neste caso.

— A menos que eu a faça aparecer.

— Não, não; o senhor não faria isso. O senhor é um cavalheiro. Isto é o segredo de uma mulher.

— Em primeiro lugar, a senhora deve devolver este manuscrito.

Ela começou a rir e aproximou-se da lareira. Havia uma massa calcinada que ela despedaçou com o atiçador.

— Devo devolver isto? — ela perguntou. Parecia tão travessa e delicada, em pé na nossa frente, com um sorriso desafiador, que eu pensei que, entre todos os criminosos de Holmes, este seria o mais difícil de encarar. Mas ele estava imune ao sentimento.

— Isto sela o seu destino — ele disse friamente. — A senhora é muito rápida em suas ações, madame, mas desta vez exagerou.

Ela jogou o atiçador no chão com raiva.

— Como o senhor é insensível! — ela gritou. — Posso contar-lhe toda a história?

— Acho que eu poderia contá-la à senhora.

— Mas o senhor precisa ver tudo com os meus olhos, sr. Holmes. O senhor precisa compreender isto do ponto de vista de uma mulher que vê a ambição de sua vida inteira ser arruinada no último momento. Esta mulher deve ser censurada por proteger a si mesma?

— O pecado inicial foi seu.

— Sim, sim! Admito isto. Ele era um encanto de rapaz, Douglas, mas acontece que não podia se encaixar nos meus planos. Ele queria casar-se. Casar-se, sr. Holmes, um plebeu sem um vintém. Nada menos do que isso o satisfaria. Então, ele ficou obstinado. Pelo fato de eu ter cedido, ele parecia pensar que eu deveria continuar cedendo, e somente a ele. Era intolerável. Finalmente tive de fazê-lo compreender isto.

— Contratando bandidos para espancá-lo, debaixo da sua própria janela.

— O senhor parece mesmo saber de tudo. Bem, é verdade. Barney e os rapazes o afugentaram, e foram, eu reconheço, um pouco rudes ao fazerem isso. Mas o que foi que ele fez então? Eu nunca poderia acreditar que um cavalheiro fosse capaz de agir assim. Ele escreveu um livro, no qual conta sua própria história. Eu, naturalmente, era o lobo; ele era o cordeiro. Estava tudo lá, com nomes diferentes, é claro, mas quem, em toda a cidade de Londres, deixaria de reconhecer-nos? O que o senhor diz disto, sr. Holmes?

— Bem, ele estava no seu direito.

— Foi como se o ar da Itália tivesse entrado no sangue dele e trazido o antigo espírito italiano cruel. Ele me escreveu e mandou uma cópia de seu livro para que eu pudesse sentir a tortura da expectativa. Ele disse que havia duas cópias, uma para mim, outra para seu editor.

— Como você soube que a cópia do editor não chegou ao seu destino?

— Eu sabia quem era o editor. O senhor sabe, este não era o seu único romance. Descobri que o editor não tinha recebido notícias da Itália. Então houve a morte repentina de Douglas. Enquanto o outro manuscrito estivesse solto por aí, eu não estaria segura. É claro que ele deveria estar entre os objetos dele, e estes seriam devolvidos à sua mãe. Pus a quadrilha para trabalhar. Um deles introduziu-se na casa como criada. Eu queria fazer a coisa honestamente. Eu o fiz real e verdadeiramente. Estava disposta a comprar a casa e tudo dentro dela. Ofereci qualquer preço que ela quisesse pedir. Só tentei da outra maneira quando tudo o mais falhou. Agora, sr. Holmes, concordando em que fui dura demais com Douglas, e Deus sabe, estou arrependida!, o que mais eu poderia fazer com todo o meu futuro em jogo?

Sherlock Holmes encolheu os ombros.

— Bem, bem — ele disse —, presumo que terei de fazer um acordo, como sempre. Quanto custa uma viagem de primeira classe ao redor do mundo?

A dama encarou-o com espanto.

— Poderia ser feita com cinco mil libras?

— Bem, acho que sim, realmente!

— Muito bem. Acho que a senhora vai assinar um cheque com esta quantia, e eu providenciarei para que ele chegue à sra. Maberley. A senhora lhe deve uma pequena mudança de ares. Enquanto isto, madame — ele disse, apontando-lhe o indicador —, cuidado! Cuidado! Não poderá brincar, eternamente, com ferramentas afiadas sem acabar cortando essas mãos delicadas.

HOLMES LEU COM ATENÇÃO O BILHETE QUE CHEGAVA PELO último correio. Depois, com um sorriso seco, que era sua maneira de rir, jogou-o para mim.

— Para uma mistura do moderno com o medieval, do prático com o fantasioso, acho que isto, certamente, é o limite. O que você acha disto, Watson?

Li o seguinte:

OLD JEWRY 46
Ref.: Vampiros
19 de novembro

SENHOR,

Nosso cliente, sr. Robert Ferguson, de Ferguson e Muirhead, corretores de chá, de Mincing Lane, consultou-nos, através de uma carta da mesma data, a respeito de vampiros. Como nossa firma é especializada em avaliação de máquinas, o assunto dificilmente estaria dentro de nossa área de atuação, e nós, portanto, recomendamos ao sr. Ferguson que recorresse ao senhor e que lhe expusesse o assunto. Nós não nos esquecemos de sua atuação bem-sucedida no caso de Matilda Briggs.

Respeitosamente,

Morrison, Morrison e Dodd
p.E.J.C.

— *Matilda Briggs* não era o nome de uma moça, Watson — disse Holmes, como quem está se recordando. — Era um navio que está associado ao rato gigante de Sumatra, uma história para a qual o mundo ainda não está preparado. Mas o que é que nós sabemos a respeito de vampiros? Será que isto também está dentro de nossa área de atuação? Qualquer coisa é melhor do que o marasmo, mas, realmente, parece que nós fomos transportados para um conto de fadas de Grimm. Estique o braço, Watson, e veja o que o V tem a dizer.

Inclinei-me para trás e apanhei o grande volume do índice a que ele se referia. Holmes equilibrou-o sobre os joelhos, e seus olhos percorreram vagarosa e ternamente o registro de casos antigos misturado com as informações acumuladas durante uma vida interior.

— Viagem do *Gloria Scott* — ele leu. — Esse foi um trabalho difícil. Lembro que você fez um registro deste caso, Watson, embora eu não pudesse felicitá-lo pelo resultado. Victor Lynch, o falsário Venomous, lagarto venenoso ou gila. Um caso extraordinário aquele! Vittoria, a beldade do circo. Vanderbilt e o arrombador de cofres. Víboras, Vigor, o ferreiro prodígio. Ah! Oi! Bom e velho índice. Você não pode enganá-lo. Ouça isto, Watson. Vampirismo na Hungria. E, novamente, Vampiros na Transilvânia. — Ele virou as páginas ansiosamente, mas, após um exame rápido, atento e minucioso, jogou o livro no chão com um resmungo de decepção.

— É bobagem, Watson, bobagem! O que temos a ver com cadáveres que andam e que só podem ser conservados em seus túmulos por estacas enfiadas em seus corações? Isto é pura loucura.

— Mas, com certeza — eu disse —, o vampiro nem sempre era um homem morto. Um vivo poderia ter este hábito. Li, por exemplo, a respeito de velhos que chupavam o sangue dos jovens, a fim de conservar a juventude.

— Você está certo, Watson. O livro faz alusão à lenda em uma dessas referências. Mas devemos levar a sério coisas como essas? Esta agência está firme no chão e aí deve continuar. O mundo é grande o bastante para nós. Não há necessidade de procurarmos fantasmas. Acho que não podemos levar o sr. Ferguson muito a sério. Possivelmente este bilhete é dele e pode esclarecer um pouco o que o está preocupando.

Ele apanhou uma segunda carta que tinha ficado despercebida na mesa enquanto ele estivera absorvido com a primeira. Começou a lê-la com um sorriso divertido no rosto, que aos poucos foi substituído por uma expressão de interesse e de concentração intensa. Quando terminou, ficou sentado por algum tempo perdido em seus pensamentos, com a carta pendendo de seus dedos. Por fim, saiu de seu devaneio.

— Cheeseman's, Lamberley. Onde fica Lamberley, Watson?

— Fica em Sussex, sul de Horsham.

— Não é muito longe, hein? E Cheeseman's?

— Conheço aquela região, Holmes. Está cheia de velhas casas antigas que foram batizadas com os nomes dos homens que as construíram há séculos. Você tem Odley's, Harvey's e Carriton's. As pessoas estão esquecidas, mas o nome delas sobrevive nas casas.

— Justamente — disse Holmes com frieza. Esta era uma das peculiaridades de sua natureza orgulhosa e reservada, que, embora registrasse em seu cérebro qualquer informação nova com muita rapidez e exatidão, raramente deixava que o informante o percebesse. — Acho que vamos saber muito mais a respeito de Cheeseman's, Lamberley, antes de acabarmos com esta história. A carta é, como eu esperava, de Robert Ferguson. A propósito, ele afirma que o conhece.

— A mim!

— É melhor que você leia isto.

Ele me estendeu a carta. Dizia o seguinte:

Prezado sr. Holmes:

O senhor me foi recomendado pelos meus advogados, mas, na verdade, o assunto é tão extraordinariamente delicado que é muito difícil discuti-lo. O assunto diz respeito a um amigo, em nome de quem estou agindo. Este cavalheiro casou-se, há uns cinco anos, com uma senhora peruana, filha de um comerciante peruano, que ele havia conhecido quando tratava de importação de nitratos. A senhora era muito bonita, mas o fato de ser estrangeira e de seguir uma religião estranha sempre causou uma divergência de interesses e de sentimentos entre marido e mulher, de modo que, depois de algum tempo, seu amor por ela deve ter arrefecido e ele deve ter começado a encarar a união como um erro. Ele sentia que havia facetas no caráter dela que ele nunca conseguia sondar ou compreender. Isto era o mais penoso, porque ela era a esposa mais carinhosa que um homem poderia ter — e absolutamente dedicada, segundo parecia.

Agora, quanto ao problema, eu o explicarei melhor quando nos encontrarmos. Na verdade, esta carta é apenas para dar-lhe uma ideia geral da situação e para verificar se o senhor teria interesse no assunto. A senhora começou a manifestar algumas características bastante estranhas ao seu temperamento, geralmente amável e dócil. O cavalheiro havia se casado duas vezes e tinha um filho da primeira mulher. Este rapaz tinha, agora, 15 anos, um jovem encantador e carinhoso, embora, infelizmente, tivesse sido ferido num acidente na infância. A esposa foi flagrada duas vezes agredindo este pobre rapaz, sem que tivesse havido provocação alguma. Uma vez ela o atacou com uma vara, deixando um grande vergão em seu braço.

Mas isto é insignificante quando comparado com sua conduta para com seu próprio filho, um menino adorável, com menos de um ano. Em certa ocasião, mais ou menos há de um mês, esta criança havia sido deixada só pela ama durante alguns minutos. Um grito de dor da criança fez a ama voltar. Quando entrou correndo no quarto, ela viu sua patroa debruçada sobre a criança e, aparentemente, mordendo o seu pescoço. Havia uma pequena ferida ali, de onde saía um fluxo de sangue. A ama ficou tão horrorizada que quis chamar o marido, mas a senhora lhe implorou para que não o fizesse e deu-lhe cinco libras em troca do seu silêncio. Nenhuma explicação foi dada, e naquela ocasião o assunto foi esquecido.

Mas deixou uma impressão terrível na mente da ama, e desde então ela passou a vigiar a patroa de perto e a proteger atentamente a criança, que ela amava, com carinho. Parecia-lhe que, da mesma maneira que ela vigiava a mãe, a mãe também a vigiava e que, cada vez que ela era obrigada a deixar a criança sozinha, a mãe estava esperando para se aproximar da criança. Dia e noite a ama protegia a criança, e dia e noite a mãe silenciosa e atenta parecia estar à espreita, como um lobo que espera pela ovelha. Isto pode lhe parecer inacreditável, mas peço-lhe que leve isto a sério, pois a vida de uma criança e a sanidade mental de um homem podem depender disto.

Finalmente chegou o dia terrível em que os fatos não puderam mais ser ocultados do marido. Os nervos da ama haviam cedido; ela não podia mais suportar a tensão e contou tudo ao patrão. Para ele, parecia uma história assombrosa, como agora deve lhe parecer. Ele sabia que a mulher era uma esposa amorosa e, exceto pelos ataques ao enteado, uma mãe amorosa. Por que, então, ela iria ferir seu próprio filhinho tão querido? Ele disse à ama que ela estava sonhando, que suas suspeitas eram de uma lunática e que essas acusações contra a sua patroa não podiam ser toleradas. Enquanto conversavam, ouviram um grito de dor. Ama e patrão correram para o quarto da criança. Imagine, sr. Holmes, o que ele sentiu, quando viu sua esposa levantar-se da posição em que estava, ajoelhada ao lado do berço, e viu sangue no pescoço da criança e no lençol. Com um grito de horror, ele virou o rosto de sua mulher para a luz e viu sangue em volta de seus lábios. Foi ela, ela, acima de qualquer dúvida, quem havia bebido o sangue da criança.

As coisas agora estão neste pé. Ela está confinada em seu quarto. Não houve explicação. O marido está quase louco. Ele e eu sabemos muito pouco a respeito de vampirismo, além do nome. Pensávamos que fosse alguma fábula extraordinária, de regiões estrangeiras. No entanto, aqui, bem no coração da inglesa Sussex — bem, tudo isto pode ser discutido com o senhor pela manhã. O senhor me receberá? Usará sua capacidade extraordinária para ajudar um homem desorientado? Neste caso, por favor, telegrafe para Ferguson, Cheeseman's, Lamberley, e estarei em seus aposentos às dez horas.

Atenciosamente,

Robert Ferguson

P.S. Acho que seu amigo Watson jogava rúgbi por Blackheath, quando eu era three-quarter *do Richmond — a única apresentação pessoal que lhe posso dar!*

— É claro que me lembro dele — eu disse, enquanto colocava a carta na mesa. — O grande Bob Ferguson, o melhor *three-quarter* que o Richmond já teve. Sempre foi um sujeito bonachão. É típico dele preocupar-se tanto com a situação de um amigo.

Holmes olhou-me pensativamente e sacudiu a cabeça.

— Eu nunca sei até onde você pode chegar, Watson — ele disse. — Há possibilidades inexploradas em você. Passe um telegrama. Examinaremos o seu caso com prazer.

— *Seu* caso!

— Não devemos deixar que ele pense que esta agência é uma casa para doentes mentais. É claro que este é o caso dele. Mande-lhe o telegrama e deixe o assunto para amanhã.

Exatamente às dez da manhã seguinte, Ferguson entrou com passos largos em nossa sala. Lembrava-me dele como um homem grande, as partes laterais do corpo protegidas por uma armadura, os membros desembaraçados e um excelente aproveitamento de velocidade, que o fez passar por muitas defesas adversárias. Certamente não há nada mais doloroso na vida do que encontrar a ruína de um excelente atleta que conhecemos em plena juventude. Sua constituição robusta havia minguado, seu cabelo louro estava ralo, e seus ombros, curvados. Receio ter causado nele impressão semelhante.

— Olá, Watson — disse, e sua voz ainda era profunda e cordial. — Você não parece, absolutamente, o homem que era quando eu o joguei por cima das cordas, no meio da multidão, no Old Deer Park. Acho que eu também mudei um pouco. Mas foram estes últimos dois dias que me envelheceram. Percebi pelo seu telegrama, sr. Holmes, que não adianta eu fingir ser o representante de alguém.

— É mais simples tratar diretamente — disse Holmes.

— Claro que é. Mas o senhor pode imaginar como é difícil, quando se está falando da mulher que se tem a obrigação de proteger e ajudar. O que posso fazer? Como posso ir à polícia com uma história dessas? No entanto, as crianças precisam ser protegidas. É loucura, sr. Holmes? É alguma coisa no sangue? O senhor, com a sua experiência, já teve algum caso semelhante? Pelo amor de Deus, dê-me algum conselho, pois estou perplexo.

— É muito natural, sr. Ferguson. Agora, sente-se aqui, faça mais um esforço e dê-me algumas respostas claras. Posso assegurar-lhe que estou longe de estar perplexo e tenho certeza de que encontraremos uma solução. Antes de mais nada, diga-me que providências tomou. Sua esposa ainda está perto das crianças?

— Tivemos uma cena horrível. Ela é a mais adorável das mulheres, sr. Holmes. Se alguma vez uma mulher amou um homem, com todo o seu coração e sua alma, ela me ama. E ficou arrasada por eu ter descoberto este horrível, este incrível segredo. Ela nem mesmo quis falar. E não respondeu às minhas censuras, apenas ficou me olhando com uma espécie de desespero feroz. Depois correu para o quarto e trancou-se por dentro. Desde então não quer me ver. Ela tem uma criada chamada Dolores, que já estava com ela antes do casamento, mais uma amiga do que uma criada. Dolores leva-lhe comida.

— Então a criança não corre perigo imediato?

— A sra. Mason, a ama, jurou que não a deixará sozinha, de noite ou de dia. Posso confiar totalmente nela. Estou mais preocupado com o coitado do Jack, porque, como lhe disse na minha carta, ele foi atacado por ela duas vezes.

— Mas nunca foi ferido?

— Não, ela bateu nele com crueldade. É mais terrível ainda porque ele é um pobre aleijado inofensivo. — As feições abatidas de Ferguson suavizaram-se enquanto falava do filho. — Você imaginaria que as condições do rapaz suavizariam o coração de qualquer um. Uma queda na infância e uma espinha torta, sr. Holmes. Mas, lá dentro, está o coração carinhoso mais valioso e terno.

Holmes havia apanhado a carta da véspera e a estava lendo.

— Que outras pessoas o senhor tem em casa, sr. Ferguson?

— Dois criados que estão há pouco tempo conosco. Um cavalariço, Michael, que dorme na casa. Minha esposa, eu, meu filho Jacky, o bebê, Dolores e a sra. Mason. Isto é tudo.

— Entendi que o senhor não conhecia muito bem sua esposa quando se casou com ela.

— Eu a havia conhecido poucas semanas antes.

— Há quanto tempo a criada Dolores está com ela?

— Alguns anos.

— Então Dolores deve conhecer melhor o caráter de sua esposa do que o senhor?

— Sim, é provável.

Holmes escreveu um bilhete.

— Presumo — disse ele — que eu possa ser mais útil em Lamberley do que aqui. Obviamente, este é um caso para uma investigação pessoal. Se a senhora continua em seu quarto, nossa presença não poderia aborrecê-la ou molestá-la. É claro que ficaríamos na hospedaria.

Ferguson fez um gesto de alívio.

— É o que eu esperava, sr. Holmes. Há um trem saindo às duas da tarde da estação Victoria, se o senhor quiser vir.

— É claro que iremos. Neste momento não tenho outros compromissos. Posso oferecer-lhe toda a minha energia. Watson, naturalmente, irá conosco. Mas há um ou dois detalhes que eu gostaria de esclarecer antes de partirmos. Esta infeliz senhora, conforme compreendi, parece ter atacado as duas crianças, seu próprio bebê e o seu filho pequeno?

— É o que lhe digo.

— Mas os ataques foram diferentes, não? Ela bateu em seu filho.

— Uma vez com uma vara, e outra vez com muita crueldade, com suas próprias mãos.

— Ela não explicou por que bateu nele?

— Não, a não ser que o odiava. Repetiu isto várias vezes.

— Ora, isto é comum entre as madrastas. Um ciúme póstumo, diríamos. A senhora tem uma natureza ciumenta?

— Sim, muito ciumenta, ciumenta com toda a força do seu impetuoso amor tropical.

— Mas o rapaz, ele está com 15 anos, foi o que entendi, e provavelmente tem a mente muito desenvolvida, já que seu corpo foi limitado em seus movimentos. Ele não lhe deu nenhuma explicação para esses ataques?

— Não, ele afirmou que não houve motivo.

— Eram bons amigos em outras ocasiões?

— Não; nunca houve amor entre eles.

— Mas o senhor diz que ele é carinhoso.

— Nunca houve no mundo filho mais dedicado. Minha vida é a vida dele. Ele vive absorvido no que digo ou faço.

Mais uma vez Holmes fez anotações. Durante algum tempo ele ficou sentado, perdido em seus pensamentos.

— Sem dúvida o senhor e seu filho eram grandes amigos antes deste segundo casamento. Os acontecimentos os aproximaram muito, não foi?

— Realmente, muito mesmo.

— E o rapaz, tendo uma natureza tão afetuosa, sem dúvida era dedicado à memória de sua mãe?

— Muitíssimo dedicado.

— Ele parece ser um rapaz bastante interessante. Há outro detalhe a respeito desses ataques que deve ser esclarecido. Os estranhos ataques contra o bebê e as agressões ao seu filho ocorreram na mesma ocasião?

— Da primeira vez foi isto o que aconteceu. Foi como se um furor tivesse se apossado dela, e ela houvesse descarregado sua cólera sobre ambos. Da segunda vez foi só o Jack que sofreu. A sra. Mason não teve queixas a fazer em relação ao bebê.

— Isto certamente complica a situação.

— Eu não o compreendo, sr. Holmes.

— É possível que não. Elaboramos teorias provisórias e esperamos que o tempo ou o conhecimento mais amplo as desenvolvam. É um mau hábito, sr. Ferguson, mas a natureza humana é fraca. Receio que seu velho amigo aqui tenha lhe dado uma opinião exagerada de meus métodos científicos. Mas direi apenas que, no estágio atual, seu problema não me parece insolúvel e que o senhor pode nos aguardar às duas horas na estação Victoria.

Era a noite de um escuro e nublado dia de novembro quando, após termos deixado nossas malas no Chequers, Lamberley, seguimos de charrete por uma longa e sinuosa estrada de argila, típica de Sussex, e finalmente chegamos à antiga e isolada casa de fazenda onde morava Ferguson. Era uma construção grande, irregular, muito velha no centro, bem nova nas extremidades, com chaminés altas estilo Tudor e um telhado muito inclinado, com retângulos de lousa cobertos de líquens. Os degraus gastos da porta estavam vergados pelo uso, e os azulejos antigos que revestiam o vestíbulo traziam o símbolo do construtor — um queijo e um homem. Dentro, os tetos eram nervurados com pesadas vigas de carvalho, e os assoalhos irregulares tinham cedido, formando ondas acentuadas. Um cheiro de velhice e decadência enchia toda a moradia em ruínas.

Havia uma sala central muito grande, para onde Ferguson nos conduziu. Ali, numa lareira imensa e antiga com um anteparo de ferro, datada de 1670, crepitava um esplêndido fogo de lenha.

Quando olhei em volta, vi que a sala era a mais estranha mistura de datas e lugares: as paredes revestidas de madeira até a metade podiam perfeitamente ter pertencido ao primeiro proprietário, no século XVII. Mas elas estavam ornamentadas, na parte inferior, com um revestimento em aquarela, moderno e de bom gosto, enquanto em cima, onde a caiação amarela substituiu o carvalho, estava dependurada uma bonita coleção de utensílios e armas sul-americanos que, sem dúvida, havia sido trazida pela senhora peruana, que se encontrava no andar de cima. Holmes levantou-se com aquela curiosidade que brotava de sua mente ávida e examinou-os com atenção. Voltou ao seu lugar com os olhos pensativos.

— Ei! — ele gritou. — Ei!

Um cachorro *spaniel* que estava deitado num cesto, no canto, começou a andar lentamente e com dificuldade na direção do seu dono. Suas pernas posteriores moviam-se de forma irregular, e seu rabo estava caído no assoalho. Ele lambeu a mão de Ferguson.

— O que foi, sr. Holmes?

— O cão. O que há com ele?

— É isto que intriga o veterinário. Uma espécie de paralisia. Meningite espinhal, ele concluiu. Mas é passageira. Em pouco tempo ele estará curado, não é, Carlo?

O cão balançou o rabo caído em sinal de aquiescência. Os olhos melancólicos do cão fixaram-se em cada um de nós. Ele sabia que estávamos discutindo seu caso.

— Isto aconteceu de repente?

— Em uma única noite.

— Há quanto tempo?

— Pode ter sido há quatro meses.

— Extraordinário. Muito sugestivo.

— O que vê o senhor nisto, sr. Holmes?

— Uma confirmação do que eu já havia pensado.

— Pelo amor de Deus, o que o senhor pensa, sr. Holmes? Para o senhor isto deve ser um enigma puramente intelectual, mas, para mim, é vida e morte! Minha esposa, uma suposta assassina, meu filho, em constante perigo. Não brinque comigo, sr. Holmes. É terrivelmente sério.

O grande *three-quarter* do rúgbi estava tremendo da cabeça aos pés. Holmes pôs a mão, num gesto tranquilizador, sobre o braço de Ferguson.

— Temo que o senhor vá sofrer, sr. Ferguson, qualquer que seja a solução — ele disse. — Eu o pouparia o máximo possível. Por enquanto, não posso dizer mais nada, mas, antes de sair desta casa, espero poder ter alguma coisa definitiva.

— Queira Deus que o senhor o consiga! Se os senhores me derem licença, irei até o quarto de minha mulher verificar se houve alguma mudança.

Ele ficou ausente alguns minutos, durante os quais Holmes recomeçou sua análise das curiosidades na parede. Quando nosso anfitrião voltou, seu rosto deprimido mostrou claramente que não houvera nenhum progresso. Ferguson trouxe uma moça alta, esbelta, de pele morena.

— O chá está pronto, Dolores — disse Ferguson. — Veja se a sua patroa tem tudo que possa desejar.

— Ela está muito doente! — exclamou a moça, olhando revoltada para o seu patrão. — Ela não pede comida. Ela muito doente. Ela precisa doutor. Eu assustada ficar sozinha com ela sem doutor.

Ferguson olhou para mim com uma expressão interrogativa.

— Eu gostaria de poder ajudar.

— Sua patroa receberia o dr. Watson?

— Eu leva ele. Eu não pede autorização. Ela precisa doutor.

— Então irei imediatamente com você.

Segui a moça, que estava trêmula de emoção, escada acima e ao longo de um velho corredor. No final havia uma porta maciça reforçada com ferro. Fiquei impressionado quando olhei para a porta, ao pensar que, se Ferguson tentasse entrar à força no quarto onde estava sua mulher, não o conseguiria com facilidade. A moça tirou uma chave do bolso, e as velhas dobradiças das pesadas e grossas tábuas de carvalho rangeram. Entrei e ela me seguiu rapidamente, aferrolhando a porta por dentro.

Uma mulher estava deitada na cama e via-se que tinha febre alta. Ela estava apenas semiconsciente, mas, quando entrei, ergueu os belos olhos assustados e fixou-os em mim com apreensão. Ao ver um estranho, pareceu aliviada e, com um suspiro, afundou de novo no travesseiro. Aproximei-me dela com algumas palavras tranquilizadoras, e ela permaneceu calma enquanto tomei-lhe o pulso e a temperatura. Os dois estavam altos, mas, mesmo assim, tive a impressão de que seu estado era mais uma excitação mental e nervosa do que alguma outra doença.

— Ela está assim há um ou dois dias. Eu com medo ela morra — disse a moça.

A mulher virou o rosto vermelho e bonito para mim.

— Onde está o meu marido?

— Ele está lá embaixo e gostaria de vê-la.

— Eu não o verei. Eu não o verei. — Depois pareceu estar delirando. — Um diabo! Um diabo! Oh, o que farei com este demônio?

— Posso ajudá-la de alguma maneira?

— Não. Ninguém pode ajudar. Acabou. Tudo está destruído. Não importa o que eu faça, está tudo destruído.

A mulher parecia ter algum sonho estranho. Eu não conseguia ver o honesto Bob Ferguson como um diabo ou demônio.

— Senhora — eu disse —, seu marido a ama com ternura. Ele está extremamente aflito com o que está acontecendo.

Ela virou outra vez para mim seus olhos soberbos.

— Ele me ama. Sim. Mas e eu, não o amo? Não o amo até me sacrificar para não despedaçar seu coração tão querido? É assim que o amo. Entretanto, ele pôde pensar que eu... ele pôde me censurar tanto.

— Ele está muito triste, mas não consegue compreender.

— Não, ele não pode compreender. Mas deveria confiar.

— A senhora não deseja vê-lo? — eu sugeri.

— Não, não; não posso esquecer aquelas palavras terríveis nem a expressão de seu rosto. Não quero vê-lo. Vá agora. O senhor nada pode fazer por mim. Diga-lhe apenas uma coisa. Quero meu filho. Tenho direitos sobre o meu filho. Esta é a única mensagem que posso lhe enviar. Ela virou o rosto para a parede e não quis dizer mais nada.

Voltei à sala, onde Ferguson e Holmes ainda estavam sentados ao lado do fogo. Ferguson ouviu taciturno a narração da minha entrevista.

— Como posso mandar-lhe a criança? — ele disse. — Como posso saber que estranhos impulsos podem dominá-la? Como poderei esquecer que ela estava ao lado do berço com sangue nos lábios? — Ele estremeceu com a lembrança. — A criança está segura com a sra. Mason e deve permanecer lá.

Uma criada, vestida com apuro, a única coisa moderna que tínhamos visto na casa, havia trazido chá. Enquanto ela nos servia, a porta abriu-se, e um jovem entrou na sala. Era um moço singular, de rosto pálido, louro, com olhos azuis expressivos, que brilharam com uma repentina chama de emoção e alegria quando pousaram no pai. Ele precipitou-se para frente e lançou os braços em volta do pescoço do pai, com a espontaneidade de uma jovem carinhosa.

— Oh, papai — ele exclamou. — Eu não sabia que você já estava aqui. Eu teria vindo aqui para encontrá-lo. Oh! estou tão contente de vê-lo!

Ferguson desembaraçou-se delicadamente do menino, mostrando um certo constrangimento.

— Meu velho camarada — ele disse, afagando a loura cabeça com meiguice. — Eu vim cedo, porque convidei meus amigos, o sr. Holmes e o dr. Watson, a virem até aqui passar uma tarde conosco.

— Este é o sr. Holmes, o detetive?

— Sim.

O jovem nos olhou de modo penetrante, que me pareceu hostil.

— Quanto ao seu outro filho, sr. Ferguson? — perguntou Holmes. — Podíamos conhecer o bebê?

— Peça à sra. Mason para trazer o bebê aqui embaixo — disse Ferguson.

O rapaz saiu, gingando de maneira esquisita, e meus olhos de cirurgião viram que ele estava sofrendo da coluna. Ele voltou pouco depois, e atrás dele veio uma mulher alta e magra, carregando nos braços uma criança muito bonita, de olhos pretos, cabelos dourados, uma magnífica mistura das raças saxônica e latina. Ferguson era evidentemente dedicado ao bebê, porque segurou-o nos braços e o acariciou com muita ternura.

— Não consigo imaginar como alguém pode ter a coragem de fazer-lhe mal — ele resmungou, enquanto olhava para o pequeno ferimento inflamado no pescoço de querubim.

Foi nesse momento que olhei por acaso para Holmes e percebi sua expressão extremamente atenta. Seu rosto estava imóvel como se tivesse sido esculpido em marfim velho, e seus olhos, que haviam pousado por um momento no pai e no filho, estavam agora fixos, com viva curiosidade, em alguma coisa do outro lado da sala. Acompanhando seu olhar, eu só podia imaginar que ele estivesse olhando para fora da janela, para o jardim melancólico onde a chuva gotejava. É verdade que um postigo tinha sido fechado do lado de fora até a metade, obstruindo a visão, mas, mesmo assim, era na janela que Holmes fixara sua atenção. Então ele sorriu, e seus olhos pousaram novamente no bebê. No seu pescoço rechonchudo havia aquela pequena marca. Holmes examinou-a com atenção, sem dizer uma palavra. Finalmente, sacudiu um dos punhos com covinhas que se agitavam na frente dele.

— Até logo, homenzinho. Você começou a vida de maneira estranha. Ama, eu gostaria de falar com a senhora em particular.

Ele a levou para um canto e falou com sinceridade durante alguns minutos. Eu só ouvi as últimas palavras, que eram: "Espero que sua ansiedade acabe em breve." A mulher, que parecia ser uma criatura azeda e silenciosa, retirou-se com a criança.

— Como é a sra. Mason? — perguntou Holmes.

— Não muito simpática por fora, como pôde observar, mas um coração de ouro, e dedicada à criança.

— Você gosta dela, Jacky? — Holmes virou-se de repente para o menino. Seu rosto expressivo ficou sombrio e ele sacudiu a cabeça.

— Jacky tem simpatias e antipatias muito fortes — disse Ferguson. — Felizmente sou uma de suas simpatias.

O menino murmurou baixinho e aninhou a cabeça no peito do pai. Ferguson afastou-o com delicadeza.

— Dê uma corrida, Jacky — ele disse, e observou seu filho com olhos carinhosos até que ele desaparecesse. — Agora, sr. Holmes — ele continuou, depois que o menino saiu —, sinto que o trouxe aqui inutilmente, pois o que o senhor poderia fazer, a não ser me oferecer a sua compaixão? Do seu ponto de vista, este assunto deve ser por demais complexo e delicado.

— Decerto é delicado — disse meu amigo com um sorriso divertido —, mas até agora não fiquei impressionado com sua complexidade. Era um caso para dedução intelectual, e quando esta dedução intelectual inicial for confirmada, ponto por ponto, por vários incidentes independentes, então o subjetivo se transformará em realidade e poderemos afirmar com segurança que atingimos nosso objetivo. Na verdade, atingi o objetivo antes de sairmos da Baker Street, e o resto foi apenas observação e confirmação.

Ferguson pôs a mão enorme sobre a testa enrugada.

— Pelo amor de Deus, Holmes — disse ele com voz rouca —, se o senhor pode ver a verdade neste caso, não me deixe ficar na incerteza. Como posso aguentar? O que devo fazer? Não quero saber como descobriu os fatos, contanto que os tenha realmente descoberto.

— Com certeza devo-lhe uma explicação, e o senhor vai recebê-la. Mas vai me permitir tratar do assunto à minha maneira? A senhora tem condições de nos receber, Watson?

— Ela está doente, mas perfeitamente racional.

— Muito bem. Só na presença dela podemos esclarecer o assunto. Vamos até lá.

— Ela não vai querer me ver! — exclamou Ferguson.

— Ah, sim, ela o verá — disse Holmes. Ele rabiscou algumas linhas numa folha de papel. — Você pelo menos conseguiu entrar, Watson. Você me faria a gentileza de entregar este bilhete à senhora?

Subi novamente e entreguei o bilhete a Dolores, que abriu a porta com cautela. Um minuto depois, ouvi um grito que vinha de dentro do quarto, um grito onde a alegria e a surpresa pareciam misturar-se. Dolores olhou para fora.

— Ela os receberá. Ela vai escutar — ela disse. Ferguson e Holmes subiram quando os chamei.

Quando entramos no quarto, Ferguson deu um ou dois passos na direção da esposa, que se havia erguido no leito, mas ela levantou a mão para afastá-lo. Ele afundou na poltrona, enquanto Holmes sentou-se ao lado dele, após cumprimentar com uma inclinação de cabeça a mulher que o encarava com olhos arregalados de espanto.

— Acho que podemos dispensar Dolores — disse Holmes. — Ah, muito bem, senhora, se prefere que ela fique, não tenho objeção. Ora, sr. Ferguson, sou um homem ocupado, com muitos chamados, e meus métodos têm de ser rápidos e diretos. A cirurgia mais rápida é a menos dolorosa. Deixe-me primeiro dizer-lhe aquilo que irá tranquilizá-lo. Sua esposa é uma mulher muito boa, muito carinhosa e muito maltratada.

Ferguson sentou-se com uma exclamação de alegria.

— Prove isto, sr. Holmes, e ficarei para sempre grato.

— Eu o farei, mas, para fazer isto, terei de feri-lo profundamente de outra maneira.

— Não me importo, contanto que o senhor justifique minha esposa. Tudo na terra é insignificante comparado a isto.

— Deixe-me contar-lhe então o desenvolvimento de meu raciocínio na Baker Street. Para mim, a ideia de um vampiro era absurda. Coisas desse tipo não acontecem na prática criminal na Inglaterra.

Mesmo assim, sua observação foi precisa. O senhor tinha visto sua esposa levantar-se ao lado do berço da criança com sangue nos lábios.

— Realmente.

— Não lhe ocorreu que uma ferida sangrando pode ser sugada por algum outro motivo que não seja o de extrair sangue dela? Não houve uma rainha, na história inglesa, que sugou uma ferida para extrair veneno dela?

— Veneno!

— Um lar sul-americano. Meu instinto sentiu a presença daquelas armas na parede, antes que meus olhos as vissem. Podia ter sido outro veneno, mas foi aquele que me ocorreu. Quando vi aquela pequena aljava vazia ao lado do pequeno arco, era justamente aquilo que eu esperava ver. Se a criança fosse furada por uma daquelas flechas embebidas em curare ou em alguma outra droga diabólica, isto significaria morte se o veneno não fosse extraído.

— E o cachorro! Se alguém fosse usar um veneno como esse, não o experimentaria primeiro, a fim de verificar se não havia perdido seu efeito? Eu não previ o caso do cachorro, mas pelo menos compreendi o que havia com ele, e ele se encaixava na minha reconstituição.

— Agora o senhor compreende? Sua esposa temia um ataque desta natureza. Ela viu o ataque consumado e salvou a vida da criança, e ainda assim evitou contar-lhe toda a verdade, porque sabia como o senhor amava o menino e temia que isso lhe despedaçasse o coração.

— Jacky!

— Eu o observei enquanto o senhor acariciava a criança, agora há pouco. Seu rosto estava refletido nitidamente no vidro da janela, onde o postigo formava um fundo. Vi tanto ciúme, um ódio tão cruel como poucas vezes vi em outro rosto humano.

— Meu Jacky!

— O senhor tem de enfrentar isto. É muito penoso porque foi um amor desvirtuado, um amor exageradamente louco pelo senhor, e, é provável, pela sua mãe morta, que instigou sua ação. Sua própria alma está consumida pelo ódio por esta esplêndida criança, cuja beleza e saúde contrastam com sua própria fraqueza.

— Bom Deus! Isto é inacreditável!

— Eu disse a verdade, senhora?

A mulher estava soluçando, com o rosto enterrado nos travesseiros. Então ela virou-se para o marido.

— Como é que eu podia dizer-lhe, Bob? Eu sabia que seria um golpe para você. Seria melhor que eu esperasse e que você soubesse por outra pessoa, e não por mim. Quando este cavalheiro, que parece ter poderes mágicos, escreveu que sabia de tudo, fiquei feliz.

— Acho que um ano no mar seria minha prescrição para Jacky — disse Holmes, levantando-se da cadeira. — Apenas uma coisa continua obscura, madame. Posso entender perfeitamente que tenha atacado Jacky. Há um limite para a paciência de uma mãe. Mas como teve a coragem de deixar a criança nestes dois últimos dias?

— Eu contei à sra. Mason. Ela sabia.

— Exatamente. Calculei isso.

Ferguson estava de pé ao lado da cama, sufocado, as mãos esticadas e tremendo.

— Imagino que este seja o momento propício para sairmos, Watson — disse Holmes num sussurro. — Se você segurar a fiel Dolores por um dos cotovelos, eu a segurarei pelo outro. Bem, agora — ele acrescentou, enquanto fechava a porta atrás de si —, acho que podemos deixar que resolvam o resto entre eles.

Tenho apenas mais uma coisa a registrar neste caso. É a carta que Holmes escreveu, como resposta final àquela com a qual começa esta narrativa. Diz o seguinte:

Baker Street
Ref.: Vampiros
21 de novembro

Prezado senhor,

Com referência à sua carta do dia 19, tomo a liberdade de informar que examinei o caso do seu cliente, sr. Robert Ferguson, da firma de corretores de chá Ferguson e Muirhead, de Mincing Lane, e que o assunto chegou a um final satisfatório. Com os agradecimentos pela sua recomendação,

Firmo-me, atenciosamente,

Sherlock Holmes

AS AVENTURAS DOS TRÊS GARRIDEBS

Pode ter sido uma comédia ou pode ter sido uma tragédia. Custou a um homem a sua razão, a mim dinheiro, e ainda a outro homem as penalidades da lei. Mesmo assim, havia certamente um elemento de comédia. Bem, vocês mesmos deverão julgar.

Lembro-me muito bem da data, pois foi no mesmo mês em que Holmes recusou um título de nobreza por serviços que, algum dia, talvez possam ser narrados. Eu só menciono o assunto de passagem, porque, na minha condição de sócio e confidente, tenho a obrigação de ser particularmente cuidadoso, evitando qualquer indiscrição. Mas repito que isso me torna capaz de determinar a data, que foi o final do mês de junho de 1902. Logo após o fim da guerra sul-africana, Holmes tinha passado alguns dias na cama, como era seu hábito de vez em quando, mas ele apareceu naquela manhã com um documento do tamanho de uma folha de papel almaço na mão e um brilho divertido nos austeros olhos cinzentos.

— Há uma oportunidade para você fazer dinheiro, amigo Watson — ele disse. — Você já ouviu alguma vez o nome Garrideb?

Eu disse que não.

— Bem, se você conseguir botar as mãos num Garrideb, há dinheiro nisso.

— Por quê?

— Ah, é uma longa história, bastante esquisita também. Acho que, em todas as nossas investigações a respeito das complexidades humanas, jamais deparamos com algo mais estranho. O sujeito estará aqui daqui a pouco, para responder a umas perguntas, de modo que não vou revelar o assunto enquanto ele não chegar. Mas, enquanto isso, é este o nome que queremos.

A lista telefônica estava na mesa ao meu lado, e eu comecei a virar as páginas, numa busca sem esperança. Mas, para meu espanto, lá estava este estranho nome em seu devido lugar. Dei um grito de vitória.

— Aqui está, Holmes! Aqui está ele! — Holmes tirou o livro da minha mão.

— "Garrideb, N" — ele leu — "Little Ryder Street, 136, W". Lamento desapontá-lo, meu caro Watson, mas este é o próprio. É o endereço que está na carta. Temos de procurar outro nome semelhante.

A sra. Hudson tinha entrado com um cartão numa bandeja. Peguei-o e dei uma olhada.

— Ora, aqui está! — gritei espantado. — Este tem uma inicial diferente. John Garrideb, advogado, Moorville, Kansas, U.S.A.

Holmes sorriu quando olhou o cartão.

— Acho que você ainda precisa fazer outra tentativa, Watson — ele disse. — Este cavalheiro também já está na trama, embora eu não esperasse vê-lo esta manhã. Mas ele tem condições de nos contar uma porção de coisas que eu quero saber.

Um minuto depois ele estava na sala. O sr. John Garrideb, advogado, era baixo, vigoroso, com o rosto redondo, saudável e sem barba, característico de tantos executivos americanos. Seu aspecto geral era gordo e infantil, de modo que tivemos a impressão de um homem muito jovem e muito sorridente. Mas seus olhos estavam atentos. Raramente vi um par de olhos que demonstrassem uma vida interior mais intensa, tão brilhantes que eram, tão atentos, e que expressassem cada mudança de pensamento. Seu sotaque era de americano, mas não era acompanhado por nenhuma excentricidade de linguagem.

— Sr. Holmes? — ele perguntou, olhando de um para outro. — Ah, sim! Seus retratos não são diferentes do senhor, se é que posso dizer isso. Creio que o senhor recebeu uma carta do meu homônimo, sr. Nathan Garrideb, não é?

— Peço-lhe que se sente — disse Sherlock Holmes. — Acho que vamos ter muito o que conversar. — Ele apanhou suas folhas de papel almaço. — O senhor, naturalmente, é o John Garrideb mencionado neste documento. Mas, com certeza, o senhor mora na Inglaterra há algum tempo.

— Por que diz isso, sr. Holmes? — pareceu-me ver uma repentina desconfiança naqueles olhos expressivos.

— Todo o seu traje é inglês.

O sr. Garrideb deu um sorriso forçado.

— Já li a respeito de suas brincadeiras, sr. Holmes, mas nunca pensei que seria alvo delas. Como foi que o senhor percebeu isto?

— O talhe dos ombros do seu paletó, o bico de suas botas. Alguém poderia duvidar?

— Ora, ora, eu não sabia que eu era um inglês de maneira tão evidente. Mas os negócios trouxeram-me para cá há algum tempo, de modo que meu traje é quase todo londrino. No entanto, imagino que seu tempo seja precioso, e nós não nos encontramos para falar sobre o estilo de minhas meias. Que tal tratarmos do papel que o senhor tem nas mãos?

De algum modo, Holmes havia irritado o nosso visitante, cujo rosto gordo adquiriu uma expressão bem menos amável.

— Calma! Calma, sr. Garrideb! — disse meu amigo num tom tranquilizador. — O dr. Watson lhe dirá que estes meus pequenos desvios às vezes acabam mostrando que tinham algo a ver com o assunto. Mas por que o sr. Nathan Garrideb não veio com o senhor?

— Por que cargas-d'água ele o envolveu nesse assunto? — perguntou o nosso visitante, com uma repentina explosão de raiva. — Mas, afinal, que diabo o senhor tem a ver com isto? São negócios profissionais entre dois cavalheiros, e um deles precisa chamar um detetive! Eu o vi esta manhã, e ele me contou esta brincadeira boba que fez comigo, e é por este motivo que estou aqui. Mas sinto-me mal do mesmo jeito, por causa disto.

— Isto não o atinge, sr. Garrideb. Foi apenas zelo da parte dele para obter um resultado... resultado que acredito ser igualmente vital para vocês dois. Ele sabia que eu tinha meios de obter informações, e, portanto, era muito natural que recorresse a mim.

O rosto zangado do nosso hóspede desanuviou-se aos poucos.

— Bem, isto torna as coisas diferentes — ele disse. — Quando fui vê-lo esta manhã, e ele me disse que havia mandado chamar um detetive, eu apenas pedi o seu endereço e vim imediatamente para cá. Não quero a polícia intrometendo-se num assunto particular. Mas, se o senhor limitar-se a nos ajudar a encontrar o homem, não pode haver mal nisto.

— Bem, é exatamente isto — disse Holmes. — E agora, senhor, já que está aqui, seria melhor que o senhor mesmo fizesse um relato claro. Meu amigo aqui ignora os detalhes.

O sr. Garrideb examinou-me com um olhar pouco amigável.

— Ele precisa saber? — perguntou.

— Nós costumamos trabalhar juntos.

— Ora, não há motivo para que isto seja segredo. Vou lhe expor os fatos, da maneira mais resumida que puder. Se o senhor viesse de Kansas, eu não precisaria explicar-lhe quem foi Alexander Hamilton Garrideb. Ele fez dinheiro com imóveis e mais tarde na bolsa de cereais de Chicago, mas gastou esta fortuna comprando tanta terra que equivaleria em área a um condado inglês, ao longo do rio Arkansas, a oeste do Forte Dodge. São terras de pasto, de madeira, terras aráveis e terras que contêm minerais, e exatamente os tipos de terra que trazem dólares para quem as possui.

"Ele não tinha parentes ou, se os tinha, eu nunca soube disso. Mas tinha uma espécie de orgulho pela raridade de seu nome. Foi isso que nos aproximou. Eu trabalhava como advogado em Topeka e um dia recebi a visita do velho, e ele estava realmente curioso para conhecer outro homem com seu próprio nome. Era um capricho, uma mania, e ele estava decidido a descobrir se havia outros Garridebs no mundo. 'Encontre outro', ele disse. Respondi que eu era um homem ocupado e que não podia passar minha vida excursionando pelo mundo à procura de Garridebs. 'Não obstante', ele disse, 'é justamente isto que você fará se as coisas acontecerem conforme eu planejei'. Pensei que ele estivesse brincando, mas suas palavras continham uma forte dose de convicção, como eu iria descobrir em pouco tempo. Porque ele morreu um ano depois de afirmar isso e deixou um testamento. Foi o testamento mais extravagante já feito no estado de Kansas. Sua propriedade foi dividida em três partes, e eu devo receber uma, com a condição de encontrar dois Garridebs, que irão repartir o restante. São cinco milhões de dólares para cada um, mas não podemos botar a mão na herança enquanto nós três não ficarmos um ao lado do outro.

"Era uma oportunidade tão grande que eu acabei deixando de lado minha profissão de advogado e parti à procura de Garridebs. Não existe nenhum nos Estados Unidos. Procurei cuidadosamente pelo país inteiro, senhor, com um pente-fino, e jamais encontrei um

Garrideb. Depois tentei a velha terra. Com certeza havia este nome na lista telefônica de Londres. Há dois dias eu o procurei e expliquei-lhe o assunto. Mas ele é um homem solitário, como eu mesmo, que tem algumas mulheres como parentes, nenhum homem. O testamento fala em três homens adultos. De modo que, como o senhor vê, ainda falta um, e se o senhor puder ajudar a encontrá-lo será muito fácil pagar seus honorários."

— Bem, Watson — disse Holmes com um sorriso —, eu disse que era um caso um tanto esquisito, não foi? Eu pensei que o jeito seria, obviamente, o senhor anunciar nas colunas de pessoas desaparecidas dos jornais.

— Já fiz isso, sr. Holmes. Não recebi nenhuma resposta.

— Valha-me Deus!

— Bem, este é sem dúvida um probleminha bastante curioso. Posso dar uma olhada nisso em minhas horas vagas. A propósito, é curioso que o senhor tenha vindo de Topeka. Eu tinha um correspondente lá. Ele está morto agora, o velho dr. Lysander Starr, que foi prefeito em 1890.

— O velho e bom dr. Starr! — disse o nosso visitante. — Seu nome ainda é respeitado. Bem, sr. Holmes, acho que a única coisa que podemos fazer é informá-lo a respeito do andamento do caso. Creio que o senhor vai ter notícias dentro de um ou dois dias.

Com esta certeza, o nosso amigo americano fez um cumprimento com a cabeça e saiu.

Holmes acendeu seu cachimbo e ficou sentado durante algum tempo, com um curioso sorriso no rosto.

— Bem? — perguntei finalmente.

— Eu estava refletindo, Watson, apenas isso.

— Sobre o quê?

Holmes tirou o cachimbo da boca.

— Eu estava me perguntando qual seria o objetivo desse homem ao nos contar este monte de mentiras. Eu quase perguntei-lhe isso, pois há ocasiões em que um ataque brutal direto é a melhor política, mas achei que seria melhor deixá-lo pensar que nos havia enganado. Aí está um homem com um paletó inglês puído no cotovelo e calças deformadas nos joelhos, com um ano de uso, e no entanto, pelo seu documento e de acordo com o que afirmou, é um americano provinciano, que chegou recentemente a Londres. Não houve anúncios nas colunas de pessoas desaparecidas. Você sabe que eu não perco nenhum desses anúncios. É o jeito dissimulado de agarrar um pássaro, e eu nunca deixaria passar um faisão desses. Não conheci nenhum dr. Lysander Starr em Topeka. Toque-o onde quiser e ele é falso. Acho que o sujeito é mesmo americano, mas ele ficou com este seu sotaque polido vivendo anos em Londres. Então, qual será o seu jogo, e que motivo haverá por trás desta absurda procura de Garridebs? Vale a pena darmos atenção a esse caso, porque, se o homem for um patife, certamente é um patife complexo e engenhoso. Agora precisamos descobrir se o outro correspondente também é um embuste. Telefone para ele agora, Watson.

Fiz isso e ouvi uma voz fina e trêmula do outro lado da linha.

— Sim, sim, sou o sr. Nathan Garrideb. O sr. Holmes está? Eu gostaria muito de dar uma palavrinha com ele.

Meu amigo segurou o aparelho e ouvi o costumeiro diálogo sincopado.

— Sim, ele esteve aqui. Compreendo que o senhor não o conheça... Quanto tempo?... Só dois dias!... Sim, sim, naturalmente é uma perspectiva muito sedutora. O senhor estará em casa esta noite? Seu homônimo não estará aí?... Muito bem, iremos então, pois eu preferiria ter uma conversa informal sem a presença dele... Dr. Watson irá comigo... Pela sua carta, percebi que o senhor não sai de casa com frequência... Bem, estaremos aí por volta das seis horas. Não precisa dizer nada ao advogado americano... Muito bem. Até logo!

Era hora do crepúsculo num agradável entardecer primaveril, e até mesmo a Little Ryder Street, uma das menores travessas que saem da Edgware Road, perto da velha árvore Tyburn, de triste memória, parecia dourada e maravilhosa com os raios oblíquos do sol poente. A casa para onde estávamos indo era grande, antiquada, uma construção do início da arquitetura georgiana, com uma fachada lisa de tijolos, interrompida apenas por duas janelas salientes, no andar térreo. Nosso cliente morava neste andar térreo e, de fato, as janelas baixas eram a parte da frente de uma imensa sala na qual ele passava suas horas de vigília. Quando passamos, Holmes apontou para a pequena placa de metal onde estava escrito o curioso nome.

— É muito antiga, Watson — ele observou, mostrando sua superfície gasta. — De qualquer modo é o seu nome verdadeiro, e isto é algo digno de nota.

A casa tinha uma escada comum, e havia vários nomes pintados no saguão, alguns indicando escritórios, e outros, quartos particulares. Não era um grupo de apartamentos residenciais, e sim moradias de solteirões boêmios. Nosso cliente abriu a porta para nós e desculpou-se dizendo que a mulher encarregada saía às quatro da tarde. O sr. Nathan Garrideb era um homem muito alto, desengonçado, magro e calvo, aparentando mais ou menos sessenta anos. Ele tinha um rosto cadavérico, com uma pele sem brilho, morta, pele de um homem que desconhece os exercícios. Os óculos grandes redondos e uma saliente e curta barba de bode, combinados com a sua atitude condescendente, davam-lhe uma expressão de curiosidade inquisitiva. Mas o conjunto era agradável, embora excêntrico.

A sala era tão esquisita quanto o seu inquilino. Parecia um pequeno museu. Era larga e comprida, com guarda-louças e armários em toda a volta, repletos de espécimes geológicos e anatômicos. Havia caixas de borboletas e mariposas de cada lado da entrada. No centro, uma mesa grande estava entulhada de todo tipo de restos, enquanto o comprido tubo de metal de um poderoso microscópio destacava-se no meio deles. Quando olhei em volta, fiquei surpreso pela diversidade de interesses desse homem. Aqui estava uma caixa com moedas antigas. Lá, um armário com utensílios de sílex. Atrás da mesa central havia um grande guarda-louça com ossos de fósseis. Em cima havia uma fileira de crânios de gesso, com nomes como *Neandertal, Heidelberg, Cromagnon* impressos embaixo. Estava evidente que ele era um estudioso de muitos assuntos. Naquele momento, parado diante de nós, segurava na mão direita um pedaço de camurça, com o qual estava polindo uma moeda.

— De Siracusa, do melhor período — ele explicou, mostrando a moeda. — Eles degeneraram muito no final. Na sua melhor época, eu os considero o máximo, embora alguns prefiram a escola alexandrina. Aqui está uma cadeira, sr. Holmes. Permita-me afastar estes ossos. E o senhor, ah, sim, dr. Watson, se o senhor tivesse a bondade para colocar de lado este vaso japonês. Os senhores estão vendo, ao meu redor, os pequenos interesses da minha vida. Meu médico me censura pelo fato de eu nunca sair de casa, mas por que eu iria sair, quando tenho tanta coisa que me prende aqui? Posso assegurar-lhes que catalogar adequadamente o conteúdo de um desses armários levaria três meses.

Holmes olhou em volta com curiosidade.

— Mas o senhor me diz que nunca sai de casa? — perguntou.

— Uma vez ou outra vou até Sotheby's ou Christie's. Fora isso, muito raramente saio do meu quarto. Não sou muito forte e minhas pesquisas são muito absorventes. Mas o senhor pode imaginar, sr. Holmes, que surpresa espantosa, agradável, mas espantosa, foi para mim quando soube desta sorte sem igual. Só é necessário mais um Garrideb para completar a questão, e certamente podemos encontrar algum. Eu tinha um irmão, mas ele morreu, e parentes do sexo feminino não servem. Mas, com certeza, deve haver outros no mundo. Ouvi dizer que o senhor tratou de casos estranhos, e foi por isso que mandei chamá-lo. É claro que este cavalheiro americano está totalmente certo, e eu deveria ter pedido a opinião dele primeiro, mas agi com a melhor das intenções.

— Acho que o senhor agiu de maneira sensata — disse Holmes. — Mas o senhor está mesmo ansioso para adquirir terras na América?

— Certamente que não, senhor. Nada me convencerá a abandonar minha coleção. Mas este cavalheiro me garantiu que ele vai comprar a minha parte assim que tivermos reivindicado a posse. Cinco milhões de dólares foi a quantia mencionada. Atualmente existem no mercado 12 espécimes que preencheriam lacunas em minha coleção e que não posso comprar porque pedem por eles algumas centenas de libras. Pense no que eu poderia fazer com cinco milhões de dólares. Ora, tenho o núcleo de uma coleção nacional. Serei o Hans Sloane da minha época.

Seus olhos brilharam por trás dos óculos. Era óbvio que o sr. Nathan Garrideb faria todo o possível para encontrar um homônimo.

— Vim visitá-lo apenas para conhecê-lo, e não há motivo para que eu interrompa as suas pesquisas — disse Holmes. — Prefiro estabelecer um contato pessoal com aqueles para quem trabalho. Tenho poucas perguntas a lhe fazer, porque estou com a sua narrativa bastante clara no meu bolso e preenchi as lacunas quando o cavalheiro americano me visitou. Entendi que até esta semana o senhor ignorava a existência dele.

— Exatamente. Ele me visitou na terça-feira.

— Ele falou-lhe a respeito de nossa entrevista de hoje?

— Sim, ele veio diretamente para cá. Estava muito zangado.

— Por que ele deveria estar zangado?

— Pensou que fosse alguma consideração a respeito de sua honra. Mas ele estava bastante satisfeito novamente quando voltou!

— Ele sugeriu alguma providência?

— Não, senhor, ele não sugeriu nada.

— Ele recebeu ou pediu dinheiro ao senhor?

— Não, senhor, nunca!

— O senhor não percebe algum objetivo que ele possa ter em vista?

— Nenhum, a não ser o que ele afirma.

— O senhor mencionou o nosso encontro marcado pelo telefone?

— Sim, senhor.

Holmes estava perdido em seus pensamentos. Eu podia ver que ele estava intrigado.

— O senhor tem objetos de grande valor em sua coleção?

— Não, senhor. Não sou um homem rico. Esta é uma boa coleção, mas não é uma coleção muito valiosa.

— O senhor não tem medo de ladrões?

— De modo algum.

— Há quanto tempo está nestes aposentos?

— Há quase cinco anos.

O interrogatório de Holmes foi interrompido por uma pancada na porta. Mas o nosso cliente abriu o trinco da porta, o advogado americano entrou na sala na maior excitação.

— Aqui está! — ele gritou, sacudindo um jornal acima da cabeça. — Achei que chegaria a tempo de encontrá-lo. Sr. Nathan Garrideb, meus parabéns! O senhor é um homem rico. Nosso assunto terminou de maneira favorável e está tudo bem. Quanto ao sr. Holmes, só podemos dizer que lamentamos se lhe demos trabalho inutilmente.

Ele entregou o jornal ao nosso cliente, que ficou olhando com espanto para um anúncio assinalado. Holmes e eu nos inclinamos para a frente e lemos o anúncio por cima de seus ombros. O anúncio dizia o seguinte:

Howard Garrideb

Fabricante de Máquinas Agrícolas

Enfeixadores, ceifeiras,

arados manuais e a vapor,

furadeiras, arados de grade,

charretes, carroças

e outros implementos.

Orçamentos para poços artesianos

Procurar Grosvenor Buildings, Aston

— Magnífico — suspirou nosso anfitrião. — Isto encerra nossa busca do terceiro homem.

— Mandei fazer pesquisas em Birmingham — disse o americano —, e o meu agente de lá mandou-me este anúncio de um jornal local. Precisamos nos apressar e obter a aprovação do testamento. Escrevi a esse homem e disse-lhe que o senhor irá vê-lo amanhã à tarde, às quatro horas, em seu escritório.

— O senhor quer que *eu* vá vê-lo?

— O que diz, sr. Holmes? O senhor não acha que seria mais prudente? Aqui estou eu, um americano errante, com uma história maravilhosa. Por que ele iria acreditar no que eu lhe dissesse? Mas o senhor é um inglês, com sólidas referências, e ele estará disposto a tomar conhecimento daquilo que lhe disser. Eu iria com o senhor se quisesse, mas amanhã terei um dia muito cheio, e eu poderia ir depois, se o senhor tivesse algum problema.

— Bem, há anos eu não faço uma viagem assim.

— Não é difícil, sr. Garrideb. Eu já me informei sobre as conexões. O senhor parte ao meio-dia e deverá estar lá pouco depois das duas horas. Então o senhor poderá estar de volta na mesma noite. Tudo que o senhor terá de fazer é ver esse homem, explicar o assunto a ele, e obter uma declaração escrita e juramentada de sua existência. Pelo amor de Deus! — ele acrescentou com veemência —, levando em consideração que eu fiz toda essa viagem, do centro dos Estados Unidos até aqui, certamente é bem pouco se o senhor viajar uns cem quilômetros, a fim de resolver este assunto.

— Perfeitamente — disse Holmes. — Acho que o que o cavalheiro diz é verdade.

O sr. Nathan Garrideb encolheu os ombros com um ar desconsolado.

— Bem, se o senhor insiste, irei — ele disse. — É de fato difícil para mim recusar-lhe alguma coisa, considerando a esperança que o senhor trouxe para a minha vida.

— Então está combinado — disse Holmes — e, sem dúvida, o senhor me dará notícias o mais cedo possível.

— Eu cuidarei disso — afirmou o americano. — Bem — ele acrescentou, olhando o seu relógio —, tenho de ir embora. Passarei por aqui amanhã, sr. Nathan, e irei ao seu embarque para Birmingham. Vai pelo mesmo caminho que eu, sr. Holmes? Bem, então, adeus, e poderemos ter boas notícias para o senhor amanhã à noite.

Percebi que o rosto de meu amigo descontraiu-se quando o americano saiu da sala, e a expressão perplexa e pensativa havia desaparecido.

— Eu gostaria de examinar a sua coleção, sr. Garrideb — disse Holmes. — Na minha profissão, todo tipo de conhecimento adicional é útil, e esta sua sala é um excelente depósito de conhecimentos.

O rosto de nosso cliente iluminou-se de satisfação, e seus olhos brilharam por trás de seus óculos enormes.

— Sempre ouvi dizer que o senhor era um homem muito inteligente — ele disse. — Poderia mostrar-lhe agora, se o senhor tiver tempo.

— Infelizmente não tenho. Mas esses espécimes estão tão bem identificados e classificados que talvez não seja necessária sua explicação pessoal. Se eu pudesse passar por aqui amanhã, suponho que não haveria nenhuma objeção a que eu os examinasse.

— De maneira nenhuma. O senhor é muito bem-vindo. Naturalmente, a casa estará fechada, mas a sra. Saunders fica no porão até as 16 horas, e o deixaria entrar com a chave dela.

— Bem, acontece que estou livre amanhã à tarde. Se o senhor disser uma palavra à sra. Saunders, isto ficaria combinado. A propósito, quem é o seu corretor de imóveis?

Nosso cliente espantou-se com a pergunta.

— Holloway e Steele, na Edgware Road. Mas por quê?

— Eu mesmo sou um pouco arqueólogo, quando se trata de casas — disse Holmes, rindo. — Eu estava me perguntando a mim mesmo se esta seria da época da rainha Anne ou do estilo georgiano.

— Georgiano, sem dúvida nenhuma.

— De fato. Eu pensei que fosse um pouco anterior. Mas isto pode ser verificado facilmente. Bem, até logo, sr. Garrideb, e espero que o senhor tenha muito sucesso em sua viagem a Birmingham.

O corretor imobiliário ficava perto, mas descobrimos que estava fechado naquele dia, de modo que voltamos à Baker Street. Foi só depois do jantar que Holmes voltou ao assunto.

— Nosso probleminha está chegando ao fim — ele disse. — Você, com certeza, já imaginou a solução.

— Para mim, tudo parece sem pé nem cabeça.

— A cabeça está bem visível, e os pés nós veremos amanhã. Você não percebeu nada estranho sobre aquele anúncio?

— Vi que a palavra arado estava escrita com grafia americana.

— Oh, você notou isto, é? Bem, Watson, você está sempre melhorando. O tipógrafo compôs o anúncio do jeito que o recebeu. Depois, *buckboards* é uma palavra americana, também. E os poços artesianos são mais comuns entre eles do que entre nós. Foi um anúncio tipicamente americano, mas querendo parecer que era de uma firma inglesa. O que você acha disso?

— Só posso imaginar que foi este advogado americano que pôs o anúncio. Com que objetivo, não consigo entender.

— Bem, há outras explicações. De qualquer modo, ele queria fazer com que o bondoso e velho fóssil fosse até Birmingham. Isto está muito claro. Eu poderia ter dito a ele que, evidentemente, sua missão não teria êxito, mas, pensando melhor, achei que seria conveniente ficar com a área livre, deixando-o ir. Amanhã, Watson, bem, o dia de amanhã falará por si mesmo.

Holmes levantou-se e saiu cedo. Quando voltou, na hora do almoço, percebi que seu rosto estava muito sisudo.

— Este assunto é mais sério do que eu esperava, Watson — ele disse. — É justo dizer-lhe isto, embora eu saiba que será mais um motivo para você arriscar sua cabeça. Afinal, eu conheço bem o meu Watson. Mas *há* perigo, e você precisava saber disso.

— Bem, não é o primeiro que enfrentamos juntos, Holmes. Espero que não seja o último. Qual é o maior perigo desta vez?

— Temos de enfrentar um caso muito difícil. Identifiquei John Garrideb, o advogado. Não é outro senão o *"Matador"* Evans, que tem uma fama sinistra de assassino.

— Acho que isto não me esclareceu nada.

— Ah! Não faz parte da sua profissão guardar na memória um calendário portátil de Newgate. Ontem, fui ver o amigo Lestrade, na Scotland Yard. A Yard pode ter uma carência ocasional de intuição imaginativa, mas eles são líderes mundiais em matéria de eficácia e método. Achei que podia obter os dados de nosso amigo americano através dos registros deles. Como pensei, encontrei seu rosto gorducho sorrindo para mim da galeria de retratos de patifes. James Winter, também chamado Morecroft, também conhecido como o *"Matador"* Evans, era o que dizia a identificação. Holmes tirou um envelope do bolso. Anotei alguns detalhes do seu dossiê. Idade, 46 anos. Nascido em Chicago. Sabe-se que matou três homens nos Estados Unidos. Escapou da penitenciária por meio de influência política. Veio para Londres em 1893. Baleou um homem numa mesa de jogo, num clube noturno na estrada Waterloo, em janeiro de 1895. O homem morreu, mas ficou provado que ele havia sido o agressor. O morto foi identificado como Rodger Prescott, famoso trapaceiro e falsificador de moedas de Chicago. Evans, o assassino, foi solto em 1901. Desde então tem estado sob vigilância policial, mas, pelo que se sabe, tem vivido honestamente. Um homem muito perigoso, que costuma carregar armas e está pronto para usá-las. Este é o nosso pássaro, Watson, um pássaro de caça, você deve admitir.

— Mas qual é o jogo dele?

— Bem, a coisa começa a se definir. Estive na agência imobiliária. Nosso cliente, como nos contou, está morando lá há cinco anos. A casa ficou desocupada durante um ano antes disso. O inquilino anterior era um cavalheiro em geral conhecido como Waldron. No escritório lembravam-se bem da fisionomia de Waldron. Ele havia desaparecido de repente, e ninguém mais ouviu falar dele. Era um homem alto, barbudo e muito moreno. Ora, Prescott, o homem que o *"Matador"* Evans baleou, era, de acordo com a Scotland Yard, um homem alto, moreno, barbudo. Acho que deveríamos aceitar como hipótese que Prescott, o criminoso americano, morou no mesmo quarto onde o nosso inocente amigo agora tem o seu museu. De modo que, finalmente, temos um elo.

— E o próximo elo?

— Bem, agora precisamos procurá-lo.

Ele tirou um revólver da gaveta e me entregou.

— Tenho o meu velho revólver favorito comigo. Se o nosso amigo feroz do oeste tentar fazer jus ao seu apelido, devemos estar preparados. Vou lhe dar uma hora para a sesta, Watson, e depois acho que estará na hora da nossa aventura na Ryder Street.

Eram exatamente quatro horas quando chegamos ao curioso apartamento de Nathan Garrideb. A sra. Saunders, a zeladora, estava de saída, mas não hesitou em nos deixar entrar, porque a porta fecha-se com um trinco de mola, e Holmes prometeu que antes de sair verificaria se estava tudo em ordem. Pouco depois a porta externa foi fechada, vimos o chapéu dela passar em frente à janela e soubemos que estávamos sozinhos, no primeiro andar da casa. Holmes examinou rapidamente os aposentos. Havia um guarda-louças em um canto escuro e que ficava um pouco afastado da parede. Foi atrás dele que nós acabamos nos agachando, enquanto Holmes, num sussurro, fez um resumo de suas intenções.

— O *"Matador"* queria que o nosso amável amigo saísse do quarto. Isto está muito claro, e como o colecionador nunca saía foi necessário um plano para conseguir isto. Aparentemente, toda esta invenção dos Garrideb não tinha outra finalidade. Sou obrigado a dizer, Watson, que há uma certa ingenuidade satânica aí, mesmo que o extravagante nome do inquilino tenha lhe dado uma oportunidade que ele dificilmente teria esperado. Ele tramou seu plano com astúcia extraordinária.

— Mas o que ele pretende?

— Bem, é isso que queremos descobrir aqui. Não há nada a fazer com o nosso cliente por enquanto. É alguma coisa relacionada com o homem que ele assassinou. O homem deve ter sido seu comparsa. Há algum segredo criminoso neste quarto. É assim que eu vejo a coisa. A princípio pensei que nosso amigo devia ter na sua coleção alguma coisa mais valiosa do que ele imaginasse, que merecesse a atenção de um grande criminoso. Mas o fato de Rodger Prescott, de triste memória, ter morado nestes aposentos indica algum motivo mais grave. Bem, Watson, não há nada que possamos fazer, a não ser ter paciência e ver o que a próxima hora nos reservará.

Aquela hora não custou muito a passar. Ficamos encolhidos na sombra, aproximando-nos mais um do outro quando ouvimos a porta da rua abrir e fechar. Em seguida ouvimos o ruído metálico de uma chave, e o americano estava dentro do quarto. Ele fechou a porta silenciosamente atrás dele, olhou em volta com atenção, para verificar se não havia perigo, tirou seu sobretudo e aproximou-se da mesa central como quem sabe exatamente o que tem a fazer e como fazê-lo. Ele arrastou a mesa para um lado, rasgou o quadrado do tapete onde ficava a mesa, enrolou-o e em seguida, retirando um pé de cabra do bolso interno, ajoelhou-se e trabalhou com vigor sobre o assoalho. Naquele momento ouvimos o barulho de tábuas que deslizavam e, um minuto depois, abriu-se um buraco no piso. Evans, o Matador, riscou um fósforo, acendeu o toco de uma vela e desapareceu de nossas vistas.

Evidentemente, chegava a nossa vez. Holmes bateu no meu pulso, dando-me um sinal, e juntos nos arrastamos na direção da abertura no assoalho. Apesar de nos movermos com cuidado, o velho assoalho deve ter rangido, pois a cabeça do americano surgiu de repente no espaço aberto, espreitando ansiosamente em volta. Seu rosto virou-se para nós, e seus olhos denotavam raiva e frustração, suavizando-se, aos poucos, num sorriso envergonhado, quando percebeu que duas pistolas estavam apontadas para a sua cabeça.

— Ora, ora — ele disse calmamente, enquanto se arrastava até a superfície. — Acho que dois são demais para mim, sr. Holmes. Adivinhou meu jogo, suponho, e me tomou por um bobalhão desde o início. Bem, senhor, eu me entrego, o senhor me derrotou e...

Num instante ele havia tirado um revólver do peito e disparado dois tiros. Senti um súbito chamuscar quente, como se um ferro em brasa tivesse sido comprimido contra minha coxa. Ouvi um baque quando a pistola de Holmes desceu sobre a cabeça do homem. Eu o vi estirado no chão, com sangue escorrendo pelo rosto, enquanto Holmes procurava mais armas. Depois os braços resistentes do meu amigo ampararam-me e levaram-me até uma cadeira.

— Você não está ferido, Watson? Por Deus, diga que você não está ferido.

Valia um ferimento — valia muitos ferimentos — conhecer a dimensão da lealdade e do amor que estavam por trás daquela máscara fria. Os olhos claros e duros ficaram sombrios por um instante, e os lábios firmes tremiam. Durante um minuto, o único, vislumbrei um grande coração, bem como uma grande inteligência. Todos os meus anos de serviços humildes sinceros culminaram naquele momento de revelação.

— Não foi nada, Holmes. É apenas um arranhão. Ele tinha cortado minha calça com o canivete.

— Você tem razão — exclamou ele com um suspiro de alívio. — É bem superficial. — Seu rosto virou uma pedra enquanto ele olhava com raiva para o nosso prisioneiro, que estava se sentando atordoado. — Por Deus, isto também é bom para você. Se tivesse matado Watson, você não sairia vivo deste quarto. Agora, senhor, o que tem a dizer em sua defesa?

Ele não tinha nada a dizer em sua defesa. Apenas deitou-se e fez uma cara de poucos amigos. Apoiei-me no braço de Holmes, e juntos olhamos para baixo, para dentro do pequeno porão que havia sido revelado pelo alçapão secreto. Ele estava ainda iluminado pela vela que Evans levava para baixo. Demos com os olhos em uma porção de máquinas enferrujadas, grandes rolos de papel, uma confusão de garrafas e, cuidadosamente arrumados em uma pequena mesa, vários pacotes pequenos muito bem-feitos.

— Uma tipografia, um equipamento de falsário — disse Holmes.

— Sim, senhor — disse o nosso prisioneiro, cambaleando, enquanto se levantava e, depois, deixando-se cair numa cadeira. — O maior falsário de que Londres teve notícia. Aquela máquina de Prescott e aqueles pacotes na mesa eram duas mil notas de Prescott, valendo cem cada, e prontas para serem passadas em qualquer lugar. Sirvam-se, senhores. Chamem isso de pacto secreto e deixem-me dar o fora.

Holmes deu uma gargalhada.

— Nós não fazemos coisas desse tipo, sr. Evans. Neste país não existe esconderijo seguro para o senhor. Matou esse homem, Prescott, não?

— Sim, senhor, e peguei cinco anos por isso, embora ele é que tivesse me provocado. Cinco anos, quando eu deveria ter recebido uma medalha do tamanho de um prato de sopa. Ninguém seria capaz de distinguir uma nota Prescott de uma nota do Banco da Inglaterra, e, se eu não tivesse acabado com ele, ele teria inundado Londres com o seu dinheiro. Eu era a única pessoa no mundo que sabia onde ele fazia esse dinheiro. O senhor se admira de que eu quisesse o lugar? E se admira de que, ao encontrar esse louco, esse estúpido, esse caçador de insetos, com esse nome esquisito, acocorado bem em cima dele e nunca desocupando os quartos, admira-se de que eu tentasse fazer o máximo para obrigá-lo a sair da frente? Talvez eu tivesse sido mais esperto se tivesse dado cabo dele. Teria sido muito fácil, mas sou um cara de coração mole, que não consegue começar a atirar, a não ser que o outro cara também tenha uma arma. Mas diga-me, sr. Holmes, o que foi que eu fiz de errado? Eu não usei essas máquinas. Eu não feri esse cadáver ambulante. Do que o senhor me acusa?

— Apenas de tentativa de homicídio, que eu saiba — disse Holmes. — Mas isso não é serviço nosso. Eles farão isso na próxima etapa. Neste momento, o que queremos é apenas a sua encantadora pessoa. Por favor, Watson, ligue para a Scotland Yard. Eles ficarão surpresos.

Portanto, estes são os fatos a respeito de Evans, o Matador, e de sua notável invenção dos três Garridebs. Soubemos mais tarde que nosso pobre amigo nunca se refez do choque de seus sonhos desfeitos. Quando o seu castelo no ar desmoronou, enterrou-o sob as ruínas. Soubemos que ele estava numa clínica em Brixton. Foi um dia alegre, na Scotland Yard, quando a tipografia de Prescott foi descoberta, pois, embora eles soubessem de sua existência, nunca haviam sido capazes, depois da morte do homem, de descobrir onde ela estava. Evans realmente havia prestado um grande serviço e permitiu que vários detetives dormissem mais profundamente o sono merecido, pois o falsário é uma classe à parte e um perigo público. Eles teriam contribuído de bom grado para aquela medalha do tamanho de um prato de sopa que o criminoso havia mencionado, mas um tribunal insensível teve uma opinião menos favorável, e o assassino voltou para aquelas trevas das quais acabara de sair.

O PROBLEMA DA PONTE THOR

Em algum lugar nos cofres do banco Cox e Co., em Charing Cross, existe um baú de metal, todo amassado e desgastado pelas viagens, destes usados para documentos oficiais, com o meu nome, John H. Watson, M.D., do Exército indiano, pintado na tampa. Ele está abarrotado de papéis, sendo quase todos registros de casos em que explicamos problemas curiosos que o sr. Sherlock Holmes investigou em diversas ocasiões. Algumas dessas investigações, e não as menos interessantes, foram completos fracassos obtusos e, sendo assim, dificilmente poderiam ser narradas, já que não se obteve uma explicação final. Um problema sem solução pode interessar ao estudante, mas dificilmente deixaria de aborrecer o leitor casual. Entre essas histórias inacabadas, está a do sr. James Phillimore, que, depois de entrar de novo em casa para apanhar o guarda-chuva, nunca mais foi visto sobre a face da terra. Não menos interessante é a história de uma pequena embarcação a vela, *Alicia*, que, navegando numa manhã de primavera, entrou numa pequena área de neblina e jamais saiu, nunca mais se ouviu falar dela ou de sua tripulação. Um terceiro caso digno de nota é o de Isadore Persano, um conhecido jornalista e duelista que foi encontrado morto com os olhos fixos numa caixa de fósforos que continha um verme estranho, desconhecido da ciência. Além desses casos insondáveis, há alguns que envolvem segredos particulares de família numa extensão que causaria consternação em altas esferas, se fosse possível imaginar que eles pudessem ser publicados. Não preciso dizer que essa quebra de confiança é impensável e que esses registros serão separados e destruídos, agora que o meu amigo tem tempo para dedicar suas energias a esse assunto. Ainda restam muitos casos, de maior ou menor interesse, que eu poderia ter publicado antes se não temesse cansar o público, o que poderia refletir-se na reputação do homem que eu respeitava acima de todos. Participei de alguns desses casos e posso falar como testemunha ocular, enquanto em outros eu nem estava presente, ou o meu papel foi tão pequeno que, se eu o narrasse, seria como se fosse narrado por uma terceira pessoa. A narrativa que se segue foi tirada de minha experiência própria.

Era uma manhã tempestuosa de outubro, e enquanto eu me vestia observava as últimas folhas serem arrancadas, rodopiando ao caírem do plátano solitário que enfeita o pátio atrás de nossa casa. Desci para o café da manhã, preparado para encontrar o meu amigo deprimido, pois, como todos os grandes artistas, ele era facilmente influenciado por aquilo que o cercava. Mas, ao contrário, descobri que ele estava quase acabando de tomar o seu café e que a sua disposição de espírito estava particularmente brilhante e alegre, com aquela animação um tanto sinistra que era característica de seus momentos mais felizes.

— Você tem algum caso, Holmes? — perguntei.

— A faculdade de dedução certamente é contagiosa, Watson — ele respondeu. — Ela lhe permitiu sondar o meu segredo. Sim, tenho um caso. Após um mês de trivialidades e estagnação, as rodas movem-se uma vez mais.

— Posso participar disso?

— Há pouca coisa para participar, mas podemos discutir o assunto depois que você tiver comido os dois ovos quentes duros com que a nossa nova cozinheira nos obsequiou hoje. O estado dos ovos pode não ter nada a ver com o exemplar do romance *Family Herald* que vi ontem na mesa do hall. Mesmo assim, um assunto tão trivial como é o cozinhar um ovo exige atenção à passagem do tempo e é incompatível com o romance de amor naquele excelente periódico.

Quinze minutos depois a mesa havia sido tirada, e estávamos sentados frente a frente. Ele tirou uma carta do bolso.

— Você ouviu falar em Neil Gibson, o Rei do Ouro? — ele perguntou.

— Você se refere ao senador americano?

— Bem, ele já foi senador por algum estado do oeste; porém é mais conhecido como o maior magnata da mineração de ouro do mundo.

— Sim, ouvi falar dele. Ele viveu na Inglaterra durante algum tempo. Seu nome é muito conhecido.

— Sim, ele comprou grandes propriedades em Hampshire, há uns cinco anos. Talvez você tenha ouvido falar no fim trágico da mulher dele.

— É claro! Lembro-me disto agora. É por isso que o nome é tão familiar. Mas desconheço os detalhes.

Holmes indicou alguns papéis na cadeira.

— Eu não podia imaginar que o caso viesse parar nas minhas mãos, do contrário já estaria com a folha corrida pronta — ele disse. — O fato é que o problema, embora sensacional, parece que não apresenta nenhuma dificuldade. A personalidade interessante do acusado não ofusca a clareza da prova. Esta foi a opinião dos juízes do tribunal de investigações, e também dos autos da polícia. O caso agora foi levado ao tribunal do júri de Winchester. Temo que seja um negócio ingrato. Posso descobrir fatos, Watson, mas não posso alterá-los. A menos que surja algum fato inteiramente novo ou inesperado, não sei o que meu cliente pode esperar.

— Seu cliente?

— Ah, esqueci de lhe contar. Estou pegando sua mania complicada, Watson, de contar uma história de trás para a frente. Você deveria ter lido isto primeiro.

A carta que ele me deu, escrita numa caligrafia nítida e caprichada, dizia o seguinte:

Claridge's Hotel, 3 de outubro

Caro sr. Sherlock Holmes,

Não posso ver a melhor das mulheres que Deus já fez ser condenada à morte sem fazer tudo o que for possível para salvá-la. Não posso explicar os fatos, não posso nem mesmo tentar explicá-los, mas sei, fora de qualquer dúvida, que a srta. Dunbar é inocente. O senhor conhece os fatos — quem não os conhece? Foi o mexerico no país inteiro. E nunca uma voz se ergueu em sua defesa! É a maldita injustiça de tudo isto que me enlouquece. Esta mulher tem um coração que a impediria de matar uma mosca. Bem, irei amanhã às 11 horas para ver se o senhor consegue lançar algum raio de luz nessa escuridão. Talvez eu tenha alguma pista e não o saiba. De qual-

quer modo, tudo o que sei, tudo o que tenho e tudo o que sou estão à sua disposição, se o senhor puder salvá-la. Se alguma vez em sua vida o senhor mostrou os seus poderes, use-os agora neste caso.

Atenciosamente,

J. Neil Gibson

— Aí está — disse Sherlock Holmes, batendo as cinzas do cachimbo que costumava fumar após o café e enchendo-o novamente devagar. — É este o cavalheiro que estou esperando. Quanto à história, você dificilmente teria tempo de absorver o conteúdo de todos estes papéis, de modo que preciso lhe contar tudo da maneira mais resumida possível, a fim de que possa examinar os autos de um modo inteligente. Este homem representa o maior poder financeiro do mundo e, pelo que sei, é um homem de um caráter violento e forte. Ele se casou com uma mulher, a vítima desta tragédia, sobre a qual eu nada sei, exceto que ela já havia passado da juventude, o que era uma infelicidade, já que uma governanta muito atraente orientava a educação de seus filhos pequenos. Estas são as três pessoas envolvidas, e o cenário é uma magnífica e antiga casa senhorial, centro de uma herdade histórica inglesa. Então, vamos à tragédia. A esposa foi encontrada nos terrenos da propriedade, a quase oitocentos metros da casa, tarde da noite, vestida a rigor, com um xale sobre os ombros e uma bala de revólver nos miolos. Nenhuma arma foi encontrada perto dela, e, quanto ao assassino, não encontraram nenhuma pista no local. Nenhuma arma perto dela, Watson... Lembre-se disto! Parece que o crime foi cometido tarde da noite, e o corpo foi encontrado por um guarda, por volta das 11 da manhã, quando foi examinado pela polícia e por um médico, antes de ser carregado para a casa. Está muito resumido ou você está compreendendo bem?

— Está tudo muito claro. Mas por que suspeitar da governanta?

— Bem, em primeiro lugar, há alguns indícios muito claros. Um revólver, com uma câmara descarregada, e de um calibre que correspondia ao da bala, foi encontrado no fundo do guarda-roupa dela. — Com os olhos fixos, Holmes repetia cada palavra separadamente. — No... fundo... de... seu... guarda-roupa. — Depois ficou em silêncio, e percebi que ele havia posto em movimento uma cadeia de pensamentos e que eu seria tolo se interrompesse. De repente, num ímpeto, ele voltou à vida ativa. — Sim, Watson, ele foi encontrado. Muito comprometedor, hein? Assim pensaram os dois júris. Depois, a mulher morta tinha com ela um bilhete marcando um encontro naquele mesmo lugar, e assinado pela governanta. Como pode ser isto? Finalmente, há o motivo. O senador Gibson é uma pessoa atraente. Se a mulher dele morre, quem estaria mais apta a sucedê-la do que a jovem que já tinha, de acordo com o que se dizia, recebido muitos obséquios de seu patrão? Amor, fortuna, poder, tudo dependia de uma vida na meia-idade. Vil, Watson, muito vil!

— Sim, de fato, Holmes.

— Ela também não conseguiu apresentar um álibi. Pelo contrário, teve de admitir que estava lá embaixo, perto da Ponte Thor, que foi o local da tragédia, mais ou menos àquela hora. Ela não pôde negar isto, porque um aldeão a viu lá.

— Isto realmente parece decisivo.

— Porém, Watson, porém! Esta ponte, um simples arco de pedra, com balaustradas laterais, conduz o caminho até a parte mais estreita de um longo e profundo lençol d'água rodeado de juncos. O nome da ponte é Thor Mere. A mulher morta estava no início da ponte. Estes são os fatos principais. Mas, se não me engano, aí está o nosso cliente, bem antes da hora marcada.

Billy abriu a porta, mas o nome que ele anunciou não era o que esperávamos. O sr. Marlow Bates era um desconhecido para nós. Era um homem insignificante, magro, nervoso, de olhos amedrontados, encolhido e indeciso — um homem que meu olhar de profissional diria estar à beira de um colapso nervoso.

— O senhor parece agitado, sr. Bates — disse Holmes. — Por favor, sente-se. Posso dispor de pouco tempo para o senhor, porque tenho uma entrevista às 11 horas.

— Sei que o senhor tem — murmurou nosso visitante, falando com frases curtas, como alguém que não consegue respirar —, o sr. Gibson está chegando. O sr. Gibson é o meu patrão. Sou o administrador de suas propriedades. Sr. Holmes, ele é um vilão, um vilão infernal.

— Que linguagem, sr. Bates.

— Tenho de ser positivo, sr. Holmes, porque o tempo é muito curto. Eu não quero que ele me encontre aqui por coisa nenhuma deste mundo. Ele está para chegar. Mas fiquei tão ocupado que não foi possível vir mais cedo. O secretário dele, sr. Ferguson, somente me falou da entrevista dele com o senhor esta manhã.

— E o senhor é o administrador dele?

— Eu já lhe dei o aviso prévio. Dentro de duas semanas estarei livre dessa maldita escravidão. Um homem mau, sr. Holmes, mau com todos os que o cercam. Essas caridades públicas são como um biombo para encobrir todas as suas perversidades particulares. Mas sua esposa foi sua principal vítima. Ele era brutal com ela, sim, senhor, brutal! Como ela morreu, eu não sei, mas tenho certeza de que ele infernizou a vida dela. Ela era uma mulher dos trópicos, brasileira de nascimento, como o senhor deve saber.

— Não; isto me havia escapado.

— Tropical de nascimento e tropical de natureza. Filha do sol e da paixão. Ela o amou como estas mulheres podem amar, mas quando os encantos físicos dela se acabaram, e disseram-me que em outros tempos eles eram muitos, não houve nada que o refreasse. Todos nós gostávamos dela, tínhamos pena dela e o odiávamos pela maneira como a tratava. Mas ele é traiçoeiro e astucioso. Isto é tudo o que tenho a dizer-lhe. Não o julgue pelas aparências. Há mais coisas por trás. Agora vou embora. Não, não, não me impeça de sair. Ele está quase chegando.

Olhando assustado para o relógio, nosso estranho visitante literalmente correu para a porta e desapareceu.

— Ora, ora! — disse Holmes, após uma pausa. — O sr. Gibson parece ter uma criadagem muito leal. Mas a informação é útil, e agora só podemos esperar até que o homem apareça.

Exatamente na hora marcada ouvimos passos pesados na escada, e o famoso milionário entrou na sala. Assim que o vi, compreendi não só os temores e a antipatia do seu administrador, como também as maldições que tantos rivais nos negócios haviam acumulado sobre a sua cabeça. Se eu fosse um escultor e desejasse idealizar o homem de negócios bem-sucedido, com nervos de aço e uma total falta de consciência, eu escolheria o sr. Neil Gibson como modelo. Sua figura alta, magra e astuta sugeria ganância e voracidade. Um Abraham

Lincoln ligado a coisas vis e não a coisas superiores daria uma ideia desse homem. Seu rosto podia ter sido cinzelado em granito, insensível, ambicioso, desumano, com sulcos profundos, as cicatrizes de muitas crises. Olhos cinzentos, frios e maliciosos sob as sobrancelhas hirsutas examinaram cada um de nós. Quando Holmes mencionou meu nome, ele me cumprimentou com a cabeça, como se não tivesse obrigação de o fazer, e depois, com um jeito altivo e um ar de poder, puxou uma cadeira para perto do meu amigo e sentou-se com os joelhos quase o tocando.

— Deixe-me dizer-lhe de uma vez, sr. Holmes — ele começou —, que para mim, neste caso, o dinheiro nada significa. O senhor pode queimá-lo, se isto ajudar a esclarecer a verdade. Esta mulher é inocente e precisa ser absolvida, e depende de o senhor conseguir isto. Faça o seu preço!

— Meus honorários profissionais estão baseados numa escala fixa — disse Holmes friamente. — Eu não os altero, a não ser quando os perdoo por completo.

— Bem, se os dólares não fazem diferença, pense na sua reputação. Se o senhor conseguir isto, todos os jornais da Inglaterra e da América irão elogiá-lo. O senhor será assunto em dois continentes.

— Obrigado, sr. Gibson, eu não acho que esteja precisando de promoção. O senhor pode ficar surpreso ao saber que prefiro trabalhar anonimamente e que é o problema em si que me atrai. Mas estamos perdendo tempo. Vamos aos fatos.

— Acho que o senhor encontrará os fatos principais nos jornais. Não sei se poderia acrescentar alguma coisa que o ajudasse. Mas, se o senhor quiser maiores esclarecimentos a respeito de alguma coisa, bem, estou aqui para dá-los.

— Bem, há somente um detalhe.

— Qual?

— Quais eram exatamente as relações entre o senhor e a srta. Dunbar?

O Rei do Ouro estremeceu violentamente e ergueu-se um pouco na cadeira. Depois recuperou a serenidade.

— Acredito que o senhor esteja em seu direito, e talvez cumprindo o seu dever, fazendo-me esta pergunta, sr. Holmes.

— Vamos concordar com esta hipótese — disse Holmes.

— Então, posso garantir-lhe que nossas relações foram sempre, e apenas, as de um patrão com uma jovem com quem ele nunca conversava, a não ser quando ela estava em companhia dos filhos dele.

Holmes levantou-se de sua cadeira.

— Sou um homem muito ocupado, sr. Gibson — ele disse — e não tenho tempo nem gosto por conversas sem objetivo. Desejo-lhe um bom dia.

Nosso visitante também se levantara, e sua figura grande e desembaraçada sobressaiu-se acima de Holmes. Havia um brilho de ódio sob aquelas sobrancelhas eriçadas e um pouco de cor em suas faces cavadas.

— Que diabo o senhor quer dizer com isso, sr. Holmes? O senhor recusa o meu caso?

— Bem, sr. Gibson, pelo menos eu o estou mandando embora. Pensei que estivesse sendo claro.

— Suficientemente claro, mas o que há por trás disto? Está querendo aumentar o preço, ou com medo de enfrentar o problema, ou o quê? Tenho o direito a uma resposta franca.

— Bem, talvez tenha — disse Holmes. — Vou dar-lhe esta resposta. Este caso já é suficientemente complicado para se começar, sem as dificuldades adicionais de informações falsas.

— O senhor está querendo dizer que eu menti.

— Bem, eu estava tentando dizer isso da maneira mais delicada possível, mas, se o senhor insiste nessa palavra, não vou contradizê-lo.

Levantei-me de um salto, pois a expressão no rosto do milionário era satânica em sua intensidade, e ele erguera o punho de um jeito ameaçador. Holmes sorriu languidamente e esticou a mão para pegar seu cachimbo.

— Não seja barulhento, sr. Gibson. Sei que, após o café da manhã, até a menor discussão é perturbadora. Acho que um passeio no ar da manhã e uma reflexão tranquila serão muito benéficos para o senhor.

Com esforço, o Rei do Ouro controlou sua fúria. Só pude admirá-lo, pois com um supremo domínio sobre si mesmo ele havia, em um minuto, passado do ódio inflamado à indiferença fria e desdenhosa.

— Bem, é a sua opção. Suponho que o senhor saiba dirigir seus próprios negócios. Não posso fazê-lo tratar do caso contra a sua vontade. Esta manhã o senhor não fez nenhum bem a si mesmo, sr. Holmes, pois eu já venci homens mais fortes do que o senhor. Nenhum homem jamais se opôs a mim e levou a melhor.

— Muitos disseram isto, e mesmo assim estou aqui — disse Holmes, sorrindo. — Bem, bom dia, sr. Gibson. O senhor ainda tem muito o que aprender.

Nosso visitante saiu ruidosamente, mas Holmes continuou fumando num silêncio imperturbável, com os olhos sonhadores fixos no teto.

— Qual é a sua opinião, Watson?

— Bem, Holmes, devo confessar que, quando penso que este é um homem que certamente afastaria qualquer obstáculo do seu caminho, e quando me lembro que a mulher dele pode ter sido um obstáculo e um alvo de desagrado, como aquele homem, Bates, nos contou, parece-me que...

— Exatamente. E a mim também.

— Mas quais eram as suas relações com a governanta, e como você as descobriu?

— Blefe, Watson, blefe! Quando analisei o tom apaixonado e nada formal de sua carta, diferente de uma carta de negócios, e o comparei com o seu jeito e seu aspecto reservados, ficou claro que havia uma profunda emoção que se centrava mais na mulher acusada do que na vítima. É necessário compreender as relações verdadeiras entre essas três pessoas para podermos chegar à verdade. Você viu o ataque frontal que lhe fiz, e como ele o recebeu do modo imperturbável. Então blefei para dar-lhe a impressão de que eu estava absolutamente certo, quando, na verdade, eu estava apenas suspeitando.

— Será que ele volta?

— É certo que ele voltará. Ele *precisa* voltar. Ele não pode deixar as coisas como estão. Ah! não é a campainha? Sim, ouço seus passos. Ora, sr. Gibson, eu estava justamente dizendo ao dr. Watson que o senhor estava um pouco atrasado.

O Rei do Ouro havia voltado à sala com uma disposição mais conciliadora do que quando saiu. Seu orgulho ferido ainda transparecia em seus olhos ressentidos, mas seu bom senso lhe mostrara que precisava se sujeitar, se quisesse atingir seu objetivo.

— Estive refletindo sobre o assunto, sr. Holmes, e percebi que fui precipitado ao interpretar erroneamente as suas observações. O senhor tem motivos para ir direto aos fatos, quaisquer que eles sejam, e eu o respeito mais por isso. Mas posso assegurar-lhe que as minhas relações com a srta. Dunbar não têm nada a ver com este caso.

— Isto cabe a mim decidir, não é?

— Sim, suponho que seja assim. O senhor é como um cirurgião que quer saber todos os sintomas antes de fazer o diagnóstico.

— Exatamente. É o que o senhor acaba de dizer. E só um paciente que tenha o objetivo de enganar seu cirurgião ocultaria a realidade do caso.

— Pode ser assim, mas o senhor deve admitir, sr. Holmes, que a maioria dos homens se acanha um pouco quando lhe perguntam, sem rodeios, qual o tipo de relação que ele tem com uma mulher... quando há realmente algum sentimento verdadeiro no caso. Imagino que a maioria dos homens tenha um cantinho particular em suas almas, onde os intrusos não são bem-vindos. E o senhor de repente intrometeu-se aí. Mas o objetivo o desculpa, desde que seja para julgar e tentar salvá-la. Bem, as apostas estão na mesa e a alma aberta, e o senhor pode explorá-la onde quiser. O que é que o senhor deseja?

— A verdade.

O Rei do Ouro fez uma pausa, como alguém que põe os pensamentos em ordem. Seu rosto carrancudo e marcado por rugas ficou ainda mais sombrio e grave.

— Posso resumi-la em poucas palavras, sr. Holmes — ele disse finalmente. — Há algumas coisas dolorosas e também difíceis de dizer, de maneira que não irei me aprofundar mais do que o necessário. Conheci minha mulher quando estive no Brasil à procura de ouro. Maria Pinto era filha de um funcionário do governo em Manaus e era muito bonita. Naquela época eu era jovem e ardente, mas mesmo agora, quando olho para trás com o sangue mais frio e o olhar mais crítico, posso ver que sua beleza era rara e maravilhosa. Tinha também uma natureza profundamente rica, apaixonada, dedicada, tropical, impulsiva, muito diferente das mulheres americanas que eu havia conhecido. Bem, para encurtar a história, fiquei apaixonado e casei-me com ela. Foi só quando o amor acabou, e durou anos, que compreendi que não tínhamos nada, absolutamente nada, em comum. Meu amor desapareceu. Se o dela tivesse desaparecido também, teria sido mais fácil. Mas o senhor sabe como são as mulheres! Nada do que eu fazia era suficiente para afastá-la de mim. Se fui áspero com ela, até mesmo brutal, como disseram alguns, foi porque eu sabia que, se pudesse matar o seu amor, ou se ele se transformasse em ódio, seria mais fácil para nós dois. Mas nada a modificou. Ela me amava nos bosques ingleses como havia me adorado vinte anos atrás, às margens do Amazonas. Não importava o que eu fizesse, ela continuava devotada como sempre.

"Então chegou a srta. Grace Dunbar. Ela respondeu ao nosso anúncio e tornou-se a governanta de nossos dois filhos. Talvez o senhor tenha visto seu retrato nos jornais. O mundo inteiro tem afirmado que ela também é uma mulher muito bonita. Ora, não tenho pretensão de ser mais moralista do que meus vizinhos e vou admitir para o senhor que eu não podia viver sob o mesmo teto que esta mulher, em contato diário com ela, sem sentir uma veneração ardente por ela. O senhor me censura por isso, sr. Holmes?"

— Não o censuro por sentir isso. Deveria censurá-lo se o senhor manifestasse isso, já que, de certa forma, a jovem estava sob sua proteção.

— Bem, talvez — disse o milionário, embora por um momento a censura tivesse feito surgir em seus olhos o velho brilho de ódio. — Não pretendo parecer melhor do que sou. Creio que durante toda a minha vida fui um homem que tentava conseguir o que queria, e nunca desejei nada mais do que o amor e a posse dessa mulher. Disse-lhe isso.

— Oh, o senhor fez isso, não?

Holmes podia parecer terrível quando tinha a intenção.

— Disse-lhe que se pudesse me casar com ela eu o faria, mas que isto estava fora da minha possibilidade. Disse que dinheiro não era problema, e faria o que fosse possível para vê-la feliz e confortável.

— Muito generoso, com certeza — disse Holmes com um sorriso sarcástico.

— Veja, sr. Holmes. Vim procurá-lo por uma questão de evidência, e não por uma questão de moral. Não estou pedindo suas críticas.

— De qualquer modo, é só em consideração à jovem que vou tratar deste caso — disse Holmes com rispidez. — Não sei se alguma coisa de que ela é acusada é, realmente, pior do que isso que o senhor mesmo admitiu, que o senhor tentou arruinar uma moça indefesa que estava sob o seu teto. Alguns de vocês, homens ricos, precisam aprender que o mundo todo não pode ser subornado para fechar os olhos aos seus crimes.

Para minha surpresa, o Rei do Ouro recebeu a reprimenda com serenidade.

— É assim que me sinto em relação a isto agora. Agradeço a Deus que os meus planos não tenham se concretizado da maneira que eu pretendia. Ela não aceitou nada que eu propus, e quis deixar a casa imediatamente.

— Por que não o fez?

— Bem, em primeiro lugar, outras pessoas dependiam dela, e não era fácil para ela deixá-las em dificuldades, sacrificando suas vidas. Depois que eu jurei, como o fiz, que não seria molestada novamente, ela consentiu em ficar. Mas havia outro motivo. Ela sabia da influência que exercia sobre a minha pessoa e que era mais forte do que qualquer outra influência no mundo. Ela queria usar isto para o bem.

— Como?

— Bem, ela sabia alguma coisa a respeito de meus negócios. Eles são vastos, sr. Holmes, muito além daquilo que um homem comum poderia imaginar. Posso construir ou destruir. E geralmente destruo. E não somente pessoas. Foram comunidades, cidades, até nações. É um jogo duro, e os fracos são postos de lado. Eu jogava por tudo que valesse a pena. Jamais gritava de dor e nunca me preocupava se os outros gritassem. Mas ela via isso de maneira diferente. Acho que ela estava certa. Ela acreditava e dizia que a fortuna de um homem que fosse maior do que ele necessitasse não deveria ser construída sobre a ruína de dez mil homens deixados sem meios de sobrevivência. Era assim que ela pensava, e creio que ela podia ver além dos dólares e se preocupava com alguma coisa mais duradoura. Ela descobriu que eu ouvia o que ela dizia e acreditava que estava servindo ao mundo, influenciando minhas ações. De modo que ela ficou, e foi então que tudo aconteceu.

— O senhor pode esclarecer isto?

O Rei do Ouro fez uma pausa de um minuto mais ou menos, a cabeça entre as mãos, perdido em pensamentos.

— Está tudo contra ela. Não posso negar isto. As mulheres têm uma vida interior e podem fazer coisas que fogem ao julgamento de um homem. A princípio eu estava tão confuso e perplexo que cheguei a pensar que ela tivesse se conduzido de maneira excepcional e contrária à sua natureza. Ocorreu-me uma possível explicação. Vou dizer-lhe qual foi, sr. Holmes, pelo que ela vale. Não há dúvida de que minha esposa era terrivelmente ciumenta. Existe um ciúme da alma que pode ser tão furioso quanto qualquer ciúme do corpo, e embora minha mulher não tivesse motivo, acho que sabia disso, para este último ela percebia que esta moça inglesa exercia sobre a minha mente e minhas ações uma influência que ela nunca teve. Era uma influência para o bem, mas isto não melhorava a situação. Ela estava louca de ódio, e o calor da Amazônia estava sempre em seu sangue. Ela pode ter planejado assassinar a srta. Dunbar, ou, diríamos, ameaçá-la com uma arma e assim amedrontá-la para que fosse embora. Então pode ter havido uma altercação, e a arma disparou e feriu a mulher que a segurava.

— Esta possibilidade já me ocorreu — disse Holmes. — De fato, é a única alternativa óbvia para assassinato premeditado.

— Mas ela negou isto terminantemente.

— Ora, isto não é definitivo, é? Pode-se compreender que uma mulher colocada em uma situação tão terrível tivesse corrido para casa, e no seu atordoamento continuasse segurando o revólver. Ela poderia até mesmo tê-lo jogado no meio de suas roupas, sem saber direito o que estava fazendo, e, quando a arma fosse encontrada, ela poderia tentar esconder seu envolvimento com uma negativa total, já que toda a explicação era impossível. O que há contra esta hipótese?

— A própria srta. Dunbar.

— Bem, talvez.

Holmes olhou para o relógio.

— Tenho certeza de que conseguiremos as autorizações necessárias esta manhã e poderemos chegar a Winchester no trem da tarde. Quando eu tiver me avistado com essa jovem, é bem possível que eu venha a ser mais útil para o senhor no caso, embora eu não possa prometer que minhas conclusões serão necessariamente as que o senhor deseja.

Houve uma certa demora na obtenção do passe oficial, e em vez de chegarmos a Winchester naquele dia, fomos até Thor Place, a propriedade do sr. Neil Gibson em Hampshire. Ele não nos acompanhou, mas tínhamos o endereço do sargento Coventry, da polícia local, o primeiro a investigar o caso. Era um homem alto, magro, cadavérico, com um jeito reservado e misterioso, o que fazia supor que ele soubesse ou suspeitasse de muito mais do que se atrevia a dizer. Ele também usava um truque, o de baixar de repente a voz até um sussurro, como se tivesse descoberto algo de importância vital, embora a informação geralmente fosse sem importância. Por trás desses truques ele logo demonstrou ser um sujeito decente e honesto, que não era orgulhoso demais para admitir que estava longe do seu elemento e que receberia de bom grado qualquer ajuda.

— De qualquer modo, prefiro o senhor à Scotland Yard, sr. Holmes — ele disse. — Se a Scotland Yard é chamada para investigar um caso, então a polícia local perde todo o mérito pelo sucesso e pode ser censurada por falhar. Já o senhor, tenho ouvido dizer que joga limpo.

— Eu não preciso, absolutamente, aparecer de modo algum — disse Holmes, para o evidente alívio de nosso melancólico conhecido. — Se eu conseguir esclarecer o assunto, não peço que mencionem meu nome.

— Bem, isto é muita generosidade de sua parte. E sei que se pode confiar no seu amigo, o dr. Watson. Agora, sr. Holmes, enquanto caminhamos até o local, há uma pergunta que eu gostaria de lhe fazer. Eu não diria isso a mais ninguém. — Ele olhou em volta como se não ousasse proferir as palavras. — O senhor não acha que o próprio sr. Neil Gibson poderia ser acusado?

— Andei analisando isto.

— O senhor ainda não viu a srta. Dunbar. É uma mulher maravilhosa e admirável em todos os aspectos. Ele pode ter desejado que a sua mulher saísse do caminho. E esses americanos são mais rápidos com pistolas do que a nossa gente daqui. Foi a pistola dele, o senhor sabe.

— Isto ficou totalmente comprovado?

— Sim, senhor. Foi uma pistola de um par que ele tinha.

— Uma de um par? Onde está a outra?

— Bem, o cavalheiro tem uma grande quantidade de armas de fogo de vários tipos. Nós nunca fizemos uma comparação exata daquela pistola em particular, mas a caixa foi feita para duas.

— Se é uma de um par, vocês com certeza teriam condições de compará-las.

— Bem, estão todas lá na casa, se o senhor quiser examiná-las.

— Mais tarde, talvez. Acho melhor darmos uma espiada no local da tragédia.

Esta conversa teve lugar na pequena sala da frente do chalé humilde do sargento Coventry, que servia de delegacia de polícia. Uma caminhada de mais ou menos oitocentos metros por um capinzal varrido pelo vento, em tons de ouro e bronze com as samambaias definhando devido ao outono, levou-nos a um portão lateral que dava no terreno da herdade Thor Place. Uma trilha conduziu-nos através de reservas de faisões e depois de uma clareira avistamos a ampla casa de estilo metade Tudor e metade georgiano no alto da colina. Perto de nós havia um lago comprido repleto de juncos, estreito no centro, onde passava o principal caminho de carruagens sobre uma ponte de pedras, mas crescendo e transformando-se, de cada lado, em pequenos lagos. Nosso guia parou na entrada da ponte e apontou para o chão.

— Era aqui que estava o corpo da sra. Gibson. Usei aquela pedra como ponto de referência.

— Então o senhor esteve no local antes que o corpo fosse removido?

— Sim, mandaram me chamar imediatamente.

— Quem o chamou?

— O próprio sr. Gibson. Quando foi dado o alarme, saiu correndo da casa com outras pessoas e insistiu em que nada fosse removido até que a polícia chegasse.

— Isto foi sensato. Fiquei sabendo pelas reportagens dos jornais que o tiro foi dado de perto.

— Sim, senhor, de muito perto.

— Perto da fronte direita?

— Bem atrás dela, senhor.

— Em que posição estava o corpo?

— De costas, senhor. Nenhum vestígio de luta. Nenhuma pegada. Nenhuma arma. O bilhete da srta. Dunbar estava preso na mão esquerda.

— Preso, diz você?

— Sim, senhor, tivemos muita dificuldade para conseguir abrir os dedos.

— Isto é muito importante. Exclui a ideia de que alguém pudesse ter colocado o bilhete ali depois da morte a fim de fornecer uma pista falsa. Deus meu! O bilhete, como me recordo, era muito curto. "Estarei na Ponte Thor às nove da noite. G. Dunbar." Não foi assim?

— Sim, senhor.

— A srta. Dunbar admitiu que escreveu o bilhete?

— Sim, senhor.

— Qual foi sua explicação?

— Sua defesa foi reservada para o tribunal. Ela não quis dizer nada.

— O problema é bem interessante. A questão da carta é muito misteriosa, não é?

— Bem, senhor — disse o guia —, parecia, se é que eu posso me atrever a afirmar isso, o único ponto claro em todo o caso.

Holmes sacudiu a cabeça.

— Supondo que a carta seja autêntica e que tenha realmente sido escrita, com toda a certeza foi recebida algum tempo antes, digamos uma ou duas horas. Então, por que esta senhora ainda estava com ela na mão esquerda? Por que a levava com tanto cuidado? Ela não tinha necessidade de referir-se à carta durante o encontro. Isto não parece estranho?

— Bem, senhor, da maneira como o senhor fala, talvez pareça.

— Gostaria de ficar sentado tranquilamente durante alguns minutos e refletir sobre os fatos. — Ele sentou-se sobre a borda de pedra da ponte, e eu pude ver os seus vivos olhos cinzentos observando as áreas em volta. De repente ele se levantou e correu em direção ao parapeito do lado oposto, tirou rapidamente sua lente do bolso e começou a examinar os relevos das pedras.

— Isto é curioso — ele disse.

— Sim, senhor; vimos a lasca de pedra na borda. Suponho que tenha sido feita por algum transeunte.

A borda de pedra era cinzenta, mas neste ponto estava branca num espaço não maior que uma moeda. Quando examinada de perto, notava-se que a superfície estava lascada, como se tivesse sido golpeada por algo afiado.

— Foi preciso certa violência para fazer isto — disse Holmes, pensativo. Com sua bengala ele golpeou o parapeito várias vezes sem deixar marca. — Sim, foi uma pancada forte. Num lugar curioso, também. E não veio de cima, mas de baixo, porque você vê que está na borda *inferior* do parapeito.

— Mas está distante, a pelo menos quatro metros do corpo.

— Sim, está a quatro metros do corpo. Pode não ter nada a ver com o caso, mas é um detalhe que merece atenção. Acho que não temos nada mais que nos interesse aqui. Você disse que não havia pegadas?

— O chão estava duro como ferro, senhor. Não havia nenhuma marca.

— Então podemos ir. Vamos primeiro até a casa e examinaremos as armas sobre as quais você falou. Depois continuaremos até Winchester, porque eu gostaria de falar com a srta. Dunbar antes de continuar as investigações.

O sr. Neil Gibson ainda não voltara da cidade, mas vimos na casa o neurótico sr. Bates, que nos visitara pela manhã. Ele nos mostrou, com um prazer sinistro, a formidável coleção de armas de fogo de vários formatos e tamanhos, que o seu patrão havia acumulado ao longo de uma vida de aventuras.

— O sr. Gibson tem seus inimigos, como qualquer pessoa que o conheça e conheça seus métodos poderia imaginar — ele disse. — Ele dorme com um revólver carregado na gaveta, ao lado da cama. É um homem violento, senhor, e há ocasiões em que todos nós temos medo dele. Tenho certeza de que a pobre senhora que morreu vivia aterrorizada.

— O senhor alguma vez testemunhou violências físicas contra ela?

— Não, não posso dizer isto. Mas ouvi palavras que eram quase tão perversas, palavras de desprezo frio e mordaz, até mesmo diante dos criados.

— Nosso milionário não parece se distinguir na sua vida particular — observou Holmes enquanto caminhávamos para a estação. — Bem, Watson, fizemos progressos com muitos fatos concretos, alguns deles novos, mas, mesmo assim, parece que estou longe de chegar a uma conclusão. Apesar da antipatia evidente que o sr. Bates sente por seu patrão, obtive dele a informação de que, quando o alarme tocou, ele estava sem dúvida na sua biblioteca. O jantar acabou às 20h30, e até aí tudo estava normal. É verdade que o alarme foi dado um pouco tarde, à noite, mas a tragédia com certeza ocorreu por volta da hora mencionada no bilhete. Não há, absolutamente, qualquer prova de que o sr. Gibson tenha estado fora de casa desde o seu retorno da cidade, às 17 horas. Por outro lado, a srta. Dunbar, segundo entendi, admite que marcou um encontro com a sra. Gibson na ponte. Ela não diz nada além disso, já que seu advogado aconselhou-a a deixar sua defesa para ser feita no tribunal. Temos muitas perguntas essenciais para fazer a esta jovem e não ficarei tranquilo enquanto não falar com ela. Reconheço que as suspeitas contra ela me pareceriam muito fortes, se não fosse por uma coisa.

— E que coisa é essa, Holmes?

— A descoberta da pistola no armário.

— Valha-me Deus, Holmes! — gritei. — Este me parece o mais comprometedor de todos os fatos.

— Não tanto, Watson. Isto me impressionou, mesmo durante meu primeiro estudo rotineiro, por ser muito estranho, e agora que estou em contato mais direto com o caso é minha única base sólida para a esperança. Precisamos procurar coerência. Onde houver carência disto, devemos suspeitar de fraude.

— Eu não estou entendendo.

— Bem, Watson, suponha por um momento que nós o visualizamos na figura de uma mulher, que, de maneira fria e premeditada, está prestes a se livrar de uma rival. Você planejou isto. Um bilhete foi escrito. A vítima apareceu. Você tem a sua arma. O crime é consumado. O crime foi perfeito e completo. Você acha possível que, após executar algo tão astucioso, você arruinaria sua reputação de criminoso, esquecendo-se de jogar sua arma naqueles canteiros de juncos ao lado, que a esconderiam para sempre, e você precisaria levá-la com cuidado para casa e guardá-la em seu próprio armário, o primeiro lugar em que seria procurada? Seus melhores amigos dificilmente o considerariam um bom planejador, Watson, e, mesmo assim, eu não conseguiria imaginá-lo fazendo algo tão grosseiro como isto.

— Na emoção do momento...

— Não, não, Watson, não vou admitir que isto seja possível. Quando um crime é friamente premeditado, os meios de encobri-lo também são friamente premeditados. Espero, portanto, que estejamos diante de um grave engano.

— Mas há muita coisa para ser explicada.

— Bem, vamos começar a explicar. Quando você muda uma vez seu ponto de vista, a mesma prova que condenava transforma-se em pista para se chegar à verdade. Por exemplo, há o revólver. A srta. Dunbar nega o conhecimento da arma. Em nossa nova hipótese, ela está dizendo a verdade quando afirma isso. Portanto, ela foi colocada em seu guarda-roupa. Quem a colocou lá? Alguém que queria incriminá-la. Não seria essa pessoa o verdadeiro criminoso? Você vê que chegamos agora a uma linha de investigação mais promissora.

Fomos obrigados a passar a noite em Winchester, porque as formalidades ainda não haviam sido concluídas, mas na manhã seguinte, em companhia do sr. Joyce Cummings, o advogado que estava encarregado da defesa, foi-nos permitido ver a jovem dama em sua cela. Eu esperava, por tudo que ouvira, encontrar uma mulher bonita, mas nunca esquecerei a impressão que a srta. Dunbar me causou. Não é de admirar que mesmo o altivo milionário tivesse encontrado nela alguma coisa mais poderosa do que ele mesmo — alguma coisa que podia controlá-lo e guiá-lo. Sentia-se, também, quando se olhava para aquele rosto enérgico, de contornos bem delineados mas sensível, que, mesmo que ela fosse capaz de algumas ações impetuosas, havia uma nobreza de caráter inata, que a faria influenciar sempre para o bem. Ela era morena, alta, com um porte nobre e uma presença imponente, mas seus olhos escuros exibiam a expressão impotente da criatura perseguida, que sente as redes à sua volta, mas não consegue ver como escapar da armadilha. Agora, ao perceber a presença e a ajuda de meu amigo famoso, um toque de cor surgiu em suas faces descoradas, e uma luz de esperança começou a brilhar tenuemente no olhar que nos dirigiu.

— Talvez o sr. Neil Gibson tenha lhe falado alguma coisa sobre o que ocorreu entre nós — ela disse em voz baixa e aflita.

— Sim — afirmou Holmes —, não precisa se afligir entrando nesta parte da história. Depois de vê-la estou pronto a aceitar a declaração do sr. Gibson, quanto à influência que a senhorita exercia sobre ele e quanto à inocência de suas relações com ele. Mas por que esta situação toda não foi exposta claramente no tribunal?

— Parecia-me inacreditável que semelhante acusação pudesse ser sustentada. Pensei que, se esperássemos, tudo deveria se esclarecer sem que fôssemos obrigados a entrar em detalhes dolorosos da vida íntima da família. Mas percebo que, longe de melhorar, as coisas ficaram ainda mais graves.

— Minha cara jovem — exclamou Holmes com sinceridade. — Peço-lhe que não tenha ilusões sobre a questão. O sr. Cummings lhe asseguraria que todas as cartas estão neste momento contra a senhorita e que precisamos fazer tudo o que for possível, se quisermos a absolvição. Seria uma fraude cruel fingir que a senhorita não está correndo um perigo muito grande. Dê-me toda a ajuda que puder, então, para chegarmos à verdade.

— Não ocultarei nada.

— Fale-nos, então, sobre suas verdadeiras relações com a esposa do sr. Gibson.

— Ela me odiava, sr. Holmes. Odiava-me com todo o ardor de sua natureza tropical. Era uma mulher que não faria nada pela metade, e a medida de seu amor pelo seu marido era também a medida de seu ódio por mim. É provável que ela tenha compreendido mal nossas relações. Eu não pretendia ofendê-la, mas ela amava de forma tão intensa num sentido físico que dificilmente poderia compreender a comunhão mental e mesmo espiritual que unia seu marido a mim, ou imaginar que era somente o meu desejo de influenciar seu poder para o bem que me prendia sob o seu teto. Posso ver agora que eu estava errada. Nada podia justificar minha permanência se eu era a causa da infelicidade, mas com certeza a infelicidade teria continuado mesmo se eu tivesse saído da casa.

— Agora, srta. Dunbar — disse Holmes —, peço-lhe que nos conte exatamente o que ocorreu naquela tarde.

— Posso contar-lhe a verdade, sr. Holmes, até o ponto em que a conheço, mas não estou em condições de provar nada, e há fatos, os mais importantes, que não posso explicar nem imaginar qualquer justificativa para eles.

— Se você encontrar estes fatos, outros podem encontrar a explicação.

— Quanto à minha presença na Ponte Thor naquela noite, recebi de manhã um bilhete da sra. Gibson. Estava na mesa da sala de aula, e pode ter sido deixado lá por ela mesma. O bilhete implorava-me para ir vê-la na ponte depois do jantar e dizia que tinha uma coisa importante para dizer e pedia-me que deixasse uma resposta no relógio de sol, no jardim, porque ela não queria que ninguém soubesse do nosso segredo. Eu não via motivo para este mistério, mas fiz o que ela pediu, concordando com o encontro. Pediu-me que destruísse seu bilhete, e eu o queimei na lareira da sala de aula. Tinha muito medo do marido, que a tratava com uma severidade pela qual eu frequentemente o repreendia, e só podia imaginar que ela agia dessa maneira porque não queria que ele soubesse da nossa conversa.

— Mas ela guardou sua resposta com muito cuidado.

— Sim. Fiquei surpresa ao saber que ela estava com o bilhete na mão quando morreu.

— Bem, então, o que foi que aconteceu?

— Fui ao seu encontro, como havia prometido. Quando cheguei à ponte, ela estava me esperando. Até aquele momento eu não tinha percebido como aquela pobre criatura me odiava. Ela parecia uma louca. Penso mesmo que ela era uma mulher louca, louca de maneira sutil, com aquela desilusão profunda que as pessoas loucas podem sentir. Podia mesmo me encontrar todos os dias com um jeito despreocupado e mesmo assim nutrir por mim, em seu coração, uma raiva tão grande? Não vou repetir o que ela disse. Ela despejou toda a sua fúria selvagem com palavras ardentes e terríveis. Eu nem ao menos respondi, não consegui. Foi terrível vê-la. Pus as mãos nos ouvidos e saí correndo. Quando fui embora, ela estava em pé na entrada da ponte, ainda gritando suas maldições para mim.

— No mesmo lugar em que foi encontrada depois?

— A alguns metros do local.

— Mas, supondo que ela tenha morrido pouco depois que a senhorita foi embora, não ouviu nenhum tiro?

— Não, não ouvi nada. Mas, na verdade, sr. Holmes, eu estava tão agitada e horrorizada com aquele terrível arrebatamento que saí correndo para voltar à paz do meu quarto, e seria incapaz de perceber qualquer coisa que acontecesse.

— Você afirma que voltou ao seu quarto. Saiu de lá outra vez antes da manhã seguinte?

— Sim, quando chegou o aviso de que aquela criatura estava morta, saí correndo junto com os outros.

— A senhorita viu o sr. Gibson?

— Sim, ele acabava de voltar da ponte, quando o vi. Tinha mandado chamar o médico e a polícia.

— Ele lhe pareceu muito perturbado?

— O sr. Gibson é um homem muito forte e muito controlado. Eu não creio que ele demonstrasse suas emoções. Mas eu, que o conhecia tão bem, podia ver que ele estava profundamente abalado.

— Vamos agora àquele detalhe tão importante. A pistola encontrada no seu quarto. A senhorita já a vira antes?

— Nunca, juro.

— Quando foi encontrada?

— Na manhã seguinte, quando a polícia fez a investigação.

— No meio das suas roupas?

— Sim, embaixo, no meu guarda-roupa, sob os meus vestidos.

— Não tem ideia de quanto tempo a pistola permaneceu lá?

— Não estava lá na manhã anterior.

— Como sabe?

— Porque arrumei o guarda-roupa.

— Isto é decisivo. Então alguém entrou em seu quarto e colocou lá a pistola, a fim de incriminá-la.

— Deve ter sido isso.

— E quando?

— Só poderia ter sido na hora das refeições ou nas horas em que eu estava na sala de aula com as crianças.

— Como na hora em que recebeu o bilhete?

— Sim, daquele momento em diante, durante toda a manhã.

— Obrigado, srta. Dunbar. Há algum outro detalhe que possa me ajudar na investigação?

— Não, não consigo me lembrar de mais nenhum.

— Havia sinal de violência na borda da ponte. A pedra fora lascada recentemente, bem do lado oposto ao corpo. A senhorita teria alguma explicação para isso?

— Deve ser mera coincidência.

— Curioso, srta. Dunbar, muito curioso. Por que isto haveria de surgir na mesma ocasião da tragédia, e por que no mesmo lugar?

— Mas o que poderia ter causado isso? Só uma grande violência poderia ter provocado esse efeito.

Holmes não respondeu. Seu rosto pálido e ansioso assumiu de repente aquela expressão tensa e distante que eu havia aprendido a associar às manifestações supremas de seu gênio. A crise em sua mente era tão evidente que nenhum de nós ousou falar, e ficamos sentados, o advogado, a prisioneira e eu, observando-o em seu silêncio concentrado e absorto. De repente ele saltou da cadeira, vibrando com uma energia nervosa e com a necessidade urgente de ação.

— Venha, Watson, venha! — ele exclamou.

— O que foi, sr. Holmes?

— Não importa, minha cara senhorita. O senhor terá notícias minhas, sr. Cummings. Com a ajuda de Deus, que é justo, eu lhe darei uma causa que vai repercutir em toda a Inglaterra. A srta. Dunbar terá notícias amanhã e, enquanto isso, tenha certeza de que as nuvens estão se dissipando e que eu tenho esperança de que a luz da verdade venha a aparecer.

Não era uma viagem longa de Winchester a Thor Place, mas foi longa para mim, na minha impaciência, enquanto era evidente que para Holmes parecia interminável, porque em sua agitação, ele não conseguia ficar sentado e andava pelo vagão ou tamborilava os dedos longos e sensíveis nas almofadas ao seu lado. Mas de repente, quando nos aproximávamos de nosso destino, ele se sentou à minha frente — tínhamos um carro de primeira classe só para nós — e, pondo as mãos nos meus joelhos, olhou-me nos olhos, com aquela expressão travessa típica de sua disposição de ânimo mais diabólica.

— Watson — ele disse —, lembro-me vagamente de que você costuma vir armado nessas nossas excursões.

Era bom para ele que fosse assim, porque ele tomava pouco cuidado com sua própria segurança quando sua mente estava absorvida por um problema, de modo que mais de uma vez meu revólver tinha sido um bom amigo na necessidade. Eu o fiz lembrar-se do fato.

— Sim, sim, neste sentido sou um pouco distraído. Mas você está com o revólver?

Tirei o revólver do bolso traseiro, uma arma pequena, curta, jeitosa e muito útil. Ele desmontou o gatilho, tirou as balas e examinou-o com cuidado.

— É pesado, bastante pesado — disse ele.

— Sim, é uma arma um bocado pesada.

Ele se concentrou nela durante um minuto.

— Você sabe, Watson — ele disse —, acredito que o seu revólver irá ter uma ligação muito íntima com o mistério que estamos investigando.

— Meu caro Holmes, você está brincando.

— Não, Watson, estou falando sério. Temos de fazer um teste. Se der certo, tudo se esclarecerá. E o teste dependerá do desempenho desta pequena arma. Um cartucho fora. Agora, vamos pôr os outros cinco e travar a arma. Assim! Isso aumenta o peso e fará uma reprodução melhor.

Eu não tinha noção do que se passava em sua mente nem ele me esclareceu, mas ficou sentado, perdido em pensamentos, até que paramos na pequena estação de Hampshire. Nós nos apossamos de uma carroça desmantelada e em 15 minutos estávamos na casa do nosso amigo de confiança, o sargento.

— Uma pista, sr. Holmes? Qual é a pista?

— Tudo depende do comportamento do revólver do dr. Watson — disse meu amigo. — Aqui está. Agora, senhor oficial, pode me dar dez metros de barbante?

A loja da aldeia forneceu-nos um rolo de barbante resistente.

— Acho que é disto que precisamos — disse Holmes. — Agora, vamos partir, como espero, para a última etapa da nossa jornada.

O sol se punha e ia transformando o brejo ondulado de Hampshire num maravilhoso panorama outonal. O sargento, com olhares críticos e incrédulos, que demonstravam suas dúvidas quanto à sanidade mental do meu amigo, arrastava-se ao nosso lado. À medida que nos aproximávamos do cenário do crime, pude observar que meu amigo, debaixo de sua frieza habitual, estava profundamente agitado.

— Sim — ele disse, respondendo a uma observação minha —, você já me viu errar o alvo antes, Watson. Tenho instinto para coisas assim, mas algumas vezes não dá certo. Esta ideia parecia-me uma certeza, quando, na cela em Winchester, passou pela minha mente, mas a desvantagem de uma mente ágil é que sempre se podem conceber explicações alternativas que tornariam falsa a nossa pista. Bem, Watson, nossa única chance é experimentar.

Enquanto caminhávamos, ele amarrava uma ponta do barbante no cabo do revólver. Tínhamos chegado ao local da tragédia. Com muita atenção, ele marcou, sob a orientação do policial, o lugar exato em que o corpo havia ficado estendido. Em seguida procurou no meio do pântano e das samambaias, até encontrar uma pedra bem grande. Ele a amarrou à outra extremidade da corda e dependurou-a sobre o parapeito da ponte, de modo que ela ficou oscilando acima da água. Então ele ficou de pé no local do crime fatal, a certa distância da borda da ponte, com o meu revólver na mão, a corda esticada entre a arma e a pesada pedra do lado mais afastado.

— Agora vejamos! — ele gritou.

Ao gritar, levantou a pistola até a cabeça e em seguida soltou-a. Em um instante a pistola foi lançada rapidamente para longe pelo peso da pedra, e havia se chocado contra o parapeito com um estampido agudo, desaparecendo sobre a amurada, dentro d'água. Ela mal havia desaparecido e Holmes já estava ajoelhado ao lado da borda de pedra, e um grito de alegria mostrou que ele havia conseguido o que queria.

— Já houve alguma vez uma demonstração tão precisa? — ele perguntou. — Veja, Watson, seu revólver solucionou o problema! Enquanto falava, mostrou uma segunda lasca de pedra, do mesmo tamanho e formato da primeira, que havia aparecido sobre a borda inferior da balaustrada de pedra.

— Ficaremos esta noite na hospedaria — ele continuou, enquanto se levantava e encarava o perplexo sargento. — Naturalmente, o senhor vai conseguir um anzol e recuperar sem dificuldade o revólver do meu amigo. O senhor também encontrará perto dele o revólver, a corda e o peso com os quais esta mulher vingativa tentou disfarçar seu próprio crime e lançar sobre uma vítima inocente o ônus de um assassinato. O senhor poderá informar ao sr. Gibson que irei vê-lo de manhã, quando poderão ser tomadas providências para a defesa da srta. Dunbar.

Naquela noite, enquanto estávamos sentados fumando nossos cachimbos na hospedaria da aldeia, Holmes fez uma rápida revisão do que havia acontecido.

— Receio, Watson — ele disse —, que você, ao acrescentar o caso do mistério da Ponte Thor aos seus registros, não irá melhorar a reputação que eu possa ter adquirido. Minha mente tem estado inativa, ausente, naquela mistura de imaginação e realidade que é a base da minha arte. Confesso que a lasca na pedra da borda foi uma pista suficiente para sugerir uma solução real e eu me censuro por não ter chegado a esta conclusão mais cedo.

"É preciso admitir que a mente desta mulher infeliz era hábil e sutil, de modo que não foi muito fácil decifrar sua trama. Não creio que em nossas aventuras já tivéssemos encontrado um exemplo mais estranho do que um amor pervertido pode provocar. Se a srta. Dunbar foi sua rival num sentido físico ou num sentido puramente mental, parece ter sido aos seus olhos igualmente imperdoável. Sem dúvida, ela culpava esta moça inocente pela maneira áspera e pelas palavras grosseiras com que seu marido tentava repelir a afeição dela, demasiadamente expansiva. Sua primeira resolução foi pôr fim à própria vida. A segunda, foi fazer isto de modo a envolver sua vítima numa fatalidade que era muito pior do que qualquer morte repentina.

"Podemos seguir com muita nitidez suas várias providências, e estas demonstram uma notável sutileza de pensamento. Foi arrancado muito habilmente da srta. Dunbar um bilhete que faria parecer que ela havia escolhido o local do crime. Em sua ansiedade para que o bilhete fosse descoberto, ela exagerou um pouco, segurando-o em sua mão até o fim. Só este detalhe seria suficiente para despertar suspeitas mais cedo do que o fez.

"Depois ela pegou um dos revólveres do marido — como você viu, havia um arsenal em casa — e o guardou para o seu próprio uso. Naquela manhã, ela escondeu outro revólver semelhante no armário de roupas da srta. Dunbar, depois de descarregar uma bala, o que ela poderia fazer facilmente na floresta sem chamar atenção. Então ela foi até a ponte, onde havia engendrado esta maneira engenhosa de livrar-

-se da arma. Quando a srta. Dunbar apareceu, ela usou seus últimos momentos para despejar seu ódio, e depois, quando ela estava longe do ruído da arma, levou a cabo sua terrível intenção. Cada elo está agora em seu lugar, e a cadeia está completa. Os jornais podem perguntar por que o pequeno lago não foi dragado no início, mas é fácil ser sábio depois do fato, e, de qualquer modo, a extensão de um lago repleto de juncos não é tarefa fácil, a menos que você saiba exatamente o que está procurando e onde. Bem, Watson, ajudamos uma mulher extraordinária e também um homem formidável. Que eles possam, no futuro, unir suas forças, o que não parece improvável, e que o mundo financeiro possa descobrir que o sr. Neil Gibson aprendeu alguma coisa naquela sala de aula da tristeza onde nossas lições terrenas são ensinadas."

A AVENTURA DO HOMEM QUE ANDAVA DE QUATRO

SHERLOCK HOLMES SEMPRE ACHOU QUE EU DEVERIA PUBLICAR os fatos estranhos relacionados com o professor Presbury, ao menos para dissipar, definitivamente, os rumores torpes que uns vinte anos antes agitaram a universidade e repercutiram nas sociedades eruditas de Londres. Mas havia certos obstáculos no caminho, e a verdadeira história deste caso curioso permaneceu sepultada na caixa de metal que contém tantos registros das aventuras do meu amigo. Agora, finalmente, obtivemos permissão para divulgar os fatos de um dos últimos casos apurados por Holmes antes de deixar sua profissão. Mesmo agora, ao se expor o assunto diante do público, é preciso manter certa reticência e discrição.

Foi numa tarde de domingo, no início de setembro de 1903, que recebi de Holmes uma mensagem lacônica: "Venha imediatamente, se for conveniente — se for inconveniente, venha assim mesmo. S.H." As relações entre nós, naqueles últimos tempos, eram peculiares. Ele era um homem metódico, de hábitos limitados e concentrados, e eu havia me tornado um deles. Como uma instituição, eu era como o violino, o tabaco ordinário, o velho cachimbo preto, os livros de referências e outras coisas talvez menos justificáveis. Quando se tratava de um caso de trabalho ativo, e havia necessidade de um companheiro em cujo sangue-frio ele podia depositar um pouco de confiança, a minha participação era óbvia. Mas, fora isso, eu tinha serventia. Era um estimulante para a sua mente. Reconfortava-o. Ele gostava de pensar alto na minha presença. Dificilmente se poderia dizer que suas observações eram dirigidas a mim — muitas delas poderiam ter sido dirigidas aos seus botões —, mas, mesmo assim, tendo virado um hábito, de certa forma era útil que eu pudesse registrar e fazer observações entre um e outro comentário. Se eu o irritava devido a uma certa lentidão metódica do meu raciocínio, aquela irritação servia para fazer com que suas intuições e impressões em combustão se acendessem mais viva e rapidamente. Em nossa aliança, esse era o meu humilde papel.

Quando cheguei à Baker Street, encontrei-o encolhido em sua poltrona, os joelhos para cima, o cachimbo na boca e a testa enrugada pensativamente. Era óbvio que ele estava angustiado com algum problema irritante. Com um aceno, ele indicou minha velha poltrona, mas durante meia hora não parecia ter percebido a minha presença. Depois, pareceu voltar de repente de seu devaneio e, com seu habitual sorriso esquisito, deu-me as boas-vindas pela volta ao lugar que havia sido, em outros tempos, o meu lar.

— Você vai desculpar minha distração, meu caro Watson — ele disse —, apresentaram-me alguns fatos curiosos nessas últimas 24 horas e, consequentemente, deram origem a algumas especulações de caráter mais geral. Penso, seriamente, em escrever uma pequena monografia a respeito do emprego de cães no trabalho de detetive.

— Mas sem dúvida, Holmes, este assunto já deve ter sido explorado — eu disse. — Cães policiais, cães treinados para farejar e perseguir...

— Não, não, Watson; quanto a esse aspecto do problema, naturalmente, é óbvio. Mas existe outro aspecto bem mais sutil. Você deve lembrar-se daquele caso que você, da sua maneira sensacional, associou a Copper Beeches, permitindo-me fazer uma dedução dos hábitos criminosos do pai, muito janota e respeitável, pela observação da mente do filho.

— Sim, lembro-me bem disto.

— Minha dedução a respeito dos cães é análoga. O cão reflete a vida da família. Quem já viu um cão brincalhão numa família triste ou um cachorro triste numa família feliz? Pessoas briguentas têm cachorros briguentos, pessoas perigosas têm cachorros perigosos, e a disposição de ânimo transitória de um pode refletir a disposição de ânimo do outro.

Sacudi a cabeça.

— Certamente, Holmes, esta é uma dedução um tanto forçada — eu disse.

Ele tornou a encher o cachimbo e sentou-se de novo, não tomando conhecimento do meu comentário.

— A aplicação prática do que eu disse está bem próxima do problema que estou investigando. É uma meada embaraçada, você compreende, e estou procurando um fio solto. Uma ponta do fio da meada talvez esteja na pergunta: por que o fiel pastor alemão Roy, do professor Presbury, está querendo mordê-lo?

Afundei-me de novo na poltrona um tanto desapontado. Foi por uma questão tão banal que eu havia sido intimado a deixar o meu trabalho? Holmes olhou-me de soslaio.

— O mesmo velho Watson! — ele disse. — Você nunca vai aprender que os problemas mais graves podem depender de coisas mínimas. Mas não parece estranho que um filósofo sóbrio e idoso, você certamente ouviu falar de Presbury, o famoso fisiologista de Camford, que um homem como este, cujo amigo tem sido seu dedicado cão pastor, tenha sido atacado duas vezes pelo seu próprio cachorro? O que você acha disto?

— O cachorro deve estar doente.

— Bem, isto tem de ser levado em consideração. Mas ele não ataca ninguém mais e, segundo parece, só molesta seu dono em ocasiões muito especiais. Curioso, Watson, muito curioso. Mas o jovem sr. Bennett está adiantado, se é ele quem está tocando a campainha. Eu gostaria de ter conversado mais com você, antes que ele chegasse.

Ouvimos passos apressados na escada, uma rápida batida na porta, e logo em seguida o novo cliente apresentou-se. Era um jovem alto, bonito, por volta dos trinta, elegante, mas algo em suas maneiras sugeria a timidez do estudante, e não a presença de espírito do homem mundano. Ele apertou a mão de Holmes e em seguida me olhou um tanto surpreso.

— Este assunto é muito delicado, sr. Holmes — ele disse —, pense no duplo relacionamento que mantenho com o professor Presbury, o particular e o público. Na verdade não tenho justificativa para falar diante de uma terceira pessoa.

— Não tenha receio, sr. Bennett. O dr. Watson é a própria essência da discrição, e posso assegurar-lhe que este é um caso no qual eu, provavelmente, vou precisar de um assistente.

— Como queira, sr. Holmes. Tenho certeza de que o senhor compreenderá que eu tenha algumas reservas nesta questão.

— Você compreenderá isto, Watson, quando eu lhe disser que este cavalheiro, sr. Trevor Bennett, é o assistente do grande cientista, vive sob seu teto e está noivo de sua única filha. Devemos concordar que o professor tem o direito de exigir toda a sua lealdade e dedicação. Mas isto será demonstrado melhor tomando-se as necessárias providências para esclarecer este estranho mistério.

— Assim espero, sr. Holmes. Este é o meu único objetivo. O dr. Watson está a par da situação?

— Não tive tempo de explicar-lhe.

— Então, talvez seja melhor voltar ao início, antes de explicar alguns fatos recentes.

— Eu mesmo o farei — disse Holmes —, a fim de demonstrar que estou a par da verdadeira sequência dos fatos. O professor, Watson, é um homem famoso na Europa. Sua vida é acadêmica. Nunca houve o menor vestígio de escândalo. Ele é viúvo e tem uma filha, Edith. Soube que ele é um homem de caráter viril e positivo, pode-se afirmar que é quase combativo. Era assim até alguns meses atrás.

"Então, a sua vida normal mudou. Ele tem 61 anos, mas ficou noivo da filha do professor Morphy, seu colega na cadeira de anatomia comparada. Não era, como percebi, a corte premeditada de um homem de idade madura, mas antes a apaixonada loucura de um jovem, pois ninguém poderia ter-se mostrado um amante mais devotado. Alice Morphy era uma moça perfeita de corpo e alma, de modo que havia todos os motivos para a paixão do professor. Mesmo assim, ele não obteve a aprovação total de sua própria família."

— Achamos esta paixão bastante exagerada — disse o nosso visitante.

— Exatamente. Exagerada e um pouco impetuosa e artificial. Mas o professor Presbury era rico, e não houve qualquer objeção por parte do pai dela. A filha, contudo, tinha outra opinião, e já havia muitos candidatos à sua mão, e esses, se eram menos desejáveis sob o ponto de vista material, eram, pelo menos, de idade mais adequada. A moça parecia gostar do professor apesar de suas excentricidades. O único obstáculo era a idade.

— Nesta ocasião, um pequeno mistério toldou de repente a rotina da vida do professor. Ele fez o que nunca havia feito antes. Saiu de casa e não revelou aonde ia. Ficou fora durante uns 15 dias e voltou muito cansado. Não fez nenhuma alusão ao lugar onde havia estado, embora fosse, em geral, o mais franco dos homens. Aconteceu, porém, que nosso cliente, sr. Bennett, recebeu uma carta de um colega, estudante em Praga, que dizia que tinha ficado satisfeito por ter visto o professor Presbury por lá, embora não tivesse conseguido falar com ele. Somente desta maneira sua própria família ficou sabendo onde ele havia estado.

"Agora vem o mais importante. A partir desta época, o professor passou por uma curiosa transformação. Ele tornou-se furtivo e dissimulado. Aqueles que o cercavam tinham sempre a impressão de que ele não era o homem que eles haviam conhecido, mas que estava sob alguma influência tenebrosa que havia ofuscado suas maiores qualidades. Seu intelecto não foi afetado, suas conferências continuavam brilhantes como sempre. Mas havia alguma coisa nova, alguma coisa sinistra e imprevista. Sua filha, que lhe era devotada, tentou várias vezes reatar o antigo relacionamento e penetrar esta máscara que o pai parecia ter colocado em si mesmo. O senhor, como percebi, também tentou, mas foi tudo em vão. E agora, sr. Bennett, conte-nos, com suas próprias palavras, o incidente das cartas.

"O senhor deve compreender, dr. Watson, que o professor não tinha segredos para mim. Se eu fosse seu filho ou seu irmão mais moço, não poderia ter desfrutado mais plenamente de sua confiança. Como seu secretário, eu manuseava todos os papéis que chegavam para ele, e abria e separava sua correspondência. Logo após o seu regresso, tudo isto mudou. Ele me disse que poderiam chegar para ele, de Londres, certas cartas marcadas com uma cruz embaixo do selo. Estas deveriam ser colocadas à parte, para que só ele as visse. Posso afirmar que muitas destas cartas passaram pelas minhas mãos, traziam as iniciais E.C. e estavam escritas numa caligrafia típica de pessoa quase analfabeta. Se ele as respondia, as respostas não passavam pelas minhas mãos nem pela cesta onde nossa correspondência era recolhida."

— E a caixa — disse Holmes.

— Ah, sim, a caixa. Ao voltar de suas viagens, o professor trouxe uma pequena caixa de madeira. Era a única coisa que sugeria uma viagem ao continente, pois era uma daquelas caixas bonitas, entalhadas, que associamos à Alemanha. Ele colocou esta caixa no armário dos equipamentos científicos. Uma vez, procurando uma cânula, levantei a caixa. Para meu espanto, ele ficou muito zangado e me repreendeu com palavras ferozes pela minha curiosidade. Foi a primeira vez que aconteceu uma coisa dessas, e fiquei profundamente magoado. Tentei explicar-lhe que eu havia tocado na caixa por acaso, mas durante a noite inteira eu percebi que ele me olhava com severidade e que o incidente estava martelando em sua cabeça. — O sr. Bennett tirou um pequeno diário do bolso. — Isto foi no dia 2 de julho — ele disse.

— O senhor é mesmo uma testemunha admirável — disse Holmes. — Eu posso vir a precisar de algumas dessas datas que anotou.

— Aprendi a ter ordem, entre outras coisas, com o meu ilustre professor. A partir do momento em que observei anormalidades em seu comportamento, senti que era meu dever estudar seu caso. De modo que tenho anotado aqui que foi naquele mesmo dia, 2 de julho, que Roy atacou o professor, quando ele vinha de seu gabinete de trabalho em direção ao hall. No dia 11 de julho houve uma cena semelhante, e depois tenho uma anotação de mais outra, no dia 20. Depois disso tivemos de isolar Roy na estrebaria. Ele era um animal querido, carinhoso. Mas receio estar aborrecendo os senhores.

O sr. Bennett falou em tom de censura, pois era evidente que Holmes não estava escutando. Seu rosto estava rígido e seus olhos contemplavam distraidamente o teto. Com um esforço ele voltou a si.

— Estranho! Muito estranho! — ele sussurrou. — Estes detalhes eram novos para mim, sr. Bennett. Acho que agora já recordamos os fatos antigos, não é? Mas o senhor falou a respeito de algumas ocorrências recentes.

O rosto agradável e franco do nosso visitante toldou-se com alguma recordação terrível.

— Isto que vou contar ocorreu anteontem à noite — ele disse. — Por volta das duas da madrugada eu estava na cama, acordado, quando ouvi um som lento e abafado, vindo do corredor. Abri a porta e olhei para fora. Eu deveria explicar que o professor dorme no final do corredor.

— Em que data? — perguntou Holmes.

Nosso visitante ficou aborrecido com uma interrupção tão irrelevante.

— Eu disse, senhor, que foi anteontem à noite, isto é, 4 de setembro.

Holmes sacudiu a cabeça afirmativamente e sorriu.

— Por favor, continue — ele disse.

— Ele dorme no final do corredor e teria que passar em frente à minha porta para chegar à escada. Foi realmente uma experiência aterradora, sr. Holmes. Acho que tenho os nervos tão fortes quanto qualquer pessoa, mas o que vi me abalou. O corredor estava escuro, a não ser por uma janela no meio, que deixava passar uma fresta de luz. Pude perceber que alguma coisa vinha pelo corredor, alguma coisa escura e encolhida. Então, de repente, aquilo surgiu na claridade, e vi que era ele. Ele estava engatinhando, sr. Holmes, engatinhando! Não estava exatamente sobre as mãos e os joelhos. Eu diria que ele estava sobre as mãos e os pés, com o rosto entre as mãos. Mas parecia mover-se com facilidade. Fiquei tão paralisado pela visão que só quando ele chegou diante da minha porta que consegui dar um passo à frente e perguntar se poderia ajudá-lo. Sua resposta foi espantosa. Ele pôs-se de pé num salto, dirigiu-me algumas palavras duras, passou por mim correndo e desceu a escada. Esperei cerca de uma hora, mas ele não voltou. Devia ser dia claro quando ele voltou ao seu quarto.

— Bem, Watson, o que acha você disto? — perguntou Holmes, como um patologista que apresenta um espécime raro.

— Lumbago, possivelmente. Sei que um ataque grave faz um homem andar exatamente assim, e nada seria mais irritante para os nervos.

— Meu bom Watson! Você sempre nos mantém com os pés presos no chão. Mas dificilmente poderíamos aceitar a hipótese de um lumbago, já que ele foi capaz de ficar de pé num instante.

— Ele nunca esteve mais saudável — disse Bennett. — Na verdade, ele está mais forte do que em todos esses anos que o conheço. Porém existem os fatos, sr. Holmes. Não é um caso para a polícia, mas não sabemos o que fazer e sentimos, de maneira um tanto estranha, que estamos indo em direção a uma catástrofe. Edith, a srta.

Presbury, sente, como eu, que não podemos mais esperar passivamente.

— Este é de fato um caso muito curioso e sugestivo. O que você acha disto, Watson?

— Falando como médico — eu disse —, parece um caso para um analista. Os processos cerebrais do velho cavalheiro foram perturbados pelo caso de amor. Ele fez uma viagem ao exterior na esperança de vencer esta paixão. Suas cartas e a caixa podem estar relacionadas com alguma outra transação particular, um empréstimo, talvez, ou certificados de ações que estariam na caixa.

— E o cachorro sem dúvida desaprovou o negócio. Não, não, Watson, existe algo mais. Bem, só posso sugerir...

O que Sherlock Holmes ia sugerir nunca se saberá, pois naquele instante a porta abriu-se e uma jovem entrou na sala. Quando ela apareceu, o sr. Bennett levantou-se rapidamente com uma exclamação e correu para a frente com as mãos levantadas, para encontrar as que ela já lhe havia estendido.

— Edith, querida! Não é nada de importante, espero?

— Achei que devia segui-lo. Oh, Jack, ando amedrontada. É horrível ficar lá sozinha.

— Sr. Holmes, esta é a jovem de quem lhe falei. É a minha noiva.

— Estávamos chegando a esta conclusão, não é, Watson? — Holmes disse com um sorriso. — Presumo, srta. Presbury, que tenha ocorrido algo de novo, e que a senhorita achou que deveríamos saber.

Nossa nova visitante, uma moça viva e bonita, do tipo inglês convencional, também sorriu para Holmes, enquanto se sentava ao lado do sr. Bennett.

— Quando eu soube que Bennett havia saído do hotel, achei que provavelmente o encontraria aqui. É claro que ele me havia dito que ia consultá-lo. Mas, oh, sr. Holmes, o senhor não pode fazer nada pelo meu pobre pai?

— Tenho esperanças, srta. Presbury, mas o caso ainda está confuso. Talvez o que a senhorita tem a dizer possa lançar uma luz nova sobre o assunto.

— Foi ontem à noite, sr. Holmes. Ele estivera muito esquisito o dia todo. Tenho certeza de que há momentos em que não se recorda do que fez. Ele vive como num sonho estranho. Ontem foi um desses dias. Não era o meu pai com quem eu vivia. Seu corpo estava lá, mas não era ele de verdade.

— Conte-me o que aconteceu.

— Fui acordada durante a noite pelos latidos furiosos do cachorro. Pobre Roy, ele agora está acorrentado perto do estábulo. Devo dizer que sempre durmo com minha porta trancada; porque, como Jack, o sr. Bennett, lhes contará, todos nós temos uma sensação de perigo iminente. Meu quarto fica no segundo andar. A persiana da minha janela estava suspensa, e era uma noite de luar. Quando eu estava deitada com os olhos fixos no quadrado de luz, ouvindo os latidos frenéticos do cão, fiquei assombrada ao ver o rosto de meu pai olhando para dentro, para mim. Sr. Holmes, quase morri de susto e horror. Ali estava ele, o rosto comprimido contra a vidraça, e uma das mãos parecia estar suspensa, como se fosse levantar a janela. Se aquela janela tivesse sido aberta, acho que teria enlouquecido. Não foi uma alucinação, sr. Holmes. Não se iluda pensando isto. Eu diria que foram vinte segundos, mais ou menos, em que fiquei paralisada observando o rosto dele. Em seguida desapareceu, mas eu não consegui, eu não consegui pular da cama e ir atrás dele. Fiquei deitada tremendo até de manhã. No café da manhã, seu comportamento foi áspero e irritado, e ele não fez qualquer alusão à aventura noturna. Nem eu, mas dei uma desculpa para vir à cidade, e aqui estou.

Holmes parecia totalmente surpreso com a narrativa da srta. Presbury.

— Minha cara jovem, a senhorita afirma que o seu quarto fica no segundo andar. Existe alguma escada grande no jardim?

— Não, sr. Holmes, esta é a parte surpreendente disto. Não há maneira possível de alcançar a janela, e mesmo assim lá estava ele.

— A data foi 5 de setembro — disse Holmes. — Isto certamente complica as coisas.

Foi a vez de a jovem parecer surpresa.

— Esta é a segunda vez que o senhor faz alusão à data, sr. Holmes — disse Bennett. — É possível que tenha alguma relação com o caso?

— É possível, muito possível, mas, no momento, não tenho meus dados completos.

— Será que o senhor está pensando na ligação entre insanidade e fases da lua?

— Não, eu lhe garanto. É um tipo de raciocínio bem diferente. Talvez o senhor possa deixar sua agenda comigo, e eu verificarei as datas. Agora acho, Watson, que a nossa linha de ação está perfeitamente clara. Esta jovem nos informou, e tenho a maior confiança na intuição dela, de que seu pai se recorda pouco ou nada do que acontece em certas datas. Portanto, vamos fazer-lhe uma visita, como se ele tivesse marcado um encontro conosco nessa data. Ele atribuirá isto à sua própria falta de memória. Assim, começaremos nossa atuação observando-o de perto.

— Excelente — disse o sr. Bennett. — Mas aviso que o professor, às vezes, é irascível e violento.

Holmes sorriu.

— Há motivos para irmos imediatamente, motivos muito convincentes, se é que minhas teorias estão certas. Amanhã, sr. Bennett, certamente nos verá em Camford. Se não me falha a memória, há uma estalagem chamada Chequers, onde o vinho do Porto costumava escapar da mediocridade e a roupa de cama era irrepreensível. Acho, Watson, que o nosso destino nos próximos dias pode nos levar a lugares menos agradáveis.

Na manhã de segunda-feira estávamos a caminho da famosa cidade universitária — um pequeno esforço por parte de Holmes, que não tinha raízes para arrancar, mas, de minha parte, um esforço que envolvia planejamento frenético, porque, nessa época, minha clientela não era insignificante. Holmes não fez alusão ao assunto até nossas maletas chegarem à antiga hospedaria que ele havia mencionado.

— Acho que podemos surpreender o professor logo antes do almoço. Ele dá aula às 11 horas e deve fazer um intervalo em casa.

— Que pretexto teríamos para visitá-lo? Holmes deu uma olhada em sua agenda.

— Houve um período de exaltação, no dia 26 de agosto. Vamos supor que nestas ocasiões ele fique um pouco confuso quanto ao que faz. Se insistirmos que fomos lá para um encontro marcado, acho que ele dificilmente ousará nos contradizer. Você tem a desfaçatez necessária para fazer isto?

— A única coisa que podemos fazer é tentar.

— Excelente, Watson! Uma mistura de Busy Bee e Excelsior. Devemos tentar, o lema da firma. Um nativo gentil certamente nos conduzirá até lá.

Um desses, na parte posterior de uma charrete, passou conosco velozmente diante de um conjunto de faculdades antigas e, finalmente, virando em uma avenida arborizada, parou à porta de uma bela casa cercada de gramados e coberta de glicínias purpúreas. O professor Presbury estava, evidentemente, cercado de todos os sinais não só de conforto, mas também de luxo. Quando paramos, uma cabeça grisalha apareceu na janela da frente, e notamos um par de olhos vivos, por baixo de sobrancelhas grossas, que nos observava através de grandes óculos com aro de chifre. Um minuto depois, estávamos em seu gabinete de trabalho, e o misterioso cientista, cujas excentricidades nos haviam trazido de Londres, estava diante de nós. Não havia nenhum sinal de excentricidade, nem em seu comportamento nem em sua aparência, pois ele era um homem imponente, grande, circunspecto, de sobrecasaca, com a dignidade de atitude que um conferencista precisa ter. O mais notável em seu rosto eram os olhos, penetrantes, observadores, inteligentes, quase astuciosos.

Ele olhou os nossos cartões.

— Por favor, sentem-se, senhores. Em que lhes posso ser útil?

Holmes sorriu amavelmente.

— Era esta a pergunta que eu estava prestes a lhe fazer, professor.

— A mim, senhor!

— Deve haver algum engano. Eu soube por intermédio de outra pessoa que o professor Presbury, de Camford, precisava dos meus serviços.

— Oh, realmente! — Tive a impressão ver um brilho malicioso nos ardentes olhos cinzentos. — O senhor ouviu isto, não foi? Posso perguntar-lhe o nome do seu informante?

— Sinto muito, professor, mas o assunto era muito confidencial. Se cometi um engano, não houve nenhum prejuízo. Posso apenas lamentar.

— De modo algum. Eu gostaria de aprofundar-me neste assunto. Ele me interessa. O senhor tem alguma coisa escrita, alguma carta ou telegrama, para sustentar sua afirmação?

— Não, não tenho.

— Será que o senhor chega a ponto de afirmar que eu o chamei?

— Eu preferiria não responder a nenhuma pergunta — disse Holmes.

— Não, eu diria que não — disse o professor asperamente. — Contudo, esta última pergunta pode ser respondida sem dificuldade sem a sua ajuda.

Ele atravessou a sala e aproximou-se da campainha. Nosso amigo londrino, sr. Bennett, respondeu ao chamado.

— Entre, sr. Bennett. Estes dois senhores vieram de Londres com a impressão de que haviam sido chamados. Você, que cuida de toda a minha correspondência, você viu alguma coisa endereçada a uma pessoa chamada Holmes?

— Não, senhor — respondeu Bennett, corando.

— Isto é conclusivo — disse o professor, olhando furioso para o meu amigo. — Agora, senhor — ele inclinou-se para a frente com as duas mãos na mesa —, parece-me que a sua atitude é muito questionável.

Holmes deu de ombros.

— Só posso repetir que lamento termos feito uma intromissão desnecessária.

— Isto não é suficiente, sr. Holmes! — gritou o velho numa voz alta e esganiçada, com uma expressão maldosa. Enquanto falava, ele ficou entre nós e a porta, e sacudiu as duas mãos furiosamente para nós. — Você não poderá sair desta tão facilmente quanto pensa. — Seu rosto estava transtornado, e ele arreganhava os dentes para nós e falava atabalhoadamente em sua fúria insensata. Eu estou convencido de que teríamos tido que lutar para sair da sala se Bennett não tivesse interferido.

— Meu caro professor! — ele exclamou. — Considere a sua posição! Considere o escândalo dentro da universidade! O sr. Holmes é um homem muito conhecido. O senhor não pode tratá-lo com esta descortesia.

Mal-humorado, o nosso anfitrião — se é que podemos chamá-lo assim — deixou livre a passagem até a porta. Ficamos aliviados quando nos vimos fora da casa, na quietude da avenida arborizada. Holmes parecia estar se divertindo muito com o acontecimento.

— Os nervos de nosso douto amigo estão um tanto desregulados — ele disse. — Talvez nossa intromissão tenha sido um tanto grosseira, mas conseguimos aquele contato pessoal que eu desejava. Mas, valha-me Deus, Watson, ele está na nossa pista. O vilão ainda nos persegue.

Havia o som de pés correndo atrás de nós, mas, para meu alívio, não foi o terrível professor, mas seu assistente quem apareceu na curva da alameda. Ele chegou ofegante até nós.

— Eu sinto muito, sr. Holmes. Gostaria de pedir desculpas.

— Meu caro, não é preciso. Tudo vale como experiência profissional.

— Nunca o vi numa disposição de ânimo tão perigosa. Mas ele está ficando cada vez mais sinistro. O senhor pode compreender agora por que sua filha e eu estamos alarmados. Mas sua mente está perfeitamente lúcida.

— Lúcida demais — disse Holmes. — Este foi o meu erro de cálculo. É evidente que a memória dele está muito mais confiável do que eu havia imaginado. A propósito, antes de ir embora podemos ver a janela do quarto da srta. Presbury?

Bennett avançou por entre alguns arbustos, e avistamos um dos lados da casa.

— Lá está. A segunda da esquerda.

— Valha-me Deus, parece de difícil acesso. No entanto, você pode observar que debaixo há uma trepadeira e, em cima, um cano d'água que pode servir de apoio para os pés.

— Eu mesmo não poderia subir ali — disse Bennett.

— É bem provável que não. Seria, com certeza, uma façanha perigosa para qualquer homem normal.

— Há uma outra coisa que eu queria lhe dizer, sr. Holmes. Tenho o endereço do homem de Londres para quem o professor escreve. Parece que ele escreveu esta manhã, e percebi isto pelo seu mata-borrão. É uma atitude ignóbil para um secretário de confiança, porém, o que mais posso fazer?

Holmes deu uma olhada no papel e enfiou-o no bolso.

— Dorak... um nome curioso. Eslavo, eu imagino. Bem, isto é um elo importante da cadeia. Voltaremos esta tarde, sr. Bennett. Não vejo necessidade de ficar aqui. Não podemos prender o professor porque não cometeu nenhum crime, nem podemos deixá-lo confinado, pois não se pode provar que esteja louco. Por enquanto não se pode tomar nenhuma atitude.

— Então, que diabo faremos?

— Um pouco de paciência, sr. Bennett. Logo as coisas vão melhorar. A menos que eu esteja enganado, na próxima terça-feira pode haver uma crise. Com certeza nesse dia estaremos em Camford. Enquanto isto, o quadro geral sem dúvida é desagradável, e se a srta. Presbury puder prolongar sua visita...

— Isto é fácil.

— Então deixe-a ficar aqui até que possamos garantir que não há mais perigo. Enquanto isso, deixe-o fazer o que bem entender e não o contradiga. Desde que ele esteja de bom humor, tudo bem.

— Lá está ele! — disse Bennett num sussurro sobressaltado.

Espiando por entre os galhos, vimos a figura alta e ereta sair pela porta do hall e olhar à sua volta. Ele ficou inclinando para a frente, as mãos balançando estendidas à sua frente, virando a cabeça de um lado para outro. O secretário, com um último aceno, desapareceu por entre as árvores, e nós o vimos logo depois aproximar-se do patrão. Os dois entraram em casa juntos, entretidos numa conversa que parecia animada e até mesmo exaltada.

— Acho que o velho cavalheiro está exigindo explicações — disse Holmes, enquanto caminhávamos para o hotel. — Pelo pouco que pude observar, ele me impressionou pela mente particularmente lúcida e lógica. Explosivo, sem dúvida, mas, de acordo com o seu ponto de vista, ele tinha motivo para explodir, se puseram detetives em sua pista e ele suspeita que sua própria família tenha feito isso. Acho que o amigo Bennett está ameaçado de passar momentos desconfortáveis.

No caminho, Holmes parou numa agência do correio e mandou um telegrama. A resposta chegou à tarde, e ele a arremessou para mim. "Visitei a Commertial Road e estive com Dorak. Pessoa agradável, natural da Boêmia, de idade madura. Dirige grande loja de departamentos. Mercer."

— Mercer está conosco desde o seu tempo — disse Holmes. — É meu auxiliar geral e trata dos trabalhos de rotina. Era importante saber alguma coisa a respeito do homem com quem nosso professor estava se correspondendo tão secretamente. A nacionalidade dele tem relação com a visita do professor a Praga.

— Graças a Deus que pelo menos uma coisa tem relação com outra — eu disse. — No momento parece que estamos nos defrontando com uma longa série de incidentes inexplicáveis, sem relação entre si. Por exemplo, que relação pode haver entre um cão pastor e uma visita à Boêmia, ou entre ambas as coisas e o homem engatinhando por um corredor durante a noite? Quanto às suas datas, este é o maior embuste de todos.

Holmes sorriu e esfregou as mãos. Estávamos sentados na velha sala de estar do antigo hotel, tendo entre nós, na mesa, uma garrafa da famosa safra de vinho de que Holmes falara.

— Bem, agora vamos ver primeiro as datas — ele disse, as pontas dos dedos unidas e o jeito de quem está falando para uma turma de alunos... — O diário desse excelente rapaz mostra que houve problemas no dia 2 de julho, e daí em diante parece que ocorreram com intervalos de nove dias e, pelo que me lembro, com uma única exceção. Assim, o último ataque na sexta-feira ocorreu no dia 3 de setembro, dia que também se encaixa na série, assim como o dia 26 de agosto, que o precedeu. A coisa vai além da coincidência.

Fui obrigado a concordar.

— Então vamos elaborar a teoria provisória de que o professor, de nove em nove dias, toma alguma droga forte, que possui um efeito altamente tóxico, mas passageiro. Sua índole violenta intensifica-se com isto. Ele aprendeu a tomar esta droga quando estava em Praga, e agora a recebe de um intermediário boêmio de Londres. Tudo isso coincide, Watson!

— Mas e o cachorro, o rosto na janela, o homem andando de quatro no corredor?

— Bem, bem, conseguimos começar. Eu não esperaria novos acontecimentos até a próxima terça-feira. Enquanto isso, só podemos ficar em contato com o amigo Bennett e desfrutar das amenidades desta cidade encantadora.

Pela manhã, Bennett apareceu para nos trazer as últimas informações. Como Holmes previra, aquelas horas não haviam sido fáceis para ele. Sem acusá-lo propriamente de ser o responsável pela nossa presença, o professor dissera palavras muito ásperas e rudes, e, evidentemente, sentia-se muito ofendido. Mas esta manhã ele era de novo o mesmo homem e havia feito sua brilhante preleção habitual para uma classe repleta.

— A não ser por seus acessos misteriosos — disse Bennett —, ele está, realmente, com mais energia e vitalidade do que eu jamais vi, e seu cérebro nunca esteve mais lúcido. Mas não é ele, em nenhum momento é o homem que conhecemos.

— Não creio que vocês tenham algo a temer agora, pelo menos durante uma semana — respondeu Holmes. — Sou um homem ocupado, e o dr. Watson tem que atender aos seus pacientes. Vamos combinar um encontro aqui, nesta mesma hora, na próxima terça-feira, e eu ficarei surpreso se antes de irmos embora novamente não conseguirmos explicar o que está acontecendo, mesmo que não possamos acabar com os seus problemas. Enquanto isso, mantenha-nos informados pelo correio.

Não soube nada a respeito de meu amigo nos dias seguintes, mas na outra segunda-feira recebi um bilhete pedindo-me que o encontrasse no dia seguinte no trem. Pelo que ele me disse enquanto viajávamos para Camford, tudo estava bem, a paz na casa do professor não tinha sido perturbada, e sua própria conduta era perfeitamente normal. A mesma coisa nos foi contada pelo próprio Bennett, quando nos visitou naquela noite, nos nossos aposentos no Chequers.

— Ele teve notícias de seu correspondente londrino hoje. Chegou uma carta e havia um pequeno pacote, cada um deles com a cruz abaixo do selo, o que me advertiu para não tocar neles. Não ocorreu mais nada.

— Isto pode ser prova suficiente — disse Holmes, carrancudo. — Agora, sr. Bennett, acho que chegaremos a uma conclusão esta noite. Se minhas deduções estão corretas, teremos a oportunidade de pôr um fim a este assunto. Para conseguir isso, é necessário manter o professor sob observação. Portanto, sugiro que o senhor fique acordado, e de sobreaviso. Se o ouvir passar diante da sua porta, não interrompa seus passos, mas siga-o discretamente, como puder. O dr. Watson e eu não estaremos longe. A propósito, onde está a chave daquela caixinha de que me falou?

— Na corrente do relógio dele.

— Acho que nossas buscas devem ir nessa direção. Na pior das hipóteses, não deve ser tão difícil arrebentar a fechadura. O senhor tem algum outro homem robusto no local?

— Há o cocheiro, Macphail.

— Onde é que ele dorme?

— Na parte de cima do estábulo.

— Talvez precisemos dele. Bem, não podemos fazer mais nada até ver como as coisas se desenrolam. Até logo, espero vê-lo antes do amanhecer.

Era quase meia-noite quando nos instalamos entre alguns arbustos que ficavam bem em frente à porta de entrada da casa do professor. A noite estava magnífica mas fria, e ficamos embrulhados nos nossos sobretudos quentes. Havia uma brisa, as nuvens corriam no céu, encobrindo de vez em quando a meia-lua. Teria sido uma vigília desanimadora, se não fosse pela expectativa e excitação que nos faziam prosseguir, e a convicção de meu amigo de que provavelmente tínhamos chegado ao fim da estranha sequência de acontecimentos que haviam ocupado a nossa atenção.

— Se o ciclo de nove dias é verdadeiro, então o professor estará péssimo esta noite — disse Holmes. — O fato de esses estranhos sintomas terem começado depois de sua visita a Praga, de ele estar se correspondendo secretamente com um negociante da Boêmia em Londres, que talvez represente alguém em Praga, e de ter recebido um pacote dele hoje, tudo isto aponta numa direção. O que ele toma e por que toma são coisas que ainda não sabemos, mas está bastante claro que procedem de Praga. Ele toma isto com uma orientação precisa que regula este sistema de nove dias, que foi o primeiro ponto que chamou minha atenção. Mas os sintomas que ele apresenta são muito estranhos. Você observou as articulações dos dedos dele?

— Tenho de admitir que não.

— Grossas e calosas, de um jeito totalmente novo em minha experiência. Observe sempre as mãos primeiro, Watson. Depois os punhos da camisa, os joelhos das calças e as botas. Articulações muito curiosas que só podem ser explicadas pela forma de locomoção observada pelo... — Holmes parou, e de repente bateu com a mão na testa. — Watson, Watson, como eu fui bobo! Parece incrível, mas deve ser verdade. Tudo indica uma direção. Como eu pude deixar de perceber a conexão de ideias? Aquelas articulações, como eu pude deixar de perceber aquelas articulações? E o cachorro! E a hera! Com certeza está na hora de me aposentar e ir morar naquela fazenda pequena dos meus sonhos. Cuidado, Watson! Lá está ele! Teremos a oportunidade de ver com nossos próprios olhos.

A porta do vestíbulo abriu-se lentamente, e vimos a figura alta do professor Presbury contra o fundo iluminado. Ele estava de roupão. Enquanto permanecia de pé, seu vulto delineado no portal estava ereto, mas inclinado para a frente, com os braços pendurados, como quando o vimos pela última vez.

Ele caminhou para a alameda, e ocorreu nele uma fantástica transformação. Ele foi se encolhendo até ficar agachado e começou a se mover apoiado nas mãos e nos pés, saltando de vez em quando, como se estivesse transbordando de energia e vitalidade. Passou pela frente da casa e depois a contornou. Quando desapareceu, Bennett passou silenciosamente pela porta do vestíbulo e o seguiu.

— Venha, Watson, venha! — exclamou Holmes, e nós passamos por entre os arbustos da maneira mais silenciosa possível, até chegarmos a um lugar de onde podíamos ver o outro lado da casa, que estava banhada pela luz da meia-lua.

Podíamos ver nitidamente o professor encolhendo-se junto à parede coberta de hera. Enquanto o observávamos, ele começou a subir pela planta com incrível agilidade. Saltava de galho em galho, com firmeza nos pés e nas mãos, subindo aparentemente pelo simples prazer de sentir sua força, e sem objetivo definido. Com o roupão batendo dos lados de seu corpo, ele parecia um imenso morcego colado na parede lateral de sua própria casa, um grande remendo quadrado e escuro sobre a parede iluminada pela lua. Logo cansou-se de seu divertimento, e caindo de galho em galho, agachou-se na posição anterior e avançou em direção à cocheira, engatinhando do mesmo modo estranho de antes. O cachorro estava agora do lado de fora, latindo furiosamente, e ficou mais excitado do que nunca quando avistou o seu dono. Puxava a corrente e tremia de impaciência e de raiva. O professor agachava-se deliberadamente, fora do alcance do cão, e começou a provocá-lo de todas as maneiras possíveis. Encheu as mãos com cascalho da alameda e jogou na cara do cachorro, cutucou-o com uma vara que havia apanhado, sacudiu as mãos a poucos centímetros da boca aberta do animal e tentou, de todas as maneiras, aumentar a fúria do bicho, que já estava totalmente descontrolado. Em todas as nossas aventuras, não me lembro de ter visto um quadro mais estranho do que o desta figura impassível e ainda digna, agachando-se como uma rã no chão e incitando a ferocidade do cachorro, enlouquecido, que saltava e se enfurecia com uma crueldade engenhosa e calculada.

E então, num instante, aconteceu aquilo. Não foi a corrente que arrebentou, mas a coleira que se soltou, pois tinha sido feita para um terra-nova de pescoço mais grosso. Ouvimos o barulho do metal caindo, e no instante seguinte cachorro e homem rolavam juntos pelo chão, um roncando de raiva, o outro gritando em falsete um estranho guincho de terror. A vida do professor ficou por um fio. A criatura selvagem o agarrou justamente pela garganta, seus dentes morderam fundo, e o professor perdeu os sentidos antes que eu pudesse chegar até eles e separá-los. Poderia ter sido uma tarefa perigosa para nós, mas a voz e a presença de Bennett fizeram o cão enorme sossegar imediatamente. A confusão fez o sonolento e atônito cocheiro sair de seu quarto sobre a estrebaria.

— Eu já o vi assim antes. Sabia que o cachorro iria pegá-lo mais cedo ou mais tarde.

O cão foi amarrado, e juntos carregamos o professor para o seu quarto, onde Bennett, que tinha diploma de médico, ajudou-me a cuidar de sua garganta dilacerada. Os dentes afiados haviam passado perigosamente perto da artéria carótida, e a hemorragia era grave. Em meia hora o perigo havia passado, eu aplicara no paciente uma injeção de morfina e ele caiu em sono profundo. Depois, e somente depois, é que fomos capazes de olhar um para o outro e de fazer o balanço da situação.

— Acho que um cirurgião especialista deveria examiná-lo — eu disse.

— Pelo amor de Deus, não! — gritou Bennett. — No momento o escândalo está restrito apenas à família. Conosco está seguro. Se atravessar estas paredes, nunca mais vai parar. Pense na posição dele na universidade. Sua reputação europeia, os sentimentos de sua filha.

— Perfeitamente — disse Holmes. — Acho que é possível manter o assunto entre nós e também impedir que se repita, agora que temos carta branca. A chave da corrente do relógio, sr. Bennett. Macphail vigiará o paciente e nos informará se houver alguma mudança. Vamos ver o que podemos encontrar na misteriosa caixa do professor.

Não havia muita coisa, mas havia o suficiente: um frasco vazio, outro quase cheio, uma seringa hipodérmica; muitas cartas numa caligrafia difícil de entender, e em língua estrangeira. Os selos no envelope mostraram que eram as mesmas cartas que haviam perturbado a rotina do secretário, e cada uma delas tinha como remetente "A. Dorak", da Commercial Road. Eram simples faturas avisando que um novo frasco estava sendo enviado ao professor Presbury, ou recibos acusando o recebimento de dinheiro. Mas havia um outro envelope, numa caligrafia mais legível, e trazendo o selo austríaco, com o carimbo do correio de Praga.

— Aqui está o nosso material — exclamou Holmes enquanto abria o envelope.

Prezado colega:

Desde a sua prezada visita, tenho pensado muito em seu caso e, embora nas suas condições haja motivos especiais para o tratamento, mesmo assim eu recomendo cautela, já que meus resultados mostraram que este tratamento não é feito sem um certo risco.

Talvez o soro de antropoide fosse melhor. Como lhe expliquei, usei o sangur de cara preta, porque havia um espécime disponível. O sangur, naturalmente, é um rastejador e um trepador, enquanto o antropoide caminha ereto e é mais aparentado em todos os aspectos.

Rogo-lhe que tome todas as precauções possíveis para que não haja revelações prematuras do processo. Tenho outro cliente na Inglaterra, e Dorak é meu intermediário para ambos.

Agradeceria seus relatórios semanais.

Com toda a estima,

H. Lowenstein

Lowenstein! O nome fez com que eu me lembrasse de um recorte de jornal que falava de um obscuro cientista que estava se aventurando por um caminho desconhecido, em busca do segredo do rejuvenescimento e do elixir da vida. Lowenstein de Praga! Lowenstein, com o maravilhoso elixir de energia, proibido de exercer a profissão porque se recusava a revelar a sua fonte. Em poucas palavras, disse aquilo de que me recordava. Bennett apanhara um manual de zoologia na estante.

— "Sangur" — ele leu — "o grande macaco de cara preta das encostas do Himalaia, o maior e o mais humano dos macacos trepadores". Há muitos outros detalhes. Bem, sr. Holmes, graças ao senhor, é evidente que descobrimos a origem do mal.

— A verdadeira origem — disse Holmes — está, naturalmente, naquele caso de amor extemporâneo que deu ao nosso impetuoso professor a ideia de que ele só poderia conseguir o que queria transformando-se num jovem. Quando alguém tenta sobrepor-se à natureza, fica sujeito a perdê-la. O tipo mais desenvolvido de homem pode voltar à vida animal se abandonar a estrada reta do destino. — Ele ficou sentado pensativo, durante alguns minutos, com o frasco na mão, olhando para o líquido transparente ali dentro. — Quando eu tiver escrito a este homem e dito a ele que eu o considero criminalmente responsável pelos venenos que põe em circulação, não teremos mais problemas. Mas isto pode se repetir. Outros podem descobrir uma maneira melhor. Existe perigo aí, um perigo muito real para a humanidade. Pense, Watson, que os materialistas, os sensuais, os mundanos, todos iriam prolongar suas vidas sem valor. Os espiritualistas não recusariam a convocação para alguma coisa mais elevada. Seria a sobrevivência dos menos adequados. Em que espécie de cloaca o nosso mundo não se transformaria? — De repente o sonhador desapareceu, e Holmes, o homem de ação, saltou da cadeira. — Acho que não há nada mais a dizer, sr. Bennett. Os vários acontecimentos agora se encaixarão facilmente no plano geral. O cão, com certeza, percebeu a mudança muito mais depressa do que o senhor. O seu olfato lhe garante isso. Foi o macaco, não o professor, que Roy atacou, assim como foi o macaco que implicou com Roy. Para a criatura, subir pela parede foi um prazer, e acho que foi por acaso que o passatempo o levou até a janela de sua filha. Há um trem cedo para a cidade, Watson, mas acho que antes disso teremos tempo para uma xícara de chá no Chequers.

A AVENTURA DA JUBA DO LEÃO

É MUITO ESTRANHO QUE ME TIVESSE APARECIDO, DEPOIS QUE me aposentei, um caso mais complicado e estranho do que qualquer outro que enfrentei em minha longa carreira profissional, e que esse caso tivesse ocorrido, como ocorreu, na minha porta. Isso aconteceu depois que me recolhi à minha casinha, em Sussex, quando já estava inteiramente dedicado àquela vida tranquila em contato com a natureza que eu tanto almejara durante os longos anos passados na melancólica Londres. Nesse período de minha vida, o bondoso Watson ficou quase inteiramente fora do alcance de minha vista. Uma visita ocasional nos fins de semana era o máximo que nos víamos. Portanto, tenho que ser o meu próprio cronista. Mas, se ele estivesse comigo, como ele teria valorizado este acontecimento e o meu triunfo final sobre cada dificuldade! No entanto, como ele não estava, tenho que contar minha história de maneira simples, mostrando, com minhas palavras, cada passo na difícil estrada que se estendia à minha frente enquanto eu investigava o mistério da juba do leão.

Minha casa de campo está situada na encosta meridional das colinas, com uma ampla vista do canal. Nesse ponto o litoral é inteiramente formado de penhascos calcários, de onde só se pode descer por uma única trilha extensa, tortuosa, íngreme e escorregadia. Lá embaixo, no fim da trilha, estendem-se centenas de metros de cascalho e seixos, mesmo quando a maré está alta. Mas, aqui e ali, existem curvas e enseadas que formam esplêndidas piscinas, que se enchem em cada maré alta. Esta praia maravilhosa estende-se por alguns quilômetros de cada lado, com exceção do ponto onde a pequena enseada e a aldeia de Fulworth interrompem o contorno.

Minha casa fica isolada. Eu, minha velha governanta e minhas abelhas temos toda a propriedade só para nós. Contudo, a uns oitocentos metros de distância fica o conhecido estabelecimento de ensino de Harold Stackhurst, o Gables, um prédio grande onde dezenas de jovens são preparados para diversas profissões, com um corpo docente composto de muitos professores. O próprio Stackhurst, em seu tempo, foi um conhecido remador da Universidade de Oxford e um humanista de conhecimentos muito amplos. Ele e eu ficamos bons amigos desde que cheguei à costa, e ele era o único homem que mantinha comigo relações tão cordiais que nos permitiam visitar um ao outro, à noite, sem convite.

Quase no fim de julho de 1907, houve um temporal violento, com o vento soprando canal acima, carregando as águas até a base dos penhascos e deixando uma lagoa com a mudança da maré. Na manhã a que me refiro, o vento havia diminuído, e toda a natureza estava recém-lavada e fresca. Era impossível trabalhar num dia tão encantador, e eu dei um passeio antes do café para aproveitar o ar agradável da manhã. Caminhava pela trilha que ia dar na descida íngreme para a praia. Quando estava andando, ouvi um grito atrás de mim, e lá estava Harold Stackhurst acenando alegremente.

— Que bela manhã, sr. Holmes! Achei que deveria convidá-lo para sair.

— Vejo que pretende ir nadar.

— Novamente com as suas brincadeiras — ele riu, apalpando seu bolso saliente. — Sim, McPherson saiu cedo, e espero poder encontrá-lo lá.

Fitzroy McPherson era o professor de ciências, um jovem bonito e forte, cuja vida havia sido prejudicada por um problema no coração após uma febre reumática, mas ele era um atleta nato e se destacava em todas as competições esportivas que não exigissem dele um grande esforço. No verão e no inverno ele nadava, e, como eu também sou um nadador, quase sempre ia junto com ele.

Neste momento avistamos o homem de quem falávamos. Sua cabeça aparecia acima da borda do penhasco onde a trilha termina. Depois, todo o seu corpo apareceu no cume, cambaleando como um bêbado. No instante seguinte, ele jogou as mãos para cima, e com um grito terrível caiu com o rosto no chão. Stackhurst e eu corremos —

devia ser uma distância de uns cinquenta metros — e o viramos de costas. Era óbvio que ele estava morrendo. Aqueles olhos fundos e vidrados e as faces horrivelmente pálidas não podiam significar outra coisa. Por um instante, seu rosto readquiriu um sopro de vida e ele sussurrou duas ou três palavras com um ar ansioso de advertência. Saíram ligeiras e indistintas, porém, para o meu ouvido, as últimas palavras que brotaram dos lábios dele, num grito agudo, foram "a juba do leão". Eram totalmente despropositadas e ininteligíveis, mas eu não poderia dar-lhes qualquer outro sentido. Então ele ergueu-se um pouco do chão, jogou os braços para o alto e caiu de lado. Estava morto.

Meu companheiro ficou paralisado de terror, mas eu, como se pode imaginar, estava com todos os sentidos alertas. E havia necessidade, porque logo ficou evidente que estávamos diante de um caso extraordinário. O homem estava vestido apenas com seu sobretudo, calças e um par de sapatos de lona desamarrados. Quando ele caiu, o sobretudo, que fora simplesmente jogado em volta dos ombros, escorregou, expondo seu tronco. Nós o olhamos com espanto. Suas costas estavam cobertas por traços vermelho-escuros, como se ele tivesse sido terrivelmente açoitado com um fino chicote metálico. O instrumento com o qual este castigo lhe havia sido infligido era sem dúvida flexível, porque os horríveis vergões compridos e vermelhos acompanhavam a curvatura de seus ombros e do tórax. Havia sangue gotejando de seu queixo, porque ele mordera o lábio inferior no auge da agonia. Seu rosto contraído e retorcido mostrava como fora terrível essa agonia.

Eu estava ajoelhado e Stackhurst de pé ao lado do corpo quando uma sombra caiu sobre nós, e percebemos que Ian Murdoch estava ao nosso lado. Murdoch era o preceptor de matemática do estabelecimento, um homem alto, moreno e magro, tão reservado e distante, que ninguém poderia dizer que era seu amigo. Ele parecia viver em alguma região superior e abstrata de infinitos e sessões cônicas, com pouca coisa que o vinculasse à vida normal. Era considerado excêntrico pelos estudantes e teria sido alvo de piadas, mas o homem tinha algum sangue estranho e forasteiro que se revelava não apenas em seus olhos pretos como carvão e em seu rosto moreno, mas também nas ocasionais explosões de mau humor, que só poderiam ser descritas como ferozes. Certa vez, importunado por um cachorrinho que pertencia a McPherson, pegou o animal e o arremessou pela vidraça da janela, uma atitude pela qual Stackhurst certamente o teria demitido, se ele não fosse um excelente professor. Assim era o homem estranho e complexo que agora surgia ao nosso lado. Ele parecia estar sinceramente abalado com o que via diante dele, embora o incidente com o cachorro pudesse mostrar que não havia grande simpatia entre o morto e ele.

— Pobre sujeito! Pobre sujeito! O que posso fazer? Como posso ajudar?

— Você estava com ele? Pode nos dizer o que aconteceu?

— Não, não, eu estava atrasado esta manhã. Não estava na praia, de modo algum. Vim direto do Gables. O que posso fazer?

— Você pode correr até a delegacia de Fulworth. Conte o que aconteceu, imediatamente.

Sem uma palavra, ele saiu correndo a toda a velocidade, e eu assumi o controle do caso enquanto Stackhurst, atordoado com a tragédia, permanecia ao lado do corpo. Minha primeira tarefa, naturalmente, foi verificar quem estava na praia. Da parte mais alta da trilha, eu podia enxergar toda a extensão da praia, que estava completamente deserta, a não ser por dois ou três vultos escuros, que podiam ser vistos ao longe, movendo-se para a aldeia de Fulworth. Depois disso, caminhei lentamente, pela descida da trilha. Havia argila ou marna[2] mole misturada com calcário, e em diversos lugares notei a mesma pegada, subindo e descendo. Ninguém mais tinha descido até a praia por esta trilha naquela manhã. Em um lugar notei a impressão de uma mão aberta, com os dedos na direção do declive. Isto só poderia significar que o pobre McPherson havia caído enquanto subia. Havia também depressões arredondadas, o que sugeria que ele havia caído de joelhos mais de uma vez. No final da trilha ficava a grande lagoa deixada pela maré vazante. McPherson se despira às margens da lagoa, pois lá estava a sua toalha sobre uma das rochas. Estava dobrada e seca, o que levava a crer que, afinal, ele não havia entrado na água. Uma ou duas vezes, enquanto eu examinava o trecho de cascalho, encontrei pequenas porções de areia em que se podia ver a marca de

[2]Marna — Solo formado de argila e carbonato de cálcio, usado como fertilizante. (N.T.)

seus sapatos de lona, e também de seus pés descalços. Este último fato provava que ele havia se preparado para o banho, embora a toalha indicasse que, na verdade, não entrara na água.

E aí estava o problema claramente definido — o mais estranho que eu já havia confrontado. O homem não tinha permanecido na praia mais de 15 minutos. Stackhurst o havia seguido desde Gables, de modo que não poderia haver dúvida quanto a isto. Ele tinha ido nadar e havia se despido, como revelavam suas pegadas descalças. Então, de repente, ele vestira outra vez as roupas às pressas — elas estavam todas amarrotadas e desamarradas —, e ele voltara sem ter nadado ou, de qualquer modo, sem ter secado o corpo. E o motivo para esta mudança de intenção foi que ele havia sido flagelado de maneira selvagem e desumana, e torturado até morder os lábios em sua agonia, e fora abandonado com forças apenas para se afastar rastejando e morrer. Quem teria praticado este ato tão bárbaro? Havia, é verdade, pequenas grutas e cavernas na base do penhasco, mas o sol baixo as iluminava diretamente o interior, e não havia lugar para esconderijos. Depois, havia aqueles vultos distantes na praia. Eles pareciam estar longe demais para ter alguma ligação com o crime, e a ampla lagoa junto às rochas, onde McPherson tinha a intenção de tomar banho, ficava entre eles. No mar estavam dois ou três barcos de pesca a uma distância não muito grande. Seus ocupantes podiam ser observados por nós à vontade. Havia muitos caminhos para a investigação, mas nenhum que conduzisse a qualquer resultado evidente.

Quando enfim voltei, verifiquei que um pequeno grupo de desocupados havia se aglomerado em volta do corpo. Stackhurst, naturalmente, ainda estava lá, e Ian Murdoch havia acabado de chegar com Anderson, o policial da aldeia, um homem grande, de bigodes ruivos, da sólida e lenta estirpe de Sussex — uma gente que traz escondida uma boa dose de bom senso por trás de uma aparência pesada e silenciosa. Ele ouviu, tomou nota de tudo o que dissemos e finalmente puxou-me para um lado.

— Eu gostaria de poder contar com a sua orientação, sr. Holmes. Esta é uma tarefa difícil para mim, e, se eu me sair mal, Lewes vai me repreender.

Aconselhei-o a mandar chamar seu superior imediato e um médico, e também que não permitisse que nada fosse removido, e que fizessem a menor quantidade possível de pegadas até que eles chegassem. Enquanto isso, dei uma busca nos bolsos do homem morto. Encontrei um lenço, uma faca grande e uma pequena caixa de cartas de baralho dobrada. Desta caixa saía a ponta de um papel, que desdobrei e entreguei ao policial. Nele estava escrito, numa caligrafia malfeita de mulher: "Estarei lá, pode ter certeza. Maudie." Podia ser interpretado como um caso de amor, um encontro amoroso, embora não houvesse menção a data e lugar. O policial pôs o papel novamente na caixa de baralho e a enfiou, junto com as outras coisas, no bolso do sobretudo. Então, como não me ocorresse mais nada, voltei para minha casa a fim de tomar o café da manhã, depois de ter providenciado para que se desse uma busca completa no sopé do penhasco.

Uma ou duas horas depois, Stackhurst estava de volta para dizer-me que o corpo havia sido removido para o Gables, onde seria feito o inquérito policial. Trouxe algumas informações graves precisas. Como eu esperava, nada foi encontrado nas pequenas cavernas na base do penhasco, mas eles haviam examinado os papéis na escrivaninha de McPherson, e muitos deles revelavam uma correspondência íntima com uma certa srta. Maud Bellamy, de Fulworth. Então identificamos a autora do bilhete.

— A polícia tem as cartas — ele explicou. — Não pude trazê-las. Mas não há dúvida de que aquele era um verdadeiro caso de amor. Entretanto, não vejo motivo para associar o caso a este acontecimento terrível, a não ser pelo fato de que a moça havia marcado um encontro com ele.

— Mas dificilmente numa piscina que todos vocês costumavam frequentar — eu comentei.

— Foi por mero acaso — ele disse — que muitos estudantes não estivessem com McPherson.

— Será que *foi* um mero acaso?

Stackhurst franziu as sobrancelhas, pensativo.

— Ian Murdoch os reteve — disse —, ele insistiu com os estudantes para uma demonstração de álgebra antes do café. Pobre sujeito, está completamente arrasado com tudo isso.

— Entretanto, cheguei à conclusão de que eles não eram amigos.

— Houve uma época em que eles não eram amigos. No entanto, há um ano ou mais, Murdoch tem estado mais próximo de McPherson do que já esteve de qualquer outra pessoa. Ele não é muito simpático por natureza.

— Foi o que entendi. Acho que você me contou uma vez a respeito de uma briga porque ele maltratou um cachorro.

— Isso já foi esquecido.

— Mas talvez tenha deixado algum sentimento de vingança.

— Não, não, tenho certeza de que eles eram amigos de verdade.

— Bem, então devemos investigar o caso da moça. Você a conhece?

— Todo mundo a conhece. Ela é a beldade do lugar, uma verdadeira beldade, que despertaria atenção aonde quer que fosse. Eu sabia que McPherson sentia-se atraído por ela, mas não sabia que o caso tinha ido tão longe quanto essas cartas parecem indicar.

— Mas quem é ela?

— Ela é filha do velho Tom Bellamy, que é dono de todos os barcos e barracas em Fulworth. Ele começou como pescador, e agora é homem de algumas posses. Ele e seu filho William tocam o negócio.

— Vamos até Fulworth para vê-los?

— Com que pretexto?

— Oh! podemos achar facilmente um pretexto. Afinal de contas esse pobre homem não maltratou a si mesmo desta maneira brutal. Alguma mão humana segurava o cabo daquele chicote, se de fato foi um chicote que causou os ferimentos. O seu círculo de amizades neste lugar solitário devia ser limitado. Vamos em seu encalço, em todas as direções, e dificilmente deixaremos de descobrir o motivo do crime, o que, por sua vez, poderá levar-nos ao criminoso.

Teria sido um passeio agradável pelos declives perfumados pelos tomilhos, se as nossas mentes não estivessem envenenadas pela tragédia que havíamos testemunhado. A aldeia de Fulworth fica num vale e estende-se num semicírculo em volta da baía. Atrás do antigo povoado, nas encostas, foram construídas várias casas modernas. Foi para uma destas casas que Stackhurst me conduziu.

— Esta é The Haven, como Bellamy a batizou. A que tem uma torre no canto e telhado de ardósia. Nada má para um homem que começou do nada. Por Deus, olhe ali!

O portão do jardim da The Haven foi aberto e um homem saiu. Não havia como confundir aquela figura alta, angulosa, solitária. Era Ian Murdoch, o matemático. Logo depois nos defrontamos com ele na estrada.

— Olá! — disse Stackhurst. O homem saudou-nos com a cabeça, olhou-nos de soslaio com seus estranhos olhos escuros, e teria passado direto por nós, mas seu superior o fez parar.

— O que você está fazendo aqui? — ele perguntou.

O rosto de Murdoch ficou vermelho de raiva.

— Sou seu subordinado, senhor, debaixo do seu teto. Mas não tenho que lhe dar satisfações de minhas atitudes particulares.

Os nervos de Stackhurst estavam à flor da pele depois de tudo o que havia suportado. Em outras circunstâncias talvez ele tivesse esperado. Mas naquela hora ele perdeu completamente a calma.

— A sua resposta é pura impertinência, sr. Murdoch.

— A sua pergunta também foi impertinente.

— Esta não é a primeira vez que tenho de fazer vista grossa para as suas insubordinações. Esta certamente será a última. O senhor, por favor, tome providências quanto ao seu futuro o mais depressa possível.

— Já pretendia fazer isto. Perdi hoje a única pessoa que tornava o Gables habitável.

Ele saiu andando a passos largos, enquanto Stackhurst, com uma expressão zangada, ficou olhando para ele.

— Não é um homem insuportável? — ele gritou.

A única coisa que se fixou na minha mente foi que o sr. Ian Murdoch estava agarrando a primeira oportunidade e preparando caminho para fugir do local do crime. Uma suspeita vaga e nebulosa agora começava a se formar na minha mente. Talvez a visita aos Bellamy pudesse esclarecer alguma coisa sobre o assunto. Stackhurst acalmou-se e prosseguimos até a casa.

O sr. Bellamy era um homem de meia-idade, com uma flamejante barba vermelha. Ele parecia estar muito irritado, e seu rosto ficou logo tão vermelho quanto sua barba.

— Não, senhor, não desejo saber de nenhum detalhe. Meu filho aqui — ele disse indicando um jovem forte, com um rosto triste e zangado, no canto da sala de estar — é da mesma opinião que eu, de que as atenções do sr. McPherson para com Maud eram ofensivas. Sim, senhor, a palavra *casamento* nunca foi mencionada, e mesmo assim havia cartas e encontros e muito mais coisas que nenhum de nós podia aprovar. Ela não tem mãe, e somos seus únicos tutores. Estamos decididos...

Mas as palavras foram interrompidas pelo aparecimento da própria moça. Não se podia negar que ela enfeitaria qualquer reunião no mundo. Quem poderia ter imaginado que uma flor tão rara crescesse de semelhante raiz e em semelhante atmosfera? As mulheres raramente me atraíram, porque meu cérebro sempre governou meu coração, mas era impossível olhar para o seu rosto de contornos perfeitos, com todo o suave encanto daquela terra em seu colorido delicado, sem perceber que nenhum jovem poderia cruzar seu caminho incólume. Assim era a jovem que abrira a porta com um empurrão e estava agora, ansiosa e de olhos arregalados, diante de Harold Stackhurst.

— Já sei que Fitzroy está morto — ela disse. — Não tenha medo de me contar os detalhes.

— Aquele outro cavalheiro nos trouxe a notícia — explicou o pai.

— Não há motivo para que minha irmã seja envolvida no assunto — resmungou o homem mais jovem.

A irmã lançou-lhe um olhar irônico e feroz.

— Isto é assunto meu, William. Tenha a bondade de me deixar cuidar disso à minha maneira. Dizem que foi cometido um crime. Se eu tiver como ajudar a descobrir quem fez isso, será o mínimo que poderei fazer por ele que se foi.

Ela ouviu um curto relato de meu amigo com uma concentração tranquila, o que demonstrou que ela possuía um caráter forte, além da grande beleza. Maud Bellamy ficará para sempre na minha lembrança como a mais completa e extraordinária das mulheres. Parece que ela já me conhecia de vista, porque no final virou-se para mim.

— Leve-os à justiça, sr. Holmes. O senhor tem a minha solidariedade e a minha ajuda, sejam eles quem forem. — Tive a impressão de que ela olhou de modo desafiador para o pai e o irmão enquanto falava.

— Obrigado — eu disse. — Nestes assuntos, aprecio o instinto da mulher. A senhorita usou a palavra eles. Acha que há mais de uma pessoa envolvida?

— Conheci McPherson bastante bem para saber que ele era um homem corajoso e forte. Uma pessoa sozinha não poderia ter cometido aquela atrocidade com ele.

— Posso dizer-lhe uma palavra em particular?

— Estou lhe dizendo, Maud, para não se envolver no assunto! — gritou o pai, zangado.

Ela me olhou com um ar despreocupado.

— O que posso fazer?

— Em breve todo mundo conhecerá os fatos, de modo que não pode haver nenhum mal em discutirmos os fatos aqui — eu disse. — Eu preferia a privacidade, mas, se seu pai não permite, ele precisa participar das decisões. — Então falei a respeito do bilhete que foi encontrado no bolso do homem morto. — É certo que ele será mostrado durante o inquérito. Posso pedir-lhe que esclareça o assunto, se puder?

— Não vejo motivo para mistérios — ela respondeu. — Estávamos noivos, e só guardamos segredo porque o tio de Fitzroy, que é muito velho, e dizem que está à morte, poderia tê-lo deserdado se Fitzroy tivesse se casado contra a vontade dele. Não havia outro motivo.

— Você poderia ter-nos dito — resmungou o sr. Bellamy.

— Eu o teria feito, meu pai, se o senhor alguma vez tivesse demonstrado solidariedade.

— Oponho-me ao relacionamento de minha filha com homens de outra condição social.

— Foi o seu preconceito contra ele que impediu que nós lhe contássemos. Quanto a esse encontro — ela apalpou seu vestido e tirou um bilhete amassado —, era a resposta a este bilhete.

Querida

Terça-feira, no antigo local, na praia, logo depois do pôr do sol. É a única hora em que posso sair. F.M.

— Terça-feira seria hoje, e eu pretendia encontrar-me com ele esta noite. — Virei o papel do outro lado. — Isto não veio pelo correio. Como foi que lhe chegou às mãos?

— Prefiro não responder. Isto realmente nada tem a ver com o assunto que o senhor está investigando. Mas responderei espontaneamente sobre qualquer coisa que tenha relação com isto.

Ela cumpriu a palavra, mas não disse nada que nos ajudasse na investigação. Ela não via motivo para pensar que seu noivo tivesse algum inimigo oculto, mas admitiu que tivera muitos admiradores apaixonados.

— Posso perguntar-lhe se o sr. Ian Murdoch era um deles?

Ela enrubesceu e pareceu confusa.

— Houve uma época em que pensei que fosse. Mas tudo mudou quando ele compreendeu quais eram as minhas relações com Fitzroy.

Novamente a sombra em volta desse homem estranho parecia estar tomando uma forma definida. Seus antecedentes precisavam ser examinados. Seus aposentos deveriam ser revistados secretamente. Stackhurst era um colaborador de boa vontade, porque em sua mente também estava se formando uma suspeita. Voltamos da visita a The Haven com a esperança de que uma das pontas desta meada embaraçada já estivesse em nossas mãos.

Passou-se uma semana. O inquérito não havia esclarecido o caso, e fora prorrogado até que se conseguissem novas provas. Stackhurst fizera uma investigação discreta a respeito de seu subordinado, e havia sido feita uma busca superficial em seu quarto, mas sem resultado. Pessoalmente, eu havia examinado tudo outra vez, física e mentalmente, mas sem nenhuma conclusão nova. Em todas as minhas crônicas, o leitor não encontrará nenhum caso que me conduzisse de forma tão completa ao limite da minha capacidade. Nem a minha imaginação conseguia conceber uma solução para o mistério. E então veio o incidente do cachorro.

Foi minha velha governanta quem primeiro ouviu a respeito do caso, por aquele estranho e primitivo telégrafo através do qual as pessoas humildes colhiam as notícias da zona rural.

— História triste esta, senhor, a respeito do cachorro do sr. McPherson — ela disse uma noite.

Eu não costumo incentivar conversas desse tipo, mas as palavras despertaram a minha atenção.

— O que aconteceu com o cachorro de McPherson?

— Está morto, senhor. Morreu de tristeza pelo seu dono.

— Quem lhe contou isto?

— Ora, senhor, todos estão comentando. Ele ficou terrivelmente abalado e não comeu nada durante uma semana. Então, hoje, dois moços do Gables o encontraram morto, lá embaixo, na praia, senhor, no mesmo lugar onde o seu dono morreu.

— No mesmo lugar! — As palavras se destacaram nítidas na minha memória.

Tive uma percepção vaga de que o assunto era fundamental. Que o cachorro tivesse morrido, estava de acordo com a natureza admirável e leal dos cachorros. Mas *no mesmo lugar*! Por que esta praia deserta teria sido fatal para o cachorro? Será que ele também tinha sido sacrificado por causa de alguma rixa vingativa? Seria possível? Sim, a percepção era vaga, mas alguma coisa já estava se estruturando em minha mente. Poucos minutos depois eu estava a caminho do Gables, e encontrei Stackhurst em seu escritório. A meu pedido, ele mandou chamar Sudbury e Blount, os dois estudantes que haviam encontrado o cachorro.

— Sim, ele estava bem na extremidade da piscina — disse um deles. — Deve ter seguido o rastro de seu falecido dono.

Vi o pequeno e fiel animal, um *airedale terrier*, sobre o tapete do hall. O corpo estava rígido, os olhos salientes e os membros contorcidos. Havia agonia em cada traço.

Do Gables desci para a piscina. O sol havia desaparecido e a sombra do grande penhasco projetava-se negra na água, que tinha um reflexo embaçado, como uma folha de chumbo. O lugar estava deserto e não havia sinal de vida, a não ser por dois pássaros marinhos circulando no alto e gritando. Na luz que se extinguia, segui com dificuldade o rastro do cachorro na areia, em volta da mesma pedra onde a toalha de seu dono havia sido colocada. Durante muito tempo fiquei ali refletindo enquanto as sombras ficavam mais negras em volta. Minha mente estava repleta de pensamentos que se sobrepunham velozmente. Você deve saber o que é ter um pesadelo em que você sente que procura alguma coisa importante e que sabe que está ali, embora esta coisa permaneça, por pouco, fora do seu alcance. Foi assim que eu me senti naquela noite, enquanto fiquei sozinho perto do local da morte. Depois, virei-me e fui caminhando lentamente na direção da minha casa.

Eu havia acabado de chegar à parte mais alta do atalho, quando me lembrei de repente. Como um relâmpago, lembrei-me daquilo que eu havia tentado agarrar em vão com tanta ansiedade. Você deve saber, ou Watson escreveu em vão, que eu conservo um vasto depósito de conhecimentos diversificados mas não correlatos, catalogados sem método científico, mas disponíveis para as necessidades de meu trabalho. Minha mente é como um depósito cheio, com pacotes de todo tipo armazenados em tal quantidade que só consigo ter uma vaga ideia do que está lá dentro. Eu sabia que havia alguma coisa que poderia ter relação com este assunto. Era uma ideia ainda vaga, mas pelo menos eu sabia como poderia torná-la clara. Era monstruoso, incrível, mas era uma possibilidade. Eu faria o teste até o fim.

Na minha casa tem um grande sótão entulhado de livros. Foi ali que me enfurnei e pesquisei durante uma hora. No fim desse período saí com um livro pequeno, marrom e prateado. Ansioso, virei as páginas até o capítulo de que me lembrava confusamente. Sim, era de fato uma história artificial e improvável, mas eu não descansaria até me certificar de que poderia mesmo ter sido assim. Já era tarde quando fui me deitar, com a mente esperando pelo trabalho do dia seguinte.

Mas aquele trabalho sofreu uma interrupção inoportuna. Eu mal havia engolido o meu chá matinal e estava saindo para a praia, quando apareceu o inspetor Bardle, da polícia de Sussex — um homem decidido, corpulento e pesadão, de olhos pensativos, que agora tinham uma expressão muito preocupada.

— Sei da sua enorme experiência, senhor — ele disse. — Isto não é oficial, e não deve ser comentado. Mas, no caso de McPherson, sou francamente contra isto. A questão é: devo ou não prender alguém?

— Está se referindo ao sr. Ian Murdoch?

— Sim, senhor. Não há mais ninguém quando se começa a pensar. Esta é a vantagem deste lugar isolado. Nós reduzimos a busca a um círculo muito pequeno. Se não foi ele quem fez isso, então quem foi?

— O que tem você contra ele?

Ele tinha as mesmas dúvidas que eu. Havia o caráter de Murdoch, e o mistério que parecia flutuar em volta dele. Seus acessos de fúria, como ficou demonstrado no incidente do cachorro. O fato de que ele tivera uma discussão com McPherson no passado, e de que havia algum motivo para se pensar que ele guardasse ressentimento pelas atenções que McPherson dispensava à srta. Bellamy. Ele tinha as mesmas informações que eu, mas não sabia nada de novo, exceto que Murdoch parecia estar fazendo os preparativos para ir embora.

— Como ficaria a minha situação, se eu o deixasse escapar com todas essas provas contra ele? — O homem corpulento e fleumático estava muito preocupado.

— Analise, no seu caso — disse eu —, as lacunas principais. Na manhã do crime, ele pôde comprovar seu álibi. Ele havia estado com seus alunos até o último momento, e alguns minutos depois que McPherson apareceu, ele se aproximou de nós e vinha do lado oposto. Depois, lembre-se de que seria absolutamente impossível que ele, sem ajuda, pudesse ter cometido aquela atrocidade contra um homem tão forte quanto ele próprio.

— O que poderia ter sido aquilo, a não ser um açoite ou algum tipo de chicote?

— Você examinou as marcas? — perguntei.

— Eu as vi. O médico também.

— Mas eu as examinei muito atentamente com uma lente. Elas apresentam algumas peculiaridades.

— Que peculiaridades, sr. Holmes?

Fui até a minha escrivaninha e apanhei uma fotografia ampliada.

— Este é o meu método em casos desse tipo — expliquei.

— O senhor, certamente, faz as coisas com perfeição, sr. Holmes.

— Dificilmente eu seria o que sou, se não o fizesse. Agora, vejamos este vergão, que passa em volta do ombro direito. Você não percebe nada de extraordinário?

— Não posso dizer que sim.

— É evidente que os vergões têm intensidades desiguais. Há um salpico de sangue aqui e outro ali. Há sinais semelhantes neste outro vergão aqui embaixo. O que pode significar isto?

— Não tenho ideia. O senhor tem?

— Talvez sim. Talvez não. Eu terei condições de dizer algo mais. Qualquer coisa que defina o que produziu aquelas marcas nos aproximará do criminoso.

— Esta é, naturalmente, uma ideia absurda — disse o policial —, mas, se uma rede de arame incandescente tivesse sido jogada nas costas dele, então aquelas marcas mais acentuadas representariam os pontos em que as malhas se cruzavam.

— Uma comparação bastante engenhosa. Ou devemos dizer um açoite com muitas cordas duras e pequenos nós.

— Por Deus, sr. Holmes, acho que o senhor conseguiu descobrir.

— Ou talvez a causa seja bem diferente, sr. Bardle. Mas o senhor ainda não tem base suficiente para efetuar uma prisão. Além disso, temos aquelas últimas palavras: "A juba do leão."

— Eu tenho me perguntado se Ian...

— Sim, tenho considerado essa possibilidade. Se a primeira palavra poderia ter alguma semelhança com Murdoch... mas não tem. Ele a disse quase gritando. Tenho certeza de que a palavra era "juba".

— O senhor não tem nenhuma alternativa, sr. Holmes?

— Talvez tenha. Mas não quero discutir o assunto até que haja alguma coisa mais concreta para discutir.

— E quando será isso?

— Dentro de uma hora, talvez menos.

O inspetor coçou o queixo e me olhou com uma expressão de dúvida.

— Gostaria de poder ver o que o senhor tem em mente, sr. Holmes. Talvez sejam aqueles barcos de pesca.

— Não, não, eles estavam distantes demais.

— Bem, então é Bellamy e aquele seu filho grandalhão? Eles não eram muito amáveis com McPherson. Eles poderiam tê-lo maltratado?

— Não, não, o senhor não me vai arrancar nada até que eu esteja preparado — eu disse com um sorriso. — Agora, inspetor, cada um de nós tem seu próprio trabalho a fazer. O senhor poderia encontrar-se comigo aqui, ao meio-dia.

Nós estávamos nesse ponto quando houve uma interrupção brusca, que foi o começo do fim. A porta externa foi escancarada, ouvimos passos trôpegos no corredor, e Ian Murdoch entrou cambaleando na sala, pálido, desgrenhado, as roupas em total desalinho, as mãos ossudas agarrando-se aos móveis para não cair.

— Conhaque! Conhaque! — ele disse ofegante, e caiu gemendo no sofá.

Ele não estava só. Atrás dele veio Stackhurst, sem chapéu e esbaforido, quase tão transtornado quanto o outro.

— Sim, sim, conhaque! — ele exclamou. — O homem está quase sem fôlego. Fiz tudo o que pude para trazê-lo até aqui: ele desmaiou duas vezes no caminho.

Meio copo de bebida pura produziu uma mudança extraordinária. Ergueu-se, apoiado em um dos braços, e sacudiu o casaco dos ombros.

— Pelo amor de Deus! Óleo, ópio, morfina! — ele gritou. — Qualquer coisa para aliviar esta agonia infernal!

O inspetor e eu gritamos diante do que vimos. Ali, cruzadas sobre o ombro nu do homem, estava o mesmo estranho desenho reticulado de linhas vermelhas e inflamadas que tinha sido o sinal mortal de Fitzroy McPherson.

A dor, evidentemente, era terrível e não só local, porque a respiração dele parava durante algum tempo, seu rosto ficava preto, e em seguida, arquejando, batia com a mão sobre o coração, enquanto de sua testa pingavam gotas de suor. Ele podia morrer a qualquer momento. Mais e mais conhaque foi despejado em sua garganta, e cada nova dose trazia-o de volta à vida. Chumaços de algodão embebidos em óleo de oliva pareciam aliviar a dor intensa provocada pelos estranhos ferimentos. Por fim, a cabeça dele caiu pesadamente sobre a almofada. Exausto, o organismo tinha se refugiado em seu último reservatório de energia. Era metade sono, metade desmaio, mas, pelo menos, foi um alívio para a dor.

Interrogá-lo tinha sido impossível, mas, no momento em que nos tranquilizamos a respeito de suas condições, Stackhurst virou-se para mim.

— Meu Deus! — ele exclamou. — O que é isso, Holmes? O que é isso?

— Onde você o encontrou?

— Lá na praia. Exatamente onde o pobre McPherson morreu. Se o coração deste homem fosse tão fraco quanto o de McPherson, ele não estaria aqui agora. Enquanto eu o trazia aqui para cima, mais de uma vez pensei que ele tivesse morrido. O Gables ficava muito distante, por isso eu o trouxe para cá.

— Você o viu na praia?

— Eu estava caminhando pelo penhasco quando ouvi o grito dele. Ele estava na margem da lagoa, cambaleando como um bêbado. Desci correndo, joguei algumas roupas em cima dele e o trouxe para cima. Pelo amor de Deus, Holmes, use todo o seu talento e não poupe esforços para afastar a maldição deste lugar, pois a vida está ficando insuportável. Você, com toda essa sua reputação mundial, não pode fazer nada por nós?

— Acho que posso, Stackhurst. Venha comigo agora! E você, inspetor, venha conosco! Vamos ver se não conseguiremos entregar esse assassino em suas mãos.

Deixando o homem inconsciente aos cuidados da minha governanta, nós três descemos até a lagoa mortífera. Ali, sobre os seixos, havia uma pilha de toalhas e roupas deixada pelo homem ferido. Caminhei lentamente em volta da margem, meus companheiros em fila indiana atrás de mim. A maior parte da lagoa era bastante rasa, mas sob o penhasco, onde a praia formava uma concavidade, tinha aproximadamente 1,5 metro de profundidade. Era para esta parte da lagoa que um nadador naturalmente iria, pois ela formava uma linda piscina verde transparente, clara como cristal. Há uma série de rochas acima desta piscina, na base do penhasco, e eu caminhei ao longo destas rochas, observando ansiosamente as profundezas abaixo de mim. Eu tinha chegado à parte mais funda e mais tranquila quando os meus olhos encontraram aquilo que eles estavam procurando, e eu dei um grito de triunfo.

— *Cynea*! — gritei. — *Cynea*! Vejam a juba do leão!

O estranho objeto para o qual eu apontava parecia realmente uma massa emaranhada, arrancada da juba de um leão. Estava sobre uma prateleira de pedra, a uns noventa centímetros sob a água, uma criatura ondulante, vibrante, cabeluda, com listras prateadas entre as suas madeixas amarelas. Ela pulsava com dilatações e contrações lentas e pesadas.

— Ela já causou bastante prejuízo! Seus dias terminaram! — exclamei. — Ajude-me, Stackhurst! Vamos eliminar o assassino para sempre.

Havia um grande pedaço de rocha bem acima desta prateleira, e nós o empurramos até que ele caiu com grande estrondo, espirrando água para todos os lados. Quando a ondulação da água cessou, vimos que a pedra que jogamos havia se acomodado embaixo, sobre a prateleira de rocha. Uma borda da membrana amarela agitava-se mostrando que a nossa vítima estava embaixo da pedra. Uma espuma grossa e oleosa escorreu embaixo da pedra e tingiu a água ao redor, subindo lentamente para a superfície.

— Ora, isto me surpreende — exclamou o inspetor. — O que é isto, sr. Holmes? Sou nascido e criado nesta região, mas nunca vi uma coisa assim. Este animal não é originário de Sussex.

— Melhor para Sussex — observei. — Deve ter sido o vento forte do sudoeste que o trouxe. Vamos voltar para casa, vocês dois, e lhes contarei a terrível experiência de alguém que teve bons motivos para recordar seu próprio encontro com o mesmo perigo dos mares.

Quando chegamos ao meu escritório, vimos que Murdoch havia se recuperado tão bem que já podia se sentar. Ele ainda estava confuso e de vez em quando era sacudido por um acesso de dor. Com frases entrecortadas, disse que não sabia o que tinha acontecido com ele, exceto que sentiu de repente dores terríveis, e que fora necessário empregar toda a sua força de vontade para chegar até a margem.

— Aqui está um livro — eu disse, pegando um pequeno volume — que foi o primeiro a esclarecer aquilo que poderia ter permanecido um mistério para sempre. É o *Out of Doors*, do famoso observador J.G. Wood. O próprio Wood por pouco não morreu pelo contato com esta criatura maligna, de modo que ele escreveu o livro com pleno conhecimento de causa. *Cynea capillata* é o nome completo do patife, e ele pode ser tão perigoso e bem mais doloroso do que a mordida da cobra. Deixe-me ler um trecho:

> *Se o banhista vir uma massa móvel, arredondada, de membranas e fibras meio castanhas, parecida com a juba de um leão, e um punhado de papel prateado, ele que se acautele, porque isto é a terrível* Cynea capillata, *que pica.*

Será que o nosso sinistro conhecido poderia ser descrito de maneira mais clara?

— Depois ele conta o seu encontro com um deles, quando nadava ao largo da costa de Kent. Descobriu que o animal possuía filamentos quase invisíveis que se estendiam num raio de 15 metros, e que qualquer pessoa dentro daquela circunferência, partindo do centro mortífero, corria risco de vida. Mesmo a distância, o efeito sobre Wood foi quase fatal.

Os numerosos filamentos provocaram listras vermelhas na pele, que, examinadas mais de perto, revelaram pequenos pontos ou pústulas, que pareciam estar, cada um deles, com uma agulha em brasa atravessando os nervos.

— A dor local, como ele explica, era a parte mais insignificante daquele tormento.

As dores atravessaram o peito, fazendo-me cair como se tivesse sido ferido por uma bala. A pulsação cessava, e depois o coração dava seis ou sete pulos, como se forçasse sua passagem através do peito.

— O animal quase o matou, embora só tivesse ficado exposto a ele nas águas agitadas do oceano, e não nas águas calmas e limitadas de uma piscina. Ele disse que depois mal pôde se reconhecer de tão branco, enrugado e murcho que ficou seu rosto. Ele bebeu conhaque, uma garrafa inteira, e parece que isto salvou sua vida. Aqui está o livro, inspetor. Deixo-o com o senhor, e não pode duvidar que ele contém uma explicação completa da tragédia do pobre McPherson.

— E casualmente me isenta de culpa — comentou Ian Murdoch com um sorriso forçado. — Eu não o culpo, inspetor, nem ao sr. Holmes, porque suas suspeitas eram naturais. Sinto que, na véspera de minha prisão, eu só afastei as suspeitas tendo o mesmo destino do meu pobre amigo.

— Não, sr. Murdoch. Eu estava já na pista, e se eu tivesse saído tão cedo quanto pretendia, poderia tê-lo salvado desta experiência terrível.

— Mas como é que o senhor sabia, sr. Holmes?

— Sou um leitor ávido, com uma memória extraordinária para coisas sem importância. Aquela frase, "a juba do leão", ficou na minha cabeça. Eu sabia que havia lido isto em algum lugar, num contexto inesperado. O senhor já percebeu que os termos *juba do leão* realmente descrevem o animal. Não tenho dúvida de que o animal estava flutuando na água quando McPherson o viu e que aquela frase era a única pela qual ele poderia nos transmitir um aviso contra a criatura que havia causado sua morte.

— Bem, pelo menos estou isento de culpa — disse Murdoch, erguendo-se lentamente. — Gostaria de dar duas ou três palavras de explicação, porque sei o rumo que a investigação tomou. É verdade que eu amava aquela jovem, mas, desde o dia em que ela escolheu o meu amigo McPherson, meu único desejo era ajudá-la a ser feliz. Eu me contentava em ficar de lado e agir como intermediário. Frequentemente eu levava seus recados, e foi porque eu merecia a confiança deles e porque eu gostava tanto dela que corri para lhe contar sobre a morte de meu amigo, com receio de que alguém pudesse lhe contar antes, de maneira mais brusca e desumana. Ela não lhe contou a respeito de nossa relação com medo de que o senhor desaprovasse, e que eu sofresse. Mas, com a sua permissão, preciso tentar voltar a Gables, porque minha cama será muito conveniente.

Stackhurst estendeu a mão.

— Nossos nervos têm estado tensos — ele disse. — Perdoe-me o que passou, Murdoch. Iremos nos entender melhor no futuro.

Eles saíram juntos, de braços dados, amigavelmente. O inspetor ficou olhando para mim em silêncio com seus olhos de boi manso.

— Bem, o senhor conseguiu! — ele exclamou por fim. — Eu tinha lido a seu respeito, mas nunca acreditei. É maravilhoso!

Fui obrigado a sacudir a cabeça. Aceitar um elogio assim seria diminuir nosso próprio padrão.

— Fui lento no início, lento de um modo condenável. Se o corpo tivesse sido encontrado na água, dificilmente eu me teria confundido. Foi a toalha que me enganou. O pobre homem nem pensou em secar-se, de modo que fui levado a acreditar que ele não entrara na água. Por que, então, eu iria pensar no ataque de algum animal marinho? Foi aí que me perdi. Bem, inspetor, eu quase sempre zombo da polícia, mas a *Cynea capillata* quase vingou a Scotland Yard.

A AVENTURA DA HÓSPEDE VELADA

Quando se pensa que Sherlock Holmes esteve no exercício ativo de sua profissão durante 23 anos, e que durante 17 anos pude colaborar com ele e guardar anotações sobre os seus feitos, fica óbvio que possuo uma grande quantidade de material à minha disposição. O problema nunca foi encontrar material, mas, sim, selecioná-lo. Existe uma grande coleção de anuários que enchem uma estante, e há os arquivos repletos de documentos, matéria-prima perfeita para o estudioso não só do crime, mas também dos escândalos sociais e oficiais do fim da era vitoriana. Com relação a esses últimos, posso afirmar que nada têm a temer os autores de cartas angustiadas, que imploram para que a honra de suas famílias ou a reputação de antepassados famosos não sejam manchadas. A discrição e o elevado senso de dignidade profissional que sempre distinguiram o meu amigo ainda são utilizados na escolha dessas narrativas, e o sigilo não será violado. Mas condeno, com a maior veemência, as tentativas que foram feitas ultimamente para se conseguir acesso e destruir esses papéis. A origem destas violências é conhecida, e se elas se repetirem, tenho a permissão de Holmes para afirmar que toda a história dos políticos, luminares e dos sovinas será divulgada para o público. Há pelo menos um leitor que compreenderá.

Não é sensato supor que cada um desses casos tenha dado a Holmes a oportunidade de demonstrar aqueles dotes raros de instinto e observação que tenho procurado revelar nestas narrativas. Algumas vezes, para colher frutos, foi necessário muito esforço, outras vezes esses frutos caíram facilmente em suas mãos. Mas quase sempre as mais terríveis tragédias humanas estavam envolvidas nesses casos que lhe deram as menores oportunidades pessoais, e é um destes casos que agora quero registrar. Ao relatá-lo, fiz uma pequena troca de nome e lugar, mas os fatos ocorreram do modo como serão expostos a seguir.

Uma manhã — no final de 1896 — recebi um bilhete apressado de Holmes pedindo a minha presença. Quando cheguei, encontrei-o sentado numa sala cheia de fumaça, e, na cadeira, diante dele, estava uma mulher de idade madura e ar maternal, rechonchuda e bonita, tipo de estalajadeira.

— Esta é a sra. Merrilow, de South Brixton — disse meu amigo com um aceno de mão. — A sra. Merrilow não faz objeção ao fumo, Watson, se você quiser se entregar aos seus hábitos imundos. Ela tem uma história interessante para contar, que talvez resulte em novos acontecimentos em que a sua presença pode ser útil.

— O que eu puder fazer...

— A senhora deve compreender que, se eu for ao encontro da sra. Ronder, preferiria ter uma testemunha. A senhora fará com que ela entenda isto antes da nossa chegada.

— Deus o abençoe, sr. Holmes — disse a nossa visitante —, ela está tão ansiosa para vê-lo que o senhor poderia levar toda a paróquia atrás.

— Então iremos no início da tarde. Vejamos, antes de partir, se os fatos estão corretos. Se recordarmos os fatos, será mais fácil para o dr. Watson entender a situação. A senhora afirma que a sra. Ronder é sua inquilina há sete anos e que só viu o rosto dela uma vez.

— E, por Deus, eu gostaria de não ter visto! — disse a sra. Merrilow.

— Ele estava, pelo que entendi, terrivelmente mutilado.

— Bem, sr. Holmes, o senhor dificilmente diria que aquilo era um rosto. Era esse o aspecto dele. Nosso leiteiro, espreitando uma vez pela janela superior, viu-a de relance e deixou cair a lata e o leite no jardim da frente. Este é o tipo de rosto dela. Quando a vi, apareci quando ela estava desprevenida, cobriu-se depressa e depois disse: "Agora, sra. Merrilow, finalmente a senhora sabe por que nunca suspendo o véu."

— A senhora sabe algo a respeito da história dela?

— Absolutamente nada.

— Ela lhe deu referências quando veio?

— Não, senhor, mas ofereceu pagamento em dinheiro vivo, muito dinheiro. Um quarto do aluguel adiantado ali na mesa e nenhuma discussão a respeito das condições. Hoje em dia, uma pobre mulher como eu não pode se dar ao luxo de recusar uma oportunidade dessa.

— Ela deu algum motivo para escolher a sua casa?

— A minha casa fica bem afastada da estrada e é mais isolada do que a maioria. E também só aceito um hóspede e não tenho família. Acredito que ela tenha tentado outras e descobriu que a minha era a que mais lhe convinha. É privacidade que ela procura, e está disposta a pagar por isso.

— A senhora afirma que ela nunca mostrou o rosto, a não ser naquela vez, por acaso. Bem, esta é uma história extraordinária, muito estranha, e não me surpreende que a senhora queira que seja investigada.

— Eu não, sr. Holmes, estou perfeitamente satisfeita, contanto que receba meu aluguel. O senhor não poderia ter um inquilino mais sossegado, ou que lhe desse menos problemas.

— Então, o que fez o assunto vir à tona?

— A saúde dela, sr. Holmes. Ela parece estar definhando. E há alguma coisa terrível em sua mente. "Assassino!", ela grita. "Assassino!" E uma vez a ouvi gritar: "Sua fera cruel! Monstro!" Foi durante a noite, e esses gritos ressoavam pela casa e me davam arrepios. De modo que fui vê-la de manhã. "Sra. Ronder", eu disse, "se a senhora tem alguma coisa que está perturbando o seu espírito, há o clero, e há a polícia. A senhora pode conseguir ajuda com um dos dois." "Pelo amor de Deus, a polícia não", ela disse, "e o clero não pode mudar o passado. Mesmo assim", ela disse, "meu espírito ficaria aliviado se antes de eu morrer alguém soubesse da verdade". "Bem", falei, "se a senhora não quer nem o clero nem a polícia, há esse detetive a respeito do qual nós lemos"; com o seu perdão, sr. Holmes. E ela gostou da sugestão. "Esse é o homem", ela disse. "Eu me pergunto por que não pensei nisso antes. Traga-o aqui, sra. Merrilow, e, se ele não quiser vir, diga-lhe que sou a mulher de Ronder, produtor do show de feras. Diga isso, e dê-lhe o nome Abbas Parva." Aqui está como ela o escreveu, Abbas Parva. "Isto o trará aqui, se ele é o homem que penso que seja."

— E o fará, realmente — comentou Holmes. — Muito bem, sra. Merrilow. Eu gostaria de ter uma conversa particular com o dr. Watson. Esta conversa nos manterá ocupados até a hora do almoço. Mais ou menos às três da tarde, a senhora pode nos esperar em sua casa, em Brixton.

Nossa visitante mal havia saído gingando da sala — nenhum outro verbo pode descrever o modo de caminhar da sra. Merrilow — e Sherlock Holmes atirou-se, com impetuosa energia, sobre a pilha de literatura barata que estava no canto. Durante alguns minutos ouvi o ruído de folhas sendo viradas e depois, com um grunhido de satisfação, ele descobriu o que procurava. Ficou tão excitado que não se levantou, mas ficou sentado no chão como um estranho Buda, com as pernas cruzadas, os imensos livros em volta, e um deles aberto sobre os joelhos.

— Na ocasião o caso me preocupou, Watson. Aqui estão as minhas anotações na margem para provar isso. Confesso que não pude fazer nada em relação a esse caso. Mesmo assim, estou convencido de que o investigador estava errado. Você não se recorda da tragédia de Abbas Parva?

— Não.

— No entanto você estava comigo na ocasião. Mas, certamente, minha própria impressão foi muito superficial, porque não havia motivo para prosseguir, e nenhuma das partes havia contratado meus serviços. Você gostaria de ler os jornais?

— Você não poderia contar-me os detalhes?

— Isto é fácil. Você deve se lembrar enquanto falo. Ronder, naturalmente, era um nome muito conhecido. Era o rival de Wombwell e de Sanger, um dos maiores diretores de espetáculo de sua época. Mas há provas de que ele começou a beber, e que na ocasião da tragédia ele e o seu espetáculo estavam em decadência. A caravana havia parado em Abbas Parva, pequena aldeia em Berkshire, quando ocorreu a tragédia. Eles estavam a caminho de Wimbledon, viajando por estrada de rodagem, e estavam apenas acampados, e não dando espetáculo, porque o lugar era tão pequeno que não pagaria os custos.

"Eles tinham entre suas atrações um leão norte-africano muito bonito. Seu nome era Sahara King, e os dois, Ronder e sua mulher, continuavam a fazer exibições dentro da jaula do leão. Aqui, você pode ver, está uma fotografia da representação, e você percebe que Ronder mais parecia um porco enorme, e que sua esposa era uma mulher magnífica. No inquérito, depoimentos diziam que havia sinais de que o leão era perigoso, mas, como de costume, a intimidade provoca negligência, e não se deu importância ao fato.

"Ronder ou sua mulher costumavam alimentar o leão à noite. Às vezes ia só um deles, às vezes iam os dois, mas eles nunca permitiam que outra pessoa o fizesse, porque acreditavam que, enquanto eles o alimentassem, o leão os veria como benfeitores e nunca os molestaria. Naquela noite, há sete anos, foram os dois, e aconteceu uma coisa terrível, cujos detalhes nunca foram esclarecidos.

"Parece que todo o acampamento foi acordado, por volta da meia-noite, pelos rugidos do animal e pelos gritos da mulher. Os cavalariços e outros empregados saíram correndo de suas tendas carregando lanternas, e suas luzes revelaram uma cena terrível. Ronder estendido no chão, a uns dez metros da jaula — que estava aberta — com a parte posterior da cabeça esmagada e marcas profundas das garras no couro cabeludo. Perto da porta da jaula, a sra. Ronder estava caída de costas, com o animal acocorado e rosnando por cima dela. Ele havia dilacerado o rosto dela de tal maneira que nunca se imaginou que ela pudesse sobreviver. Vários homens do circo, guiados por Leonardo, o homem forte, e Griggs, o palhaço, afastaram o animal com varas, obrigando-o a pular de volta para dentro da jaula, onde foi imediatamente trancado. Como ele conseguira sair da jaula era um mistério. Foi levantada a hipótese de que o casal pretendia entrar na jaula, mas quando a porta foi aberta o animal saltou para fora, em cima eles. Não havia nenhum outro ponto de interesse nos depoimentos, a não ser o fato de que a mulher, num delírio de agonia, gritava a toda hora 'Covarde! Covarde!', enquanto era carregada para a carroça em que eles moravam. Passaram-se seis meses até que ela estivesse em condições de prestar depoimento, mas o inquérito foi devidamente encerrado, com o veredicto óbvio de morte por acidente."

— Que alternativa se poderia imaginar? — eu perguntei.

— Você pode perfeitamente afirmar isto. Mas havia um ou dois detalhes que preocuparam o jovem Edmunds, da chefatura de polícia de Berkshire. Um rapaz esperto, aquele! Mais tarde ele foi mandado para Allahabad. Foi assim que tomei conhecimento do assunto, porque ele veio me visitar e fumou um ou dois cachimbos falando sobre o assunto.

— Um homem magro, de cabelos louros?

— Exatamente. Eu tinha certeza de que você logo acharia a pista.

— Mas com que ele estava preocupado?

— Bem, nós dois estávamos preocupados. Foi tão difícil reconstituir a coisa. Olhe para isto do ponto de vista do leão. Ele é solto. O que ele faz? Ele dá meia dúzia de saltos para a frente, o que o leva até Ronder. Ronder vira-se para fugir. As marcas das garras estavam na parte posterior da cabeça, mas o leão o derruba. Depois, em vez de continuar a saltar e fugir, ele volta até a mulher que estava perto da jaula, derruba-a e come o seu rosto. Mas aqueles gritos dela pareciam significar que seu marido, de algum modo, a desapontara. O que o pobre-diabo poderia ter feito para ajudá-la? Você vê a dificuldade?

— Perfeitamente.

— E, depois, havia outra coisa. Isso me volta à lembrança agora, enquanto estou recapitulando o caso. Disseram que exatamente na hora em que o leão rugiu e a mulher gritou, um homem começou a gritar de terror.

— Esse homem era Ronder, não há dúvida.

— Ora, se o seu crânio foi esmagado, você dificilmente esperaria ouvir a voz dele outra vez. Pelo menos duas testemunhas falaram dos gritos de um homem confundidos com os gritos de uma mulher.

— Eu imagino que todo o acampamento estava gritando naquele momento. Quanto aos outros detalhes, acho que poderia sugerir uma solução.

— Eu gostaria de ouvir.

— Os dois estavam juntos, a dez passos da jaula, quando o leão se soltou. O homem virou-se e foi derrubado. A mulher teve a ideia de entrar na jaula e fechar a porta. Era o seu único refúgio. Ela tentou, e, justamente quando alcançou a jaula, o animal saltou atrás dela e a derrubou. Ela ficou com raiva do marido porque, ao se virar, ele despertara a fúria do animal. Se eles o tivessem enfrentado, poderiam tê-lo intimidado. Daí os gritos dela de "Covarde!".

— Brilhante, Watson! Apenas um defeito no seu diamante.

— Qual é o defeito, Holmes?

— Se os dois estavam a dez passos da jaula, como foi que o animal conseguiu fugir?

— É possível que eles tivessem algum inimigo que o tenha soltado?

— E por que o leão os atacaria com tanta ferocidade, quando estava habituado a brincar e a fazer truques com eles dentro da jaula?

— Talvez o mesmo inimigo tenha feito alguma coisa para irritá-lo.

Holmes parecia meditar e ficou em silêncio por alguns minutos.

— Bem, Watson, em favor de sua teoria existe isto que lhe vou dizer. Ronder era um homem que tinha muitos inimigos. Edmunds contou-me que quando ele estava embriagado era terrível. Grandalhão e abrutalhado, ele praguejava e gritava com todos que se atravessassem em seu caminho. Suponho que aqueles gritos a respeito de um monstro, de que nos falou nossa visitante, sejam reminiscências noturnas do falecido. Mas nossas especulações serão inúteis enquanto não tivermos todos os dados. Há uma perdiz fria no aparador e uma garrafa de Montrachet. Vamos recuperar nossas energias antes de fazer-lhes uma visita.

Quando nossa carruagem nos deixou na casa da sra. Merrilow, encontramos a gorda senhora obstruindo a porta aberta de sua habitação humilde mas isolada. Estava evidente que sua principal preocupação era não perder uma inquilina valiosa, e ela nos suplicou, antes de nos conduzir para cima, que não disséssemos ou fizéssemos nada que pudesse provocar uma consequência tão indesejável. Depois de tranquilizá-la, nós a seguimos pela escada reta e mal-atapetada, e fomos levados até o quarto da misteriosa inquilina.

Era um lugar fechado, mofado, mal-arejado, como se podia esperar, já que sua ocupante raramente saía. Por conservar animais em uma jaula, a mulher parecia, por alguma desforra do destino, ter-se tornado ela própria um animal enjaulado. Ela estava sentada numa poltrona quebrada, num canto escuro do quarto. Longos anos de inatividade haviam embrutecido as linhas de seu corpo, mas na época ele devia ter sido bonito e ainda era cheio e voluptuoso. Um véu escuro e grosso cobria o seu rosto, mas o véu era cortado na altura do lábio superior e deixava descoberta uma boca de talhe perfeito e um queixo delicadamente arredondado. Pude imaginar que ela, de fato, havia sido uma mulher notável. Sua voz, também, era bem modulada e agradável.

— Meu nome não lhe é estranho, sr. Holmes — ela disse. — Imaginei que meu nome faria você vir.

— É verdade, embora eu não saiba como a senhora tomou conhecimento de que eu estava interessado em seu caso.

— Eu soube disso quando recuperei a saúde e fui interrogada pelo sr. Edmunds, o detetive do condado. Receio ter mentido para ele. Talvez tivesse sido mais sensato dizer a verdade.

— É sempre mais sensato dizer a verdade. Mas por que a senhora mentiu para ele?

— Porque o destino de outra pessoa dependia disto. Sei que ele era um ser desprezível, mas eu não queria que a sua destruição pesasse na minha consciência. Nós tínhamos sido tão próximos, tão próximos!

— Mas este obstáculo foi removido?

— Sim, senhor. A pessoa a quem me referi está morta.

— Então, por que a senhora não diz à polícia tudo o que sabe?

— Porque há uma outra pessoa que deve ser levada em consideração. Essa outra pessoa sou eu mesma. Eu não poderia suportar o escândalo e a publicidade que resultariam de uma investigação policial. Não tenho muito tempo de vida, mas quero morrer tranquila. Mesmo assim, eu queria encontrar um homem criterioso a quem pudesse contar minha terrível história, para que, depois de minha morte, tudo pudesse ser compreendido.

— A senhora me lisonjeia. Mas sou uma pessoa responsável. Não lhe prometo que, depois que a senhora tiver falado, eu não venha a considerar meu dever relatar o caso à polícia.

— Penso que não, sr. Holmes. Conheço muito bem o seu caráter e os seus métodos, porque acompanhei o seu trabalho durante alguns anos. A leitura foi o único prazer que o destino me deixou, e eu perco pouco do que se passa no mundo. Mas, de qualquer modo, vou correr o risco quanto ao uso que o senhor possa fazer da minha tragédia. Contar tudo ao senhor aliviará a minha mente.

— Meu amigo e eu gostaríamos de ouvi-la.

A mulher levantou-se e tirou de uma gaveta a fotografia de um homem. Evidentemente ele era um acrobata profissional, um homem de um físico soberbo, fotografado com os braços enormes dobrados sobre o peito inflado, e um sorriso aparecendo sob o bigode espesso — o sorriso presunçoso de um homem de muitas conquistas.

— Este é Leonardo — ela disse.

— Leonardo, o homem musculoso que prestou depoimento?

— Exatamente. E este... este é o meu marido.

Era um rosto pavoroso — um porco humano, ou melhor, um porco selvagem humano, pois era terrível em sua bestialidade. Podia-se imaginar aquela boca perversa mordendo e espumando em sua cólera, e podiam-se imaginar aqueles olhos, pequenos e corrompidos, espalhando maldade enquanto olhavam o mundo. Facínora, tirano e bruto — tudo isto estava escrito naquele rosto de mandíbula grande.

— Estas duas fotografias ajudarão os senhores a compreender a minha história. Eu era uma pobre garota de circo, criada na serragem e dando saltos na argola antes de completar dez anos. Quando me tornei mulher, este homem me amou, se é que uma concupiscência como a dele pode ser chamada de amor, e num momento infeliz tornei-me sua esposa. Daquele dia em diante eu estava num inferno, e ele era o demônio que me atormentava. Não havia ninguém no espetáculo que não soubesse desse tratamento. Ele me deixava só por causa de outras mulheres. Quando eu me queixava, ele me amarrava e me chicoteava com seu chicote de montar. Todos tinham pena de mim e todos o detestavam, mas o que podiam fazer? Eles o temiam, todos eles. Pois ele era sempre terrível, e sanguinário quando estava bêbado. Constantemente estava pronto para atacar e fazer crueldade com os animais, mas tinha muito dinheiro, e para ele as multas nada significavam. Todos os melhores artistas foram embora, e o espetáculo começou a entrar em decadência. Só Leonardo e eu sustentávamos o espetáculo, juntamente com o pequeno Jimmy Griggs, o palhaço. Pobre-diabo, ele não tinha muito com que se alegrar, mas fazia o que podia para manter as coisas de pé.

"Então Leonardo entrou cada vez mais na minha vida. O senhor pode ver como era ele. Eu agora conheço a pobreza de espírito que se escondia naquele corpo, mas, comparado ao meu marido, ele parecia o anjo Gabriel. Ele tinha pena de mim e me ajudava, até que a nossa intimidade acabou se transformando em amor — um amor profundo e apaixonado, como eu havia sonhado mas nunca esperara sentir. Meu marido suspeitava, mas acho que ele era tão covarde quanto tirano, e Leonardo era o único homem que ele temia. Ele vingava-se à sua maneira, torturando-me mais do que nunca. Uma noite, meus gritos trouxeram Leonardo até a porta da nossa carroça. Naquela noite, estávamos à beira de uma tragédia, e logo o meu amante e eu compreendemos que isto não poderia ser evitado. Meu marido não devia mais viver. Combinamos que ele deveria morrer.

"Leonardo tinha um cérebro inteligente e ardiloso. Foi ele quem planejou. Não digo isto para culpá-lo, porque eu estava disposta a acompanhá-lo em cada centímetro do caminho. Mas eu nunca teria imaginação para pensar num plano desses. Fizemos uma clava — Leonardo a fez — e na parte superior, que era de chumbo, ele fixou cinco longos pregos de aço com as pontas para fora, com uma extensão semelhante às da pata do leão. Isto serviria para o golpe mortal em meu marido, mas deixando indícios de que o leão que iríamos soltar é que fizera aquilo.

"A noite estava escura como breu quando meu marido e eu descemos, como era costume nosso, para alimentar o animal. Carregávamos a carne crua num balde de zinco. Leonardo estava esperando na extremidade da grande carroça, por onde teríamos que passar antes de chegar à jaula. Leonardo foi lento demais, e nós passamos por ele antes que ele pudesse atacar meu marido, mas ele nos seguiu na ponta dos pés, e eu ouvi o ruído do golpe da clava despedaçando o crânio de Ronder. Meu coração pulou de alegria quando ouvi o som do impacto. Corri e abri o ferrolho que segurava a porta de jaula do leão.

"E então aconteceu aquela coisa terrível. O senhor deve ter ouvido falar como essas criaturas são rápidas para farejar o sangue humano, e como isto as excita. Algum estranho instinto avisara o animal, no mesmo instante, que um ser humano havia sido morto. Quando afastei a grade, o leão saltou para fora e em um segundo estava em cima de mim. Leonardo poderia ter me salvado. Se tivesse corrido e atacado o animal com a sua clava, poderia tê-lo acuado. Mas o homem perdeu o sangue-frio. Ouvi seu grito aterrorizado, e depois vi quando ele deu meia-volta e correu. Nesse instante os dentes do leão atacaram o meu rosto. Seu hálito quente e asqueroso já havia me envenenado, e eu mal tinha consciência da dor. Com as palmas das mãos tentei afastar as mandíbulas enfurecidas e manchadas de sangue, e gritei por socorro. Eu percebia que o acampamento estava movimentado, e depois lembro-me confusamente de um grupo de homens, Leonardo, Griggs e outros, puxando-me de sob as patas do animal. Esta cena foi a minha última lembrança durante muitos meses incômodos. Quando voltei a mim e me vi no espelho, amaldiçoei aquele leão — oh, como eu o amaldiçoei —, não porque ele havia destruído minha beleza, mas porque ele não havia destruído a minha vida. Eu só tinha um desejo, sr. Holmes, e tinha dinheiro suficiente para satisfazê-lo. Esse desejo era de me cobrir para que meu pobre rosto não fosse visto por ninguém, e de morar onde ninguém que eu tivesse conhecido antes pudesse me encontrar. Isto era tudo o que eu podia fazer, e é o que tenho feito. Um pobre animal ferido que rastejou até a sua caverna para morrer — este é o fim de Eugenia Ronder."

Depois que a infeliz mulher contou a sua história, ficamos sentados em silêncio durante algum tempo. Depois Holmes estendeu seu braço longo e afagou-lhe a mão com uma demonstração de compaixão como eu raramente vira antes.

— Pobre menina! — ele disse. — Pobre menina! Os caminhos do destino são realmente difíceis de entender. Se não houver alguma compensação no futuro, então o mundo é uma brincadeira cruel. Mas o que aconteceu com esse Leonardo?

— Eu nunca mais o vi nem ouvi nada a respeito dele. Talvez eu estivesse errada por sentir tanta amargura contra ele. Ele poderia logo ter-se enamorado de uma daquelas excêntricas com as quais nós viajávamos pelo país, no lugar daquilo que o leão havia deixado. Mas não é tão fácil acabar com o amor de uma mulher. Ele havia me deixado sob as garras do animal, ele me abandonou quando eu precisava dele, e mesmo assim eu não conseguia convencer-me a levá-lo à forca. Quanto a mim, eu não me preocupava com o que me aconteceria. O que poderia ser mais terrível do que a minha vida atual? Mas coloquei-me entre Leonardo e o seu destino.

— E ele está morto?

— Afogou-se no mês passado, quando tomava banho perto de Margate. Li sobre sua morte no jornal.

— E o que ele fez com a clava de cinco garras, que é a parte mais estranha e engenhosa de toda a sua história?

— Não sei, sr. Holmes. Perto do acampamento há uma mina de cal com um lago verde e profundo em sua base. Talvez nas profundezas daquele lago...

— Bem, isto agora não tem importância. O caso está encerrado.

Tínhamos nos levantado para partir, mas alguma coisa na voz da mulher chamou a atenção de Holmes. Ele se virou rapidamente para ela.

— A sua vida não lhe pertence — ele disse. — Fique com as mãos afastadas de si mesma.

— Que utilidade tem a minha vida para alguém?

— Como a senhora pode afirmar isso? O exemplo de um sofrimento paciente é, por si só, a mais preciosa de todas lições que se poderia dar a um mundo impaciente.

A resposta da mulher foi terrível. Ela ergueu o véu e aproximou-se da luz.

— Eu gostaria de saber se o senhor suportaria isto — ela disse.

Foi horrível. Não há palavras que possam descrever o contorno de um rosto quando o próprio rosto já não existe. Dois lindos olhos castanhos cheios de vivacidade que exibiam tristeza em meio àquela espantosa ruína tornavam a visão ainda mais horrível. Holmes ergueu a mão num gesto de piedade e protesto, e juntos saímos do quarto.

Dois dias depois, quando fui visitar meu amigo, ele apontou com certo orgulho para uma pequena garrafa azul sobre a lareira. Peguei a garrafa. Havia um rótulo vermelho em que estava escrito "veneno". Quando abri a garrafa, senti um agradável cheiro de amêndoa.

— Ácido prússico? — perguntei.

— Exatamente. Veio pelo correio. "Mando-lhe minha tentação. Seguirei o seu conselho." Era essa a mensagem. Eu acho, Watson, que podemos adivinhar o nome da mulher corajosa que nos enviou isto.

A AVENTURA DE SHOSCOMBE OLD PLACE

Sherlock Holmes ficou curvado durante muito tempo sobre um microscópio pequeno. Depois ele endireitou o corpo e olhou para mim com ar triunfante.

— É cola, Watson — ele disse. — Indiscutivelmente, é cola. Olhe para esses pontos dispersos no campo de visão!

Inclinei-me e ajustei o foco para a minha vista.

— Esses cabelos são fios de um casaco de *tweed*. As concentrações cinzentas irregulares são poeira. Há células epiteliais à esquerda. Aquelas bolhas marrons no centro sem dúvida são de cola.

— Bem — eu disse em tom de brincadeira. — Estou disposto a acreditar na sua palavra. Alguma coisa depende disto?

— É uma prova muito boa — ele respondeu. — No caso de St. Pancras, você deve se lembrar que foi encontrado um boné ao lado do policial morto. O homem acusado nega que o boné seja seu. Mas ele é um fabricante de molduras para quadros, que lida habitualmente com cola.

— Este é um dos seus casos?

— Não, meu amigo Merivale, da Scotland Yard, pediu-me para investigar o caso. Desde que agarrei aquele falsificador de moedas por causa dos resíduos de zinco e cobre na costura do punho de sua camisa, eles começaram a perceber a importância do microscópio — ele olhou com impaciência para o seu relógio de bolso. — Eu esperava a visita de um cliente novo, mas ele está atrasado. A propósito, Watson, você sabe alguma coisa sobre corridas de cavalos?

— Eu deveria saber. Pago por isso metade da minha pensão de guerra.

— Então farei de você o meu "Guia Útil para o Turfe". E o que sabe a respeito de *sir* Robert Norberton? O nome lhe lembra alguma coisa?

— Bem, eu diria que sim. Ele mora em Shoscombe Old Place, e eu conheço bem o lugar, porque uma vez passei o verão lá. Norberton quase entrou na sua área de atuação uma vez.

— Como foi isso?

— Foi quando ele chicoteou Sam Brewer, o conhecido agiota da rua Curzon, no Newmarket Heath. Ele quase matou o homem.

— Ah! Ele parece ser uma pessoa interessante! Ele se satisfaz frequentemente desta forma?

— Bem, ele tem fama de ser um homem perigoso. Ele é um dos cavaleiros mais audaciosos da Inglaterra. Foi o segundo no Grande Prêmio Nacional, há alguns anos. Ele é um daqueles homens que ultrapassam a sua verdadeira geração. Ele devia ter vivido na época da Regência como boxeador, atleta, turfista, amante de belas mulheres e, segundo a opinião corrente, tão afogado em dívidas que talvez nunca consiga vir à tona.

— Excelente, Watson. Um perfil eloquente. Parece que conheço o homem. Agora, você pode me dar uma ideia do que é Shoscombe Old Place?

— Apenas que fica situada no centro do parque Shoscombe e que o famoso haras de Shoscombe e as instalações para treinamento estão lá.

— E o chefe dos treinadores — disse Holmes — é John Mason. Você não precisa se espantar por eu saber disto, Watson, porque esta é uma carta dele. Mas vamos continuar falando a respeito de Shoscombe. Parece que encontrei um veio rico.

— Existem os *spaniels* de Shoscombe — eu disse. — Você ouve falar deles em todas as competições de cachorros. É a linhagem de cachorros mais perfeita da Inglaterra. Eles são o orgulho especial da senhora de Shoscombe Old Place.

— A mulher de *sir* Robert Norberton, suponho!

— *Sir* Robert nunca se casou. Melhor assim, eu acho, considerando suas perspectivas. Ele mora com a irmã viúva, *lady* Beatrice Falder.

— Você quer dizer que ela mora com ele?

— Não, não. A propriedade pertencia ao falecido marido dela, *sir* James. Norberton não tem direito sobre a propriedade. Ela tem apenas o usufruto, e as propriedades pertencem ao irmão do marido. Enquanto isso, ela recebe os aluguéis todo ano.

— E o irmão Robert gasta esses aluguéis?

— É mais ou menos isso. Ele é um sujeito terrível e deve tornar a vida dela muito difícil. Entretanto, soube que ela é dedicada a ele. Mas o que há de errado em Shoscombe?

— Ah, é justamente isso que quero descobrir. E aqui está, espero, o homem que poderá dizer-nos alguma coisa.

A porta se abriu e o criado deixou entrar um homem alto, de rosto escanhoado, com a expressão firme e austera que só é encontrada naqueles que têm que dominar cavalos ou rapazes. O sr. John Mason tinha muitos cavalos e rapazes sob o seu controle, e ele parecia preparado para a tarefa. Inclinou-se com fria autoconfiança e sentou-se na cadeira que Holmes lhe indicou.

— O senhor recebeu o meu bilhete, sr. Holmes?

— Sim, mas o bilhete não explicava nada.

— Era uma coisa delicada demais para que eu pusesse os detalhes numa folha de papel. E complicada demais. Eu só poderia fazer isso pessoalmente.

— Bem, estamos à sua disposição.

— Em primeiro lugar, sr. Holmes, acho que o meu patrão, *sir* Robert, ficou louco.

Holmes ergueu as sobrancelhas.

— Estamos na Baker Street, não na Harley Street[3] — ele disse. — Mas por que o senhor diz isso?

— Bem, senhor, quando um homem faz uma coisa excêntrica ou duas coisas excêntricas, deve haver um motivo para isso, mas, quando tudo o que ele faz é excêntrico, então o senhor começa a se espantar. Acredito que Shoscombe Prince e o Derby viraram-lhe a cabeça.

— É um potro que vai participar da corrida?

— O melhor da Inglaterra, sr. Holmes. Se alguém sabe disso, sou eu. Agora, falarei abertamente com os senhores, porque sei que são cavalheiros honrados e que isto não sairá desta sala. *Sir* Robert resolveu vencer este Derby. Ele está afundado até o pescoço, e esta é a sua última chance. Tudo o que ele pôde levantar ou pedir emprestado

[3] Harley Street — rua dos médicos famosos em Londres. (N.T.)

empregou no cavalo, e com excelentes possibilidades. Agora o senhor pode receber quarenta por um, mas estava mais perto de cem quando ele começou a investir.

— Mas como pode ser isso se o cavalo é tão bom?

— O público não sabe que ele é tão bom. *Sir* Robert tem sido inteligente demais para os agenciadores de apostas. Ele usa o cavalo que é meio-irmão de Prince para os seus passeios. O senhor não consegue distingui-los. Mas, quando galopam, há uma diferença entre eles de dois corpos em oitocentos metros. Ele não pensa em mais nada, a não ser no cavalo e na corrida. Toda a sua vida se resume nisto. Até agora ele está conseguindo manter afastados os agiotas. Se o Prince falhar, ele estará perdido.

— Parece um jogo um tanto desesperado, mas onde é que entra a loucura?

— Bem, em primeiro lugar, o senhor só precisa olhar para ele. Não acredito que durma à noite. Ele fica nos estábulos o tempo todo. Seu olhar está desvairado. Tem sido demais para os seus nervos. Depois, há o seu procedimento para com *lady* Beatrice!

— Ah! Como é isto?

— Eles sempre foram muito amigos. Tinham os mesmos gostos, e ela amava os cavalos tanto quanto ele. Todos os dias, na mesma hora, ela ia aos estábulos para vê-los, e, acima de tudo, ela amava o Prince. Ele levantava as orelhas quando ouvia o barulho das rodas de sua carruagem no cascalho, e todas as manhãs ia trotando até a carruagem para ganhar o seu torrão de açúcar. Mas agora tudo isto acabou.

— Por quê?

— Bem, ela parece ter perdido todo o interesse pelos cavalos. Faz agora uma semana que ela passa de carruagem pelos estábulos sem dizer nem mesmo bom-dia!

— Você acha que houve uma briga?

— E uma briga séria, selvagem, rancorosa. Por que outro motivo teria ele dado o *spaniel* de estimação dela, que ela amava como se fosse seu filho? Ele deu o animal há alguns dias para o velho Barnes, que toma conta do Green Dragon, a quatro quilômetros de distância, em Crendall.

— Isto parece mesmo esquisito.

— É claro que, com seu coração frágil e sua hidropisia, não se poderia esperar que ela saísse muito com ele, mas ele passava duas horas todas as tardes no quarto dela. Ele fazia o máximo, porque ela era uma excelente amiga para ele. Mas isto também acabou. Ele nunca se aproxima dela. E ela está sentida. Ela está deprimida, mal-humorada e está bebendo, sr. Holmes, bebendo como uma esponja.

— Ela bebia antes desse afastamento?

— Bem, ela bebia um copo ou outro, mas agora bebe frequentemente uma garrafa inteira numa tarde. Foi o que me contou Stephens, o mordomo. Está tudo mudado, sr. Holmes, e existe alguma coisa perversa e podre em relação a isso. Mas, por outro lado, o que o patrão faz lá na cripta da velha igreja à noite? E quem é o homem que se encontra com ele lá?

Holmes esfregou as mãos.

— Continue, sr. Mason. Está ficando cada vez mais interessante.

— Foi o mordomo que o viu sair. Era meia-noite, e chovia a cântaros. De modo que, na noite seguinte, eu estava em casa acordado, e de fato o patrão tornou a sair. Stephens e eu fomos atrás dele, mas foi um trabalho desagradável, porque teria sido horrível se ele nos visse. Ele é um homem terrível com os punhos e quando se zanga não tem respeito pelas pessoas. De modo que evitamos nos aproximar muito, mas pudemos observá-lo perfeitamente. Ele estava se dirigindo para a cripta mal-assombrada, e havia um homem esperando por ele lá.

— O que é esta cripta mal-assombrada?

— Bem, senhor, há uma velha capela em ruínas no parque. É tão antiga que ninguém conseguiu determinar a sua data. E debaixo dela há uma cripta que tem má fama entre nós. Durante o dia é um lugar escuro, úmido, deserto, mas poucos naquele condado teriam coragem de se aproximar dela à noite. Mas o patrão não tem medo. Ele nunca temeu coisa alguma na vida. Mas o que será que ele faz lá à noite?

— Espere um pouco! — disse Holmes. — Você diz que há outro homem lá. Deve ser algum dos seus próprios cavalariços ou alguém da casa! Você precisa apenas descobrir quem é e interrogá-lo.

— Não é ninguém que eu conheça.

— Como é que você pode afirmar isto?

— Porque eu o vi, sr. Holmes. Foi naquela segunda noite. *Sir* Robert voltou e passou por nós, por mim e pelo Stephens, que tremíamos no meio dos arbustos como dois coelhinhos, pois havia um pouco de luar naquela noite. Mas ouvimos o outro homem andando por perto, atrás de nós. Não estávamos com medo dele. De modo que nos levantamos depois que *sir* Robert passou e fingimos que estávamos apenas dando uma volta ao luar, e assim nos aproximamos dele de maneira bastante casual e inocente. "Olá, companheiro! Quem é você?", eu perguntei. Acho que ele não nos tinha ouvido chegar, de modo que nos olhou sobre o ombro com cara de quem tinha visto o diabo saindo do inferno. Deu um grito, saiu correndo e desapareceu na escuridão. Como correu! Ele sumiu num instante e quem era ou o que era, nunca descobrimos.

— Mas você conseguiu vê-lo à luz da lua?

— Sim, eu seria capaz de reconhecer aquela cara amarela, um cachorro sórdido, eu diria. O que ele poderia ter em comum com *sir* Robert?

Holmes ficou sentado durante algum tempo, perdido em pensamentos.

— Quem faz companhia a *lady* Beatrice Falder? — perguntou finalmente.

— A criada, Carrie Evans. Ela está com *lady* Beatrice nos últimos cinco anos.

— E, sem dúvida, é dedicada a ela?

O sr. Mason mexeu-se desconfortavelmente.

— Ela é bastante dedicada — respondeu, finalmente. — Mas eu não sei a quem.

— Ah! — disse Holmes.

— Eu não posso revelar segredos alheios.

— Compreendo perfeitamente, sr. Mason. Naturalmente, a situação é bastante clara. Pela descrição que o dr. Watson fez de *sir* Robert, posso perceber que nenhuma mulher está fora de perigo com ele. Você não acha que a briga entre irmão e irmã pode ser por isto?

— Bem, o escândalo há muito tempo está evidente.

— Mas ela pode não ter percebido isto antes. Suponhamos que ela tenha descoberto tudo de repente. Ela quer se livrar da mulher. O irmão não permite. A inválida, com o coração fraco e sua incapacidade de se locomover, não tem meios de impor sua vontade. A criada odiada ainda está ligada a ela. A senhora recusa-se a falar, fica mal-humorada, dá para beber. *Sir* Robert, encolerizado, tira-lhe o *spaniel*, seu animal de estimação. Isso tudo não faz sentido?

— Bem, pode fazer... até aqui.

— Exatamente! Até aqui. Como tudo isso poderia ter relação com as visitas noturnas à velha cripta? Não podemos encaixar isto em nosso enredo.

— Não, senhor, e ainda há outra coisa que eu não consigo encaixar. Por que *sir* Robert iria querer desenterrar um defunto?

Holmes endireitou-se na cadeira na mesma hora.

— Nós só descobrimos isto ontem, depois que eu havia escrito para o senhor. Ontem, *sir* Robert estava em Londres, de modo que Stephens e eu descemos até a cripta. Estava tudo em ordem, senhor, exceto pelo fato de que em um dos cantos havia um pedaço de um corpo humano.

— Presumo que o senhor tenha informado à polícia.

Nosso visitante deu um sorriso sinistro.

— Bem, senhor, acho que isto dificilmente os interessaria. Havia apenas a cabeça e alguns ossos de uma múmia. Devia ter uns mil anos. Mas não estava lá antes. Isto eu posso jurar e Stephens também. Tinha sido arrumado num canto e coberto com uma tábua, mas aquele canto sempre esteve vazio antes.

— O que é que vocês fizeram com aquilo?

— Bem, nós simplesmente deixamos tudo lá.

— Isto foi prudente. Você disse que *sir* Robert estava fora ontem. Ele já voltou?

— Deve voltar hoje.

— Quando foi que *sir* Robert deu de presente o cachorro da irmã?

— Foi exatamente há uma semana. O animal estava uivando do lado de fora da velha casa do poço, e *sir* Robert naquela manhã estava em um de seus dias de mau humor. Ele apanhou o cachorro, e pensei que o tivesse matado. Depois, ele o entregou a Sandy Bain, o jóquei, e mandou que o levasse para o velho Barnes, no Green Dragon, porque ele não queria vê-lo nunca mais.

Holmes ficou sentado durante algum tempo, refletindo em silêncio. Ele acendeu o mais velho e fétido de seus cachimbos.

— Eu ainda não sei bem o que o senhor quer que eu faça neste caso, sr. Mason — ele disse, finalmente. — O senhor pode ser mais preciso?

— Talvez isto torne as coisas mais claras, sr. Holmes — disse o nosso visitante.

Tirou do bolso um papel e, desembrulhando-o com cuidado, exibiu um pedaço de osso cabornizado.

Holmes examinou-o com interesse.

— Onde o senhor conseguiu isto?

— Existe uma caldeira para aquecimento central no porão, debaixo do quarto de *lady* Beatrice. Ficou fora de uso durante algum tempo, mas *sir* Robert queixou-se de frio e a pôs novamente para funcionar. Harvey toma conta da caldeira, é um dos meus rapazes. Esta manhã, ele veio me mostrar isto, que encontrou enquanto raspava as cinzas com o ancinho. Ele não gostou do aspecto disto.

— Nem eu — disse Holmes. — O que você acha disso, Watson?

Tinha sido queimado até virar carvão, mas não havia dúvida quanto à sua importância anatômica.

— É o côndilo superior de um fêmur humano — eu disse.

— Exatamente — Holmes ficou muito sério. — A que horas este rapaz cuida da caldeira?

— Ele faz isso todas as tardes e depois vai embora.

— Então qualquer um poderia ir até lá durante a noite?

— Sim, senhor.

— É possível entrar lá pelo lado de fora?

— Há uma porta que dá para fora. Há outra porta que leva, por uma escada, até o corredor onde fica o quarto de *lady* Beatrice.

— Isto é uma coisa complicada, sr. Mason; complicada e um tanto turva. Você disse que *sir* Robert não estava em casa ontem?

— Não, senhor.

— Então não foi ele quem queimou ossos.

— Isso é verdade, senhor.

— Como é o nome daquela hospedaria de que o senhor falou?

— Green Dragon.

— Há boa pescaria naquela área de Berkshire?

O franco treinador demonstrou nitidamente, pela expressão de seu rosto, que estava convencido de que mais um lunático tinha entrado em sua vida atribulada.

— Bem, senhor, tenho ouvido falar que há truta no rio do moinho e lúcio no lago Hall.

— Isto é suficiente. Watson e eu somos pescadores de primeira, não é, Watson? Você pode escrever para nós, daqui por diante, para o Green Dragon. Devemos chegar lá esta noite. Não preciso lhe dizer que não queremos vê-lo, sr. Mason, mas pode mandar um bilhete, e sem dúvida conseguirei encontrá-lo se precisar do senhor. Quando tivermos descoberto um pouco mais a respeito do assunto, darei minha opinião.

E foi assim que, numa bela noite de maio, Holmes e eu nos encontramos sozinhos num vagão de primeira classe, indo para a pequena estação de Shoscombe, onde o trem só para a pedido. O bagageiro acima de nós estava repleto de varas de pescar, molinetes e cestos. Quando chegamos, uma curta viagem de carruagem nos levou a uma taberna antiga, onde um dono, amante do esporte, Josiah Barnes, aceitou com entusiasmo nossos planos de exterminar os peixes da vizinhança.

— O que me diz do lago Hall e da possibilidade de se pescar um lúcio? — Holmes perguntou.

O rosto do estalajadeiro se anuviou.

— Isto não serve, senhor. O senhor se arrisca a ir parar dentro do lago antes de terminar a sua pescaria.

— Por quê?

— É *sir* Robert, senhor. Ele tem uma desconfiança terrível dos agenciadores de apostas. Se os senhores, dois estranhos, chegassem assim tão perto de seus campos de treinamento, ele iria atrás dos senhores, com toda a certeza. Ele não quer se arriscar, não *sir* Robert.

— Ouvi dizer que ele tem um cavalo que vai correr no Derby.

— Sim, e é um bom potro. Ele está apostando todo o nosso dinheiro nessa corrida, e o dele também. A propósito — ele nos olhou com preocupação —, presumo que os senhores não vieram por causa do turfe.

— Não, realmente. Somos apenas dois londrinos fatigados, precisando muito de um pouco do ar puro de Berkshire.

— Bem, vocês estão no lugar certo. Há muito disto por aqui. Mas lembrem-se do que lhes disse sobre *sir* Robert. Ele é do tipo que bate primeiro e fala depois. Fiquem afastados do parque.

— Com certeza, sr. Barnes! Nós certamente ficaremos. A propósito, aquele *spaniel* que estava ganindo no saguão é um cão lindíssimo.

— E é mesmo. E um *spaniel* legítimo da criação de Shoscombe. Não existe melhor na Inglaterra.

— Eu mesmo gosto muito de cachorros — disse Holmes. — Bem, se é que posso perguntar, quanto custa um cachorro premiado como aquele?

— Mais do que eu poderia pagar, senhor. Foi o próprio *sir* Robert quem me deu este. E por isso tenho que conservá-lo numa correia. Se eu o deixasse solto, enquanto o diabo esfrega um olho ele já teria fugido para o Hall.

— Estamos juntando alguns trunfos na mão, Watson — disse Holmes quando o estalajadeiro saiu. — Não é um jogo fácil de se jogar, mas poderemos encontrar uma pista dentro de um dia ou dois. A propósito, ouvi dizer que *sir* Robert ainda está em Londres. Talvez possamos entrar nos domínios sagrados esta noite sem temer um ataque dele. Há um ou dois detalhes que eu gostaria de confirmar.

— Você tem alguma teoria, Holmes?

— Apenas esta, Watson, de que há uma semana mais ou menos aconteceu alguma coisa que afetou profundamente a vida familiar de Shoscombe. O que seria? Posso imaginar a partir dos efeitos. Eles parecem ser de um tipo estranhamente misto. Mas isso com certeza nos ajudará. Só os casos insípidos e sem acontecimentos notáveis não têm solução.

— Analisemos nossos dados básicos. O irmão não visita mais a querida irmã inválida. Ele dá de presente o seu cachorro favorito. O cachorro dela, Watson! Isto não lhe sugere nada?

— Nada, a não ser a raiva do irmão.

— Bem, pode ser isso. Ou, bem, há uma alternativa. Mas, continuando a nossa recapitulação a partir do início da rixa, se é que existe uma rixa. A senhora fica no seu quarto, altera os seus hábitos, não é vista a não ser quando sai de carruagem com a sua criada, recusa-se a parar nos estábulos para cumprimentar seu cavalo favorito e aparentemente dá para beber. Com isto recapitulamos o caso todo, não é?

— Exceto quanto ao assunto da cripta.

— Esta é uma outra linha de pensamento. Existem duas, e peço-lhe que não as confunda. A Linha A, que diz respeito a *lady* Beatrice, tem um sabor vagamente sinistro, não tem?

— Não consigo entender nada disso.

— Bem, agora tomemos a Linha B, que diz respeito a *sir* Robert. Ele está desesperado para ganhar o Derby. Ele está nas mãos dos agiotas, e pode a qualquer momento ir à bancarrota e em horas pode ser tomado pelos credores. Ele é um homem ousado e desesperado. Sua renda provém de sua irmã. A criada de sua irmã é o seu instrumento voluntário. Até agora parece que estamos em terreno razoavelmente seguro, não é?

— Mas e a cripta?

— Ah, sim, a cripta! Vamos supor, Watson, é apenas uma suposição infame, uma hipótese só para ser discutida, que *sir* Robert assassinou sua irmã.

— Meu caro Holmes, isto é um absurdo.

— Muito possivelmente, Watson. *Sir* Robert é um homem de linhagem ilustre. Mas às vezes encontramos um abutre entre águias. Vamos discutir um pouco esta suposição. Ele não poderia fugir do país enquanto não convertesse a sua sorte em dinheiro, e isto só poderia ocorrer com a vitória de Shoscombe Prince. Portanto, ele precisa aguentar firme aqui. Para fazer isso ele teria que se livrar do corpo de sua vítima e teria, também, de encontrar uma substituta que representasse o papel dela. Tendo a criada como confidente, isso não seria impossível. O corpo de sua irmã poderia ser levado para a cripta, que é um lugar raramente visitado, e poderia ser destruído à noite, secretamente, na fornalha, deixando atrás aquela prova que já vimos. O que você diz sobre isto?

— Bem, tudo isso é possível, se você admite como correta a monstruosa hipótese inicial.

— Há uma pequena experiência que podemos tentar amanhã, Watson, para tentar esclarecer o assunto. Enquanto isso, se pretendemos continuar mantendo nossa caracterização, sugiro que convidemos o nosso anfitrião para tomar um copo de seu próprio vinho, e vamos conversar a respeito de enguias, o que parece ser o caminho certo para se conquistar a sua amizade. Podemos descobrir por acaso algum mexerico local útil para a elucidação do caso.

De manhã, Holmes descobriu que não havíamos trazido certo tipo de iscas, o que nos absolvia do fato de não termos pescado naquele dia. Às 11 horas saímos para dar um passeio, e ele obteve permissão para levarmos o *spaniel* preto.

— É este o lugar — ele disse, quando nos aproximamos dos dois altos portões do parque, encimados por grifos heráldicos. — O sr. Barnes me informou que, por volta de meio-dia, a velha dama sai para um passeio e que a carruagem precisa diminuir a marcha enquanto os portões são abertos. Quando a carruagem atravessar os portões, e antes que sua velocidade aumente, quero que você, Watson, pare o cocheiro fazendo-lhe alguma pergunta. Não se incomode comigo. Ficarei atrás deste arbusto de azevinho para observar o que puder.

Não foi uma vigília longa. Quinze minutos depois, avistamos a grande carruagem amarela aberta descendo a avenida, com dois magníficos cavalos pardos. Holmes agachou-se atrás do arbusto com o cachorro. Fiquei de pé no caminho, balançando a bengala despreocupadamente. Um guarda saiu correndo e os portões foram abertos.

A carruagem reduziu a marcha, e pude observar bem seus ocupantes. Uma jovem muito pintada, de cabelos louros e olhos atrevidos estava sentada à esquerda. À sua direita estava uma pessoa idosa, de costas encurvadas e uma barafunda de xales ao redor de seu rosto e dos ombros, que indicavam a inválida. Quando os cavalos chegaram à estrada, levantei a mão num gesto autoritário e, quando o cocheiro puxou as rédeas, perguntei se *sir* Robert estava em Shoscombe Old Place.

No mesmo instante Holmes saiu do esconderijo e soltou o *spaniel*. Com um grito de alegria, o cão correu para a carruagem e pulou sobre o degrau. Então, num segundo, seu cumprimento veemente transformou-se em raiva furiosa, e ele mordeu a saia preta que estava sobre o degrau.

— Vamos em frente! — gritou uma voz áspera. O cocheiro chicoteou os cavalos, e nós ficamos parados na estrada.

— Bem, Watson, conseguimos — disse Holmes enquanto atava a correia no pescoço do *spaniel* excitado. — Ele pensou que fosse a sua dona e descobriu que era um estranho. Os cachorros não se enganam.

— Mas era a voz de um homem! — exclamei.

— Exatamente! Temos mais um trunfo nas mãos, Watson, mas, mesmo assim, é preciso jogar com cautela.

Meu amigo parecia não ter outros planos para aquele dia, e nós realmente usamos nosso equipamento de pesca no rio do moinho, e o resultado foi que tivemos uma travessa de trutas na nossa ceia. Só depois daquela refeição Holmes demonstrou sinais de atividade revigorada. Uma vez mais encontramo-nos na mesma estrada em que havíamos estado pela manhã, que dava nos portões do parque. Uma figura morena e alta estava nos esperando ali, e era o nosso conhecido de Londres, sr. John Mason, o treinador.

— Boa noite, senhores — ele disse. — Recebi seu bilhete, sr. Holmes. *Sir* Robert ainda não voltou, mas ouvi dizer que ele é esperado esta noite.

— A que distância a cripta fica da casa? — perguntou Holmes.

— A uns quatrocentos metros.

— Então acho que poderemos agir sem medo.

— Não posso correr este risco, sr. Holmes. Assim que ele chegar, vai querer me ver para saber as últimas notícias de Shoscombe Prince.

— Compreendo! Neste caso temos que trabalhar sem o senhor. Poderá nos mostrar a cripta e depois ir embora.

Estava escuro como breu e não havia lua, mas Mason nos conduziu pelo prado até que surgiu na nossa frente uma forma escura que depois vimos ser a antiga capela. Entramos pela brecha que antes havia sido um pórtico, e o nosso guia, tropeçando em meio aos montes de alvenaria solta, foi até o canto do edifício, onde uma escada íngreme nos levou para baixo, até a cripta. Riscando um fósforo, ele iluminou o lugar melancólico — um cheiro fétido e desagradável, velhas paredes de pedras toscas talhadas e pilhas de esquifes, alguns de chumbo, e alguns de pedra, prolongavam-se de um lado, chegando até o teto arqueado e cheio de frisos que se perdia nas sombras acima de nossas cabeças. Holmes tinha acendido sua lanterna, que projetou um minúsculo jato de luz amarelo-vivo sobre a lúgubre cena. Seus raios refletiram-se nas placas dos esquifes, muitos deles adornados com o brasão de grifos e coroa desta família antiga que carregava suas honrarias até mesmo para o portão da morte.

— O senhor falou de ossos, sr. Mason. Poderia mostrá-los antes de ir embora?

— Eles estão aqui neste canto. — O treinador foi até lá e ficou mudo de espanto quando iluminamos o local. — Eles desapareceram — ele disse.

— Eu já esperava por isso — disse Holmes, dando uma risadinha. — Acho que as cinzas deles podem, ainda agora, ser encontradas naquele forno que já consumiu uma parte.

— Mas por que alguém iria querer queimar ossos de um homem que já está morto há mil anos? — perguntou John Mason.

— É para descobrir isto que estamos aqui — disse Holmes. — Isto pode significar uma busca demorada, e não precisamos retê-lo. Acho que teremos uma solução antes do amanhecer.

Quando John Mason foi embora, Holmes pôs mãos à obra, fazendo um exame cuidadoso dos túmulos, que iam desde um túmulo muito antigo, no centro, que parecia ser de um saxão, passando por uma longa fileira de túmulos normandos, hugos e odos, até chegar aos esquifes de *sir* William e de *sir* Denis Falder, do século XVIII. Levou uma hora ou mais até que Holmes chegasse a um esquife de chumbo, colocado em pé, antes da entrada para o subterrâneo. Ouvi seu grito de satisfação e tive certeza, pelos seus movimentos apressados mas decididos, de que ele havia atingido o seu objetivo. Com sua lente, ele estava examinando ansiosamente as bordas da tampa pesada. Em seguida tirou do bolso um pé de cabra curto, que introduziu numa fenda, suspendendo toda a parte da frente, que parecia estar presa apenas por um par de grampos. Ouviu-se um ruído, como se algo estivesse sendo rasgado ou despedaçado, enquanto a tampa cedia, mas ela girou com dificuldade sobre as dobradiças, revelando parcialmente seu conteúdo, antes que fôssemos interrompidos de modo imprevisto.

Alguém estava caminhando em cima, na capela. Era o passo firme e rápido de quem veio com um objetivo definido e conhecia bem o chão onde pisava. Uma luz jorrou de cima das escadas, e um minuto depois o homem que a segurava apareceu emoldurado pelo arco gótico. Era uma figura medonha, de estatura colossal e jeito feroz. Uma grande lanterna de cocheira, que ele segurava à sua frente, iluminou um rosto enérgico, um bigode espesso e olhos coléricos que examinavam cada recesso do subterrâneo, fixando-se por fim, com uma expressão sinistra, em meu amigo e em mim.

— Quem diabos são vocês? — ele vociferou. — E o que estão fazendo dentro de minha propriedade? — Então, como Holmes não respondesse, avançou alguns metros e ergueu uma pesada bengala que carregava. — Vocês estão me ouvindo? — gritou. — Quem são vocês? O que estão fazendo aqui? — Seu bastão agitou-se no ar.

Mas, em vez de apavorar-se, Holmes avançou na direção dele.

— Eu também tenho uma pergunta para fazer-lhe, *sir* Robert — ele disse no seu tom de voz mais áspero. — Quem está aí dentro? E o que está fazendo aqui?

Ele virou-se e abriu a tampa do caixão atrás dele. Sob a luz da lanterna, vi um corpo enfaixado da cabeça aos pés em um lençol, com feições horríveis de bruxa, só nariz e queixo, olhos opacos e vidrados, num rosto desbotado e em decomposição.

O baronete cambaleou para trás com um grito e apoiou-se num sarcófago de pedra.

— Como o senhor soube disto? — ele perguntou. E em seguida, novamente com o seu jeito grosseiro. — O que é que os senhores têm a ver com isto?

— Meu nome é Sherlock Holmes — disse meu amigo. — Talvez o nome lhe seja familiar. De qualquer modo, meu negócio é o mesmo de todos os bons cidadãos: defender a lei. Parece que o senhor tem muito a explicar.

Sir Robert nos dirigiu um olhar penetrante, mas a voz de Holmes, tranquila e fria, e suas maneiras seguras surtiram efeito.

— Por Deus, sr. Holmes, está bem — ele disse. — Tudo parece estar contra mim, admito, mas eu não podia agir de outra maneira.

— Gostaria de pensar assim, mas acho que as suas explicações devam ser dadas à polícia.

Sir Robert encolheu seus ombros largos.

— Bem, se tiver que ser assim, que seja. Venham até a casa e poderão julgar por si mesmos.

Quinze minutos depois estávamos no que imaginei ser a sala de armas da casa, pelas armas de fogo enfileiradas atrás de protetores de vidro. Era uma sala confortavelmente mobiliada, e lá *sir* Robert deixou-nos a sós durante alguns momentos. Ao voltar, vinha acompanhado por duas pessoas, uma delas a jovem de rosto muito pintado, que víramos na carruagem, a outra, um homem com cara de rato e maneiras desagradavelmente furtivas. Os dois pareciam muito espantados, o que demonstrava que o baronete ainda não tivera tempo de explicar-lhes o rumo que os acontecimentos haviam tomado.

— Estes — disse *sir* Robert, com um aceno de mão — são o sr. e a sra. Norlett. A sra. Norlett, cujo nome de solteira era Evans, foi durante alguns anos a criada de confiança de minha irmã. Eu os trouxe aqui porque acho que o melhor a fazer é explicar aos senhores a verdadeira situação, e eles são as duas únicas pessoas no mundo que podem provar o que digo.

— Isto é necessário, *sir* Robert? O senhor pensou no que está fazendo? — exclamou a mulher.

— Quanto a mim, nego completamente toda a responsabilidade — disse o marido dela.

Sir Robert lançou-lhe um olhar de desprezo.

— Assumo toda a responsabilidade — disse ele. — Agora, sr. Holmes, ouça um relato verdadeiro dos fatos.

— O senhor, evidentemente, investigou meus negócios a fundo, ou eu não o teria encontrado onde o encontrei. Portanto, o senhor provavelmente já deve saber que um cavalo preto de minha propriedade vai participar do Derby e que tudo dependerá do êxito dessa corrida. Se meu cavalo vencer, tudo ficará fácil. Se perder, bem, não ouso pensar nisso!

— Compreendo a situação — disse Holmes.

— Dependo inteiramente de minha irmã Beatrice. Mas todo mundo sabe que só minha irmã pode se beneficiar do uso destas propriedades, e apenas enquanto viver. Quanto a mim, estou nas mãos dos agiotas. Sempre soube que, se minha irmã morresse, meus credores cairiam sobre os meus bens como um bando de abutres. Tudo me seria tomado, meus cavalos, meus estábulos, tudo. Bem, sr. Holmes, minha irmã morreu *realmente*, há uma semana.

— E o senhor não disse a ninguém?

— Como podia fazê-lo? Uma ruína total me ameaçava. Se eu pudesse protelar as coisas por três semanas, tudo estaria bem. O marido da criada dela, este homem aqui, é um ator. Tivemos a ideia, eu tive a ideia, de que ele poderia, durante este curto período, fazer-se passar por minha irmã. Bastava ele aparecer diariamente na carruagem, porque ninguém precisaria entrar no quarto dela, a não ser a criada. Não foi difícil fazer isso. Minha irmã morreu de hidropsia, doença de que sofria há muito tempo.

— Isto quem vai verificar é o chefe de polícia.

— O médico dela atestará que, durante meses, os sintomas da doença já faziam prever um fim como esse.

— Bem, o que o senhor fez?

— O corpo não podia ficar lá. Na primeira noite, Norlett e eu o carregamos para a velha casa do poço, que agora não é mais usada. Mas fomos seguidos pelo seu cachorro de estimação, que ficou latindo na porta, de modo que senti que seria necessário um lugar mais seguro. Livrei-me do *spaniel*, e carregamos o corpo para a cripta da igreja. Não houve indignidade ou irreverência, sr. Holmes. Não sinto que eu tenha ofendido a morta.

— Sua conduta me parece imperdoável, *sir* Robert.

O baronete sacudiu a cabeça com impaciência.

— É fácil falar — ele disse. — Talvez o senhor, se estivesse em meu lugar, sentisse de maneira diferente. Ninguém pode ver todas as suas esperanças e todos os seus planos se despedaçarem no último momento sem fazer um esforço para salvá-los. Achei que aquele lugar não seria indigno para o descanso se a puséssemos durante algum tempo em um dos esquifes dos antepassados de seu falecido marido, que descansavam em terreno já consagrado. Abrimos aquele esquife, retiramos os conteúdos e a colocamos conforme o senhor a viu. Quanto às velhas relíquias que tiramos, não podíamos deixá-las no chão da cripta. Norlett e eu as retiramos, e ele desceu à noite e as queimou na fornalha central. Esta é a minha história, sr. Holmes. Embora o senhor tenha me forçado a ponto de eu ter que contar mais do que devia.

Holmes ficou sentado durante algum tempo, refletindo.

— Há uma falha em sua narrativa, *sir* Robert — ele disse finalmente. — Suas apostas na corrida e, por conseguinte, suas esperanças para o futuro estariam de pé mesmo se os seus credores tomassem o seu patrimônio.

— O cavalo faz parte do patrimônio. Por que haveriam eles de se importar com as minhas apostas? Provavelmente eles não iriam fazê-lo correr. Meu principal credor, infelizmente, é o meu inimigo mais cruel, um patife, Sam Brewer, que uma vez fui obrigado a chicotear no Newmarket Heath. O senhor acredita que ele tentaria me salvar?

— Bem, *sir* Robert — disse Holmes, levantando-se —, é claro que este assunto deve ser encaminhado à polícia. Era meu dever esclarecer os fatos e agora devo deixá-los. Quanto à moralidade ou decência de sua conduta, não me cabe manifestar uma opinião. É quase meia-noite, Watson, e acho que devemos voltar aos nossos humildes aposentos.

Todos sabem agora que este episódio singular teve um final mais feliz do que o procedimento de *sir* Robert merecia. Shoscombe Prince venceu realmente o Derby, o seu dono embolsou 18 mil libras em apostas, e os credores esperaram até que a corrida terminasse, quando foram totalmente reembolsados, e ainda sobrou o suficiente para que *sir* Robert estabelecesse novamente uma boa situação na vida. Tanto a polícia como o juiz encararam os acontecimentos com indulgência, e, além de uma censura branda pela demora em registrar o falecimento da senhora, o feliz proprietário saiu incólume deste estranho incidente, numa vida que superou sombras e promessas, para terminar numa velhice honrada.

A AVENTURA DO NEGRO APOSENTADO

Naquela manhã, Sherlock Holmes estava predisposto à melancolia e à filosofia. Sua natureza prática e viva era sujeita a reações deste tipo.

— Você o viu? — ele perguntou.

— Você se refere ao velho que acabou de sair?

— Justamente.

— Sim, encontrei-o na porta.

— O que achou dele?

— Uma criatura patética, inútil e alquebrada.

— Exatamente, Watson. Patética e inútil. Mas a vida não é toda ela patética e inútil? A história dele não é um microcosmo do todo? Nós estendemos a mão. Nós agarramos. E, no final, o que é que fica em nossas mãos? Uma sombra. Ou pior do que uma sombra, a miséria.

— Ele é um dos seus clientes?

— Bem, acho que eu possa chamá-lo assim. Ele foi mandado pela Scotland Yard. Exatamente como os médicos às vezes mandam os seus doentes incuráveis a um curandeiro. Eles argumentam que não podem fazer mais nada e, aconteça o que acontecer, o paciente não poderá ficar pior do que já está.

— Qual é o problema?

Holmes pegou na mesa um cartão um tanto sujo. "Josiah Amberley".

— Ele afirma que era o sócio minoritário de Brickfall e Amberley, fabricantes de materiais artísticos. Você verá o nome deles impresso em caixas de tinta. Ele ganhou uma boa quantidade de dinheiro, retirou-se dos negócios aos 61 anos, comprou uma casa em Lewisham e parou para descansar após uma vida de incessante trabalho pesado.

Poderíamos achar que o futuro dele estava assegurado de forma razoável.

— Sim, realmente.

Holmes olhou de relance para algumas anotações que ele havia rabiscado nas costas de um envelope.

— Aposentou-se em 1896, Watson. No início de 1897, casou-se com uma mulher vinte anos mais nova, uma mulher bonita também, se é que a fotografia não lhe aumenta a beleza. Uma renda suficiente, uma esposa e tempo para o lazer. Parecia que diante dele havia uma estrada reta. Mas dois anos depois ele está, como você viu, tão alquebrado e miserável quanto qualquer criatura que se arraste sob o sol.

— Mas o que aconteceu?

— A velha história, Watson. Um amigo traiçoeiro e uma esposa volúvel. Parece que Amberley tinha um passatempo predileto, o jogo de xadrez. Não muito longe dele, em Lewisham, mora um jovem médico que também é jogador de xadrez. Tomei nota de seu nome, dr. Ray Ernest. Este médico estava frequentemente na casa, e uma intimidade entre ele e a sra. Amberley era uma consequência natural, pois você precisa admitir que o nosso infeliz cliente possui poucos encantos exteriores, independentemente de suas virtudes interiores. Na semana passada, os dois partiram juntos, paradeiro ignorado. Além do mais, a esposa infiel levou, como bagagem pessoal, uma caixa com escrituras do velho, que também continha grande parte das economias de seu marido. Será que poderemos encontrar esta senhora? Poderemos salvar o dinheiro? Um problema banal até agora, mas vital para Josiah Amberley.

— O que é que você fará a respeito disso?

— Bem, a pergunta imediata, meu caro Watson, é: o que *você* fará? Se você quiser fazer o favor de me representar. Você sabe que estou preocupado com o caso dos dois patriarcas coptas, que hoje deveria chegar a um ponto crítico. Realmente não tenho tempo para ir a Lewisham, mas a prova obtida no local tem um valor especial. O velho estava insistindo muito para que eu fosse, mas expliquei-lhe meu problema. Ele está disposto a encontrar-se com um representante meu.

— Sem dúvida — respondi. — Confesso que não sei como poderei ser útil, mas quero fazer o melhor que puder. — E foi assim que naquela tarde de verão parti para Lewisham, sem imaginar que uma semana depois o caso em que eu estava me envolvendo provocaria a mais inflamada celeuma de toda a Inglaterra.

Já era tarde da noite quando voltei à Baker Street para prestar contas da minha missão. Holmes estava recostado, o corpo magro esticado em sua poltrona, o cachimbo soltando lentas espirais de fumaça, enquanto suas pálpebras caíam sobre os olhos tão preguiçosamente que ele quase podia ter adormecido, se não fosse o fato de que, em toda pausa ou trecho questionável de minha narrativa, elas se erguiam até o meio, e dois olhos cinzentos, tão brilhantes e vivos quanto floretes, trespassavam-me com seu olhar inquisitivo.

— The Haven é o nome da casa do sr. Josiah Amberley — expliquei. — Acho que isto o interessaria, Holmes. É como um aristocrata indigente que mergulhou na companhia de seus subalternos. Você conhece aquele bairro a que me refiro, as monótonas ruas de tijolos, as enfadonhas estradas suburbanas. Bem no meio delas está situada esta velha casa, uma pequena ilha de cultura e de conforto à antiga, cercada por um muro alto, manchado de líquens e cheio de musgo, o tipo de muro...

— Deixe a poesia de lado, Watson — disse Holmes com severidade. — Anotei que era um muro alto de tijolos.

— Exatamente. Eu não saberia qual era The Haven, se eu não tivesse perguntado a um vagabundo que estava fumando na rua. Tenho minhas razões para mencioná-lo. Ele era alto, moreno, com um grande bigode, um homem de aparência um tanto militar. Ele indicou com a cabeça em resposta à minha pergunta e lançou-me um olhar de curiosidade, que um pouco mais tarde me voltou à lembrança.

— Eu mal havia atravessado o portão de entrada quando avistei o sr. Amberley descendo pelo caminho. Eu só o vira de relance esta manhã, e ele certamente deu-me a impressão de uma criatura estranha, mas, quando o vi em plena luz, sua aparência era ainda mais anormal.

— É claro que eu o observei, e contudo estou interessado em saber a sua impressão — disse Holmes.

— Ele me pareceu um homem oprimido por preocupações. Suas costas estavam curvadas, como se ele carregasse um fardo pesado. Mas não era a criatura fraca que eu havia imaginado no início, porque seus ombros e o peito têm a estrutura de um gigante, embora sua figura vá se afunilando, terminando num par de pernas compridas e magras.

— O sapato esquerdo enrugado, o direito esticado.

— Não observei isto.

— Não, você não o faria. Observei sua perna artificial. Mas prossiga.

— Fiquei impressionado com os anéis encrespados de seu cabelo grisalho, que apareciam sob o chapéu de palha velho, seu rosto com uma expressão feroz e suas feições de traços muito marcados.

— Muito bem, Watson. O que ele disse?

— Ele começou a despejar a história de suas mágoas. Caminhamos juntos pelo passeio, e é claro que observei bem tudo em volta. Nunca vi um lugar tão malcuidado. O jardim estava completamente abandonado, dando a impressão de completa negligência, que permitiu que as plantas seguissem o caminho da natureza, e não o caminho da arte. Como uma mulher decente poderia tolerar esse estado de coisas, não sei. A casa também estava desmazelada até o último grau, mas o pobre homem parecia ciente disto e estava tentando remediar a situação, porque havia um grande pote de tinta verde no meio do saguão, e ele estava carregando uma broxa grossa na mão esquerda. Ele estivera trabalhando no madeirame.

"Ele me levou ao seu sujo refúgio, e tivemos uma longa conversa. Naturalmente ele estava desapontado pelo fato de você não ter ido. 'Eu não esperava', ele disse, 'que um indivíduo tão humilde como eu, principalmente após o meu pesado prejuízo financeiro, pudesse obter a atenção total de um homem tão famoso quanto Sherlock Holmes'.

"Assegurei-lhe que a questão financeira não existia. 'Não, é claro, com ele é arte pelo amor à arte', ele disse, 'mas, mesmo do lado artístico do crime, ele poderia ter encontrado aqui algo para investigar. E a natureza humana, dr. Watson, a terrível ingratidão de tudo isto! Quando foi que eu recusei algum pedido dela? Alguma mulher já foi tão mimada? E aquele rapaz, ele poderia ter sido meu próprio filho.

Ele tinha livre entrada em nossa casa. Entretanto, veja como eles me trataram! Oh, dr. Watson, este mundo é terrível, terrível!'.

"Este foi o estribilho de suas queixas durante uma hora ou mais. Parece que ele não suspeitava de um amor ilícito. Eles moravam sós, a não ser por uma criada que vinha de manhã e ia embora às seis horas. Naquela noite, o velho Amberley, querendo agradar à sua mulher, havia adquirido dois lugares na galeria superior do Teatro Haymarket. No último momento ela queixou-se de dor de cabeça e não quis ir. Ele foi só. Parece não haver nenhuma dúvida quanto a esse fato, pois ele apresentou o bilhete que trouxera para a sua esposa e que não foi usado."

— Isto é estranho, muito estranho — disse Holmes, cujo interesse pelo caso parecia estar aumentando. — Por favor, continue, Watson. Acho sua narrativa interessantíssima. Você examinou pessoalmente este bilhete? Você por acaso não anotou o número?

— Acontece que anotei — respondi com orgulho. — Por acaso era o meu antigo número da escola, 31, e ficou gravado na minha cabeça.

— Excelente, Watson! Então a cadeira dele era 30 ou 32.

— Perfeitamente — respondi um tanto perplexo. — E na fila B.

— Isto é bastante satisfatório. O que mais ele lhe contou?

— Ele mostrou seu quarto-forte, como ele o chama. É realmente um quarto-forte, como um banco, com porta de ferro e uma de madeira, à prova de ladrão, como ele afirmou. Mas parece que a mulher tinha uma duplicata da chave, e os dois juntos tinham carregado umas sete mil libras, em dinheiro e obrigações da dívida pública.

— Obrigações da dívida pública? Como eles poderiam vender estas obrigações?

— Ele disse que dera à polícia uma lista e esperava que elas não fossem vendáveis. Ele voltou do teatro mais ou menos à meia-noite e encontrou a casa saqueada, a porta e a janela abertas, e os dois já haviam fugido. Não deixaram nenhuma carta ou mensagem, e desde então ele também não recebeu uma palavra dela. Ele avisou imediatamente à polícia.

Holmes refletiu durante alguns minutos.

— Você disse que ele estava pintando. O que é que ele estava pintando?

— Bem, ele pintava o corredor. Mas já havia pintado a porta e todas as partes em madeira deste quarto que mencionei.

— Você não achou que era uma ocupação estranha nestas circunstâncias?

— "É preciso fazer alguma coisa para aliviar um coração dolorido." Foi esta a explicação que ele deu. É esquisito, sem dúvida, mas ele é, evidentemente, um homem esquisito. Ele rasgou uma das fotografias de sua mulher na minha presença. Rasgou-a furiosamente, numa tempestade de fúria. "Eu não quero nunca mais ver a sua maldita cara", ele gritou.

— Mais alguma coisa, Watson?

— Sim, uma coisa que me impressionou mais do que qualquer outra. Eu fui para a estação Blackheath e apanhei o meu trem lá, e, exatamente quando o trem estava partindo, vi um homem entrando rapidamente no vagão colado ao meu. Você sabe que sou um bom fisionomista, Holmes. Sem dúvida nenhuma era o homem alto e moreno com quem falei na rua. Avistei-o uma vez na Ponte de Londres e depois o perdi de vista na multidão. Mas estou convencido de que ele estava me seguindo.

— Sem dúvida! Sem dúvida! — disse Holmes. — Um homem alto, moreno, com um bigode grande, você diz, com óculos de sol cinzentos?

— Holmes, você é um adivinho. Eu não disse isso, mas ele *estava* com óculos de sol cinzentos.

— E um alfinete de gravata maçônico?

— Holmes!

— Muito simples, meu caro Watson. Mas vamos tratar de coisas práticas. Devo admitir que o caso, que me parecia tão absurdamente simples que nem valia a pena eu perder meu tempo com ele, está assumindo rapidamente um aspecto muito diferente. É verdade que, embora em sua missão você tenha deixado passar todas as coisas importantes, até mesmo as coisas que se impuseram à sua atenção deram origem a graves reflexões.

— O que foi que eu deixei escapar?

— Não se ofenda, meu caro. Você sabe que sou muito impessoal. Ninguém teria feito melhor. Alguns possivelmente não tão bem. Mas de fato você perdeu alguns pontos fundamentais. Qual é a opinião dos vizinhos sobre Amberley e sua mulher? Isto é muito importante. E quanto ao dr. Ernest? Era ele o jovial Lothario que se poderia esperar? Com suas vantagens naturais, Watson, toda mulher é sua auxiliar e sua cúmplice. E a moça do correio, ou a mulher do quitandeiro? Posso imaginar você cochichando ternas banalidades no ouvido da moça no Blue Anchor e recebendo em troca informações concretas. Tudo isto você deixou de fazer.

— Isto ainda pode ser feito.

— Já foi feito. Graças ao telefone e à ajuda da Scotland Yard, geralmente consigo obter aquilo de que necessito sem sair deste quarto. Na verdade, minha informação confirma a história do homem. Ele tem fama, no local, de ser um marido tão avarento quanto intratável e exigente. Que ele tinha uma grande soma de dinheiro naquele quarto-forte é verdade. Também é verdade que o jovem dr. Ernest, um homem solteiro, jogava xadrez com Amberley, e provavelmente fez-se de tolo com a mulher dele. Tudo isto parece muito simples, e seria possível pensar que não há mais para ser dito... mas... mas!

— Onde está a dificuldade?

— Na minha imaginação, talvez. Bem, deixe isso de lado, Watson. Vamos fugir deste enfadonho mundo de trabalho diário e ouvir música. Carina canta esta noite no Albert Hall, e nós ainda temos tempo para nos vestir, jantar e nos alegrar.

De manhã, levantei-me cedo, mas algumas migalhas de torradas e duas cascas de ovos vazias indicaram que meu amigo levantara-se mais cedo ainda. Encontrei um bilhete rabiscado na mesa.

Caro Watson

Há um ou dois pontos que eu gostaria de esclarecer com o sr. Josiah Amberley. Depois que eu tiver feito isso, poderemos desistir do caso — ou não. Eu só lhe pediria para estar disponível por volta das 15 horas, porque talvez eu precise de você.

S.H.

Não vi Holmes o dia inteiro, mas na hora marcada ele voltou, grave, preocupado e distante. Nessas ocasiões era melhor deixá-lo sozinho.

— Amberley já esteve aqui?

— Não.

— Ah! Eu o estou aguardando.

Ele não ficou desapontado, porque pouco depois o velho chegou com uma expressão muito intrigada e preocupada.

— Recebi um telegrama, sr. Holmes. Não consigo entender. — Ele entregou o telegrama ao detetive, que o leu em voz alta.

Venha imediatamente, sem falta. Posso dar-lhe informações quanto à sua recente perda.

Elman. O Vicariato

— Despachado de Little Purlington às 14h10 — disse Holmes. — Little Purlington fica em Essex, eu acho, não muito longe de Frinton. Bem, é claro que o senhor partirá imediatamente. Este telegrama, evidentemente, é de uma pessoa responsável, o vigário do lugar. Onde está a minha lista telefônica? Sim, aqui está ele, J.C. Elman, M.A., morando em Moosmoor, esquina de Little Purlington. Veja o horário dos trens, Watson.

— Às 17h20 sai um da estação de Liverpool Street.

— Excelente. O melhor que você faz é ir com ele, Watson. Ele pode precisar de ajuda ou de conselho. Evidentemente chegamos a uma crise neste assunto.

Mas nosso cliente não parecia nem um pouco ansioso por partir.

— É completamente absurdo, sr. Holmes — ele disse. — O que esse homem pode saber a respeito do que aconteceu? É perda de tempo e de dinheiro.

— Ele não lhe teria telegrafado se não soubesse de alguma coisa. Telegrafe imediatamente avisando que o senhor está a caminho.

— Acho que não irei.

Holmes assumiu o seu aspecto mais severo.

— Isto causaria a pior impressão tanto na polícia quanto em mim mesmo, sr. Amberley, se ao surgir uma pista tão óbvia o senhor se recusasse a segui-la. Nós sentiríamos que o senhor, realmente, não está levando a sério esta investigação.

Nosso cliente pareceu ficar horrorizado com a insinuação.

— Ora, é claro que eu irei, se o senhor vê a coisa desta maneira — ele disse. — À primeira vista, parece absurdo supor que este pároco saiba alguma coisa, mas se o senhor acha...

— Eu *realmente* acho — disse Holmes com ênfase, e assim foi decidida nossa viagem. Holmes puxou-me de lado antes de sairmos da sala e deu-me um conselho que mostrou que ele considerava o assunto importante. — O que quer que você faça, cuide para que ele *realmente* vá — ele disse. — Se ele abandonar a viagem ou voltar, vá à central telefônica mais próxima e mande-me dizer somente a palavra *fugiu*. Providenciarei aqui para que este telefonema me alcance onde eu estiver.

Little Purlington não é um lugar fácil de se chegar, porque fica num ramal. Minha lembrança da viagem não é muito agradável, porque a temperatura estava elevada, o trem vagaroso e o meu companheiro, mal-humorado e calado, quase não falou, a não ser para fazer uma observação ocasional e mordaz sobre a inutilidade de nosso procedimento. Quando finalmente chegamos à pequena estação, ainda percorremos três quilômetros de charrete até o vicariato, onde um clérigo grande, solene e um tanto pomposo nos recebeu em seu gabinete de trabalho. Nosso telegrama estava diante dele.

— Bem, cavalheiros — ele perguntou —, o que posso fazer pelos senhores?

— Viemos — expliquei — em resposta ao seu telegrama.

— Meu telegrama? Não mandei nenhum telegrama.

— Estou me referindo ao telegrama que o senhor enviou ao sr. Josiah Amberley, a respeito de sua esposa e do dinheiro.

— Se isto é uma piada, senhor, é uma piada de mau gosto — disse o vigário, zangado. — Nunca ouvi falar de um cavalheiro com este nome e não telegrafei a ninguém.

Nosso cliente e eu nos olhamos espantados.

— Talvez haja algum engano — eu disse. — Será que existem dois vicariatos? Aqui está o telegrama, assinado "Elman. O Vicariato."

— Só há um vicariato, senhor, e apenas um vigário, e o telegrama é uma falsificação escandalosa, cuja origem certamente será investigada pela polícia. Enquanto isso, não vejo motivo para prolongar esta entrevista.

Assim o sr. Amberley e eu nos encontramos à beira da estrada, na aldeia que me parecia ser a mais primitiva da Inglaterra. Fomos até a agência telegráfica, mas ela já estava fechada. Mas havia um telefone na pequena Railway Arms, e por ele consegui entrar em contato com Holmes, que também se espantou com o resultado da viagem.

— Muito estranho! — disse a voz distante. — Extraordinário! Receio, meu caro Watson, que esta noite não haja trem para você voltar. Condenei-o, involuntariamente, aos horrores de uma hospedaria rural. Mas há sempre a natureza, Watson, a natureza e Josiah Amberley; você poderá ficar em contato íntimo com ambos. — Ouvi sua risada de zombaria enquanto ele desligava.

Ficou logo evidente que a fama de avarento do meu companheiro era muito merecida. Ele havia se queixado das despesas da viagem, insistira em viajar de terceira classe e agora estava botando a boca no mundo com suas objeções a uma conta de hotel. Na manhã seguinte, quando finalmente chegamos a Londres, era difícil dizer qual de nós dois estava de pior humor.

— O senhor deveria ir primeiro à Baker Street — eu disse. — O sr. Holmes pode ter novas instruções a dar.

— Se elas não valem mais do que as últimas, não serão de muita utilidade — disse Amberley com um olhar carrancudo.

Mesmo assim ele continuou em minha companhia. Eu já havia avisado a Holmes, por telegrama, a hora de nossa chegada, mas encontramos uma mensagem à nossa espera, dizendo que ele estava em Lewisham e que nos aguardaria lá. Foi uma surpresa, mas foi uma surpresa ainda maior descobrir que ele não estava só na sala de estar do nosso cliente. Um homem impassível, de olhar severo, estava sentado ao seu lado, um homem moreno, de óculos de sol cinzentos, e um grande alfinete maçônico em sua gravata.

— Este é o meu amigo sr. Barker — disse Holmes. — Ele também está interessado no seu problema, sr. Josiah Amberley, embora estejamos trabalhando de modo independente. Mas nós dois temos a mesma pergunta a lhe fazer!

O sr. Amberley sentou-se pesadamente. Ele teve uma sensação de perigo iminente. Percebi isto pela expressão de seus olhos e pela contração de suas feições.

— Qual é a pergunta, sr. Holmes?

— Apenas esta: o que foi que o senhor fez com os corpos?

O homem ficou de pé num salto e deu um grito rouco. Ele agitou no ar as mãos ossudas. Sua boca estava aberta, e naquele instante ele parecia uma horrível ave de rapina. Num abrir e fechar de olhos, tivemos o vislumbre do verdadeiro Josiah Amberley, um demônio com uma alma tão deformada quanto o seu corpo. Quando ele caiu novamente em sua cadeira, bateu com a mão nos lábios, como para abafar a tosse. Holmes saltou sobre sua garganta como um tigre e torceu seu rosto em direção ao chão. Uma bala branca caiu por entre os seus lábios ofegantes.

— Nada de golpes, Josiah Amberley. As coisas devem ser feitas com honestidade e em ordem. E agora, Barker?

— Tenho uma carruagem na porta — disse o nosso taciturno companheiro.

— São alguns metros até a estação. Iremos juntos. Você pode ficar aqui, Watson. Estarei de volta dentro de meia hora.

O velho negro tinha a força de um leão naquele seu corpo imenso, mas ficou impotente nas mãos dos dois detetives experientes. Fazendo um rebuliço e se contorcendo, ele foi arrastado para a carruagem, e eu fiquei na minha solitária vigília na casa agourenta. Mas Holmes voltou antes do previsto e veio em companhia de um jovem e elegante inspetor de polícia.

— Deixei Barker cuidar das formalidades — disse Holmes. — Você ainda não conhecia Barker, Watson. Ele é o meu odiado rival que mora na praia do Surrey. Quando você falou de um homem alto, moreno, não me foi difícil completar o retrato. Ele tem vários casos bem-sucedidos, não tem, inspetor?

— Ele realmente interferiu algumas vezes — o inspetor respondeu com reserva.

— Os métodos que ele usa sem dúvida são irregulares, como os meus próprios. As irregularidades às vezes são úteis, não é? Você, por exemplo, sendo obrigado a avisar que tudo o que o acusado disser pode ser usado contra ele, jamais poderia ter blefado com este velhaco, obrigando-o a fazer praticamente uma confissão.

— Talvez não. Mas teríamos chegado lá de qualquer maneira, sr. Holmes. Não pense que não tínhamos nossas próprias opiniões a respeito deste caso e que não teríamos agarrado o homem. O senhor perdoará por nos sentirmos melindrados quando o senhor entra no caso com métodos que não podemos usar, e assim roubando-nos o crédito.

— Não haverá esse roubo, MacKinnon. Garanto-lhe que daqui por diante vou sumir, e quanto a Barker ele não fez nada, a não ser aquilo que eu lhe disse.

O inspetor pareceu bastante aliviado.

— É muita generosidade de sua parte, sr. Holmes. Elogios ou censuras podem significar pouco para o senhor, mas para nós é muito diferente quando os jornais começam a fazer perguntas.

— Perfeitamente. Mas eles farão perguntas de qualquer maneira, portanto seria conveniente ter as respostas. O que você dirá, por exemplo, quando o repórter inteligente e ousado lhe perguntar quais foram exatamente os detalhes que despertaram as suas suspeitas e finalmente deram-lhe uma certa convicção quanto aos fatos reais?

O inspetor pareceu intrigado.

— Acho que ainda não obtivemos fatos reais, sr. Holmes. O senhor afirmou que o prisioneiro, na presença de três testemunhas, praticamente confessou ao tentar se suicidar, que havia assassinado a mulher e o amante dela. Que outros fatos o senhor tem a apresentar?

— O senhor tomou providências para uma busca?

— Há três policiais a caminho.

— Então o senhor logo obterá o mais óbvio de todos os fatos. Os corpos não podem estar longe. Examine os porões e o jardim. Não levará muito tempo para escavar os lugares prováveis. Esta casa é mais velha do que os canos d'água. Deve haver um poço abandonado em algum lugar. Tente a sua sorte lá.

— Mas como é que o senhor soube disto, e como isto foi feito?

— Vou mostrar-lhe primeiramente como isto foi feito e depois darei a explicação que lhe é devida e mais ainda ao meu paciente amigo aqui, cuja ajuda tem sido inestimável desde o início. Mas antes vou dar-lhes uma ideia da mentalidade do homem. É uma mentalidade muito pouco comum, tanto assim que acho mais provável que o seu destino seja o Broadmoor do que a forca. Ele tem, em alto grau, o tipo de mente que associamos mais à natureza medieval italiana do que à mentalidade britânica moderna. Ele era um avarento infeliz que fez sua mulher tão desgraçada por causa da sua mesquinhez que ela se tornou presa fácil para qualquer aventureiro. Esse aventureiro apareceu em cena na pessoa deste médico jogador de xadrez. Amberley sobressaía-se no xadrez, um indício de mente ardilosa. Como todos os avarentos, ele era um homem ciumento, e seus ciúmes transformaram-se em loucura furiosa. Certo ou errado, ele suspeitou de um amor ilícito. Decidiu se vingar, e planejou tudo com inteligência diabólica. Venham cá!

Holmes nos conduziu pelo corredor com tanta segurança quanto se tivesse morado na casa e parou em frente à porta aberta do quarto-forte.

— Hum! Que cheiro forte de tinta! — exclamou o inspetor.

— Esta foi a nossa primeira pista — disse Holmes. — O senhor pode agradecer à observação do dr. Watson por isto, embora ele falhasse na dedução. Isto me botou na pista. Por que este homem estaria, numa ocasião dessas, enchendo a casa de odores fortes? Obviamente para encobrir outros cheiros que ele quisesse disfarçar, algum cheiro criminoso que despertasse suspeitas. Então veio a ideia de um quarto, como os senhores estão vendo aqui, com a porta de ferro e uma de madeira, um quarto hermeticamente fechado. Juntem esses dois fatos, e aonde eles nos conduzem? Eu só poderia confirmar isto examinando pessoalmente a casa. Já tinha certeza de que o caso era grave, porque observara o quadro dos lugares vendidos na bilheteria do teatro Haymarket, outro alvo do dr. Watson, e verificara que nem a cadeira 30 nem a 32 da fila B da galeria superior haviam sido ocupadas naquela noite. Portanto, Amberley não estivera no teatro, e seu álibi caiu por terra. Ele cometeu um erro feio quando permitiu que o meu astuto amigo visse o número da cadeira comprada para a sua mulher. Então surgiu a pergunta: como eu poderia inspecionar a casa? Enviei um agente meu à aldeia mais impraticável que pude imaginar e fiz o homem ir lá, numa hora em que seria impossível para ele voltar no mesmo dia. Para evitar qualquer imprevisto, o dr. Watson o acompanhou. O nome do bondoso vigário tirei, naturalmente, da lista telefônica. Está claro para vocês?

— É magistral — disse o inspetor, numa voz reverente.

— Não havendo perigo de ser interrompido, passei a arrombar a casa. O arrombamento sempre foi para mim uma profissão alternativa, se eu tivesse querido adotá-la, e não tenho dúvida de que eu me tornaria um dos melhores. Observem o que descobri. Vocês estão vendo o cano de gás aqui, ao longo do rodapé. Muito bem. Ele sobe no canto da parede, e há uma torneira aqui. O cano corre para dentro do quarto-forte, como os senhores podem ver, e termina naquela rosácea de gesso, no centro do teto, onde fica escondido pela ornamentação. O final do cano é bem aberto. A qualquer momento, abrindo a torneira do lado de fora, o quarto poderia ficar cheio de gás. Com a porta de madeira e a de ferro fechadas e a torneira completamente aberta, eu não daria dois minutos de consciência a qualquer pessoa trancada naquele quarto. Com que estratagema diabólico ele os fez cair na armadilha não sei, mas, uma vez dentro do quarto, eles estavam à sua mercê.

O inspetor examinou o cano com interesse.

— Um dos nossos agentes mencionou o cheiro de gás — ele disse —, mas, naturalmente, na ocasião a janela e a porta estavam abertas, e havia o cheiro de tinta. Ele começara o trabalho de pintura no dia anterior, de acordo com a sua história. Mas e depois, sr. Holmes?

— Bem, então ocorreu um incidente que para mim foi um tanto inesperado. Eu estava entrando pela janela da copa, ao amanhecer, quando senti uma mão na gola do meu casaco, e ouvi uma voz que dizia: "Agora, seu patife, o que você está fazendo aqui dentro?" Quando consegui virar a cabeça, deparei com os óculos coloridos do meu amigo e rival, o sr. Barker. Foi uma curiosa confraternização, e nós dois tivemos que rir. Parece que ele fora contratado pela família do dr. Ray Ernest para fazer algumas investigações e havia chegado à mesma conclusão quanto a uma traição. Ele havia observado a casa durante alguns dias e reconheceu o dr. Watson como uma das pessoas mais obviamente suspeitas que visitaram o local. Ele dificilmente poderia ter prendido Watson, mas, quando viu um homem subindo pelo lado de fora da janela da copa, acabou-se o seu impedimento. É claro que contei a ele em que pé estavam as coisas, e continuamos juntos a investigação.

— Por que ele? Por que não nós?

— Porque era minha ideia fazer aquele pequeno teste que deu um resultado tão maravilhoso. Creio que vocês não teriam ido tão longe.

O inspetor sorriu.

— Bem, talvez não. Entendi que o senhor prometeu sair agora do caso e que vai passar para nós todos os resultados que obteve.

— Certamente, eu sempre agi assim.

— Bem, em nome da Scotland Yard, eu lhe agradeço. Parece um caso simples do jeito que o senhor explicou e, quanto aos corpos, não deve haver dificuldade.

— Vou mostrar-lhes um pouco de evidência sinistra — disse Holmes — e tenho certeza de que o próprio Amberley nunca observou isto. O senhor obterá resultados, inspetor, colocando-se sempre no lugar do outro sujeito, e pensando no que o senhor mesmo faria. Isto requer alguma imaginação, mas compensa. Agora, vamos fazer de conta que os senhores estavam trancados neste pequeno quarto, não tinham nem dois minutos de vida, mas queriam ajustar contas com o demônio que provavelmente zombava de vocês do outro lado da porta. O que vocês fariam?

— Escreveríamos uma mensagem.

— Exatamente. Vocês gostariam de contar aos outros como morreram. Não adiantaria escrever em papel. Isto seria descoberto. Se vocês escrevessem na parede, alguém poderia dar com os olhos no que vocês tivessem escrito. Agora, vejam aqui! Bem acima do rodapé está rabiscado, com lápis cor púrpura indelével. "Nós fo..." Isto é tudo.

— Como é que vocês interpretariam isso?

— Bem, isto está apenas trinta centímetros acima do assoalho. O pobre-diabo estava no chão, morrendo, quando escreveu isto. Perdeu os sentidos antes de conseguir terminar.

— Ele estava escrevendo: "Nós fomos assassinados."

— Foi assim que interpretei isto. Se vocês encontrarem um lápis indelével junto ao corpo...

— Procuraremos, esteja certo. Mas e aqueles títulos da dívida pública? Evidentemente não houve roubo nenhum. Mas ele tinha esses títulos. Nós verificamos isso.

— Podem ter certeza de que ele os escondeu num lugar seguro. Quando a fuga da mulher já tivesse entrado para a história, ele os descobriria de repente e divulgaria que o casal culpado se havia compadecido dele e enviado de volta o que roubara ou o que havia abandonado no caminho.

— O senhor parece ter enfrentado todas as dificuldades — disse o inspetor. — Naturalmente ele foi obrigado a recorrer a nós, mas por que ele foi procurá-lo, não consigo entender.

— Pura pretensão! — respondeu Holmes. — Ele se considerava tão inteligente e estava tão seguro de si que imaginava que ninguém poderia pegá-lo. Ele podia dizer a cada vizinho: "Olhe as providências que eu tomei. Consultei não só a polícia, mas até Sherlock Holmes."

O inspetor riu.

— Devemos perdoá-lo pelo "até", sr. Holmes — ele disse —, é o trabalho mais bem-feito de que consigo me lembrar.

Dois dias depois, meu amigo mostrou-me a publicação quinzenal *North Surrey Observer*. Sob uma série de títulos inflamados que começavam com "O Horror do Haven" e terminavam com "Brilhante Investigação Policial", havia uma coluna impressa que dava o primeiro relato completo do caso. O parágrafo final era típico do todo. Dizia o seguinte:

A notável perspicácia com que o inspetor MacKinnon deduziu, pelo cheiro de tinta, que algum outro cheiro, o de gás, por exemplo, podia ter sido dissimulado; a dedução ousada de que o quarto-forte podia ser também a câmara da morte, e a subsequente investigação que levou à descoberta dos corpos num poço abandonado, habilmente disfarçado por um canil, ficará na história do crime como um exemplo da inteligência dos nossos detetives profissionais.

— Bem, bem, MacKinnon é um bom sujeito — disse Holmes com um sorriso tolerante. — Você pode incluí-lo nos seus arquivos, Watson. Algum dia a verdadeira história será contada.

SOBRE O AUTOR

ARTHUR CONAN DOYLE nasceu em 22 de maio de 1859, em Edimburgo, capital da Escócia. Em 1876, ingressou na Universidade de Edimburgo, no curso de medicina. Foi lá que conheceu o dr. Joseph Bell, cujos surpreendentes métodos de dedução e análise foram de grande influência na futura criação de seu detetive.

Além do dr. Bell, Doyle se inspirou em Émile Gaboriau e no detetive Dupin — de Edgar Allan Poe — para conceber a primeira versão do que seria o personagem que conhecemos hoje: um tal Sherringford Holmes, posteriormente Sherlock Holmes.

Depois de muitas tentativas e frustrações, em 1887 Doyle conseguiu que sua primeira história com o detetive, *Um estudo em vermelho*, fosse publicada. A boa aceitação do público o levou a escrever a segunda história de Holmes, *O sinal dos quatro*.

Doyle acabou abandonando a medicina para seguir definitivamente a carreira literária. As histórias de Sherlock Holmes tornaram-se mais e mais populares, obrigando o autor a continuar criando casos para seu detetive. E, quanto mais Holmes expunha suas habilidades para um público estupefato, mais obscurecidas ficavam as outras obras de Doyle.

Para sua grande surpresa, a morte de Sherlock Holmes, publicada em 1893 no caso "O problema final", chocou milhares de pessoas. Assim, em meio a um turbilhão de protestos e insultos, o autor foi obrigado a ressuscitar o personagem no caso "A casa vazia", em 1903.

Em 1902, Doyle foi agraciado pelo governo inglês com o título de *sir*, pela produção do panfleto patriótico *The War in South Africa*.

Debilitado por um ataque cardíaco, *sir* Arthur Conan Doyle morreu em 7 de julho de 1930, em Crowborough, condado de Sussex, na Inglaterra.

Este livro foi impresso em 2022 para a HarperCollins Brasil.